Os anos

VIRGINIA WOOLF

Os anos

TRADUÇÃO
RAUL DE SÁ BARBOSA

ns

SÃO PAULO, 2023

Os anos
The Years
Copyright da tradução © 1982 by Raul de Sá Barbosa
Copyright © 2023 by Novo Século Editora Ltda.

EDITOR: Luiz Vasconcelos
GERENTE EDITORIAL: Letícia Teófilo
ASSISTENTE EDITORIAL: Gabrielly Saraiva
TRADUÇÃO: Raul de Sá Barbosa
REVISÃO: Carolina Grego Donadio • Gabriel Kwak
Patrizia Zagni • Simone Habel • Marina Montrezol
PROJETO GRÁFICO E DIAGRAMAÇÃO: João Paulo Putini
ILUSTRAÇÃO DE CAPA: Bruno Novelli

Texto de acordo com as normas do Novo Acordo Ortográfico da Língua Portuguesa (1990), em vigor desde 1º de janeiro de 2009.

Dados Internacionais de Catalogação na Publicação (CIP)
(Câmara Brasileira do Livro, SP, Brasil)

Woolf, Virginia
Os anos / Virginia Woolf;
tradução Raul de Sá Barbosa – 2. ed.
Barueri, SP: Novo Século Editora, 2023.
416 p.

ISBN 978-65-5561-509-8
Título original: *The Years*

1. Ficção inglesa I. Título. II. Barbosa, Raul de Sá.
23-0566   CDD 823

Índice para catálogo sistemático:
1. Ficção inglesa

GRUPO NOVO SÉCULO
Alameda Araguaia, 2190 – Bloco A – 11º andar – Conjunto 1111
CEP 06455-000 – Alphaville Industrial, Barueri – SP – Brasil
Tel.: (11) 3699-7107 | E-mail: atendimento@gruponovoseculo.com.br
www.gruponovoseculo.com.br

1880

Era uma primavera instável. O tempo, perpetuamente em mudança, mandava nuvens azuis e púrpuras por sobre a terra. No campo, os fazendeiros, olhando para a plantação, ficavam apreensivos. Em Londres, as pessoas olhavam para o céu, abrindo e logo fechando os guarda-chuvas. Em abril, porém, um tempo assim era de se esperar. Milhares de caixeiros de lojas diziam isso mesmo, ao entregarem embrulhos bem-feitos a senhoras de vestido estampado do outro lado do balcão, no Whiteley's ou nas Army and Navy Stores. Intermináveis procissões de fregueses no West End, de homens de negócios no East, marchavam pela rua, como caravanas sempre em movimento – ou era o que parecia aos que tinham algum motivo para se deter, digamos, a fim de pôr uma carta no correio ou olhar uma vitrine em Piccadilly. A procissão de landaus, vitórias e fiacres era incessante, pois a estação acabara de começar. Nas ruas mais tranquilas, músicos ofereciam parcimoniosamente um fio de som dos seus frágeis e quase sempre melancólicos instrumentos – reproduzidos ou parodiados, aqui e ali, no Hyde Park como em St. James, pelo pipilar dos pardais e as súbitas explosões do amoroso, mas intermitente tordo. Os pombos nas praças agitavam-se nos ramos das árvores, deixando tombar um galhinho ou outro, entoando repetidamente o mesmo acalanto sempre interrompido. Os portões, em Marble Arch e Apsley House, ficavam bloqueados à tardinha por senhoras em vestidos multicores com anquinhas e por cavalheiros de fraque e bengala, com cravos na lapela. A princesa surgia e, à sua passagem, os chapéus saudavam. Nos porões das longas avenidas dos bairros residenciais, empregadas de touca e avental preparavam chá. Ascendendo por tortuosos caminhos, o bule de prata era finalmente descansado em cima da mesa, e donzelas e solteironas, com mãos que haviam pensado as feridas de Bermondsey e Hoxton, mediam cuidadosamente uma, duas, três, quatro colheres de chá. Quando o sol se punha, um milhão de pequenas luzes de gás, com a forma dos olhos das penas do pavão, abriam-se nas suas gaiolas de vidro. Mesmo assim, restavam largas áreas de sombra nas calçadas. A claridade mista dos bicos de gás e do crepúsculo refletia-se igualmente nas plácidas águas do Round Pond e da Serpentine. Gente que saíra para jantar fora, trotando pela ponte em cabriolés, demorava os olhos por um momento na encantadora vista. Por fim, a lua aparecia, e sua moeda polida, embora escondida de espaço em espaço por fiapos de nuvens, brilhava serenamente, com severidade ou talvez completa indiferença. Girando devagar, como os raios de um holofote, os dias, as semanas e os anos passavam um após outro, projetados contra o céu.

* * *

O coronel Abel Pargiter estava sentado à mesa no seu clube, conversando depois do almoço. E como seus companheiros, nas suas poltronas de couro, eram homens da sua mesma espécie, que haviam sido soldados, funcionários públicos, homens já àquela altura aposentados, eles reviviam, com velhas pilhérias e casos, seu passado na Índia, na África, no Egito. Numa transição natural, voltavam-se depois para o presente. Tratava-se de uma nomeação, de alguma possível nomeação. De repente, o mais jovem e mais lépido dos três curvou-se para a frente. Na véspera tinha almoçado com... Aí a voz do orador baixou. Os outros se curvaram para ele. Com um breve gesto da mão, o coronel Abel dispensou o garçom que retirava as xícaras do café. As três cabeças grisalhas nas quais a calvície avançava permaneceram juntas por alguns minutos. Então o coronel Abel recostou-se em sua cadeira. O curioso brilho que luzira nos olhos deles todos, quando o Major Elkin começara sua história, já se apagara completamente do rosto do coronel Pargiter. Olhava em frente, espremendo os olhos azuis muito brilhantes, como se o fulgor do Oriente ainda estivesse neles, e franzidos nos cantos, como se o pó do Oriente também tivesse ficado ali. Um pensamento qualquer lhe ocorrera, tornando sem interesse o que os outros estavam dizendo; era-lhe, aliás, desagradável. Ergueu-se e ficou a contemplar Piccadilly pela janela. Com o charuto parado no ar, olhava embaixo as cobertas de ônibus, fiacres, vitórias, carroções fechados, landaus. Estava longe daquilo tudo, era o que sua atitude sugeria. Já não tinha a mão naquela massa. E, à medida que contemplava, a tristeza tomava conta de seu rosto vermelho e simpático. De repente, veio-lhe uma ideia. Tinha algo a perguntar. Voltou-se para formulá-lo. Mas seus amigos já não estavam ali. O pequeno grupo se desfizera. Elkins já se afastava às pressas, rumo à porta; Brand falava com outro homem. O coronel Pargiter fechou a boca que tinha aberto e engoliu o que estivera a ponto de dizer. Depois, virou-se outra vez para a janela que abria sobre Piccadilly. Todo mundo, na rua cheia de gente, parecia ter destino certo. Todo mundo se apressava para algum encontro marcado. Até as damas nas suas vitórias e berlindas trotavam celeremente Piccadilly abaixo, com algum propósito em mente. As pessoas regressavam a Londres. Dirigiam-se para a estação. Para ele, contudo, não haveria estação. Só ele não tinha nada que fazer. Sua mulher estava à morte. Mas não morria. Hoje mesmo mostrara-se melhor. Pioraria amanhã. Uma nova enfermeira chegaria. E as coisas continuariam nesse ramerrão. Apanhou um jornal, folheou-o a esmo. Deu com uma foto do frontão oeste da Catedral de Colônia. Pôs o jornal de volta no lugar, entre os demais jornais. Um dia qualquer – era o seu eufemismo para o tempo em que sua mulher estivesse morta – diria adeus a Londres e passaria a viver no campo. É verdade que havia a casa; e havia as crianças; e havia também... Sua expressão mudou. Ficou menos infeliz, mas também um pouco furtivo e nada à vontade. Tinha para onde ir, afinal. Enquanto conversavam, guardara esse pensamento no fundo da cabeça. Quando se voltou e viu que os outros tinham ido embora, este foi o bálsamo que botou na ferida: iria ver Mira. Mira, pelo menos, ficaria contente em vê-lo. Assim, ao deixar o clube, não foi para o East, para onde se dirigiam os homens atarefados, nem para o West, onde sua própria casa ficava, em Abercorn Terrace. Mas seguiu na direção de Westminster pelos caminhos calçados que atravessavam o Green Park. A relva estava muito verde. As folhas começavam a apontar. Eram como pequenas ganas, pés de passarinhos brotando dos galhos. Havia como que uma centelha, uma animação por toda parte. O ar era estimulante e recendia a limpeza. O coronel Pargiter, porém, não via nem a grama nem as árvores. Atravessou o parque, no seu sobretudo abotoado, olhando sempre para a frente. Mas, quando atingiu Westminster, parou. De modo algum gostava dessa parte da história. Cada vez que se acercava da ruazinha escondida pela massa gigantesca da Abadia, a rua de pequenas casas humildes, de cortinas amarelas e cartazes nas janelas, a rua em que o homem dos pãezinhos parecia tocar incessantemente sua sineta, em que as crianças berravam e pulavam amarelinha para dentro e para fora das riscas de giz na calçada, ele estacava. Olhava para a direita, para a esquerda. E então caminhava direito até a porta e esperava de cabeça baixa. Não gostaria de ser visto à espera naquele limiar de porta. Não gostava de esperar até ser admitido. Não gostava quando a sra. Sims o deixava entrar. Havia sempre um cheiro na casa. Havia sempre roupa suja pendurada no varal, no jardim dos fundos. Subiu a escada, pesado, macambúzio, e entrou na sala. Não havia ninguém, chegara muito cedo. Olhou em volta do cômodo com repugnância. Havia excesso de objetos. Sentia-se deslocado, como se ocupasse lugar excessivo, de pé, diante da lareira fechada por uma grade, em que se via pintado um martim--pescador no ato de pousar sobre um feixe de juncos. No assoalho de cima, alguém dava carreirinhas para um lado e para o outro. Estaria alguém com ela? – perguntou-se, apurando o ouvido. Crianças gritavam na rua. Era sórdido, vulgar, furtivo. Um desses dias... disse consigo mesmo. Mas a porta se abriu, e Mira, sua amante, entrou.

– Oh, Bogy, querido! – exclamou.

Tinha o cabelo em grande desalinho. E um ar um tanto balofo. Mas era muito mais moça do que ele e parecia sinceramente contente de vê-lo, pensou. O cachorrinho saltou para ela.

– Lulu! Lulu! – gritou, apanhando o animal numa das mãos e levando a outra ao cabelo. – Venha e deixe que o Tio Bogy veja você.

O coronel instalou-se na cadeira de vime, cheia de estalos. Ela depôs o cão nos joelhos dele. Havia um sinal vermelho atrás de uma das orelhas do bicho. Talvez um eczema. O coronel pôs os óculos para examinar aquilo de perto. Mira beijou-o no ponto onde o colarinho encontrava o pescoço. Os óculos dele caíram. Ela os apanhou e pôs no cachorro. O velho estava deprimido, sentiu. Naquele misterioso mundo de clubes e vida de família, do qual ele não lhe falava nunca, alguma coisa estava errada. Ele chegara antes que ela tivesse tido tempo de arranjar o cabelo, o que era um aborrecimento. Mas seu dever era diverti-lo. E pôs-se a borboletear pela sala – seu corpo, embora avolumado como agora, ainda lhe permitia esgueirar-se entre mesa e cadeira, para cá, para lá. Removeu a grade da lareira e fez um fogo antes que ele pudesse impedi-la. Depois sentou-se no braço da cadeira do coronel.

– Oh, Mira! – disse ela mesma, vendo-se ao espelho e mexendo com os grampos do cabelo. – Que menina desleixada você é!

Soltou uma longa trança e deixou-a cair sobre os ombros. Era um cabelo ainda lustroso, belo e cor de ouro, embora ela já beirasse os quarenta e tivesse, para dizer a verdade, uma filha de oito, que amigos criavam em Bedford. O cabelo agora se desnastrava por conta própria, e Bogy, vendo-o cair macio, curvou-se e beijou uma das madeixas. Um realejo se pusera a tocar lá fora, e todas as crianças correram na direção do som, deixando atrás um súbito silêncio. O coronel começou a afagar o pescoço dela. E a remexer com a mão, que perdera dois dedos, bem mais embaixo, onde o pescoço encontra a espádua. Mira escorregou para o chão e apoiou as costas nos joelhos de coronel.

Então houve um estalido na escada. Alguém bateu de leve, como que para avisá-los de sua presença. Mira imediatamente prendeu o cabelo outra vez, levantou-se, saiu e fechou a porta.

O coronel recomeçou, na sua maneira metódica, a examinar a orelha do cão. Seria um eczema? Ou não? Olhou a marca vermelha, depositou o cachorrinho de pé na sua cesta e esperou. Não gostava nada daquele prolongado cochicho no patamar da escada. Por fim, Mira voltou. Tinha um ar preocupado. E quando ficava preocupada, parecia mais velha. Começou a dar uma busca debaixo das almofadas e cobertas. Precisava da bolsa, disse. Onde teria ido parar? Naquela confusão de objetos, pensou o coronel, poderia estar em qualquer lugar. Era uma pobre bolsa murcha quando, afinal, ela a descobriu sob umas almofadas no canto do sofá. Virou-a de cabeça para baixo, sacudiu. Lencinhos, pedaços de papel, moedinhas de prata e de cobre caíram em profusão. Deveria haver uma libra, disse.

– Estou certa de que tinha uma ainda ontem – murmurou.

– Quanto? – perguntou o coronel.

– Era coisa de uma libra. Não, de uma libra, oito xelins e seis pence – disse ela, resmungando alguma coisa sobre a lavanderia. O coronel tirou duas libras da sua bolsinha de ouro e deu-as a ela. Mira as levou e houve novos cochichos do lado de fora da porta. Lavanderia?, pensou o coronel, correndo os olhos pelo aposento. Uma pocilga. Mas sendo tão mais velho do que a mulher, não era o caso de lhe fazer perguntas sobre roupa suja. Ali estava ela outra vez. Veio ligeira pela sala, sentou-se no chão e descansou a cabeça contra os joelhos dele. O fogo recalcitrante, que havia muito bruxuleava, extinguira-se àquela altura.

– Deixe estar – disse ele com impaciência, quando viu que ela pegara o atiçador. – Deixe ficar assim, apagado. – Mira largou o ferro. O cão ressonava. O realejo tocava na rua. A mão dele começou sua viagem, para cima, para baixo, do pescoço dela para dentro, para fora da cabeleira farta. Naquela casa pequena, tão próxima das outras casas, anoitecia depressa. E as cortinas estavam cerradas ao meio. Ele a puxou para perto, beijou-a na nuca. E a mão, a que perdera dois dedos, pôs-se de novo a remexer desajeitadamente onde o pescoço encontrava a espádua.

* * *

Uma rajada de chuva bateu na calçada, e as crianças, que tinham ficado a saltar num pé só para dentro e para fora dos seus cercados de giz, correram para casa. O velho menestrel de rua, que cambaleava ao longo do meio-fio com um boné de pescador airosamente posto bem para trás da cabeça, cantando: *"Count your blessings/Count your blessings"*, levantou a gola do paletó e refugiou-se sob o pórtico de um botequim, onde completou sua injunção: *"Count your blessings/Every ane"*. Então o sol voltou a brilhar. E secou o calçamento.

* * *

– Não está fervendo ainda – disse Milly Pargiter, examinando a chaleira. Estava sentada à mesa, a mesa redonda da sala de estar da frente, na casa de Abercorn Terrace. – Nem de longe! – repetiu.

A chaleira era antiquada, de cobre, com um desenho de rosas já quase apagado. Uma pequenina chama muito frágil subia e descia debaixo dela. A irmã de Milly Pargiter, Delia, reclinada numa cadeira ao lado dela, também olhou o fogareiro e perguntou por perguntar, sem nenhum siso:

– Chaleira tem de ferver?

Não que esperasse resposta, e Milly não lhe deu nenhuma. Ficaram a observar silenciosamente a pequena chama no seu pavio amarelo. Havia muitas xícaras e pires na mesa, como se outras pessoas fossem esperadas. Mas, naquele momento, estavam as duas sozinhas. A sala tinha excesso de mobília. Em frente delas havia um armário holandês de colecionador, com porcelana azul nas prateleiras. O sol da tarde de abril punha brilhantes aqui e ali no vidro. Sobre a lareira, o retrato de uma moça ruiva vestida de musselina branca, com uma cesta de flores no regaço, sorria para elas.

Milly tirou um grampo do cabelo e começou a separar os fios do pavio grosso para aumentar a chama.

– Isso não vai adiantar grande coisa! – disse Delia com irritação, acompanhando a operação com o olhar. Estava irrequieta. Tudo parecia levar um tempo intolerável. Então Crosby entrou e perguntou se não preferiam ferver a água na cozinha. Delia disse que não. Como posso pôr termo a essa minha aflição, disse consigo, batendo com uma faca na mesa e olhando a precária chama que a irmã provocava com o grampo. Uma voz minúscula começou a gemer debaixo da chaleira. Nesse momento a porta se escancarou de repente outra vez, e uma menina de vestido cor-de--rosa engomado entrou.

– A babá deveria ter posto você num avental limpo – disse Milly severamente, imitando os modos dos mais velhos. Havia uma larga mancha verde no avental da menina, como se ela tivesse subido numa árvore.

– O outro foi lavar e não ficou pronto – disse Rose, a garota, fazendo beicinho. Lançou um olhar à mesa, mas ainda não havia sinal de chá.

Milly aplicou seu grampo ao pavio mais uma vez. Delia recostou-se e olhou para fora da janela, por cima do ombro. De onde estava, podia ver os degraus da porta da frente.

– Agora é Martin – disse com desalento. A porta bateu. Livros foram postos com estrondo em cima do aparador do vestíbulo, e Martin, um menino de doze anos, entrou. Tinha o mesmo cabelo ruivo da mulher do quadro, só que despenteado.

– Vá se arrumar, Martin – disse Delia severamente. – Você tem todo o tempo do mundo. A chaleira ainda não está fervendo.

Todos olharam juntos para a chaleira: continuava a cantar, mas era ainda o mesmo canto quase inaudível e melancólico. E a mesma chama dançarina lambia seu fundo de cobre.

– Diabo de chaleira! – disse Martin, virando-se para sair.

– Mamãe não ficaria contente se ouvisse você falando palavras feias – disse Milly com reprovação, imitando ainda a maneira dos mais velhos. Sua mãe estava acamada e inválida fazia tanto tempo que as duas irmãs haviam adquirido o hábito de imitar a maneira dela com as crianças. A porta abriu-se outra vez.

– A bandeja, senhorita – disse Crosby, mantendo a porta aberta com o pé. Tinha uma bandeja de doente nas mãos.

– A bandeja – disse Milly. – Vamos ver agora... Quem vai levar a bandeja? – Imitava ainda os modos de uma pessoa mais velha que quer mostrar tato com as crianças. – Você, não, Rose. É muito pesada. Vamos deixar que Martin a carregue. E você pode ir com ele. Mas não fique no quarto. Apenas conte para mamãe o que andou fazendo. Depois a chaleira... a chaleira...

Aplicou de novo o grampo ao pavio. Uma rala baforada de fumaça escapou do bico em forma de serpente. Intermitente no começo, gradualmente ganhou força até que, e justamente quando ouviram passos na escada, um jato poderoso de vapor saiu do bico da chaleira.

– Está fervendo! – exclamou Milly. – Está fervendo!

* * *

Comeram em silêncio. O sol, a julgar pelos reflexos dançantes no armário holandês, parecia que se deitava e sumia. Às vezes, uma tigela brilhava em um azul profundo e logo ficava lívida. Havia luzes furtivas pairando sobre a mobília da outra sala. Aqui era um simples laivo; acolá, uma nódoa redonda como uma moeda. Em algum lugar a beleza existe, pensou Delia, em algum lugar existe liberdade, em algum lugar ele existe, usando a sua flor branca... Contudo, uma bengala arranhou o soalho do vestíbulo.

– É papai! – avisou Milly.

Instantaneamente, Martin saiu da poltrona do pai e Delia inteiriçou-se na sua. Quanto à Milly, puxou uma grande xícara semeada de rosas que não combinava com o restante da louça.

Da porta, o coronel contemplou o grupo com alguma severidade. Seus pequenos olhos azuis demoraram-se em cada um deles como se quisessem encontrar neles um defeito. No momento, não havia nenhum em particular. Mas estava de mau humor. Viram logo, antes que abrisse a boca, que estava de mau humor.

– Sua porcalhonazinha! – disse, puxando a orelha de Rose quando passou por ela. E a menina imediatamente cobriu a mancha do avental com a mão espalmada. – Mamãe está bem? – perguntou ele, deixando-se cair, numa sólida massa, na grande poltrona. Detestava chá. Mas sempre bebericava um pouco na velha xícara imensa que fora de seu pai. Levantou-a agora e molhou os lábios de leve. – E o que fizeram vocês? – perguntou.

Olhou em volta, com seu olhar esfumaçado, porém velhaco, que podia ser afável, mas que, no momento, era sombrio.

– Delia teve a sua aula de música, e eu fui ao Whiteley's... – começou Milly, como uma criança que recita uma lição.

– Gastando dinheiro, hein? – disse o pai de maneira brusca, mas não despida de afeto.

– Não, papai. Já lhe contei. Eles mandaram os lençóis errados...

– E você, Martin? – perguntou o coronel Pargiter, cortando o que a filha dizia. – Último da classe como sempre?

– Primeiro! – gritou Martin, soltando a palavra como se a tivesse contido com dificuldade até então.

– Hum, não me diga! – replicou o pai. Seu abatimento pareceu amainar um pouco. Meteu a mão no bolso da calça e tirou-a cheia de moedas. Os filhos ficaram a olhá-lo enquanto escolhia um único *sixpence* dentre todos os florins. Perdera dois dedos da mão direita na Revolta dos Cipaios, e os músculos se atrofiaram. De modo que sua mão era como a garra de uma ave muito velha. Virou e mexeu, tenteando; como, porém, sempre fazia de conta que a deformidade não existia, as crianças não se atreveram a ajudá-lo. Os cotos lustrosos dos dedos mutilados fascinavam Rose.

– Aí está, Martin – disse ele, por fim, dando a moeda ao filho. Depois tomou um gole de chá e enxugou os bigodes. – Por onde anda Eleanor? – perguntou, como que para quebrar o silêncio.

– É dia de ela ir ao Grove – disse Milly.

– Oh, o dia do Grove – resmungou o coronel. Mexia o açúcar com força, como se fosse demolir a xícara.

– Os queridos Levy – disse Delia hesitante. Era a filha favorita. Mas não sabia até onde podia ir com o pai naquela disposição. Ele não disse nada.

– Bertie Levy tem seis dedos num pé – disse Rose de repente. Todos riram. Mas o coronel interrompeu a hilaridade.

– Você aí, apresse-se e vá fazer suas lições, meu filho – disse o coronel com um olhar severo para Martin, que ainda estava comendo.

– Deixe que ele acabe o chá, papai – pediu Milly, imitando mais uma vez a entonação dos mais velhos.

– E a nova enfermeira? – perguntou o coronel, tamborilando na beirada da mesa. – Veio?

– Veio, sim... – começou Milly. Mas houve um frufru de pano no vestíbulo, e Eleanor entrou para alívio geral. Especialmente de Milly. Graças a Deus, pensou esta, aí está Eleanor, a pacificadora e medianeira de todas as rusgas, o tampão entre ela e as agruras da vida familiar. Adorava a irmã. Teria chamado-a sua deusa, teria lhe atribuído uma beleza que não era sua, com roupas que nunca possuíra, se não estivesse carregando uma pilha de livros coloridos nas mãos enluvadas de preto. Proteja-me, pensou, a mim que sou uma pobre coitada, humilde, tiranizada e ineficiente comparada com Delia, que sempre consegue o que quer, enquanto eu sou sempre passada para trás por papai, que, por alguma razão misteriosa, estava azedo. O coronel sorriu para Eleanor. E o cachorro cor de vinagre, estirado no tapete da lareira, olhou para cima e abanou o rabo, como se reconhecesse nela uma dessas mulheres altamente estimáveis, que dão um osso para a gente, mas depois lavam as mãos. Era a mais velha das filhas, tinha vinte e dois anos e nenhuma formosura. No entanto, respirava saúde e, mesmo cansada como devia estar no momento, era de natureza alegre e efusiva.

– Desculpem-me se me atrasei. Prenderam-me. E eu não esperava... – disse, olhando para o pai.

– Fiquei livre mais cedo do que pensava – apressou-se ele. – A reunião... – Tivera uma nova briga com Mira. – E como vai seu Grove, hein? – perguntou.

– Oh, meu Grove... – repetiu ela. Mas Milly já lhe passava a travessa coberta... – Fiquei presa lá – repetiu, servindo-se. Começou a comer. A atmosfera ficou mais relaxada.

– Agora, papai, conte para nós – disse Delia afoitamente. Afinal era a filha predileta. – O que andou fazendo? Alguma aventura?

Era uma observação desastrada.

– Já não há muitas aventuras para um velho tonto como eu – disse o coronel rispidamente. Esmagava os grãos de açúcar contra as paredes da xícara. Depois pareceu arrependido da aspereza. Ponderou por um momento. – Encontrei o velho Burke no clube. Pediu-me que levasse uma de vocês para jantar. Robin está de volta, em licença.

Bebeu seu chá. Algumas gotas caíram na barba pontuda. Tirou o grande lenço de seda e limpou o queixo com impaciência. Eleanor, sentada na sua cadeira baixa, viu uma expressão estranha primeiro no rosto de Milly, depois no de Delia. Sentiu uma espécie de

hostilidade entre elas. Mas não disseram nada. Continuaram comendo e bebendo até que o coronel levantou sua xícara, viu que não havia mais nada nela e depositou-a firmemente no pires com um leve tinido. A cerimônia do chá estava encerrada.
– Agora, meu filho, vá andando e trate de fazer suas lições – disse para Martin.
Martin recolheu a mão que estendia para um prato.
– Vamos, rápido – disse o coronel imperiosamente.
Martin ergueu-se e foi embora, passando a mão relutante pelas cadeiras e mesas como que a retardar a partida. Bateu a porta com alguma brutalidade. O coronel levantou-se e ficou de pé, muito rígido, no meio delas, no seu fraque todo abotoado.
– Eu também devo ir andando – disse. Mas demorou-se mais um momento, como se não tivesse na verdade para onde ir. Permaneceu assim, todo teso, como se fosse dar uma ordem qualquer, mas não lhe ocorreu nenhuma de imediato. Por fim, lembrou-se:
– Uma de vocês, por favor, escreva a Edward. Sem falta. Diga-lhe que escreva para mamãe.
– Sim – disse Eleanor.
O coronel dirigiu-se para a porta. Mas estacou.
– E me digam quando mamãe quer me ver – observou. Em seguida, parou de novo para pegar a caçula pela orelha. – Sua porcalhonazinha – disse, mostrando a mancha verde no peito do avental. Ela a escondeu com a mão. Já na porta, parou outra vez. – Não se esqueçam – disse, girando a maçaneta –, não se esqueçam de escrever ao Edward.
Finalmente abriu a porta e saiu.

* * *

Elas se deixaram ficar em silêncio. Havia algum constrangimento no ar. Era o que Eleanor sentia. Apanhou um dos livros que despejara em cima da mesa ao chegar e abriu-o no colo. Mas não leu. Fixava distraída a outra sala. As árvores começavam a brotar no jardim dos fundos. Havia umas folhas – folhas pequenas, arredondadas como orelhas – nos arbustos. O sol brilhava como era de sua obrigação. Mas aparecia e desaparecia, iluminando ora isto, ora aquilo...

– Eleanor – disse Rose, interrompendo-lhe o devaneio. Tinha uma pose que lembrava curiosamente o pai. – Eleanor – repetiu, agora num fio de voz, porque a irmã não lhe dava atenção.

– O que é? – perguntou Eleanor, encarando-a.

– Quero ir à loja Lamley – disse Rose.

Era a imagem do pai, empertigada, com as mãos às costas.

– É tarde demais para ir à loja Lamley – respondeu Eleanor.

– Eles não fecham antes das sete.

– Então peça a Martin que vá com você – disse Eleanor.

A menina marchou devagar para a porta. Eleanor voltou aos seus livros de contabilidade.

– Mas não vá sozinha, Rose. Não pode ir sozinha – disse, levantando os olhos das contas. Rose já estava na porta. Assentiu de cabeça e desapareceu.

* * *

Foi para cima. Fez uma pausa na porta do quarto de sua mãe e fungou, aspirando o cheiro agridoce que era como uma aura em torno das jarras, copos, tigelas cobertas, na mesa do corredor. Subiu mais um lance de escadas e deteve-se à porta do quarto de estudo. Não tinha vontade de entrar, pois estava brigada com Martin. Tinham discutido, primeiro por causa de Erridge e do microscópio, depois por causa dos gatos da srta. Pym, na casa vizinha, que ele queria matar. Mas Eleanor dissera que falasse com Martin... Abriu a porta.

– Martin... – começou.

Ele estava sentado à mesa com um livro aberto diante dos olhos. Lia a meia voz. Talvez fosse grego, talvez latim.

– Eleanor disse... – começou, notando que ele corava e que sua mão se fechava num pedaço de papel como se fosse convertê-lo numa bola – disse para você... – continuou, criando coragem, apoiando as costas com força contra a porta.

* * *

Eleanor recostou-se na cadeira. O sol agora estava nas árvores, no jardim dos fundos. Os brotos começavam a inchar. A luz da primavera mostrava, é claro, como estavam coçadas as cobertas das cadeiras. Notou que a poltrona do pai tinha uma grande mancha escura onde ele apoiava a cabeça. Mas quantas cadeiras havia! Como era amplo e arejado ali em comparação com o quarto em que a velha sra. Levy... Mas Milly e Delia estavam ambas mudas como potes. Seria por causa do jantar, lembrou-se. Qual das duas iria? Ambas queriam ir, naturalmente. Seria tão bom que as pessoas, em vez de dizerem: "Traga uma de suas filhas", dissessem: "Traga Eleanor" ou "Traga Milly" ou "Traga Delia"! Não dava certo isso de juntar as três num bolo. Do outro modo, era fora de dúvida.

– Bem – disse Delia abruptamente. – Eu tenho de...
E levantou-se, como se tivesse mesmo. Deteve-se, porém, e foi até a janela que dava para a rua. Todas as casas fronteiras tinham os mesmos jardinzinhos na frente, os mesmos degraus, as mesmas pilastras, as mesmas janelas salientes, bojudas. Mas agora a noite caía, e elas pareciam fantasmagóricas e imateriais na luz imprecisa. Os bicos de gás começavam a ser acesos. Uma luz brilhou na sala de visita da casa oposta. E logo as cortinas foram corridas, e a sala ficou oculta. Delia continuou a olhar a rua. Uma mulher de classe baixa passou, empurrando um carrinho de criança. Em seguida, um velho de passo incerto e mãos cruzadas às costas. Depois a rua ficou deserta. Houve uma pausa. Um fiacre dobrou a esquina e veio tilintando em sua direção. Delia interessou-se por um momento. Pararia na porta deles ou não? Olhou atentamente. Mas, para tristeza sua, o cocheiro puxou as rédeas, o cavalo tropeçou e o coche parou duas portas adiante.

– Alguém para visitar os Stapleton – disse por cima do ombro, abrindo um pouco a cortina de musselina transparente. Milly foi olhar, postando-se ao lado da irmã. Juntas, pela fresta, viram quando um rapaz de cartola saiu do carro e estendeu o braço para pagar o cocheiro.

– Que não apanhem vocês olhando! – advertiu Eleanor. O moço subiu correndo os degraus e entrou na casa. O coche deu partida.

Por um momento, as duas moças continuaram olhando a rua. Já havia crocos amarelos e roxos em todos os jardins. Amendoeiras e alfenas já se eriçavam de verde nas pontas dos galhos. Uma súbita lufada de vento veio pela rua, carregando à frente uma folha de papel e deixando na esteira um pequeno redemoinho de poeira seca. Por cima dos telhados, alardeava-se um desses rubros e esplendorosos poentes de Londres, que banham com um brilho de ouro puro todas as janelas. Havia uma nota selvagem na noite e na primavera. Mesmo ali, em Abercorn Terrace, a luz ia mudando de ouro para preto e de preto para ouro outra vez. Deixando cair a cortina, Delia voltou-se e, andando até o meio da sala, exclamou:

– Deus meu!

Eleanor, mergulhada de novo nos livros, levantou os olhos assustada:

– Oito vezes oito... – disse em voz alta. – Quanto é mesmo oito vezes oito?

Apoiando o dedo no livro para marcar a linha, olhou para a irmã. De pé como estava, a cabeça jogada para trás e o cabelo em fogo no fulgor do pôr do sol, por um instante pareceu desafiadora e até bela. Ao lado dela, Milly era a própria insipidez e insignificância.

– Olhe aqui, Delia – disse Eleanor, fechando o livro. – Você tem só de esperar... – Queria dizer "até que mamãe morra", mas não teve coragem.

– Não, não – disse Delia, abrindo os braços. – É inútil... – começou. Mas deixou a frase solta no ar, pois Crosby entrava com uma bandeja na mão, em que foi pondo peça por peça, uma de cada vez, com um exasperante tinido: as xícaras, os pires, os pratos, as facas, os potes de geleia, a manteigueira, as cestas de bolo e de pão. Depois, equilibrando tudo aquilo com cuidado à frente do corpo, foi para a copa. Houve uma pausa. E ela voltou para dobrar a toalha e ajeitar a mobília. Segunda pausa. Mais alguns minutos e reaparecia com duas lâmpadas de mesa, de abajures de seda. Pôs uma na sala da frente, outra na de trás. Depois, com um rangido dos sapatos baratos, foi até a janela e correu as cortinas. Deslizaram com um dique familiar ao longo das varas de metal dourado, e logo as janelas desapareceram por detrás das dobras solenes, esculturais, de veludo cor de vinho darete.

Bastou fechar as cortinas para que um silêncio profundo caísse sobre a sala. O mundo exterior pareceu definitivamente isolado. Só da rua mais próxima lhes chegou ainda, abafada, a voz de um vendedor ambulante. E o som meio surdo de cascos de cavalos se fez ouvir. Quando esses ruídos morreram, o silêncio se tornou completo.

Dois círculos amarelos de luz marcavam o lugar das lâmpadas. Eleanor puxou sua cadeira para perto de um deles, baixou a cabeça e prosseguiu com o trabalho que sempre deixava para o fim à força de detestá-lo: as somas. Ia movendo os lábios, enquanto seu lápis fazia marcas no papel, juntando oitos a seis e cincos a quatros.

– Pronto! – disse por fim. – Tudo pronto. Agora posso ir e ficar um pouco com mamãe.

Parou para pegar as luvas.

– Não – disse Milly, pondo de lado a revista que abrira. – Eu vou...

E Delia, emergindo da sala dos fundos por onde andara um tanto a esmo:

– Vou eu – disse sucintamente. – Não tenho nada que fazer.

* * *

Subiu degrau por degrau lentamente, o mais lentamente possível. Quando chegou à porta do quarto de dormir, com as jarras e os copos na mesa do lado de fora, esperou. O odor agridoce da doença embrulhava-lhe o estômago. Não se animava a entrar. Pela janelinha estreita do fundo do corredor, podia ver farrapos de nuvens cor de flamingo contra um céu azul desmaiado. Depois da penumbra da sala de visita, seus olhos ficaram ofuscados. Por um momento, pareceu transfixada ali pela luz. Depois, no andar de cima, ouviu as vozes das crianças – Martin e Rose – que discutiam.

– Pois não venha! – disse Rose. E uma porta bateu. Delia inteiriçou-se, encheu o peito de ar, olhou uma vez mais o céu esbraseado e bateu de leve na porta.

A enfermeira levantou-se sem ruído. Pôs o dedo nos lábios e deixou o quarto. A sra. Pargiter dormia. Afundada em meio aos altos travesseiros, a face apoiada numa das mãos, gemia baixinho, como que perdida num mundo em que, mesmo no sono, pequenos obstáculos atravessassem seu caminho. Tinha o rosto intumescido e pesado, a pele manchada de marrom; e o cabelo, que fora ruivo e agora embranquecera, mostrava curiosas ilhas amarelas, como se tivessem sido molhadas em gema de ovo. Sem nenhum anel, exceto a aliança, seus dedos bastavam para indicar que ela penetrara o mundo privado da doença. Mas não parecia moribunda; dava, ao contrário, a impressão de que poderia viver assim para sempre, naquela terra de ninguém que medeia a vida e a morte. Delia não percebia mudança alguma. Quando se sentou, tudo nela parecia a todo vapor. À cabeceira, um espelho estreito e comprido refletia um pedaço rubro de céu; cegava, tão brilhante era a luz. A penteadeira banhava-se toda em claridade. A luz batia nos frascos de prata e nos de vidro, formados na perfeita ordem das coisas que não se usam nunca. Àquela hora da tarde, o quarto da doente mostrava uma limpeza irreal, uma quietude e arrumação perfeitas. Ao lado da cama, no criado-mudo, estavam os óculos, o livro de reza, um vaso de lírios-do-vale. As flores também pareciam artificiais. Olhar – era tudo o que ela podia fazer. Examinou atentamente o desenho em sépia do avô, com o nariz como ponto de maior interesse; a fotografia do Tio Horace de uniforme; a figura magra e retorcida do crucifixo à direita.

– Mas a senhora não acredita nisso! – exclamou selvagemente.
– A senhora não quer morrer.

Ansiava pela morte da mãe. E ali estava ela – mole, abatida, mas resistente, metida no oco dos travesseiros, obstáculo, estorvo, impedimento a qualquer vida. Tentou suscitar dentro de si algum sentimento de afeto, de piedade. Naquele verão, por exemplo, disse consigo mesma, quando ela me chamava do alto da escada, no jardim, em Sidmouth... Mas a cena esfumou-se quando tentou fixá-la. Havia a outra cena, naturalmente, a do homem de fraque com a flor na botoeira. Jurara, no entanto, não pensar naquilo até a hora de dormir. No que iria pensar então? No avô com seu nariz monumental? No livro de reza? Nos lírios-do-vale? Ou no espelho? O sol se pusera. O espelho era agora uma lisa superfície imprecisa e refletia apenas uma nesga pardacenta do céu. Não pôde resistir mais tempo.

"Com uma flor na botoeira. Branca", começou. Aquilo demandava alguns minutos de preparação. Tinha de haver um vestíbulo. Tinas com palmeiras. Um pavimento mais abaixo, cheio de cabeças de pessoas. A encantação começava a funcionar. Ela ficava permeada de deliciosos ímpetos da mais lisonjeira e excitante emoção. Encontrava-se na plataforma. Havia um grande público. Todo mundo gritava, acenava com lenços, emitia silvos, assovios. Então ela se pôs de pé. Toda de branco no meio da plataforma. O sr. Parnell estava a seu lado.

"Falo em defesa da Liberdade", começou, estendendo as mãos, "em defesa da Justiça...". Estavam lado a lado, os dois. Ele, muito pálido, mas de olhos brilhantes. Voltava-se para ela e lhe dizia ao ouvido...

Houve uma súbita interrupção. A sra. Pargiter erguera-se a meio por entre os travesseiros.

– Onde estou? – gritava. Estava com medo e perplexa, como tantas vezes ao despertar. Ergueu uma das mãos. Parecia pedir socorro. – Onde estou? – repetia.

Por um momento, Delia também ficou perdida. Onde estaria?

– Aqui, mamãe, aqui mesmo – disse absurdamente. – No seu próprio quarto.

Pôs a mão em cima da colcha. A sra. Pargiter agarrou-a freneticamente. Olhava em volta do quarto como se procurasse alguém. Não parecia reconhecer a filha.

– O que aconteceu? Onde estou? – disse. Depois fixou os olhos em Delia e lembrou-se. – Oh, Delia. Acho que sonhei – murmurou meio enfática. E por um instante ficou olhando para a janela. Os lampiões estavam sendo acesos; um súbito clarão de luz suave veio da rua.

– Foi um dia tão bonito... – hesitava. – Tão bonito para... – Parecia incapaz de se lembrar para quê.

– Um dia muito bonito, sim, mamãe – repetiu Delia, com uma espécie de alegria mecânica.

– ...para... – a mãe tentava de novo. Que dia era? Delia não se lembrava.

– ...para o aniversário do tio Digby – disse a sra. Pargiter por fim.

– Diga-lhe em meu nome, diga-lhe como fiquei contente.

– Vou dizer. – Não se lembrara do aniversário do tio, mas a sra. Pargiter era muito meticulosa nessas coisas. – A tia Eugénie... – começou.

Mas sua mãe tinha os olhos na penteadeira.

Um reflexo do lampião da rua fazia a toalha branca parecer extremamente branca.

– Mudaram de novo a toalha! – murmurou a sra. Pargiter, com impertinência. – A despesa, Delia, a despesa, é isso que me preocupa...

– Não se incomode, mãe – disse Delia obtusamente. Tinha os olhos fixos no retrato do avô. Por que o pintor teria posto aquela pincelada de branco na ponta do nariz? – Tia Eugénie trouxe-lhe flores – disse.

Por algum obscuro motivo, a sra. Pargiter pareceu encantada. Pousou o olhar contemplativamente na toalha limpa que, minutos antes, lhe sugerira a conta exorbitante da lavanderia.

– Tia Eugénie... – disse. – Como me lembro! – E a voz pareceu mais encorpada e sonora. – Como me lembro do dia em que soubemos do noivado. Estávamos todos no jardim e chegou uma carta... – Fez uma pausa. – Chegou uma carta... – repetiu. E mais não disse por algum tempo. Parecia revolver alguma coisa na memória. – O menino morreu. Mas a não ser por isso... – estacou de novo. Parecia mais fraca, pensou Delia. E um surto de alegria correu-lhe pelo corpo. As frases da mãe eram mais fragmentadas nessa noite que de hábito. Que menino tinha morrido? Começou a contar os pontos da colcha, enquanto esperava que a mãe retomasse o fio do discurso. – Você sabe, todos os primos costumavam vir no verão – continuou de repente a velha. – Havia seu tio Horace...

– O do olho de vidro – disse Delia.

– Isso mesmo. Ele machucou o olho no cavalinho de balanço. As tias tinham Horace em grande conta. Costumavam dizer... – houve uma longa pausa. Parecia ter dificuldade em encontrar as palavras certas. – Quando Horace chegar... lembre-se de lhe perguntar sobre a porta da sala de jantar.

Era curioso, mas a sra. Pargiter parecia se divertir. Chegou a rir. Devia estar pensando em alguma pilhéria de família, havia muito esquecida, pensou Delia, vendo o sorriso passar-lhe fugaz pelos lábios e desaparecer. O silêncio era completo. A mãe jazia de olhos fechados. A mão apenas com a aliança, a mão descorada e consumida, repousava sobre a colcha. No silêncio, podiam ouvir um carvão tombando na lareira e o vendedor ambulante entoando seu pregão na rua. A sra. Pargiter não disse mais nada. Permaneceu perfeitamente imóvel. Depois exalou um profundo suspiro.

A porta abriu-se, e a enfermeira entrou. Delia levantou-se e saiu. Onde estou? – perguntou-se, olhando na mesa do corredor uma jarra branca que o sol poente listrava de cor-de-rosa. Por um momento, sentiu-se em alguma fronteira entre a vida e a morte. – Onde estou? – repetiu, fixando a jarra cor-de-rosa, porque tudo lhe parecia estranho. Então ouviu água correndo e o som de passos no andar de cima.

* * *

— Ah, aí está você, Rose — disse a babá, levantando os olhos da máquina de costura quando Rose entrou.

A *nursery** estava brilhantemente iluminada. A lâmpada em cima da mesa não tinha abajur. A sra. C., que vinha toda semana com a roupa lavada, estava sentada numa cadeira de braços com uma xícara na mão.

— Vá apanhar o seu trabalho de agulha — disse a babá enquanto Rose dava a mão à sra. C. — Seja uma boa menina. Ou jamais ficará pronto para o aniversário do papai — acrescentou, fazendo espaço na mesa.

Rose abriu a gaveta da mesa e tirou a sacola de guardar botas que estava bordando com um desenho de flores azuis e vermelhas para o aniversário do pai. Faltava ainda fazer vários raminhos de rosas, delicadamente esboçados a lápis no pano. Estendeu o trabalho na mesa para examiná-lo miudamente, enquanto a babá retomava o que estivera dizendo à sra. C. sobre a filha da sra. Kirby. Mas Rose não prestava atenção.

Então vou sozinha, decidiu, alisando a sacola. Se Martin não quer vir comigo, vou sozinha.

— Deixei minha caixa de costura na sala — falou alto.

— Pois então vá buscá-la — disse a babá distraidamente. Queria acabar o que estava dizendo à sra. C. sobre a filha da sra. Kirby.

* * *

É agora que a aventura começa, disse Rose consigo mesma, saindo nas pontas dos pés da *nursery*. Precisava reunir munição e provisões. Para isso, tinha de furtar a chave mestra da babá. Mas onde estaria? Toda noite era escondida em lugar diferente, de medo dos assaltantes. Tanto poderia estar debaixo da caixa dos lenços como na caixinha em que ela guardava a corrente de ouro

---

* Optou-se por conservar em inglês a palavra que, em geral, significa "quarto das crianças". (N. T.)

26

do relógio de sua mãe. Era ali que estava. Pronto. Agora tinha pistola e poder de fogo, pensou, tirando sua bolsinha da gaveta, e provisões suficientes, pensou, pondo chapéu e casaco no braço, para uma boa quinzena.

Passou como uma sombra pela *nursery* e desceu as escadas. Na porta do quarto de estudo, apurou o ouvido. Não poderia pisar em galhos secos, não poderia deixar que nada estalasse debaixo dos seus pés, ia dizendo enquanto deslizava pela casa sem ruído. De novo, deteve-se e escutou à porta do quarto de dormir da mãe. Tudo estava quieto. Demorou-se por um momento no patamar, olhando para o vestíbulo abaixo. O cachorro dormia no capacho. Não havia inimigo à vista. O vestíbulo estava deserto. Mas podia ouvir um sussurro de vozes na sala.

Virou o trinco da porta com extrema delicadeza e fechou-o sem o mais leve clique. E, até dar a volta na casa, manteve-se curvada e colada à parede para que ninguém pudesse vê-la. Só quando atingiu a sombra do laburno foi que endireitou o corpo.

– Sou Pargiter, do Regimento de Cavalaria Pargiter – disse, com um largo gesto –, em missão noturna de resgate!

Partia a cavalo para socorrer uma guarnição sitiada, falou consigo. Tinha uma mensagem secreta – apertou a bolsa nas mãos – para ser entregue pessoalmente ao general. Inúmeras vidas dependiam dela. A bandeira britânica ainda flutuava no alto da torre central – a loja Lamley era a torre central. O general estava no telhado da loja Lamley, de luneta no olho. A vida de todos dependia dela. Tinha de alcançá-los, atravessando o território inimigo. Galopava agora pelo deserto. Depois, pôs-se a trote. Estava cada vez mais escuro. Os lampiões da rua começavam a ser acesos. O acendedor levantava a vara e metia-a na pequena portinhola de vidro. As árvores dos jardins das casas teciam uma renda trêmula de sombra na calçada. Havia um cruzamento. Logo depois, já era a loja Lamley, na pequena ilha de casas comerciais que ficava em frente. Tinha só de cruzar o deserto, vadear o rio e estaria a salvo. Brandindo a pistola na mão direita, esporeou o cavalo e galopou pela Avenida Melrose abaixo. Ao passar pela caixa do correio, um vulto de homem emergiu da sombra do lampião.

O inimigo! – exclamou Rose para si mesma. – O inimigo. Bang! – fez ela, puxando o gatilho da pistola e encarando-o ao passar por ele. O homem tinha uma cara horrível: branca, descascada, marcada de bexigas. Pôs um olhar turvo na menina e estendeu o braço como se quisesse interceptá-la. E quase conseguia. Mas Rose fugiu. O brinquedo acabara.

Ela era ela mesma outra vez, uma menina que desobedecera à irmã mais velha, saíra com sapatos de andar em casa e corria a se refugiar na loja Lamley.

* * *

A prazenteira sra. Lamley estava por trás do balcão a dobrar os jornais. Em meio aos reloginhos baratos, cartões com ferramentas, barcos de brinquedo e caixas de papel de carta, ela pensava em algo agradável, pois arvorava um sorriso no rosto de incrível frescor. Foi então que Rose irrompeu na loja. Ela ergueu os olhos para a menina, com uma pergunta implícita.

– Olá, Rose! – exclamou. – O que deseja, meu bem?

Apoiava a mão na pilha de jornais. Rose arfava petrificada. Esquecera o que viera comprar.

– Eu queria a caixa de patinhos da vitrine – disse afinal, lembrando-se.

A sra. Lamley deu a volta para ir buscar o brinquedo.

– Mas não é muito tarde para uma menina como você andar na rua sozinha? – perguntou, olhando para ela como se soubesse que saíra com os sapatos de andar em casa, desobedecendo à irmã. – Boa noite, meu bem, vá correndo para casa – disse, entregando-lhe o embrulho. A criança pareceu hesitar na soleira da porta. Ficou parada, contemplando os brinquedos à luz da lâmpada de óleo pendente do teto. Depois, relutante, foi embora.

* * *

Entreguei minha mensagem pessoalmente ao general, disse consigo quando se viu outra vez na calçada. E este é o troféu, disse, apertando o embrulho debaixo do braço. Retorno em triunfo com a cabeça do chefe rebelde, continuou, fazendo um reconhecimento sumário do trecho da Avenida Melrose que tinha à sua frente. Tenho de esperar o cavalo e ir a galope, pensou. Mas a história já não funcionava. A Avenida Melrose continuava Avenida Melrose. A menina ficou a contemplar a rua. Um longo trecho deserto. As árvores lançavam sombras trêmulas no chão. Os lampiões eram por demais espaçados e havia poças de escuridão entre um e outro. Ela estugou o passo. De repente, viu o homem outra vez. Estava encostado no lampião, e a luz do gás dançava no seu rosto. Quando ela passou, ele chupou os lábios para dentro, depois soprou. O som era uma espécie de relincho. Mas não estendeu as mãos para ela. Estavam ocupadas, desabotoando a roupa dele.

    Ela passou como um raio. Teve a impressão de que o homem vinha em seu encalço. Ouvia os surdos passos dele na calçada. Tudo tremia em torno dela enquanto corria. Pequenos pontos rosa ou negros dançavam diante dos seus olhos. Subiu a escada correndo, enfiou a chave na fechadura e abriu a porta do vestíbulo. Pouco se importava com o barulho que pudesse fazer. Queria até que alguém saísse para falar com ela. Mas ninguém a ouviu. O vestíbulo estava deserto. O cachorro dormia no capacho. E vinha um murmúrio de vozes da sala de estar. Conversavam ainda.

* * *

— E quando pegar — dizia Eleanor —, vai fazer calor demais.
    Crosby empilhara os negros carvões numa espécie de promontório alongado. Uma pluma de fumaça amarela enrolava-se de mau humor em torno dele. O fogo começava a arder. Quando queimasse mesmo, ficaria quente demais.

— Ela diz que vê a enfermeira furtar açúcar. Vê pela sombra da mulher na parede — dizia Milly. Falavam da mãe delas. — E tem Edward — continuou —, que não escreve.

— Isso me lembra... — disse Eleanor. Não poderia se esquecer de escrever para Edward. Haveria tempo depois do jantar. Não tinha vontade de escrever nem de conversar. Sempre que voltava do Grove, sentia como se uma infinidade de coisas estivessem acontecendo ao mesmo tempo. As palavras repetiam-se em sua mente — palavras e coisas que tinha visto. Pensava na velha sra. Levy, recostada na cama, com os cabelos brancos amontoados como se fossem uma peruca e o rosto como um vaso antigo, de verniz craquelê.

— Dos que foram bons para mim eu me lembro... Os que me levavam nas suas carruagens quando eu não passava de uma pobre viúva que lavava e engomava para fora. — Nesse ponto ela estendia o braço, branco e retorcido como uma raiz. — Os que foram bons para mim, desses eu me lembro e lembro... — repetia Eleanor, os olhos fixos no fogo. Então entrou a filha, que trabalhava para um alfaiate. Usava pérolas do tamanho de ovos de galinha. Dera para pintar o rosto. Era de uma beleza extraordinária. Mas Milly fez um ligeiro movimento.

— Eu estava pensando — improvisou Eleanor na inspiração do momento — que os pobres se divertem mais do que nós.

— Os Levy? — disse Milly distraída. Depois, acrescentou com vivacidade: — Fale-me dos Levy.

As relações de Eleanor com "os pobres" — os Levy, os Grubb, os Paravicini, os Zwingler e os Cobb — sempre a divertiam. Mas Eleanor não falava nessa gente, "os pobres", como se fossem personagens de romance. Tinha grande admiração pela sra. Levy, que estava muito mal, com câncer.

— Oh, vão indo como de hábito — disse com alguma acidez.

Milly olhou-a. Eleanor está emburrada, pensou. Era uma brincadeira de família: "Cuidado. Eleanor está emburrada. É um dos seus dias do Grove". Eleanor envergonhava-se disso, mas voltava sempre irritada do Grove, por uma razão ou outra. Tinha tantas coisas na cabeça ao mesmo tempo! Canning Place, Abercorn Terrace, este quarto, aquele outro. Havia a velha judia, apoiada em todos aqueles travesseiros no seu quartinho abafado. Então vinha para casa e havia mamãe tão doente. Papai resmungão. Delia e Milly discutindo a propósito de uma festa... Mas logo se conteve. Cumpria dizer alguma coisa que divertisse a irmã.

– Dessa vez a sra. Levy tinha o dinheiro do aluguel. Um milagre – disse. – Lily ajudou-a. Lily tem um bom emprego numa alfaiataria em Shoreditch. Apareceu coberta de pérolas e de coisas. Eles adoram penduricalhos; os judeus, quero dizer – acrescentou.

– Judeus? – disse Milly. Pareceu avaliar o gosto dos judeus e desistir do assunto. – Sim – concordou –, desde que brilhem.

– Ela é de uma beleza extraordinária – disse Eleanor, pensando nas maçãs vermelhas do rosto e nas pérolas tão brancas.

Milly sorriu. Eleanor sempre a tomar o partido dos pobres. Eleanor é a pessoa melhor, mais inteligente e mais notável que conheço, pensou. E disse:

– Acho que você gosta mais de ir para aqueles lados do que para qualquer outro lugar. Seria capaz de ir morar por lá se pudesse – acrescentou com um leve suspiro.

Eleanor mexeu-se na cadeira. Tinha seus sonhos, naturalmente, seus planos. Mas não gostava de discuti-los.

– Talvez você acabe fazendo isso. Quando casar? – disse Milly. Havia uma nota de petulância, mas também de queixa em sua voz. O jantar, pensou Eleanor, o jantar dos Burke. Desejava que Milly não ficasse a levar constantemente a conversa para o assunto casamento. O que sabem elas de casamento? – perguntou-se. Vivem em casa, pensou, não veem quase ninguém fora do seu próprio círculo. Estão sempre enfiadas aqui dentro, dia após dia... Fora justamente por isso que dissera: "Os pobres se divertem mais do que nós". A ideia lhe viera à cabeça ao voltar para aquela sala de estar, com toda a mobília e flores e enfermeiras de hospital... De novo ela se interrompeu. Tinha de esperar até ficar sozinha – até a hora de escovar os dentes à noite. Na companhia dos outros, convinha deixar de pensar em duas coisas ao mesmo tempo. Apanhou o atiçador e bateu com ele no carvão.

– Olhe! Que beleza! – exclamou. Uma chama dançava no alto, uma chama lépida e rarefeita. Era uma chama assim que eles faziam quando crianças, jogando sal no fogo. Bateu mais uma vez, e uma chuva de fagulhas de ouro subiu pela chaminé. – Você se lembra de quando brincávamos de bombeiros, e Morris e eu pusemos fogo na lareira?

– E Pippy foi chamar papai – disse Milly. Interrompeu-se. Alguém fazia barulho no vestíbulo. Uma bengala raspou o chão. Penduraram um sobretudo. Os olhos de Eleanor brilharam. Era Morris, sim. Ela reconhecia os ruídos. Agora ele entrava. Ela olhou em torno com um sorriso quando a porta se abriu. Milly levantou-se de um salto.

Morris tentou detê-la.

– Não se vá – começou.

– Sim! – exclamou ela. – Preciso ir. Vou tomar um banho – acrescentou na inspiração do momento. E deixou-os.

* * *

Morris sentou-se na cadeira que ela deixara vazia. Alegrava-se de ficar sozinho com Eleanor. Por um momento, nenhum dos dois falou. Olhavam a pluma amarela da fumaça e a pequena chama que dançava, leve e rarefeita, aqui e ali, no negro promontório de carvões. Então fez a pergunta habitual:

– Como vai mamãe?

Ela disse que não houvera mudança. – Só dorme mais agora.

– Ele franziu a testa. Estava perdendo seu ar de menino, pensou Eleanor. Isso era o pior da advocacia, todo mundo dizia. Ter de esperar. Ele trabalhava para Sanders Curry. E era trabalho ingrato, ficar no foro o dia inteiro esperando.

– Como vai o velho Curry? – perguntou. O velho Curry tinha mau gênio.

– Um tanto bilioso – respondeu Morris com azedume.

– O que foi que você fez o dia inteiro? – perguntou ela.

– Nada de especial.

– Ainda Evans *versus* Carter?

– Sim – respondeu laconicamente.

– E quem vai ganhar?

– Carter, naturalmente.

Por que "naturalmente" era o que ela desejaria perguntar. Mas dissera uma tolice havia poucos dias, algo que provava que ela não prestava atenção. Misturava as coisas. Por exemplo, que diferença havia entre a lei costumeira e as outras leis? Por isso, ela não disse nada. Ficaram sentados e mudos, olhando o fogo a brincar nos carvões. Era uma chamazinha verde agora, leve e rarefeita.

– Você pensa que fui um asno? – perguntou de repente. – Com toda essa doença em casa, e Edward e Martin, que têm de ser sustentados, papai deve estar meio apertado, não é mesmo? – E enrugou outra vez a testa daquele modo que a levara a dizer que ele perdia o jeito de menino.

– Claro que não – respondeu com ênfase. Naturalmente seria absurdo que ele entrasse para o comércio com a paixão que tinha pelo direito. – Você vai ser Lord Chancellor um desses dias – disse. – Tenho certeza!

Ele sacudiu a cabeça, sorrindo.

– Tenho certeza! – repetiu Eleanor, olhando-o como costumava olhá-lo quando vinham de volta da escola, e Edward tinha ganhado todos os prêmios, e Morris ficava sentado e quieto – ainda podia vê-lo – a engolir seu jantar sem que ninguém lhe desse a menor atenção. E, enquanto o olhava, uma dúvida a assaltou. Dissera Lord Chancellor. Mas não deveria ter dito Lord Chief Justice?[*]

---

[*] No sistema inglês, o Lord Chancellor ou Lord High Chancellor preside a Chan-

Jamais conseguia lembrar qual era qual. Por isso, Morris recusava-se a discutir Evans *versus* Carter com ela. Ela também não lhe contava nada dos Levy, salvo como pilhéria. Isso era o que havia de ruim em crescer. Não partilhavam mais as coisas como costumavam fazer quando eram pequenos. Quando se viam, nunca tinham tempo de conversar como antes sobre as coisas em geral. Conversavam sobre fatos, fatos menores.

Ela atiçou o fogo. E de súbito um clangor encheu a sala. Era Crosby, concentrando toda a sua virtuosidade no gongo do vestíbulo. Parecia uma índia satisfazendo sua sede de vingança numa vítima inerme. Vagas de som repercutiam pelo aposento.

– Deus, é o toque de vestir! – disse Morris. Ergueu-se e espreguiçou-se, levantando os braços e mantendo-os por algum tempo acima da cabeça. É assim que ele vai ficar quando for pai de família, pensou Eleanor. Morris deixou cair os braços e saiu da sala. Ela continuou sentada por algum tempo, perdida em seus pensamentos. Depois acordou. Do que é mesmo que eu deveria me lembrar?, perguntou a si mesma. De escrever para Edward. Era isso. E atravessou a sala para sentar-se à escrivaninha da mãe. Será minha daqui por diante, pensou, contemplando o castiçal de prata, a miniatura do avô, as cadernetas dos fornecedores (uma delas tinha uma vaca em relevo dourado na capa) e a morsa malhada com uma escova nas costas que Martin dera à mãe no seu último aniversário.

* * *

Crosby mantinha aberta a porta da sala de jantar à espera de que todos descessem. Como a prata fica agradecida por uma boa limpeza!, pensou. Facas e garfos refulgiam em torno da mesa. Todo

---

cery, que é hoje uma divisão (Chancery Division) da High Court of Justice, a qual, por sua vez, é uma seção da Supreme Court, que compreende ainda a Queen's Bench Division. Outrora, a Chancery era a instância mais alta, logo abaixo da Câmara dos Lordes (que julga a rainha). O Lord Chief Justice é o juiz principal da Queen's Bench Division da High Court of Justice. (N. T.)

o aposento, com suas cadeiras esculpidas, seus quadros a óleo, as duas adagas acima da lareira, o belo aparador – todos os sólidos objetos que lhe cabia espanar e lustrar diariamente – sobressaíam mais à noite. A sala, que cheirava a carne durante o dia e que as cortinas de sarja mantinham numa permanente penumbra, luzia esplendorosa na hora do jantar e adquiria uma certa transparência. Quanto a eles, pensava Crosby, vendo-os entrar, eram uma família vistosa. As moças nos seus bonitos vestidos de musselina florida, azul e branca; os homens tão elegantes nos seus paletós a rigor. Ela puxou a cadeira para o coronel. Ele sempre parecia melhor à noite. Por alguma obscura razão, seu mau humor se dissipara, e ele parecia apreciar o jantar. Estava jovial e, vendo isso, os filhos ganharam alma nova.

– Você está usando um belo vestido – disse a Delia ao sentar-se.

– Este vestido velho? – respondeu ela, alisando a musselina azul.

Havia nele um à vontade, uma opulência, um encanto quando se mostrava assim bem-disposto, que ela achava irresistível. Toda gente dizia que os dois se pareciam. E às vezes – nesta noite, por exemplo –, isso lhe era agradável. Tinha um ar tão róseo, apurado e cordial no seu paletó a rigor! Quando estava assim, eles se faziam crianças outra vez e eram levados a repetir velhas brincadeiras de família e a rir sem motivo, como uns tontos.

– Eleanor está taciturna – disse o pai, piscando o olho para os outros. – É o seu dia do Grove.

Todos riram. Eleanor tinha pensado que ele falava de Rover, o cão, quando, na verdade, se tratava da sra. Egerton, uma lady Crosby, que servia a sopa e franzira a cara, pois ela também tivera vontade de rir. Às vezes, o coronel fazia Crosby rir tanto que ela era obrigada a se pôr de costas e fingir que arranjava alguma coisa no aparador.

– Oh, a sra. Egerton... – disse Eleanor, começando a tomar a sopa.

— Sim, a sra. Egerton — respondeu o pai, e continuou a história sobre a sra. Egerton, cujos cabelos dourados não seriam todos dela, segundo as más línguas.

Delia gostava de ouvir as histórias que seu pai contava da Índia. Eram espirituosas e românticas ao mesmo tempo. Evocavam uma atmosfera de cassino de oficiais, com os homens em uniforme completo, malgrado a noite tórrida e o inevitável — e desmedido — centro de mesa em prata.

Ele costumava ser assim quando eram pequenos, pensou Eleanor. Costumava saltar fogueira no aniversário dela. Ficou a vê-lo servir as costeletas com destreza, valendo-se da mão esquerda. Admirava sua decisão, seu bom senso. Fazendo passar cada costeleta, certeira, da travessa para o prato, ele não deixava morrer a conversa!

— Falar da adorável sra. Egerton me fez pensar na história do velho Badger Parkes. Não sei se já contei a vocês...

— Senhorita — disse Crosby num sussurro, abrindo a porta por detrás da cadeira de Eleanor. Depois, disse-lhe algumas palavras em particular.

— Eu vou — respondeu Eleanor, erguendo-se.

— O que é? O que houve? — perguntou o coronel, cortando uma frase ao meio. Eleanor saiu da sala.

— Algum recado da enfermeira — disse Milly.

O coronel, que acabava de servir-se de costeleta, tinha o garfo e a faca em riste. Todos estavam com os talheres em suspenso. Ninguém queria mais comer.

— Bem, vamos prosseguir com o jantar — disse o coronel, atacando abruptamente a sua costeleta. Perdera a jovialidade.

Morris serviu-se de batatas sem grande convicção. E logo Crosby surgiu de novo. Deixou-se ficar à porta, os olhos de um azul desmaiado mais proeminentes do que nunca.

— O que foi, Crosby? O que se passa? — perguntou o coronel.

— É a senhora, senhor. Temo que esteja pior, senhor — disse com uma curiosa nota de choro na voz. Todos se levantaram.

— Esperem aqui. Vou ver o que há — disse Morris. Mas todos saíram atrás dele para o vestíbulo. O coronel tinha ainda o guardanapo na mão. Morris galgou as escadas rapidamente. Num momento estava de volta.

— Mamãe desmaiou — disse ao coronel. — Vou buscar Prentice.

— Apanhou sobretudo e chapéu e desceu correndo os degraus da frente. Ouviram que assoviava, chamando um fiacre. Estavam todos num grupo, indecisos, de pé no vestíbulo.

— Acabem de jantar, filhas — disse o coronel peremptoriamente. Mas ele mesmo ficou a medir a sala de estar, para lá, para cá, sempre de guardanapo na mão.

* * *

Aconteceu, pensava Delia, aconteceu afinal! Um extraordinário sentimento de alívio e de excitação a empolgava. Seu pai ia e vinha de uma sala para a outra. Ela seguia sua esteira, embora o evitando. Eram por demais parecidos um com o outro. Ambos sabiam o que estavam sentindo. Ela se pôs à janela, olhando para fora. Chovera. A rua estava molhada. Os telhados brilhavam. Nuvens escuras passavam pelo céu. Os galhos das árvores moviam-se para cima, para baixo, à luz dos lampiões. Também nela alguma coisa imprecisa se agitava para cima, para baixo. Algo desconhecido, que agora parecia muito próximo. Um som estrangulado, às suas costas, fê-la voltar-se. Era Milly. Estava de pé junto da lareira, sob o quadro da jovem de branco com a cesta de flores, e as lágrimas escorriam-lhe devagarinho pelo rosto. Delia teve um movimento na direção da irmã. Devia acercar-se dela, abraçá-la. Mas não podia fazer isso. Lágrimas de verdade corriam pelo rosto de Milly. Os seus próprios olhos, porém, estavam secos. Virou-se para a janela outra vez. A rua parecia deserta, só os galhos se agitavam, erguendo-se, caindo, à luz do revérbero. O coronel andava de um lado para o outro. Bateu num canto de mesa e soltou uma praga. Ouviam-se passos no quarto do primeiro andar. Ouviam-se vozes sussurrando. Delia virou-se para a janela.

Um fiacre vinha pela rua, o cavalo a trote. Morris saltou de dentro dele logo que o veículo parou. O dr. Prentice o seguiu. Foi

diretamente para o quarto da enferma, e Morris reuniu-se à família na sala.
— Por que não acaba de jantar agora? — perguntou o coronel com alguma rispidez. Fizera alto e encarava os filhos.
— Oh, depois que ele for embora — respondeu Morris, irritado.
O coronel recomeçou a andar, postou-se, depois, de frente para o fogo, as mãos atrás das costas. Tinha um ar tenso, como se reunisse forças para uma emergência.
Estamos representando, pensou Delia, lançando-lhe um olhar. Só que ele representa melhor do que eu.
Olhou de novo pela janela. Chovia. E, quando a chuva passava pelo poste, era em longos fios de luz prateada.
— Está chovendo — disse em voz baixa, mas ninguém respondeu.
Por fim, ouviram passos na escada, o dr. Prentice entrou. Fechou a porta com cuidado, mas não disse nada.
— Então? — perguntou o coronel.
Houve uma longa pausa.
— Que achou dela? — insistiu o coronel.
O médico deu de ombros muito de leve.
— Ela se reanimou. Por enquanto, pelo menos.
Essas palavras foram para Delia como um violento golpe na cabeça. Deixou-se cair sentada no braço de uma poltrona.
Você não vai morrer então, pensou, levantando os olhos para a jovem do quadro, equilibrada num tronco de árvore. A figura parecia sorrir timidamente para a filha, mas com uma ponta de malícia. Você não morre mesmo, nunca, nunca!, pensou, as mãos crispadas debaixo do retrato da mãe.
— Não poderíamos acabar de jantar agora? — perguntou o coronel, apanhando o guardanapo que deixara na mesa da sala de visita.

* * *

Que pena!, pensou Crosby, trazendo de novo as costeletas da cozinha. O jantar está estragado. A carne secara, as batatas tinham uma crosta marrom. Além disso, uma das velas chamuscara o seu pequeno abajur – coisa que ela percebeu ao depositar a travessa diante do coronel. Em seguida, saiu fechando a porta, e eles se puseram a comer.

* * *

Tudo estava quieto na casa. O cachorro dormia no capacho do vestíbulo, ao pé da escada. Do quarto em que dormia Martin, vinha um discreto ressonar. Da *nursery*, onde as crianças ficavam de dia, a sra. C. e a babá também recomeçavam o jantar que haviam deixado pela metade ao ouvirem a comoção no vestíbulo. Rose dormia na *nursery* da noite. Por algum tempo, dormiu pesadamente, enrodilhada e com a cabeça coberta. Depois, agitou-se e estendeu os braços. Uma forma oval e branca assomara ao topo da escuridão e boiava no ar à sua frente como se estivesse dependurada em um cordel. Ela entreabriu os olhos para vê-la direito. A coisa fervia, com manchas cinzentas que entravam e saíam. Rose acordou de todo. Era um rosto que sobrenadava diante dela, como que preso a um fio invisível. Ela fechou os olhos. Mas o rosto permaneceu ali, com suas borbulhas, cinzento, alvacento, violáceo, marcado de bexigas. Ela esticou o braço para tocar a grande cama vizinha da sua. Ninguém. Escutou. Podia ouvir um tilintar de facas e um murmúrio de vozes na *nursery* do dia, que ficava do outro lado do corredor. Mas não conseguia dormir.

Obrigou-se a pensar num rebanho de carneiros fechados num curral em pleno campo. Fez que um deles saltasse por cima da cerca, depois outro. Contava-os à medida que pulavam fora. Um, dois, três, quatro, lá se iam eles. O quinto, no entanto, não quis saltar. Virou-se e olhou para ela. Tinha uma cabeça comprida e estreita, cor de chumbo. Movia os lábios. Era o mesmo rosto do homem da caixa do correio, e ela sozinha com ele! Se fechava os olhos, ele estava ali. Se os abria, estava ali da mesma maneira.

Sentou-se na cama e chamou:

– Babá! Babá!

Havia um silêncio de morte por toda parte. O tinido dos talheres cessara. Estava sozinha com aquela coisa horrorosa. Foi quando ouviu passos arrastados no corredor. Devia ser o homem. Chegava cada vez mais perto. Agora tinha a mão na maçaneta da porta. A porta abriu-se. Uma lâmina triangular de luz cortou a treva, revelando a bacia e o jarro da penteadeira. O homem agora estava dentro do quarto com ela. Só que era... Eleanor.

* * *

– Por que não está dormindo? – perguntou Eleanor. Depôs a vela que trazia e endireitou as roupas de cama. Estavam amarfanhadas. Depois examinou Rose. A menina tinha os olhos acesos, o rosto afogueado. O que acontecera? Teriam feito barulho demais no quarto de mamãe?

– O que é que mantém você acordada? – perguntou.

Rose bocejou outra vez. Mais um suspiro que um bocejo. Não podia contar a Eleanor o que vira. Tinha um grande sentimento de culpa. Por alguma razão, era preciso mentir a propósito do rosto que vira.

– Foi um pesadelo – respondeu. – Fiquei com medo.

Um estranho calafrio nervoso correu-lhe pelo corpo ao falar. Que diabo teria ela?, perguntou-se de novo Eleanor. Teria brigado com Martin? Ou teria corrido novamente atrás dos gatos no jardim da srta. Pym?

– Você andou perseguindo outra vez aqueles pobres gatos? – perguntou. – Eles sofrem tanto quanto você sofreria – acrescentou. Sabia muito bem que o terror de Rose nada tinha a ver com gatos. A menina apertava o dedo da irmã com toda a força. E olhava fixamente à frente com uma expressão das mais curiosas.

– Que espécie de pesadelo você teve? – perguntou, sentando-se na beira da cama. Rose fitou-a. Não, não lhe contaria nada. Mas era preciso fazer com que Eleanor ficasse ali com ela. A todo custo.

– Pensei ter ouvido os passos de um homem no quarto – respondeu afinal. – Um ladrão.

– Um ladrão? Aqui em casa? Mas, Rose, como poderia um ladrão entrar no seu quarto? E papai, e Morris... Eles nunca deixariam que um ladrão entrasse no seu quarto.

– É mesmo – concordou Rose. – Papai o mataria – acrescentou. Havia qualquer coisa de estranho na maneira como ela se mexia. – O que estão fazendo vocês todos? – perguntou com a mesma agitação. – Por que ainda não foram se deitar? Não é tarde?

– O que estamos fazendo? Estamos conversando na sala. Não é tão tarde assim.

Enquanto falava, um som impreciso se fez ouvir no quarto. Quando o vento estava na boa direção, podiam ouvir os sinos da Catedral de St. Paul. Os círculos macios alargavam-se no ar: um, dois, três, quatro. Eleanor contou oito, nove, dez. Ficou surpresa que as batidas cessassem tão depressa.

– Viu? São só dez horas – disse. Pensara que fosse muito mais tarde. Mas já a última badalada se dissolvia no ar. – Agora você vai dormir.

Rose apertou-lhe a mão com força.

– Não vá embora, Eleanor – implorou. – Só mais um pouquinho...

– Mas então me conte o que foi que assustou você – começou Eleanor. A menina lhe escondia alguma coisa, estava convencida disso.

– Eu vi... – começou. Fazia um grande esforço para contar a verdade. Para falar do homem da caixa do correio. – Eu vi... – repetiu. Mas a porta se abriu e entrou a babá.

– Não sei o que há com Rose esta noite – disse afobada. Sentia-se em falta. Ficara embaixo com os outros empregados a discutir a saúde da patroa. – Geralmente ela dorme tão bem – disse, aproximando-se da cama.

– Olhe, Rose, aí está a babá – disse Eleanor. – Ela vai se deitar, e você não precisa mais ter medo – concluiu, alisando as cobertas e beijando a irmã. Depois, levantou-se e apanhou o castiçal. – Boa noite, babá – disse, voltando-se para sair do quarto.

— Boa noite, srta. Eleanor — respondeu a babá, pondo alguma simpatia na voz. Pois os empregados comentavam na copa que a patroa não poderia durar muito. — Vire para o canto e durma, querida — disse ainda, beijando Rose na testa. Tinha pena da menina, que logo ficaria órfã. Em seguida, tirou as abotoaduras de prata dos seus punhos e, só de anágua, pôs-se a soltar os grampos do cabelo, de pé diante da cômoda amarela.

* * *

Vi... repetiu Eleanor consigo mesma, ao fechar a porta da *nursery*. Vi... O que teria visto Rose? Algo horrível, misterioso. Mas o quê? Estava ali, de qualquer maneira, escondido atrás dos olhos assustados da menina. Segurou a vela um pouco de viés na mão. Três gotas de cera tombaram nos lambris envernizados antes que ela se desse conta do fato. Endireitou a vela e desceu as escadas, apurando o ouvido. Tudo era silêncio. Martin dormia. Sua mãe dormia. À medida que descia e passava em frente às portas dos quartos, sentia como se um grande peso a fosse aos poucos esmagando. Deteve-se, alongando o olhar pelo vestíbulo. Uma sensação de vazio apoderou-se dela. Onde estou?, perguntava-se, contemplando uma moldura pesada. O que será isso? Era como se estivesse sozinha no âmago do nada. E, todavia, tinha de descer, de levar seu fardo. Ergueu um pouco os braços como se carregasse uma bilha na cabeça, uma bilha de barro. Estacou de novo. A borda de uma tigela desenhou-se contra os seus globos oculares. Havia água nela. E algo amarelo. Era a tigela do cachorro, descobriu. E aquilo era o enxofre na tigela do cachorro. O próprio cachorro estava perto, enrolado aos pés da escadaria. Ela saltou com cuidado por cima do animal adormecido e entrou na sala de estar.

* * *

Todos ergueram os olhos para ela quando surgiu à porta. Morris tinha um livro na mão, embora não lesse. Milly segurava qualquer outra coisa, um pano, mas não costurava nem bordava.

Delia estava recostada na sua cadeira sem fazer absolutamente nada. Eleanor hesitou um momento, depois marchou para a escrivaninha. Vou escrever para Edward, disse entre os dentes. Tomou pena, mas hesitou. Achava difícil escrever para Edward; vendo-o à sua frente, quando pegava na caneta, alisava o papel de cartas em cima da mesa. Ele tinha os olhos muito juntos um do outro. Costumava pentear o topete no espelho de entrada de um modo que ela achava irritante. Nigs era o apelido que lhe dera. "Meu caro Edward", começou, decidindo-se por Edward em vez de Nigs dessa vez.

Morris levantou os olhos do livro que procurava ler. A pena de Eleanor arranhando o papel exasperava-o. Ela parava, escrevia, inclinava a cabeça. Todos os aborrecimentos da casa recaíam sobre ela, isso era certo. E, todavia, ela o exasperava assim mesmo. Estava sempre a fazer perguntas. E jamais escutava as respostas. Fixou os olhos no livro outra vez. Mas de que servia o esforço de ler? A atmosfera de emoção reprimida agastava-o. Não havia nada que qualquer um deles pudesse fazer, mas todos continuavam ali, naquela atitude geral de emoção reprimida. A costura de Milly o irritava como o irritava ver Delia recostada na sua cadeira sem fazer nada, como de hábito. E ali estava ele, trancafiado com aquelas mulheres numa atmosfera de emoção irreal. Enquanto Eleanor escrevia e escrevia e escrevia. Não havia nada que valesse a pena mencionar, naturalmente. Mas eis que ela lambia o envelope e colava o selo.

* * *

– Quer que eu vá postá-la para você? – perguntou Morris, fechando o livro.

Levantou-se como se estivesse contente de ter alguma coisa para fazer, afinal. Eleanor acompanhou-o até a porta da frente e ficou a segurá-la enquanto ele ia até a caixa. Garoava um pouco e, do umbral, respirando o ar fresco e úmido, ela se pôs a observar as curiosas sombras que dançavam no chão sob as árvores. Morris desapareceu nas sombras da esquina. Lembrava-se de como ficava assim de pé, à porta, quando ele ainda era um menino e ia para uma escola diurna, a pasta na mão. Costumava dar-lhe adeus quando ele atingia aquela mesma esquina, e ele sempre se voltava e respondia. Era uma cerimônia curiosa, abandonada agora que ambos tinham crescido. As sombras tremiam enquanto ela esperava. Num momento, ele emergiu do escuro e veio rua afora e degraus acima.

— Ele recebe a carta amanhã — disse. — Nem que seja pela segunda distribuição.

Bateu a porta e curvou-se para passar a corrente. Pareceu a Eleanor, quando o metal tilintou, que ambos aceitavam o fato de que nada mais aconteceria nesta noite. Evitaram os olhos um do outro. Nem ela nem ele queriam mais emoções no momento. Voltaram juntos para a sala de estar.

— Bem — disse Eleanor, olhando em torno. — Acho que vou para a cama. A enfermeira chamará se precisar de alguma coisa.

— Talvez devamos todos ir também — disse Morris. E pôs-se a revolver o fogo. Milly começou a enrolar o bordado. — Que fogo mais absurdo! — exclamou irritado. Os carvões estavam pegados uns aos outros. E queimavam furiosamente.

De súbito, uma campainha soou.

— É a enfermeira — disse Eleanor. E, com um olhar para Morris, saiu correndo da sala. Ele foi no seu encalço.

De que serviria?, pensava Delia, era mais um falso alarme, com certeza. Levantou-se.

— Foi a enfermeira — disse para Milly, que estava de pé com uma expressão de espanto no rosto. Ela não vai chorar de novo, espero, pensou, e foi para a outra sala, da frente. As velas ardiam na prateleira da lareira. Iluminavam o retrato da mãe. A jovem de branco parecia presidir ao cerimonial eternamente procrastinado da própria agonia com uma sorridente indiferença que ultrajava a filha.

— A senhora não vai morrer, não vai morrer! — disse Delia amargamente, olhando para ela. O coronel, assustado com a campainha, assomou à porta. Usava um gorro vermelho com uma borla absurda.

Tudo em vão, dizia Delia de si para si, observando o pai. Sentia que a ambos era preciso conter a excitação crescente.

– Nada vai acontecer, nada absolutamente – disse, encarando-o. Mas, nesse exato momento, Eleanor entrou na sala. Estava muito branca.

– Onde está papai? – disse, buscando-o com os olhos. E, ao vê-lo: – Venha, papai, venha... – disse, estendendo-lhe a mão. – Mamãe está morrendo. – E para Milly, por cima do ombro: – As crianças...

Duas pequenas manchas lívidas apareceram acima das orelhas do coronel, Delia notou. Seus olhos ficaram fixos. Ele tomava coragem. Depois passou por elas rumo à escada. Todos foram atrás dele, numa pequena procissão. Delia viu que o cão tentou subir com eles e que Morris o impediu com um tabefe. O coronel foi o primeiro a entrar no quarto, depois Eleanor, em seguida Morris. Martin desceu, enfiando um robe de chambre. Milly trouxe Rose no colo, embrulhada num xale. Delia deixou-se ficar para trás. Eram tantos lá dentro que não conseguiu passar da soleira. De onde se achava, podia ver as duas enfermeiras de pé com as costas contra a parede oposta. Uma delas chorava – justamente a novata, a que viera nessa mesma tarde, observou. Não podia ver a cama. Mas viu que Morris se ajoelhara. Devo fazer o mesmo?, perguntou-se. Em todo caso, não aqui no corredor, decidiu. Tirou os olhos da cena e ficou a olhar a pequena janela ao fundo do corredor. A chuva caía. Havia uma luz em algum lugar que fazia brilhar as gotas d'água. Uma depois da outra, elas escorriam pela vidraça. Escorriam, depois faziam uma pausa. Uma gota encontrava outra e, juntas, escorriam outra vez. Havia completo silêncio no quarto.

É isso então a morte?, Delia se perguntava. Por um momento, pareceu haver alguma coisa. Uma cortina de água pareceu se abrir para os lados. As duas metades ficaram separadas. Delia apurou o ouvido. O silêncio era total. Depois houve um rumor arrastado de pés no quarto, e seu pai saiu cambaleando.

– Rose! – gritava. – Rose! Rose! – Tinha os braços esticados à frente do corpo e os punhos cerrados.

Excelente desempenho, pensou Delia quando ele passou por ela. Era tal qual uma cena de teatro. Notou impassível que a chuva continuava. Uma gota escorria rápida, parava, encontrava outra, e, juntas, formando uma gota só, rolavam até embaixo da vidraça.

* * *

Chovia. Uma chuva fina que não chegava a ser um aguaceiro salpicava o calçamento, tornava-o escorregadio. Seria o caso de abrir o guarda-chuva ou valeria a pena chamar um fiacre?, perguntavam-se os que saíam dos teatros, olhando o céu leitoso e as estrelas baças. De onde a água caía no solo, em jardins e prados, vinha um cheiro bom de terra. Aqui uma gota se equilibrava numa folha de grama; ali enchia a corola de uma flor silvestre; até que a brisa soprava, e elas tombavam. Os carneiros hesitavam: deviam abrigar-se debaixo do espinheiro alvar ou da sebe? E as vacas, já soltas para pastar no campo cinzento, com seus arbustos esparsos, indistintos, ruminavam sonolentas, com água a escorrer-lhes dos flancos. A chuva caía sobre os telhados, aqui em Westminster, ali em Ladbroke Grove. E sobre o mar imenso, milhões de pontos salpicavam o monstro azul como se fossem gotículas de um chuveiro inumerável. Por cima dos vastos domos e das vertiginosas flechas da Cidade Universitária imersa em torpor, sobre os tetos de chumbo das bibliotecas, sobre os museus amortalhados em pano de holanda, a doce chuva caía e escorria, até chegar às fauces das gárgulas, esses monstros hílares de garras incontáveis, de onde jorravam finalmente em leque por um milheiro de dentes e recortes. Um ébrio, escorregando numa estreita passagem à porta da taberna, amaldiçoou-a. Mulheres em trabalho de parto ouviam o médico dizer à parteira: "Está chovendo". E os tumultuosos sinos de Oxford, que giram e regiram no ar como golfinhos em mar calmo, entoavam contemplativos suas encantações musicais. A chuva fina, a doce chuva, caía igualmente sobre cabeças mitradas e cabeças descobertas. E com tal imparcialidade que era inevitável pensar que o deus da chuva, se tal deus existe, dizia: que ela não seja privilégio dos muito sábios nem dos muito poderosos, mas de tudo o que respira, masca e mastiga no mundo, dos ignaros como dos desgraçados, dos que labutam na fornalha para fazer cópias sem fim do mesmo pote e dos que esquentam a cabeça no cipoal das letras. Que todos se beneficiem da minha munificência, inclusive a sra. Jones, na viela.

* * *

Chovia em Oxford. A chuva caía doce e persistente, fazendo um ruído agradável nas calhas e valetas. Edward, debruçado à janela, avistava as árvores do jardim da universidade, que a água caiava de branco. E, a não ser por um farfalhar das copas e pelo som da chuva caindo, tudo estava silente. Do chão molhado, subia um perfume de terra. Pequenas lâmpadas eram acesas aqui e ali na massa escura da universidade. E havia uma pequena elevação a um canto, de um amarelo-claro, onde a luz clareava uma árvore em flor. A relva se tornava invisível, fluida, cinzenta, como água.

Edward exalou um fundo suspiro de satisfação. De todos os momentos do dia, este era para ele o melhor, quando contemplava o jardim. Respirou mais uma vez o ar fresco e úmido, depois se endireitou e saiu da janela. Andava estudando muito. Seu dia era dividido, a conselho do professor, em horas e meias horas. Mas dispunha ainda de cinco minutos livres antes de começar. Acendeu a lâmpada de mesa. Um pouco por culpa da luz verde, ele parecia um tanto pálido e magro, mas na verdade era um belo rapaz. Com os traços bem delineados e o cabelo louro, em que fazia com a mão um topete frouxo, parecia um jovem grego esculpido num friso. Sorriu. Pensava, olhando a chuva, na entrevista entre seu pai e o professor. Quando o velho Harbottle disse: "Seu filho tem possibilidades", o coronel insistira em ver os quartos que seu próprio pai ocupara quando aluno. Entraram sem bater e deram com um sujeito chamado Thompson, que, de joelhos, acendia o fogo com um fole.

— Meu pai habitou esses aposentos — dissera o coronel, desculpando-se. O moço ficara vermelho e respondera: "Não se incomode". Edward sorriu. — Não se incomode — repetiu. Mas era tempo de começar. Aumentou o pavio da lâmpada. Quando fazia isso, via o trabalho que o esperava nitidamente cortado na penumbra circundante por um brilhante círculo de luz. Olhou para os livros escolares e para os dicionários à sua frente. Tinha sempre certas dúvidas antes de mergulhar no estudo. Seu pai ficaria terrivelmente magoado se ele fracassasse. Mandara-lhe uma dúzia de garrafas de um excelente vinho do porto "para um trago de despedida", explicara, desses que tradicionalmente se tomam já com um pé no estribo. Afinal de contas, Marshall estava no páreo, e havia aquele judeuzinho tão esperto, de Birmingham. Mas era tempo de trabalhar. Pachorrentos, um depois do outro, os sinos de Oxford começaram a repicar. Badalavam pesadamente, desigualmente, como se tivessem de empurrar o ar atravessado no caminho e esse ar fosse pesado. Adorava o som dos sinos. Ouviu-os até a última batida. Então puxou a cadeira para perto da mesa. Era tempo. Cumpria estudar.

Um pequeno vinco acentuou-se entre suas sobrancelhas. Enrugava a testa quando lia. E estava lendo. Tomava uma nota. Lia de novo. Todos os sons estavam excluídos. Não via nada senão o grego à sua frente. Mas, enquanto lia, seu cérebro gradualmente se aquecia. Edward tinha consciência de uma aceleração, um aperto na fronte. Captava frase após frase, exatamente, firmemente, com mais exatidão, observou, fazendo uma breve anotação à margem, do que na noite anterior. Pequenas palavras insignificantes agora revelavam nuances no sentido que alteravam o próprio sentido. Tomou outra nota. Era *aquele* o sentido. Sua destreza em apanhar a meio caminho o que de fato importava na frase dava-lhe um frêmito de excitação. Ali estava a coisa, limpa e inteira. Mas cumpria ser preciso, exato. Mesmo suas notas em letra miúda tinham de ser claras como letra de forma. Ocupou-se com um livro. Em seguida, com outro. Depois recostou-se para ver, os olhos fechados. Não podia deixar que qualquer coisa descambasse para o vago. Os relógios começaram a bater. Pôs-se à escuta. Os relógios continuaram a bater. As linhas que se tinham gravado no seu rosto amoleceram. Recostou-se. Seus músculos relaxaram. Tirou os olhos dos livros para pô-los na penumbra. Sentia-se como se estivesse deitado na relva depois de uma corrida. Por um momento, contudo, pareceu-lhe que ainda corria. Sua mente prosseguia sem o livro. Funcionava por si mesma, sem impedimento, através de um mundo de puro sentido. Aos poucos, porém, esse sentido se perdeu. Os livros cresceram na parede. Viu o apainelado creme. O buquê de papoulas no vaso azul. A última batida soara. Ele suspirou e levantou-se.

Ficou de novo à janela. Chovia ainda, mas a alvura desaparecera da paisagem. Exceto por uma folha a luzir molhada aqui e ali, todo o jardim estava escuro agora. A massa amarela da árvore em flor desaparecera. Os prédios da universidade rodeavam o jardim como um bloco só, acaçapado, com uma nota vermelha aqui e outra amarela além, onde havia luzes acesas por detrás de cortinas. E a capela projetava-se maciça contra o céu que, por causa da chuva, parecia tremer de leve. O silêncio se fora. Escutou. Não havia sons determinados. Era todo o conjunto que fervilhava de vida. Gargalhadas se fizeram ouvir de súbito; depois, o dedilhar de um piano; em seguida, uma bulha indefinível feita de vozerio confuso e de objetos familiares entrechocados – louça, principalmente. Depois, de novo, o ruído de chuva caindo e o gorgolejar dos bueiros a engolir e vomitar água. Edward voltou a se ocupar do quarto.

Esfriara. O fogo estava quase morto. Só uma brasa vermelha ardia ainda debaixo da cinza opalescente. Lembrou-se do presente paterno, o vinho que chegara pela manhã. Acercando-se do aparador, encheu um copo. Examinando-o contra a luz, sorriu. Via ainda a mão do pai, com duas protuberâncias lisas em lugar de dedos, segurando o copo contra a luz, como fazia invariavelmente antes de beber. Não se pode enfiar uma baioneta no corpo de um sujeito a sangue frio, tinha dito o coronel, Edward lembrava-se. E não se pode enfrentar um exame sem beber, pensou.

Hesitava, porém. Examinava o vinho contra a luz, à imitação do velho. Depois tomou um gole e descansou o copo na mesa à sua frente. Entregou-se de novo à *Antígona*. Lia, sorvia um pouco do porto, lia mais, bebia mais um pouco. Um agradável calor se espalhou ao longo da espinha a partir da nuca. O vinho parecia abrir pequenas portas divisórias no seu cérebro. Fosse o vinho, fossem as palavras, ou vinho e palavras juntos, o fato é que uma concha luminosa se formou, formaram-se vapores purpurinos e deles saltou uma jovem grega. Que era, todavia, inglesa. E embora estivesse entre o mármore e os asfódelos, nem por isso deixava de estar entre o papel de parede e as estantes de Morris – sua prima Kitty, tal como a vira pela última vez, ao jantar na casa do reitor. Ela era as duas, Antígona e Kitty. Aqui no livro; lá no quarto. Iluminada, erguida, como uma flor cor de púrpura. Não!, exclamou, não como uma flor, de maneira nenhuma! Porque, se jamais houve garota que vivesse a sua vida, e fosse dona do próprio nariz, rindo, respirando, natural, essa era Kitty no seu vestido azul e branco, o mesmo que usara para aquele derradeiro jantar na casa do reitor. Edward foi até a janela. Havia quadrinhos vermelhos por entre a folhagem. Havia uma festa na casa do reitor. Com quem estaria ela conversando? E o que estaria dizendo? Voltou para a mesa.

– Diabo! – exclamou, batendo no papel com o lápis em riste. A ponta quebrou. Ao mesmo tempo bateram à porta, uma batida leve e não peremptória, de alguém que passa, e não de alguém que vai entrar.

Ele foi abrir. E lá, debruçada no corrimão, no lance de cima da escada, surgiu a figura de um rapaz de porte avantajado.

– Venha – disse Edward.

O enorme rapaz desceu os degraus devagar. Era muito grande. Seus olhos proeminentes toldaram-se de apreensão à vista dos livros na mesa. Examinou-os. Eram gregos. Mas, pelo menos, havia também vinho.

Edward serviu. Ao lado de Gibbs, parecia um fiapo de gente, como dizia Eleanor. Ele mesmo sentia o contraste. A mão com a qual levantou seu copo era como a de uma donzela perto da manopla vermelhaça do amigo. A mão de Gibbs, queimada de sol, brilhava escarlate: um pedaço de carne crua.

A caça era o que tinham em comum. Falaram de caçadas. Edward recostou-se na cadeira e deixou a conversa por conta de Gibbs. Era agradável ouvi-lo a galopar por todas aquelas estradas da Inglaterra. Falava sobre a caça à raposa jovem em setembro e de um sendeiro de que tinha notícia, cru, mas muito maneiro. Dizia: "Lembra-se daquela herdade que fica à direita de quem sobe para Stapley? E daquela moça bonita?". E, com uma piscadela: "Casou-se, para azar nosso, com um guarda". Dizia, e Edward via-o esvaziando a garrafa a grandes talagadas, dizia de como desejara o fim do verão. E logo passava à velha história da cadela *spaniel*. Você tem de vir ficar conosco em setembro, dizia, quando a porta se abriu tão silenciosamente que Gibbs não ouviu que se abria, e deu entrada a outro homem, a um homem em tudo diferente dele.

Era Ashley que entrava assim, quase furtivo. O oposto de Gibbs. Nem alto nem baixo, nem moreno nem louro. Mas nada desprezível, longe disso. Talvez pela maneira que tinha de se mover, como se cadeira e mesa exercessem sobre ele uma influência que sentia graças a antenas invisíveis ou a bigodes, como os gatos.

Sentou-se, desengonçado, mas meticuloso, pôs os olhos na mesa e leu a meio uma linha num livro. Gibbs deixara uma sentença no ar.

– Alô, Ashley – disse sumariamente. Espreguiçou-se, estirou as pernas e serviu-se de outro copo do porto do coronel. Com isso a garrafa ficou vazia. – Lamento – disse para Ashley.

– Por mim, não precisa abrir outra – disse Ashley vivamente. Tinha uma nota aguda na voz, como se estivesse contrafeito.

– Oh, mas nós também vamos querer mais um pouco – disse Edward com naturalidade. E foi à saleta de jantar apanhar o vinho.

Que maçada!, pensava, curvado sobre as garrafas. Aquilo significava – e disso se dava conta amargamente ao escolher o porto – uma outra altercação com Ashley, e já tivera duas naquele semestre a propósito de Gibbs.

Voltou com o vinho e sentou-se num tamborete baixo entre os dois amigos. Abriu a garrafa e serviu. Ambos olhavam-no com admiração. Sua vaidade, de que Eleanor sempre fazia troça, estava lisonjeada. Gostava de sentir os olhos deles. E, todavia, sentia-se à vontade, pensou. Esse pensamento também lhe deu prazer. Podia falar de caçadas com Gibbs e de livros com Ashley. Mas Ashley falava só de livros, e Gibbs – sorriu – de garotas. Garotas e cavalos. Serviu três copos.

Ashley bebeu com cuidado, e Gibbs, envolvendo o copo com suas manoplas vermelhaças, engoliu o vinho de um golpe. Falaram de corridas; depois, de exames. Por fim, Ashley, lançando os olhos sobre a *Antígona* e os dicionários, perguntou:

– E você?

– Não tenho a menor possibilidade de passar – disse Edward.

Sua indiferença era afetada. Procurava mostrar sempre desprezo pelos exames. Gibbs deixava-se enganar, mas não Ashley. Este o lia como um livro aberto. E apanhava-o frequentemente em pequenas vaidades como aquela. Mas isso apenas aumentava sua afeição pelo amigo. Como ele é bonito, pensava Ashley: sentado ali entre os dois, com a luz a dourar-lhe o cabelo claro. Como um efebo. Forte, mas de algum modo vulnerável. Necessitado de proteção.

Tinha de ser defendido a todo custo de brutamontes como Gibbs, pensou selvagemente. Como podia Edward tolerar um boçal daqueles, pensou, olhando-o – que parecia desprender constantemente um cheiro de cerveja e de cavalo (tudo isso escutando o que o outro dizia) –, era coisa que lhe escapava. Ao entrar, ouvira o fim de uma frase enfurecida – uma frase que dava a perceber haverem feito os dois alguma espécie de plano juntos.

— Muito bem, então. Vou falar com Storey a respeito do cavalo – dizia Gibbs agora, como que concluindo alguma conversa particular que tinham tido antes que ele chegasse. Um espasmo de ciúme percorreu o corpo de Ashley. Para disfarçar, apanhou um dos livros abertos na mesa e pretendeu ler alguma coisa nele.

Gibbs viu nisso um insulto deliberado. Sabia que Ashley o considerava um bruto, grandalhão e estúpido. O miserável suíno, além de interromper e estragar a conversa, começava agora a se dar ares à custa dele, Gibbs. Pois bem. Se tinha pretendido ir embora, agora ficaria. Para lhe dar o troco. Voltou-se então para Edward e continuou a falar:

— Sei que não se importará se aquilo estiver um ninho de ratos. Minha família vai para a Escócia.

Ashley virou uma página com raiva. Estariam sozinhos! Edward começou a achar divertida a situação. De pura malvadeza resolveu aderir à brincadeira.

— Muito bem. Mas você terá de cuidar de mim para que eu não caia no ridículo.

— Oh, vamos apenas caçar filhotes de raposa – disse Gibbs.

Ashley passou outra página. Edward lançou um olhar ao livro. Estava virado ao contrário. Ao fazê-lo, porém, viu a cabeça do amigo contra a parede apainelada e as papoulas vermelhas. Como parecia civilizado, pensou, em comparação com Gibbs. E que ar irônico! Tinha imenso respeito por Ashley. Gibbs perdeu todo o encanto. Ali estava ele, repetindo-se outra vez com a história da cadela *spaniel*. Haveria uma briga dos diabos no dia seguinte, pensou, e conferiu a hora, de soslaio, no relógio de bolso. Passava das onze. E ele tinha de estudar pelo menos uma hora de manhã, antes do café. Engoliu as últimas gotas de seu vinho, espreguiçou-se, bocejou ostensivamente e ergueu-se.

— Vou dormir – disse. Ashley lançou-lhe um apelo mudo. Edward era capaz de torturá-lo horrivelmente. Começou por tirar o colete. Tinha um corpo incrível, pensou Ashley, a contemplá-lo de pé entre os dois.

— Mas não se apressem — disse Edward com outro bocejo. — Terminem seus drinques. E sorriu à ideia de Ashley e Gibbs acabando de beber sozinhos um com o outro. — Há muito mais lá dentro — disse, apontando a saleta de jantar contínua — se quiserem. E os deixou.

Que se arranjem, pensou, fechando a porta do quarto de dormir. Sua própria luta não se faria esperar. Sabia-o pela expressão de Ashley. Era de um ciúme infernal. Começou a se despir. Pôs o dinheiro metodicamente em duas pilhas de cada lado do espelho, porque era um tanto avaro. Dobrou o colete cuidadosamente numa cadeira. Em seguida, olhou-se no espelho e arranjou o topete com o gesto semiautomático que enfurecia a irmã. Depois escutou.

Uma porta bateu. Um deles tinha ido embora, Gibbs ou Ashley. Mas o outro, pensou, ainda estava ali. Ouviu alguém andando no aposento. Rápido, decidido, virou a chave na fechadura. Um segundo depois a maçaneta moveu-se.

— Edward — chamou Ashley, em voz baixa e perfeitamente sob controle.

Edward não respondeu.

— Edward! — disse Ashley, sacudindo a maçaneta. A voz era agora aguda e suplicante.

— Boa noite! — disse Edward rispidamente. E escutou. Houve uma breve pausa. Em seguida a porta bateu. Ashley se fora.

Meu Deus! Que briga vamos ter amanhã!, pensou Edward, indo até a janela e contemplando a chuva que continuava a cair.

* * *

A festa na casa do reitor acabara. As senhoras estavam à porta, nos seus vestidos longos, e olhavam para o céu e para a chuva.

— Será o rouxinol? — citou a sra. Larpent, ao ouvir um trinado de pássaro na ramagem. Então o velho Chuffy — o grande dr. Andrews —, que estava logo atrás dela, com o portentoso domo na cabeça exposto ao chuvisco e à hirsuta, vigorosa, mas pouco atraente fisionomia voltada para cima, soltou uma gostosa gargalhada. Era um tordo, explicou. A gargalhada lhe foi devolvida pelo eco das paredes de pedra como um riso de hiena. Em seguida, com um gesto vago ditado por séculos de tradição, a sra. Larpent recolheu o pé como se tivesse ultrapassado um dos riscos de giz que decoram os dintéis acadêmicos e, indicando que a sra. Lathom, mulher do professor de teologia, tinha precedência sobre ela, saiu com a outra para a chuva.

***

Na comprida sala de visita do reitor, ainda estavam todos de pé.

– Fico tão contente que Chuffy, o dr. Andrews, tenha correspondido às expectativas de vocês – dizia a sra. Malone com sua cortesia habitual. Como residentes, eles chamavam ao grande doutor "Chuffy". Mas ele era "dr. Andrews" para as visitas da América.

Os outros convidados tinham partido. Os Howard Fripp, no entanto, americanos, eram hóspedes da casa. A sra. Howard Fripp estava dizendo que o dr. Andrews fora encantador com ela. E seu marido, o professor, dizia alguma coisa igualmente polida ao dr. Malone. Kitty, a filha, deixou-se ficar um pouco à retaguarda, fazendo votos para que encerrassem aquilo depressa e fossem todos dormir. Mas tinha de esperar até que a mãe desse o sinal de partida.

– Sim. Chuffy nunca esteve em melhor forma – continuava seu pai, num cumprimento velado à pequena senhora dos Estados Unidos que fizera uma tal conquista. Ela era miudinha e vivaz, e Chuffy gostava de senhoras miudinhas e vivazes.

– Adoro os livros dele – disse ela com sua voz fanhosa. – Mas nunca pensei que teria o prazer de me sentar à mesa com ele.

Gostaria mesmo da maneira como ele cospe quando fala?, pensou Kitty, observando-a com atenção. Era uma pessoa extraordinariamente alegre e buliçosa. Todas as outras mulheres tinham ficado de repente mal vestidas e desajeitadas em comparação, exceto sua mãe. Pois a sra. Malone, de pé junto à sua lareira, com o pé no guarda-fogo, o cabelo branco frisado numa coifa rígida, jamais parecia na moda ou fora de moda. A sra. Fripp, ao contrário, dava a impressão imediata de estar no rigor da moda.

E, no entanto, riam-se dela, pensou Kitty. Flagrara as senhoras de Oxford erguendo as sobrancelhas diante de alguns dos maneirismos americanos da sra. Fripp. Kitty, porém, gostava das coisas americanas que ela dizia. Eram tão diferentes daquilo a que estava acostumada! A mulher era uma americana, uma verdadeira americana. Mas ninguém tomaria seu marido por um americano, pensou Kitty, olhando-o. Poderia ser um professor qualquer de uma universidade qualquer, pensou, com seu nobre semblante, as rugas, a barbicha e a fita preta do monóculo cruzada no peito da camisa como se fosse a banda de alguma ordem honorífica estrangeira. Falava sem nenhum sotaque – pelo menos sem nenhum sotaque americano. E, todavia, também ele era diferente. Ela deixou cair o lenço. O professor apanhou-o imediatamente e devolveu-o com tal mesura que ela se sentiu encabulada. Era por demais cortês. Curvou a cabeça e sorriu tímida para o professor ao receber o lenço de volta.

– Muito obrigada – disse. Ele a deixava contrafeita. Ao lado da sra. Fripp, sentia-se ainda maior que de hábito. Seu cabelo ruivo, do autêntico ruivo Rigby, não ficava quieto como deveria. Já os formosos cabelos da sra. Fripp eram bem acamados e luzidios.

Agora a sra. Malone, com um olhar para a sra. Fripp, dizia:

– Muito bem. Senhoras... – e fazia um largo gesto.

Havia autoridade no gesto, como se ela o fizesse muitas vezes e lhe obedecessem sempre. Dirigiram-se em bloco para a porta. E, nessa noite, houve alguma cerimônia à porta. O professor Fripp curvou-se profundamente para beijar a mão da sra. Malone, não tão profundamente para cumprimentar Kitty, e segurou a porta para elas.

Ele exagera um pouco, pensou Kitty quando passaram.

As mulheres apanharam suas velas e se foram em fila indiana escadas acima. Os degraus eram baixos e largos. Retratos de antigos mestres de Katharine contemplavam-nas do alto das paredes durante a ascensão. A chama das velas dançava sobre os rostos escuros nas molduras douradas à medida que subiam, degrau após degrau.

Agora ela vai se deter, pensou Kitty, que a seguia de perto, e perguntar quem foi esse.

Mas a sra. Fripp não se deteve. Kitty felicitou-se por isso. A mulher punha no chinelo a maioria das visitas da casa do reitor, pensou Kitty. Jamais fizera a visita à Biblioteca Bodleia mais depressa que naquela manhã. Na verdade, sentia-se culpada. Havia muito mais para ver, se tivessem querido. Mas, em menos de uma hora, a sra. Fripp se voltara para Kitty e dissera, na sua voz fascinante, se bem que nasal: "Bem, minha querida, imagino que esteja cansada disso tudo; que tal um sorvete naquela encantadora casa de chá que tem janelas abauladas?"

E tinham tomado sorvete em vez de percorrerem a Bodleia.

A procissão atingira o primeiro patamar, e a sra. Malone parou à porta dos famosos aposentos em que sempre dormiam os visitantes ilustres quando se hospedavam na casa do reitor. Segurando a porta, lançou um olhar em torno.

– O leito em que a rainha Elizabeth *não* dormiu – disse, mostrando a cama com suas quatro colunas. Era a pilhéria tradicional. O fogo ardia na lareira. A jarra d'água tinha um pano passado por baixo e atado em cima como uma velha com dor de dente; na penteadeira, as velas estavam acesas. Contudo, havia algo estranho no quarto esta noite, pensou Kitty, olhando por cima do ombro da mãe – um vestido jazia na cama, e a luz tirava dele reflexos de verde e prata. Em cima da penteadeira havia um grande número de pequenos potes e vidros e um grande arminho cor-de-rosa, de passar pó de arroz no rosto. Seria possível que a razão pela qual a sra. Fripp parecia tão radiante e as senhoras de Oxford tão sumidas estivesse... Mas a sra. Malone perguntava: "Tem tudo de que precisa?" – com tão requintada polidez que Kitty desconfiou que ela também vira a penteadeira. Pensou e estendeu a mão. Para surpresa sua, em vez de tomá-la, a sra. Fripp puxou-a para baixo e beijou-a.

– Muito e muito obrigada por me ter mostrado todas essas maravilhas. E lembre-se: você virá ficar conosco nos Estados Unidos.

– Pois gostara daquela moça alta e tímida que obviamente preferia mil vezes tomar sorvete que acompanhá-la numa visita à Biblioteca Bodleia. Tinha pena dela também, embora não soubesse exatamente por quê.

– Boa noite, Kitty – disse a mãe, beijando-a de leve no rosto ao fechar a porta. Kitty correspondeu, tocando-lhe a face com os lábios.

* * *

Kitty subiu para seu quarto. Ainda sentia em fogo o lugar onde a sra. Fripp a tinha beijado. O beijo deixara um rubor na maçã do seu rosto.

Fechou a porta. O aposento estava abafado. Embora fizesse calor, era costume, à noite, fechar as janelas e correr as cortinas. Ela abriu janelas e cortinas. Chovia, como sempre. Flechas de chuva prateada riscavam obliquamente as árvores escuras do jardim. Isso era o pior de ser tão alta: sapatos apertados, os de cetim branco principalmente. Depois, pôs-se a abrir os colchetes do vestido. Coisa difícil: os ganchinhos eram inumeráveis do pescoço até a cintura. Por fim, o vestido de cetim branco foi tirado e estendido cuidadosamente numa cadeira. Começou, então, a desembaraçar o cabelo. Foi uma quinta-feira das mais típicas, pensou. Visitas acompanhadas de manhã; gente em casa para o almoço; estudantes para o chá; e um jantar de cerimônia à noite.

Pelo menos, pensou, enfiando o pente no cabelo, está acabado. Acabado.

As velas tremeram, e a cortina de musselina inchou numa espécie de balão branco com risco de tocar nas chamas. Ela arregalou os olhos assustada. Estava de pé diante da janela aberta, só com a roupa de baixo.

Qualquer pessoa pode ver dentro do quarto, tinha dito sua mãe, ralhando com ela poucos dias atrás.

Agora, disse consigo mesma, mudando as velas para a mesa da direita, ninguém pode ver mais nada.

E recomeçou a pentear o cabelo. Mas com a luz ao lado e não em frente, como de costume, via o próprio rosto de um novo ângulo. Serei bonita?, perguntou-se, pondo o pente em cima da mesa e olhando-se ao espelho. Seus ossos malares não eram particularmente salientes. Os olhos, um pouco afastados demais um do outro. Não, não era bonita. E sua estatura avantajada prejudicava-a. O que terá achado de mim a sra. Fripp?, pensou. Mas ela me beijou, pensou de súbito com um sobressalto de prazer, sentindo de novo o calor no rosto. Convidou-me para passar uma temporada na América. Que divertido seria! Que coisa boa deixar Oxford para trás e ir para os Estados Unidos! E enfiou o pente no cabelo que estava todo embaraçado.

Mas já os sinos faziam o seu escândalo habitual. Ela detestava o som de sinos. Para ela, eram sempre lúgubres. Mal um cessava de tocar, outro começava. Batiam com toda a força, um depois do outro, um depois do outro, como se não fossem acabar nunca mais. Ela contou onze, doze... Mas eles continuavam: treze, catorze... Um relógio repetia o outro através do ar úmido carregado de chuva. Era tarde. Kitty começou a escovar os dentes. Viu a folhinha dependurada acima do lavatório, arrancou a quinta-feira e fez uma bola com ela como se quisesse dizer: "Essa acabou. Acabou!" A sexta, em enormes letras vermelhas, confrontou-a. Sexta-feira era um dia simpático. Às sextas, tinha sua aula com Lucy e ia tomar chá com os Robson. "Bendito aquele que encontrou seu trabalho", leu no calendário. Calendários tinham isso de estar sempre falando com a gente. Ela, por exemplo, não fizera o seu trabalho. Correu os olhos por uma prateleira de livros azuis. *História constitucional da Inglaterra*, dr. Andrews. Via-se a marca de papel no volume três. Devia ter acabado o capítulo para a aula com Lucy. Mas não nesta noite. Estava cansada demais. Voltou-se para a janela. Vinham risos da ala em que moravam os rapazes. De que estarão rindo?, pensou, de pé à janela. Pareciam divertir-se muito. Só que não riem assim quando vêm tomar chá aqui em casa, pensou quando os risos morreram. O homenzinho de Balliol continuava sentado, torcendo as mãos. Não falava. Mas também não ia embora. A essa altura, ela soprou as velas e enfiou-se na cama. Gosto dele assim mesmo, pensou, estirando o corpo entre os lençóis fresquinhos, mesmo se fica a virar e revirar os dedos. Quanto a Tony Ashton, pensou, mexendo-se no travesseiro, não, não gosto dele. Estava sempre a fazer-lhe perguntas, e sempre sobre Edward, a quem Eleanor, achava ela, chamava Nigs. Tinha os olhos muito juntos um do outro. E uma cabeça como essas cabeças de pau em que os barbeiros armam perucas. Fora com ela ao piquenique dias atrás – o piquenique em que as formigas invadiram a saia da sra. Lathom. Não despregou dela o tempo todo. Nem por isso queria casar-se com ele. Que horror, casar com um lente e viver em Oxford pelo restante da vida! Não, não e não! Bocejou, virou-se para o outro lado e, escutando ainda um sino retardatário que vinha galopando como um golfinho preguiçoso pelo ar espesso empapado de garoa, bocejou uma vez mais, uma última vez – e adormeceu.

* * *

A chuva caiu sem parar a noite toda, formando uma espécie de névoa tênue sobre os campos, rindo-se e gorgolejando nos bueiros. Nos jardins, tombava como um véu dos arbustos em flor, lilases, laburnos. Escorria suavemente pelas cúpulas revestidas de chumbo das bibliotecas e jorrava com estrépito das bocas hilares escancaradas das gárgulas. Lambuzou a vidraça atrás da qual o garoto judeu de Birmingham estudava a duras penas o seu grego, com uma toalha molhada em torno da cabeça; e a outra, junto da qual o dr. Malone fazia serão, escrevendo mais um capítulo da sua monumental história da universidade. E no jardim da casa do reitor, do lado de fora da janela de Kitty, ela caía em borbotões sobre a vetusta árvore sob cuja copa outrora reis e poetas haviam sentado e bebido, mas debaixo da qual ninguém mais podia beber agora, pois caíra ao meio e tivera de ser escorada com uma estaca.

* * *

– Um guarda-chuva, senhorita? – disse Hiscock, oferecendo um a Kitty quando ela saía, muito depois do que deveria ter saído, na tarde seguinte. O ar estava tão frio que, vendo um grupo em roupas amarelas e brancas que se ia, caminho do rio, com almofadas debaixo do braço, ela se rejubilou por não ter que andar de barco. Nada de festas, pensou, nada de festas hoje. Mas estava atrasada, era o que o relógio dizia.

Estugou o passo e foi andando, até que chegou às casas baratas que seu pai desprezava tanto que sempre dava uma volta para evitá-las. Mas como era numa delas que vivia a srta. Craddock, Kitty nimbava essas casas de romance. Seu coração bateu com força quando virou a esquina da capela nova e avistou os degraus da casa em que a srta. Craddock morava. Lucy subia e descia aqueles degraus todo dia. Aquela era a janela do seu quarto. Aquela, a sua campainha. O cordão da sineta saiu de repelão quando ela o puxou; mas não voltou mais, porque tudo estava aos pedaços na casa de Lucy. Tudo, porém, era romântico. Havia o guarda-chuva de Lucy na chapeleira, e também ele não era como os outros: tinha uma cabeça de papagaio como cabo. Enquanto subia os degraus íngremes e luzidios, a excitação se misturava ao medo. Uma vez mais deixara de lado as obrigações. Não se "aplicara" como era de seu dever.

* * *

Aí vem ela!, pensou a srta. Craddock, segurando a pena no ar. A ponta do seu nariz era vermelha e havia algo de coruja em seus olhos, circundados por uma depressão funda e lívida. A sineta soou. Ela molhara a pena em tinta vermelha. Estivera, na verdade, corrigindo a dissertação de Kitty. Agora ouvia os passos dela nas escadas.

Ela veio!, pensou, prendendo a respiração e depondo a pena.

– Lamento tanto, srta. Craddock – começou Kitty, tirando suas coisas e sentando-se junto à mesa. – Mas é que estamos com visitas em casa.

A srta. Craddock passou a mão pela boca num gesto que fazia quando estava desapontada. Depois, concentrou-se na dissertação.

— Compreendo. De modo que esta semana você também não fez nenhum trabalho.

A srta. Craddock pegou a pena e molhou-a outra vez na tinta vermelha.

— Isso aqui não valia o esforço de ser corrigido – observou, com a pena suspensa no ar. – Uma criança de dez anos teria vergonha de escrever isso.

Kitty ficou escarlate.

— E o curioso – continuou a srta. Craddock, deixando a pena em cima da mesa, uma vez que o sermão terminara –, o curioso é que você tem uma inteligência muito original.

Kitty ruborizou-se de novo, mas de prazer.

— Embora não a use – disse a srta. Craddock. – Por que não a usa? – concluiu, olhando-a com seus belos olhos cinzentos.

— A senhora sabe, srta. Craddock – começou Kitty vivamente –, minha mãe...

— Hum... hum... hum... – a srta. Craddock interrompeu-a. Não era paga pelo dr. Malone para ouvir confidências. Levantou-se. – Veja as minhas flores – disse, sentindo que fora um pouco dura demais com a moça. Havia um vaso com flores na mesa. Flores silvestres, azuis e brancas, metidas numa almofada de musgo verde molhado. – Minha irmã colheu-as na charneca.

— Na charneca? – disse Kitty. – Que charneca? – Debruçou-se e tocou as flores com ternura. Como ela é adorável, pensou a srta. Craddock. Pois era um tanto sentimental com relação a Kitty. Mas não vou ficar sentimental, disse consigo.

— A charneca de Scarborough – respondeu em voz alta. – Se a gente mantém o musgo úmido, mas não úmido demais, elas duram semanas – acrescentou, contemplando as flores.

— Úmido, mas não demais – Kitty sorriu. – É fácil em Oxford, imagino. Aqui chove sempre! – E olhou pela janela. Caía uma chuva fina. – Se eu morasse lá, srta. Craddock – começou, apanhando o guarda-chuva. Mas logo parou. A aula terminara.

– Você acharia aborrecido – disse a srta. Craddock, olhando Kitty. A moça vestia o casaco. Parecia de fato adorável vestindo o casaco. – Quando eu tinha a sua idade – continuou a srta. Craddock, lembrando seu papel de professora –, daria um braço para ter as oportunidades que você tem, para conhecer as pessoas que você conhece.

– O velho Chuffy? – disse Kitty, lembrando-se da profunda admiração da srta. Craddock por aquele luminar.

– Menina irreverente! – disse a srta. Craddock. – O maior historiador do seu tempo!

– Bem, ele não conversa sobre história comigo – disse Kitty, ainda com a sensação daquela mão pesada e suada no joelho.

Hesitava. Mas a aula terminara, outro aluno viria em seguida. Relanceou o olhar pelo aposento. Havia um prato de laranjas em cima de uma pilha de cadernos de capa lustrosa; uma lata que parecia conter biscoitos. A srta. Craddock disporia só desse aposento? Dormiria naquele sofá cheio de calombos, o xale sobre o corpo? Não viu espelho e enfiou o chapéu mais para um lado que para o outro, achando que a srta. Craddock tinha desprezo por roupas.

Mas a srta. Craddock pensava em como era maravilhoso ser assim tão jovem e bela e conhecer homens brilhantes.

– Vou tomar chá com os Robson – disse Kitty, estendendo a mão. A filha, Nelly Robson, era a aluna favorita da srta. Craddock. A última menina, ela costumava dizer, que sabia o que significa trabalhar.

– Vai a pé? – perguntou a srta. Craddock, examinando-lhe a roupa. – Fica longe, sabia? Pela estrada de Ringmer abaixo, depois do gasômetro.

– Sim, vou a pé – respondeu Kitty, despedindo-se. – E vou fazer um grande esforço nesta semana – disse, olhando a professora com olhos cheios de amor e admiração. Depois, desceu os degraus da escada cujo oleado brilhava romanticamente. E lançou um olhar ao guarda-chuva que tinha um papagaio no cabo.

* * *

O filho do Professor, que fizera tudo da cabeça dele, "uma proeza", para citar o dr. Malone, consertava o galinheiro no jardim dos fundos de Prestwich Terrace – um cantinho de chão raspado. Bang, bang, bang – martelava ele, pregando uma tábua no teto podre. Tinha mãos brancas, ao contrário do pai, e dedos longos. Não gostava de fazer aquela espécie de trabalho. Mas o pai, aos domingos, remendava os sapatos. Bang, fazia o martelo. Batia com força, enfiando os pregos compridos e brilhantes, que por vezes rachavam a madeira ou saíam do outro lado. Pois tudo estava bichado. Ademais, detestava galinhas, aves burríssimas, montes de penas, que o fitavam com os olhinhos vermelhos, redondos como contas. Ciscavam, as estúpidas, e iam deixando penas aqui e ali, nos canteiros, o que lhe agradava mais. Pois nada crescia naquele jardim. De que modo ter flores, como outras pessoas, se alguém cria galinhas?

A campainha tocou.

– Diabo. Alguma velha para tomar chá – disse, o martelo imóvel no ar. E logo o abateu sobre a cabeça do prego.

* * *

De pé à soleira, observando as cortinas de renda barata e os vidros azuis e cor de laranja, Kitty procurava recordar o que seu pai dissera sobre o pai de Nelly. Mas já uma empregadinha abria a porta e a fazia entrar. Era uma sala pequena, atulhada de objetos. E estou bem vestida demais, pensou, vendo-se no espelho por cima da lareira.

Sua amiga Nelly entrou na sala. Era gorducha, tinha grandes olhos cinzentos e usava óculos de aro de aço. Seu macacão de holanda marrom parecia aumentar-lhe o ar de intransigente veracidade.

– Estamos tomando chá na sala dos fundos – disse, examinando-a da cabeça aos pés. O que andaria fazendo? Por que se metera naquele macacão?, pensou Kitty, acompanhando-a até a sala onde o chá estava em curso.

— Prazer em vê-la — disse a sra. Robson com formalidade, olhando-a por cima do ombro. Mas ninguém pareceu ter qualquer prazer com sua aparição. Duas crianças já haviam começado a comer. Tinham fatias de pão com manteiga nas mãos e ficaram com elas no ar, encarando-a.

Kitty teve a impressão de abranger a peça inteira de um só golpe de vista. Dava ao mesmo tempo a impressão de estar vazia e cheia. A mesa era grande demais. Havia cadeiras duras, cobertas de pelúcia verde. E, todavia, a toalha de mesa era grosseira, fora cerzida no meio. E a louça era barata, com espalhafatosas rosas vermelhas. A luz era dura demais para seus olhos. Do jardim, vinha um som de marteladas. Ela olhou para fora. Era um jardim de terra, sem canteiros. Tinha um telheiro ao fundo e era de lá que vinha o ruído.

São todos tão atarracados, pensou Kitty, lançando um olhar à sra. Robson. Só os ombros pareciam mais altos que o serviço de chá, mas eram ombros substanciais. A mulher lembrava-lhe Bigge, a cozinheira de sua casa, só que mais possante. Foi apenas um olhar muito breve e logo começou a tirar as luvas em segredo, rapidamente, escondendo as mãos debaixo da toalha. Mas por que ninguém fala? — indagou consigo, nervosa. As crianças, fascinadas, não tiravam os olhos dela. Era um olhar solene, cheio de pasmo. Embora tivesse a fixidez das corujas, percorria--lhe o corpo de alto a baixo sem piedade. Felizmente, antes que pudessem expressar sua desaprovação, a sra. Robson ordenou--lhes com rispidez que andassem com o chá. E logo o pão com manteiga achou de novo o caminho das suas bocas.

Por que não falam?, pensou Kitty outra vez, lançando um olhar de esguelha a Nelly. Ia dizer alguma coisa, ela, quando um guarda--chuva riscou o chão do vestíbulo. A sra. Robson ergueu os olhos para a filha e disse:

— Aí está o papai!

Mais um minuto e um homenzinho entrou rapidamente na sala. Era tão baixo que seu paletó parecia uma jaqueta de Eton; e seu colarinho, um dos colarinhos redondos da universidade. Usava, além disso, uma pesada corrente de relógio, feita de prata, como a de um escolar. Tinha, no entanto, um olhar sanhudo, faiscante, o bigode eriçado, e falava com uma pronúncia curiosa.

– Prazer em vê-la – disse, tomando a mão de Kitty com força nas suas. Sentou-se, enfiando logo um guardanapo debaixo do queixo, e a pesada corrente de prata ficou escondida sob esse escudo branco e engomado. Bang, bang, bang, vinham as marteladas do jardim.

– Vá dizer a Jo que o chá está servido – disse a sra. Robson a Nelly, que trouxera uma travessa coberta. A tampa foi retirada. Na verdade, iam comer peixe frito com salada e chá ao mesmo tempo, observou Kitty.

Mas o sr. Robson pusera nela seus olhos um tanto assustadores. Esperava que ele perguntasse: "Como vai seu pai, srta. Malone?".

Ele disse, porém:

– Você estuda história com Lucy Craddock?

– Estudo – respondeu. Gostou do modo como ele disse Lucy Craddock, como se a respeitasse. Tantos professores zombavam dela. Gostava também de que ele a fizesse sentir-se assim ela mesma, e não a filha de um personagem.

– Você se interessa por história? – continuou ele, ocupado com seu peixe e suas batatas.

– Adoro história – respondeu ela. Aqueles olhos faiscantes e azuis, postos nela com alguma ferocidade, impunham-lhe uma inusitada brevidade. – Mas sou muito preguiçosa – completou. A sra. Robson olhou-a nesse ponto com certa severidade e deu-lhe uma grossa fatia de pão espetada na ponta de uma faca.

Em todo caso, o gosto deles é medonho, pensou, como vingança pelo que tomava como um insulto deliberado. E fixou o olhar no quadro que tinha em frente, uma paisagem oleosa numa pesada moldura dourada. Havia um prato japonês azul e vermelho de cada lado da gravura. Tudo era feio, principalmente os quadros.

— É a charneca dos fundos da nossa casa – disse o sr. Robson, vendo que ela examinava o quadro.

Kitty percebeu que ele falava com o sotaque do Yorkshire. E que olhar o quadro acentuara o sotaque.

— No Yorkshire? – perguntou ela. – Nós também somos de lá. A família de minha mãe, quero dizer.

— A família de sua mãe? – disse o sr. Robson.

— Rigby – explicou ela, corando um pouco.

— Rigby? – fez a sra. Robson, levantando os olhos do prato. – Eu trabalhei para uma Srta. Rigby antes de me casar.

Que espécie de trabalho poderia ser esse?, pensou Kitty. Sam explicou:

— Minha mulher era cozinheira, srta. Malone, antes do nosso casamento. – De novo acentuara o sotaque, como se tivesse orgulho dele. Tive um tio-avô que cavalgava num circo, Kitty teve vontade de dizer. E uma tia que casou com... Mas já a sra. Robson a interrompia.

— As Hollie – disse. – Duas senhoras muito velhas. srta. Ann e srta. Matilda – falava agora com maior doçura. – Mas devem estar mortas há muito tempo – concluiu. Pela primeira vez, recostou-se na cadeira e mexeu seu chá; exatamente como a velha Snap na fazenda, pensou Kitty; mexeu e mexeu seu chá.

— Vá dizer a Jo que não vai sobrar nenhum bolo para ele – disse o sr. Robson, servindo-se de outro pedaço daquela massa pedrenta, vesicular. E Nelly deixou a sala mais uma vez. As marteladas cessaram no jardim. A porta se abriu. Kitty, que ajustara o foco dos seus olhos às dimensões da família Robson, foi tomada de surpresa. O rapaz parecia imenso na sala exígua. E era belíssimo. Passava as mãos no cabelo, ao entrar, pois uma lasca de madeira pegara-se nele.

— Nosso Jo – disse a sra. Robson, apresentando-os.

— Vá apanhar a chaleira, Jo — acrescentou. E ele obedeceu, como se estivesse acostumado àquilo. Quando voltou, Sam começou a provocá-lo acerca do galinheiro.

— Leva tempo, meu filho, consertar um galinheiro — disse. Havia alguma brincadeira de família sobre conserto de sapatos e de galinheiros que Kitty não conseguia perceber. Deixou-se ficar a observá-lo enquanto comia, indiferente à caçoada do pai. O rapaz não era do gênero Eton nem Harrow, muito menos Rugby ou Winchester. Não era do tipo intelectual, mas também não se enquadrava no tipo que pratica regata. Lembrava-lhe Alf, o peão dos Carter, que a beijara à sombra da sebe quando ela tinha só quinze anos, e o velho Carter surgira de repente, puxando um touro pela argola no focinho, e dissera: "Pare com isso!". Gostaria que Jo a beijasse. Mais do que Edward, considerou de súbito. Também de súbito, lembrou-se da sua aparência, de que tinha esquecido. Gostava dele. Sim, gostava deles todos e muito, pensou. Muito mesmo. Sentia como se tivesse fugido das mãos de uma babá e estivesse livre como um passarinho.

Mas já as crianças começavam a pular das suas cadeiras, a refeição terminara. Pôs-se a procurar suas luvas debaixo da mesa.

— É isso? — perguntou Jo, apanhando-as no chão. Kitty pegou as luvas e ficou com elas, amarfanhadas na mão.

O rapaz lhe lançou um único olhar, rancoroso, do umbral. É um estouro, disse consigo, mas que convencimento, puxa!

A sra. Robson conduziu-a de volta à saleta onde, antes do chá, ela se olhara no espelho. Estava cheia de objetos. Havia mesas de bambu; livros de veludo com dobradiças de metal dourado; gladiadores de mármore de viés no consolo da lareira; e quadros, quadros... Mas a sra. Robson, com um gesto em tudo semelhante ao da sra. Malone quando apontava o Gainsborough (que não era certamente um Gainsborough), exibia uma vasta salva de prata com uma inscrição.

— A salva de prata que os alunos do meu marido lhe deram — começou a sra. Robson, mostrando a inscrição. Kitty se pôs a decifrá-la. – É isso... – disse a sra. Robson quando ela terminou, apontando na parede um documento emoldurado como se fosse um versículo da Bíblia.

Então Sam, que evoluía na retaguarda, brincando com a corrente do relógio, avançou e apontou seu gordo indicador para o retrato de uma velha senhora que parecia maior que o tamanho natural na cadeira do fotógrafo.

– Minha mãe – disse e calou-se com um pequeno cacarejo.
– Sua mãe? – fez Kitty, curvando-se para ver melhor. A anciã empertigada, que posava nas suas roupas domingueiras, era o que havia de mais terra a terra. E, todavia, Kitty sentiu que se esperava dela alguma espécie de cumprimento. – O senhor se parece muito com ela, sr. Robson – foi tudo o que achou para dizer. De fato tinham alguma coisa em comum, o mesmo ar resoluto; os mesmos olhos de verruma; e eram ambos feios, vulgares.

– Alegro-me com isso – disse o sr. Robson. – Ela nos criou a todos. E nenhum chega aos pés da velha – concluiu com outros daqueles cacarejos.

Depois, voltou-se para a filha, que entrara e estava de pé atrás deles no seu macacão.

– Não chegam aos pés dela – repetiu, beliscando Nelly no ombro. Vendo-a ali, junto do pai e debaixo do retrato da avó, um sentimento avassalador de pena de si mesma apoderou-se de Kitty. Se ela fosse filha de gente como os Robson, pensou; se vivesse no norte – mas era claro que desejavam que ela fosse embora. Ninguém jamais se sentava naquela sala. Estavam todos de pé. Ninguém insistia em que ficasse. Quando disse que tinha de ir, todos saíram para o minúsculo vestíbulo com ela. Estavam todos aflitos para continuar com o que quer que faziam anteriormente. Nelly iria para a cozinha lavar a louça do chá; as crianças seriam postas na cama pela mãe; e Sam – o que faria Sam? Olhou-o ali de pé, com a grossa corrente de relógio como a de um colegial. O senhor é o homem mais simpático de todos os que conheço, pensou, estendendo-lhe a mão.

– Tive muito prazer em conhecê-la – disse a sra. Robson com a formalidade que lhe era própria.

– Espero que volte logo – disse o sr. Robson, apertando-lhe a mão com toda a força.

– Oh, gostaria tanto! – exclamou Kitty, apertando de volta a mão dele tão forte quanto pôde. Saberiam eles a que ponto os admirava? Quisera perguntar-lhes isso. Poderiam aceitá-la, apesar do absurdo chapéu, das luvas? Quisera perguntar-lhes isso também. Mas eles iam todos para as suas respectivas ocupações. E eu tenho de ir para casa mudar de roupa para o jantar, pensou, descendo os degraus da frente, com suas pálidas luvas de pelica.

* * *

O sol brilhava de novo. As ruas úmidas luziam. Uma lufada de vento sacudia os galhos molhados das amendoeiras nos jardins das casas; tufos de flores rodopiavam no ar e ficavam colados no calçamento. Quando Kitty se deteve por um segundo num cruzamento, também ela pareceu algo que o vento arrancara do seu elemento e que turbilhonava a esmo. Esquecera onde estava. O céu varrido dilatara-se num espaço aberto, imenso e azul, que já não contemplava aqui embaixo ruas e casas, mas o campo sem limites, onde o vento roçava de leve a charneca, e os carneiros, com o pelame cinzento arrepiado, aconchegavam-se friorentos às paredes de pedra. Kitty tinha a impressão de ver a terra acender-se e ficar outra vez escura e silenciosa quando as nuvens corriam por cima dela.

Mais duas passadas e a rua pouco familiar transformou-se na rua que sempre conhecera. Ali estava ela de novo na alameda calçada; ali estavam, restituídas, as velhas lojas de bricabraque, com suas porcelanas azuis e suas caçarolas de metal dourado para esquentar a cama no inverno. No momento seguinte, chegou à famosa rua torta, com todos os domos e flechas. O sol riscava-a em largas listas oblíquas. Havia também os fiacres de aluguel e os toldos das livrarias; os velhos nas suas becas negras enfunadas; as moças de vestido vaporoso, azul ou rosa; e os rapazes de chapéus de palha, com almofadas debaixo dos braços. Por um momento, tudo aquilo lhe pareceu obsoleto, frívolo, inane. O estudante comum, de beca e capelo, sobraçando livros, pareceu-lhe ridículo. E os portentosos velhotes, com seus traços vincados, semelhavam gárgulas esculpidas, medievais, fantásticas. Todos pareciam fantasiados e a representar algum papel, pensou. Ela mesma estava agora à soleira de sua própria porta, à espera de que Hiscock, o mordomo, tirasse os pés da grade da lareira e subisse arrastadamente. Por que diabo você não fala como um ser humano?, pensou, quando ele tomou da sua mão o guarda-chuva e murmurou o habitual comentário sobre o tempo.

* * *

Devagar, como se seus pés também lhe pesassem, ela subiu, vendo pelas janelas abertas, pelas portas abertas, o gramado macio, a árvore curvada para o chão e os chintzes desbotados. Deixou-se cair sentada na beirada da cama. Estava abafado. Uma varejeira voejava em círculos ruidosamente e um cortador de grama zumbia embaixo no jardim. Longe, pombos arrulhavam... requetecum... requetecum... arrulhavam. Os olhos dela se fechavam. Parecia-lhe estar sentada no terraço de um albergue italiano. Seu pai apertava gencianas contra uma folha áspera de papel mata-borrão. O lago, embaixo, lambia a margem e ofuscava. Ela reunia toda a coragem e dizia ao pai: "Papai...". Ele erguia os olhos bondosamente, olhava-a por cima dos óculos, com a pequena flor azul entre o polegar e o indicador. "Eu queria..." e começava a escorregar da balaustrada onde estava sentada. Mas um sino tocou. Ela se levantou e foi até o lavatório. O que pensaria Nelly disso aqui, pensou, inclinando o jarro admiravelmente bem polido, de metal dourado, e molhando as mãos na água quente. Outro sino. Foi até a penteadeira. O ar do jardim lá fora estava agora cheio de sussurros e arrulhos. Lascas da madeira, pensou, ao pegar o pente e a escova; ele tinha uma lasca de madeira presa no cabelo. Uma empregada passou com uma pilha de travessas de metal na cabeça. Os pombos arrulhavam... requetecum... requetecum... arrulhavam. Mas a sineta do jantar recomeçava. Num instante, prendeu o cabelo para cima, abotoou o vestido e desceu correndo pela escada escorregadia, deslizando a palma pelo corrimão, como costumava fazer em criança quando tinha pressa. E ali estavam todos.

* * *

Seus pais estavam no vestíbulo. Com eles, um homem alto. Tinha a beca jogada para o ombro, e um último raio de sol iluminava-lhe a fisionomia franca, autoritária. Quem poderia ser? Kitty não se lembrava.

– Palavra! – exclamou o desconhecido, olhando-a com admiração. – Você tem de ser Kitty, pois não? – disse, tomando-lhe a mão e apertando-a. – Como cresceu! – exclamou. Olhava-a como se não estivesse vendo a moça, mas seu próprio passado. – Não se lembra de mim?

– Chingachgook! – disse ela, trazendo à tona uma recordação da infância.

– Mas agora ele é sir Richard Norton – disse a mãe com um pequeno tapinha de orgulho no ombro dele. E se foram as duas. Os cavalheiros iam jantar na universidade.

* * *

Seria peixe insosso, pensou Kitty. Os pratos estavam quase frios. Seria pão dormido, pensou, cortado em miseráveis quadradinhos. O colorido, a alegria de Prestwich Terrace estavam ainda nos seus olhos, nos seus ouvidos. Reconhecia, lançando um olhar em roda, a superioridade da porcelana e da prata da sua casa; e os pratos japoneses e o quadro eram de fato horrendos. Mas a sala de jantar da sua casa, com suas trepadeiras pendentes, suas imensas pinturas craquelês, era tão escura! Em Prestwich Terrace, a sala parecia inundada de luz. O som do martelo ainda lhe soava aos ouvidos. Ela ficou olhando os verdes desmaiados do jardim. Pela milésima vez, formulou seu desejo de menina de que a árvore se deitasse ou se endireitasse de vez, em vez de não fazer nem uma coisa nem outra. Não chovia a rigor; mas rajadas alvacentas pareciam varrer o jardim de quando em quando, cada vez que o vento agitava os loureiros folhudos.

– Você não se deu conta? – A sra. Malone apelava de súbito para ela.

– Do quê, mamãe? – perguntou Kitty. Ela não estivera prestando atenção.

– Do gosto esquisito do peixe – disse a mãe.

– Não creio – disse Kitty. E a sra. Malone continuou a falar com o mordomo.

Os pratos foram trocados. O jantar continuava. Mas Kitty não tinha fome. Deu uma pequena mordida num dos doces verdes que lhe eram destinados, e então o modesto jantar, arranjado para elas com o que sobrara da festa da véspera, terminou, e ela acompanhou a mãe ao salão.

Era grande demais quando ficavam assim a sós, mas sempre se sentavam ali. Os retratos pareciam olhar as cadeiras vazias, e as cadeiras vazias pareciam olhar os retratos. O velho cavalheiro que dirigira a universidade cem anos atrás era invisível durante o dia, mas reaparecia quando as lâmpadas eram acesas. Tinha um semblante plácido, sólido, sorridente, que lembrava da maneira mais estranha o rosto do dr. Malone, o qual, encaixado numa moldura, bem poderia ser pendurado por cima da lareira.

– É agradável ter uma noite tranquila para variar... – dizia a sra. Malone – embora os Fripp... – sua voz diminuiu, perdeu-se; ela pôs os óculos e apanhou *The Times*. Era nessa hora que ela descansava e recuperava as forças depois das obrigações do dia. Disfarçou um leve bocejo, correndo os olhos pelas colunas do jornal.

– Um homem realmente encantador – disse num tom neutro, verificando os nascimentos e os avisos fúnebres. – Ninguém diria que se trata de um americano.

Kitty, que pensava nos Robson, procurou concentrar os pensamentos. Sua mãe estava falando dos Fripp.

— Gostei da mulher também — disse a jovem com alguma temeridade. — Não é um amor?

— Hum... Muito embonecada a meu ver — disse a sra. Malone secamente. — E aquele sotaque... — continuou, olhando de novo o jornal, mas como se não o visse. — Algumas vezes tive dificuldade em entender o que ela dizia.

Kitty calou-se. Divergiam, como em tantas outras coisas.

De repente, a sra. Malone ergueu os olhos da folha:

— Como eu estava dizendo ainda hoje para Bigge — falou, pondo o jornal de lado.

— O quê, mamãe? — perguntou Kitty.

— Esse homem, o do editorial — disse a sra. Malone. E tocava a página com o dedo.

— "Tendo o que há de melhor no mundo em matéria de carne, peixe e aves" — leu —, "não podemos tirar proveito disso por falta de quem saiba cozinhá-los". Justamente o que eu dizia para Bigge hoje de manhã. — E exalou o seu curto suspiro habitual. Bastava querer impressionar alguém, no caso aqueles dois americanos, e alguma coisa saía errada. Dessa vez, fora o peixe. A sra. Malone mexeu na sua caixa, procurando o bordado, e Kitty pegou o jornal.

— É o artigo de fundo — disse a sra. Malone. Aquele jornalista quase sempre dizia exatamente o que ela estava pensando, e isso lhe dava confiança no mundo — um mundo que lhe parecia descambar para o pior.

— "Antes da rígida e hoje universal imposição da obrigação de frequentar escolas..." — leu Kitty.

— Sim, é isso — disse a sra. Malone, abrindo a caixa de costura e procurando as tesouras.

— ..."as crianças viam cozinhar em casa, e isso constantemente. Por pobres que fossem, adquiriam, assim, um certo gosto e mesmo alguns conhecimentos. Agora não veem nada e não fazem nada senão ler, escrever, contar, costurar ou fazer tricô" – leu Kitty.

– Sim, sim! – disse a sra. Malone. Ela desenrolara a longa tira de pano na qual bordava um desenho de pássaros a bicar frutos, copiado de um túmulo em Ravenna. Era para o quarto de hóspedes.

O editorial, com sua pomposa verborragia, era aborrecedor para Kitty.

Procurou no jornal alguma notícia que pudesse interessar a sua mãe. A sra. Malone gostava que alguém conversasse com ela ou lesse em voz alta enquanto trabalhava. Noite após noite, seu bordado servia para entretecer a conversa que se seguia ao jantar numa harmonia agradável para todos. Alguém dizia qualquer coisa, e ela dava um ponto; contemplava depois o desenho, escolhia uma seda de outra cor e dava outro ponto. Às vezes, o dr. Malone lia poesia para eles: Pope, Tennyson. Nesta noite, ela teria gostado que Kitty conversasse consigo. Mas ficava cada dia mais consciente de uma certa dificuldade no relacionamento com Kitty. Por que seria? Observou-a à socapa. O que estaria errado?, pensou. E exalou o seu curto suspiro.

Kitty virava as folhas. Os carneiros estavam com vermes; os turcos queriam liberdade religiosa; e havia as eleições gerais.

– "O sr. Gladstone..." – começou.

A sra. Malone perdera as tesouras. Isso a afligia.

– Quem as terá tirado dessa vez? – perguntou.

Kitty ajoelhou-se no chão para procurar. A sra. Malone mexia na caixa; depois, meteu a mão entre a almofada e o encosto de poltrona e extraiu não só as desaparecidas tesouras, mas também um corta-papel de madrepérola sumido havia muito tempo. A descoberta aborreceu-a. Provava que Ellen não sacudia as almofadas direito.

– Aqui estão, Kitty – disse. Ficaram caladas depois disso. Ultimamente havia sempre algum constrangimento entre as duas. – Você se divertiu na casa dos Robson? – perguntou, retomando o bordado. Kitty não respondeu. Virou uma página.

— Houve uma experiência – disse. – Uma experiência com a luz elétrica. "Uma luz brilhante" – leu – "foi vista jorrar de súbito. Um feixe luminoso projetou-se por cima da água até o rochedo. Tudo ficou claro como se fosse dia." – Fez uma pausa. Podia ver a luz brilhante dos navios refletida na poltrona da sala. Mas a porta se abriu, e Hiscock entrou com um bilhete numa salva.

A sra. Malone pegou-o e leu em silêncio.

— Não tem resposta – disse. Pelo tom da voz da mãe, Kitty compreendeu que alguma coisa tinha acontecido. Hiscock fechou a porta.

— Rose morreu! – disse a sra. Malone. – A prima Rose.

Estava com o bilhete aberto no joelho.

— É de Edward – disse.

— A prima Rose morreu? – fez Kitty. Um momento antes pensava numa luz intensa a brilhar contra um rochedo vermelho. Agora tudo lhe parecia sem cor. Houve uma pausa. Um silêncio. A mãe tinha os olhos marejados.

— Justamente quando as crianças mais precisavam dela – disse, espetando a agulha no bordado. Começou depois a enrolar o trabalho devagar.

Kitty dobrou *The Times* e depositou-o cuidadosamente em cima da mesinha, para que não crepitasse. Vira a prima Rose apenas uma vez ou duas. Sentia-se envergonhada.

— Apanhe minha agenda – disse a mãe por fim. Kitty foi buscá-la.

— Temos de adiar o jantar de segunda-feira – disse a sra. Malone, verificando a agenda.

— E a festa dos Lathom na quarta – murmurou Kitty, olhando as anotações por cima do ombro da mãe.

— Não podemos cancelar tudo – disse a sra. Malone rispidamente, e Kitty sentiu a reprimenda.

Mas havia cartas a enviar. A sra. Malone ditou-as e Kitty escreveu.

Por que estará tão disposta a cancelar todos os nossos programas?, pensou a sra. Malone, observando a filha enquanto escrevia. Por que não tem mais prazer em sair comigo? Depois, passou os olhos pelas cartas que a filha lhe apresentou.

– Por que você não se interessa um pouco mais pelas coisas da casa?

– Mamãe querida... – começou Kitty, que não queria retomar a discussão habitual.

– Mas, afinal, o que é que você quer? – persistiu a mãe. Pusera de lado o bordado. Empertigara-se na cadeira e parecia realmente terrível. – Seu pai e eu desejamos que você faça o que quiser fazer – continuou.

– Mamãe querida... – repetiu Kitty.

– Você poderia ajudar seu pai se acha fastidioso ajudar a mim – disse a sra. Malone. – Papai me disse outro dia que você agora não vai nunca ao escritório dele. – Aludia, e Kitty sabia disso muito bem, à história da universidade que ele andava escrevendo. Sugerira que ela ajudasse. Via outra vez a tinta escorrendo – fizera um gesto desastrado com o braço – sobre cinco gerações de oxfordianos, obliterando horas de trabalho do pai e seu delicado cursivo. Podia ouvi-lo dizer com sua ironia cortês: "A natureza não destinou você para a erudição, minha querida", enquanto acudia com o mata-borrão.

– Eu sei – disse ela, a consciência pesada. – Não tenho mesmo ido ver papai. Mas sempre acontece alguma coisa... – hesitava.

– Naturalmente – disse a sra. Malone –, com um homem na posição de seu pai... – Kitty permaneceu calada. Ambas ficaram caladas. Ambas detestavam essas escaramuças mesquinhas; ambas detestavam a repetição de tais cenas; e, todavia, parecia inevitável. Kitty levantou-se, pegou as cartas que havia escrito e foi botá-las no vestíbulo.

O que quer de fato essa menina?, perguntou-se a sra. Malone, os olhos no quadro, mas sem vê-lo. Quando eu tinha a idade dela... pensou e sorriu. Lembrava-se muito bem do tempo em que ficava em casa, numa noite de primavera como essa, em Yorkshire, a milhas de qualquer coisa. Lembrava-se de erguer de um golpe a guilhotina da janela, de olhar os arbustos escuros embaixo e de exclamar: "Isso é vida?". No inverno, havia a neve. Podia ouvir ainda o som da neve caindo das árvores no jardim. Kitty, porém, vivia em Oxford, no centro de tudo.

A moça voltou e bocejou discretamente. Levou a mão ao rosto com um gesto inconsciente de fadiga que enterneceu a mãe.

– Cansada, Kitty? – perguntou. – Foi um longo dia. Você me parece pálida.

– E a senhora parece fatigada também.

Os sinos se precipitavam um depois do outro, um por cima do outro, através do ar pesado e úmido.

– Vá para a cama, Kitty – disse a sra. Malone. – Veja: batem as dez.

– Mas a senhora não vem comigo, mamãe? – perguntou Kitty, de pé junto à cadeira da mãe.

– Seu pai ainda demora – respondeu a sra. Malone, pondo de novo os óculos.

Kitty sabia que seria inútil tentar persuadi-la. Aquilo fazia parte do misterioso ritual de vida de seus pais. Curvou-se então e deu à mãe um pequeno e superficial beijo, único sinal externo que se permitiam da sua afeição. E eram muito amigas uma da outra. Só que discutiam incessantemente.

– Boa noite e durma bem – disse a sra. Malone. – Não quero ver fanadas as rosas das suas faces – acrescentou, abraçando-a, o que era excepcional.

* * *

Quando Kitty se foi, a sra. Malone permaneceu imóvel. Rose está morta, pensou, Rose que tinha mais ou menos sua idade. Releu o bilhete. Era de Edward. E Edward, ponderou, gosta de Kitty. Não estou é muito certa de desejar esse casamento, pensou, recomeçando a bordar. Não, Edward, não... Havia o jovem lord Lasswade... Esse sim seria um casamento brilhante. Não que eu faça questão de que ela seja rica, não que me importe com classe, pensou, manejando a agulha. Não; mas Lasswade poderia dar o que ela quer. E o que seria?... Oportunidades, amplas oportunidades, decidiu, começando a coser. De novo seus pensamentos voltaram a Rose. Rose que estava morta. Rose que era da sua idade. Aquela deve ter sido a primeira vez em que ele a pediu em casamento, pensou, no dia do piquenique na charneca. Era primavera. Estavam sentados na relva. Via Rose com um chapéu preto que tinha uma pena de galo, via-lhe o cabelo ruivo, luzidio. Lembrava-se de como ela ficara ruborizada – e bonita – quando Abel apareceu a cavalo, para surpresa de todos (ele estava servindo em Scarborough), no dia em que fizeram aquele piquenique na charneca.

* * *

A casa de Abercorn Terrace estava muito escura e cheirava a flores primaveris. Havia já alguns dias que as coroas se empilhavam uma por cima da outra na mesa do vestíbulo. Na penumbra – todas as persianas tinham sido fechadas –, as flores brilhavam. E o vestíbulo recendia com a amorosa intensidade de uma estufa. Coroa após coroa continuavam a chegar. Havia lírios com gordos pistilos de ouro dentro deles; outros tinham colos sarapintados e pegajosos de mel. Havia tulipas brancas, lilases brancos, flores de toda espécie, algumas de pétalas espessas como veludo, outras finas como papel e transparentes; mas todas brancas, em arranjos, cabeça contra cabeça, em círculos, em formas ovais, em cruzes, de modo que mal pareciam flores. Cartões tarjados de negro vinham presos a elas. "Com profunda simpatia, Major e sra. Brand"; "Com afeto e simpatia, General e sra. Elkin"; "Para a querida Rose, de Susan". Cada cartão tinha umas poucas palavras escritas.

Mesmo agora, com o carro fúnebre já à porta, a campainha tocou; um mensageiro com mais lírios. Ele tirou o chapéu, enquanto esperava no vestíbulo, pois vinham dois homens descendo laboriosamente as escadas. Traziam o corpo. Rose, de luto fechado, industriada pela babá, deu um passo à frente e deixou cair seu raminho de violetas em cima do caixão. Mas ele escorregou quando o caixão desceu oscilando pelos degraus lavados de sol nos ombros oblíquos dos homens do Whiteley's. A família fechava a marcha.

*   *   *

Era um dia instável, com sombras passageiras e raios dardejantes de sol. O funeral começou a passo lento. Delia, entrando na segunda carruagem com Milly e Edward, observou que as casas fronteiras tinham baixado persianas por solidariedade, mas que uma empregada espiava por trás de uma delas. Os outros, notou, não pareciam vê-la; pensavam na defunta. Quando chegaram à rua principal, o passo foi acelerado, pois o cemitério ficava longe. Por uma fresta da cortina Delia viu cães brincando; um mendigo que cantarolava; homens que tiravam o chapéu à passagem do cortejo. Quando, porém, seu próprio coche passou, já estavam outra vez de cabeça coberta. Outros homens caminhavam, depressa e sem lhes dar atenção, pela calçada. As lojas já se mostravam festivas com as roupas primaveris. Mulheres paravam para ver as vitrines. Eles, porém, teriam de usar luto o verão todo, pensou Delia, olhando as calças de Edward, escuras como carvão.

Pouco falaram, apenas frases formais, como se já estivessem tomando parte na cerimônia. De algum modo, seu relacionamento mudara. Tinham mais consideração uns com os outros, sentiam-se um pouco mais importantes também, como se a morte da mãe lhes impusesse novas responsabilidades. Mas os outros sabiam como se portar; só ela tinha de fazer um esforço. Estava de fora, pensou, e seu pai também. Quando Martin dera uma inesperada gargalhada durante o chá e depois se contivera, mostrando-se contrito, ela sentira: é o que papai faria, é o que eu mesma deveria fazer se fosse honesta.

Olhou pela janela outra vez. Mais um homem saudara com o chapéu – um homem alto, de fraque, mas não se permitiria pensar no sr. Parnell até que o enterro terminasse.

Por fim, chegaram ao cemitério. Ao ocupar seu lugar no pequeno grupo por trás do caixão a caminho da capela, ficou aliviada e sentiu-se tomada por uma generalizada e solene emoção. Havia gente de um lado e de outro da nave, e sentiu todos aqueles olhos postos nela. O serviço começou. Um clérigo, primo deles, oficiava. As primeiras palavras soaram com extraordinária beleza. Delia, de pé atrás do pai, viu como ele se perfilou.

– Eu sou a ressurreição e a vida.

Enclausurada como ela ficara tantos dias na meia-luz da casa com seu cheiro de flores, a audácia das palavras encheu-a de exultação. Aquilo ela podia sentir genuinamente. Aquilo era algo que ela mesma se dizia. Mas logo, à medida que o primo James lia, alguma coisa se soltou. O sentido das palavras anuviou-se. Não podia acompanhar com a razão. Mas já em meio ao sermão surgia outra explosão de beleza que lhe era familiar: "E fenece como a relva, que de manhã está verde e crescida, mas à tarde está cortada, seca e murcha". Podia sentir a beleza daquilo. De novo era como música. O primo James, porém, parecia apressado, como se não acreditasse muito no que estava dizendo. Parecia passar do conhecido para o desconhecido; daquilo em que acreditava para aquilo em que não acreditava. Até sua voz se alterou. Parecia tão limpo, parecia engomado e passado a ferro como os seus paramentos. Mas que queria dizer com o que estava dizendo? Ela desistiu. Ou a gente entendia ou não entendia, pensou. E sua atenção desviou-se.

Mas não vou pensar nele, decidiu, vendo um homem alto ao seu lado na plataforma. Tinha o chapéu na mão e ficou com ele erguido no ar até que tudo terminou. Ela fitava o pai. Viu que ele enxugava os olhos com um grande lenço branco e punha-o de volta no bolso; depois, tirava-o outra vez e outra vez o levava aos olhos. Mas a voz calou-se. E o pai pôs o lenço definitivamente no bolso. A pequena procissão se reconstituiu, o grupo da família atrás do caixão, e toda aquela gente de escuro se levantou outra vez de cada lado da passagem central da nave para vê-los sair e sair depois deles.

Era um alívio sentir o vento molhado soprando o cheiro de folhas no seu rosto. Mas, agora que se reencontrava ao ar livre, começava a observar coisas. Viu como os cavalos do carro fúnebre escarvavam o chão; faziam pequenos buracos com os cascos no cascalho amarelo. Lembrou-se de ter ouvido contar que cavalos funerários eram originários da Bélgica e cheios de manhas. Pareciam manhosos, pensou; seus pescoços escuros estavam como respingados de espuma – a essa altura, porém, ela se deu conta de onde se achava. Iam andando penosamente em grupos de dois e três ao longo de um caminho até que chegaram a um monte fresco de terra cor de ocre junto a uma cova. Aí também observou que os coveiros se mantinham a certa distância, na retaguarda, com suas pás.

Houve uma pausa. As pessoas continuavam a chegar e tomavam posição, algumas um pouco acima, outras um pouco abaixo. Notou uma pobre senhora malvestida que evoluía na fímbria do grupo; procurou lembrar-se se não seria alguma antiga empregada, mas não conseguiu reconhecê-la. O Tio Digby, irmão de seu pai, estava bem à sua frente, a cartola nas mãos como se fosse algum vaso sagrado – imagem do mais grave decoro. Algumas das mulheres choravam; não os homens. Os homens tinham uma postura; as mulheres, outra, observou. E então tudo recomeçou. A esplêndida lufada de música soprou no meio deles. "Homem nascido de mulher": a cerimônia se renovara. Uma vez mais estavam agrupados, unidos. A família avançou um pouco, ficou mais perto da cova, olhando fixamente para o caixão que jazia com seu luzidio verniz e suas alças de metal dourado sobre a terra para ser enterrado para sempre. Parecia novo demais para ser enterrado para sempre. Ela ficou olhando a sepultura. Ali jazia sua mãe, naquele caixão. A mulher que ela tanto amara e odiara. Seus olhos queimavam. Tinha medo de desmaiar. Mas tinha de olhar; tinha de sentir; era a sua última chance. A terra começou a cair sobre o caixão; três pedras caíram na superfície dura, luzidia; quando caíram, ela foi possuída de uma sensação de alguma coisa sem fim, de vida misturada com morte, de morte transformando-se em vida. Pois enquanto olhava, os pardais se puseram a gorjear e pipilavam cada vez mais depressa; ouvia também o som de rodas ao longe, cada vez mais fortes; era como se a vida se impusesse, cada vez mais perto...

– Nós te damos graças – dizia a voz – por te dignares a libertar nossa irmã das misérias deste mundo pecaminoso...

Que mentira!, gritava ela consigo. Que deslavada mentira! Primo James lhe tirara o único sentimento que ela sentia ser genuíno; estragara o que fora seu único momento de compreensão.

Ergueu os olhos. Viu Morris e Eleanor lado a lado; seus rostos mostravam contornos indefinidos; seus narizes estavam vermelhos; as lágrimas escorriam por eles abaixo. Quanto ao pai, estava tão hirto que ela teve um desejo convulsivo de rir alto. Ninguém pode se sentir desse modo, pensou. Ele exagera. Nenhum de nós sente nada: estamos todos representando.

Houve então um movimento geral. A tentativa de concentração estava acabada. As pessoas começaram a sair, para cá, para lá. Já não havia nenhum esforço para caminhar em procissão; pequenos grupos se formavam; as pessoas se cumprimentavam furtivamente por entre os túmulos e até sorriam.

– Que gentileza a sua ter vindo! – disse Edward e apertou a mão do velho sir James Graham, que lhe deu uma palmadinha no ombro. Teria ela a obrigação de agradecer também? Os túmulos tornavam a coisa difícil. Tinha início, aliás, uma espécie de festa matinal por entre as lápides. Ela hesitou, não sabia o que seria adequado fazer agora. Seu pai tinha ido embora. Olhou para trás. Os coveiros tinham avançado. Empilhavam as coroas, umas por cima das outras, com todo o cuidado; e as mulheres, que antes andavam à toa, se tinham reunido a eles e curvavam-se para ler os nomes dos cartões. A cerimônia terminara. Chovia.

1891

O vento outonal soprava sobre a Inglaterra. Arrancava as folhas das árvores e lá se iam elas caindo, manchadas de amarelo e vermelho; ou lançava-as para o ar, e elas flutuavam bem leves, ondulando em largas curvas antes de tombar e se aquietar. Nas cidades, rodeando de súbito em lufadas uma esquina, levava um chapéu aqui ou levantava ali um véu bem alto, acima de uma cabeça de mulher. O dinheiro circulava a mancheias. As ruas estavam apinhadas. Nas bancas inclinadas dos escritórios vizinhos de St. Paul, empregados paravam com as penas para o ar sobre as páginas pautadas. Era difícil trabalhar depois das férias. Margate, Eastbourne e Brighton os tinham bronzeado e curtido. Estorninhos e pardais, fazendo sua algazarra discordante em torno das cimalhas de St. Martin, branqueavam as cabeças das lisas estátuas que seguravam pergaminhos desenrolados a meio em Parliament Square. Soprando na esteira do *ferry-boat*, o vento enrugava o canal, balançava as uvas na Provença e fazia o preguiçoso rapaz, deitado de costas no seu barco de pescador, no Mediterrâneo, rolar sobre a barriga e pegar um cabo.

Mas na Inglaterra, no norte, fazia frio. Kitty, lady Lasswade, sentada no terraço ao lado do marido e do *spaniel* dele, puxou a capa em torno dos ombros. Olhava o topo da colina, onde o monumento em forma de apagador de velas, construído pelo velho conde, servia de ponto de referência para os navios. Havia névoa nas florestas. Mais perto, nas ardósias retangulares do terraço, havia umas de pedra com flores vermelhas. Uma fumaça azul, muito fina, flutuava por sobre as dálias flamejantes dos canteiros compridos que desciam até o rio. Sarças ardentes, disse ela em voz alta. Então bateram na janela, e seu menininho, num camisolão cor-de-rosa, saiu aos tropeções, segurando seu cavalo pedrês.

No Devonshire, onde as colinas vermelhas, redondas como laranjas, e os vales a pique guardavam o ar marinho, as árvores ainda estavam folhudas – folhudas demais, disse Hugh Gibbs no café da manhã. Aquilo atrapalhava a caça, disse, e Milly, mulher dele, deixou-o, pois Hugh tinha uma reunião para ir. Com a cesta pendurada no braço, ela se foi pelo bem cuidado caminho de lajes irregulares, com o andar gingado das mulheres grávidas. Por cima do muro do pomar, eriçando as folhas, de tão gordas que estavam, apontavam as peras amarelas. Mas as vespas tinham estado ali – as cascas estavam rompidas. Com a mão na fruta, ela fez uma pausa. Pop, pop, pop, ouvia-se na floresta distante. Alguém dava tiros.

A fumaça pendia em véus sobre as espiras e domos da Cidade Universitária. Aqui, sufocava a boca de uma gárgula; além, colava-se às paredes descascadas, amarelas. Edward, que fazia sua vigorosa caminhada matinal, tomava nota de cores, sons e sabores; o que era prova da complexidade das impressões; poucos poetas conseguem sintetizar suficientemente; mas deve haver algum verso em grego ou latim, pensava, capaz de fazer a síntese, quando a sra. Lathom passou por ele e ele a saudou com o boné.

No pátio do Tribunal, as folhas jaziam secas e angulosas nas lajes do pavimento. Morris, lembrando-se do seu tempo de menino, chutava-as a caminho do seu escritório, e elas se espalhavam para um lado e outro ao longo das sarjetas. Intactas, ainda, elas atapetavam Kensington Gardens, e as crianças, esfarelando-as ao correr, levantavam um punhado delas no ar ao passarem com seus arcos, como o vento, varando a névoa, pelas alamedas juncadas.

Varrendo as colinas, no campo aberto, o vento soprava largos anéis de sombra que revertiam outra vez ao verde original. Mas, em Londres, as ruas limitavam as nuvens. O nevoeiro era pesado no East End, junto ao rio. Tornava remotas as vozes dos pregões: "Compra-se ferro velho, qualquer ferro velho...". E nos subúrbios os realejos se calavam. O vento soprava a fumaça – porque, em cada fundo de jardim, no ângulo dos muros vestidos de hera que ainda abrigavam uns poucos gerânios, havia montes de folhas que as chamas lambiam vorazes – para a rua, para as janelas das salas de estar, abertas para arejar a casa de manhã. Pois era outubro, o nascimento do ano.

* * *

Eleanor estava sentada diante da escrivaninha, de pena na mão. É estranhíssimo, pensava, tocando com a ponta da pena os pelos corroídos de tinta nas costas da morsa de Martin, que *isto* tenha sobrevivido tantos anos. Acabará por nos enterrar a todos. Mesmo que ela a jogasse fora, continuaria a existir num lugar qualquer. Mas ela nunca a jogara fora por fazer parte de outras coisas – sua mãe, por exemplo... Rabiscou no mata-borrão um ponto com raios em volta dele. Depois, levantou os olhos. Queimavam ervas daninhas no fundo do jardim. Havia uma espiral de fumaça, um cheiro acre. E as folhas caíam. Um realejo tocava na rua. "*Sur le pont d'Avignon*", cantarolou Eleanor de boca fechada, acompanhando a música. Como era mesmo a canção que Pippy costumava cantar quando limpava as nossas orelhas com um pedaço nojento de flanela?

"*Ron, ron, ron et plon, plon, plon*", cantarolou ela. Logo, porém, a música cessou. O realejo se afastara. Ela molhou a pena no tinteiro.

Três vezes oito, murmurou; vinte e quatro, disse decidida. Escreveu um número no pé da página, arranjou um pouco os cadernos vermelhos e azuis e levou-os para o escritório do pai.

* * *

– Eis aqui a governanta! – disse bem-humorada ao entrar. Ele estava sentado na sua cadeira de braços de couro, lendo um jornal financeiro de folhas cor-de-rosa.

– É ela mesma, a governanta – disse, olhando por cima dos óculos. Estava cada vez mais vagaroso agora, pensou ela, que tinha cada dia mais pressa. Mas davam-se admiravelmente. Eram quase como irmão e irmã. O coronel deixou o jornal de lado e caminhou até a escrivaninha.

Gostaria que fosse mais rápido, papai, pensou ela, observando a maneira arrastada como ele abria a gaveta em que guardava seu talonário de cheques, ou vou chegar atrasada.

– O leite está muito caro – disse ele, batendo na caderneta em cuja capa havia uma vaca em relevo dourado.

– Sim. E em outubro são os ovos – disse ela.

Enquanto ele preparava o cheque com extrema lentidão, ela corria os olhos pela sala. Parecia um escritório, com suas pastas e caixas, exceto pelo bocal de freio de cavalo pendurado junto da lareira e pela taça de prata que ele ganhara no polo. Ficaria sentado ali a manhã toda, lendo os jornais financeiros e estudando seus investimentos?, pensou. O pai terminara.

– E aonde vai agora? – perguntou ele com seu pequeno sorriso matreiro.

– A uma reunião de Comitê – respondeu ela.

– De Comitê – repetiu ele, traçando sua assinatura firme, pesada. – Bem, defenda sua posição, Nell. Não deixe que montem em você. – E registrou uma cifra no razão.

– O senhor vem comigo à tarde, papai? – perguntou ela, quando o coronel acabara de escrever. – É o caso de Morris, sabe? No Tribunal.

Ele sacudiu a cabeça.

– Não. Tenho de estar na City às três.

– Então vejo o senhor no almoço – disse ela, fazendo um movimento para sair. Mas ele levantou a mão. Tinha algo a dizer, embora hesitasse. Estava ficando com o rosto inchado, ela notou. Tinha pequenas veias no nariz. Estava ficando vermelho demais e gordo demais.

– Eu tinha pensado em ir ver os Digby – disse ele por fim. Levantou-se e foi até a janela. Ficou olhando o jardim dos fundos. Ela se impacientou. – Como caem as folhas! – observou o coronel.

– É verdade – disse ela. – Estão queimando as ervas daninhas.

Ele contemplou a fumaça por algum tempo.

– Ervas daninhas – repetiu e calou-se logo.

– É aniversário de Maggie – conseguiu articular finalmente. – Pensei em levar um presentinho... – interrompeu-se. Queria dizer que desejava que ela o comprasse, e ela sabia disso.

– O que o senhor desejaria dar a ela? – perguntou.

– Bem... Alguma coisa bonita, entende? Alguma coisa que ela possa usar...

Eleanor refletiu. Tratava-se de Maggie, sua pequena prima. Tinha sete, oito anos?

– Um colar? Um broche? Alguma coisa assim? – perguntou às pressas.

– É, alguma coisa assim – respondeu o pai, acomodando-se outra vez na cadeira. – Alguma coisa bonita, que ela possa usar, entende? – repetiu, abrindo o jornal e fazendo-lhe um aceno de cabeça. – Obrigado, minha querida – acrescentou quando ela saía.

* * *

Na mesa do vestíbulo, entre uma salva de prata repleta de cartões de visita, uns de cantos dobrados, uns pequenos, outros grandes, e um pedaço de pelúcia cor de púrpura com o qual o coronel

Pargiter polia o chapéu, jazia um fino envelope estrangeiro em que estava escrito a um canto: "Inglaterra", em letras grandes. Eleanor, descendo os degraus de dois em dois, apanhou-o em voo ao passar e enfiou-o na bolsa. Depois correu no seu furta-passo peculiar Terrace abaixo. Na esquina, parou e olhou ansiosamente a rua. Conseguiu distinguir, em meio ao tráfego, uma forma maciça; misericordiosamente era amarela; misericordiosamente alcançara seu ônibus. Fez sinal para ele e subiu para a imperial. Suspirou com alívio ao puxar o abrigo de couro para os joelhos. Toda a responsabilidade era agora do motorista. Descansada, respirava o leve ar de Londres; ouvia o surdo rumor de Londres com delícia. Deixava correr os olhos ao longo da rua e alegrava-se com a vista dos fiacres de aluguel, dos veículos fechados de carga, dos coches, que passavam num desfile sem fim. Gostava de voltar em outubro, quando, findo o verão, recomeçava o alvoroço da vida. Estivera no Devonshire, com os Gibbs. Aquilo dera bastante certo, pensou, com a mente no casamento da irmã com Hugh Gibbs. Via Milly e as crianças. E Hugh. Sorriu. Ele montava um imenso cavalo branco e criava cães. Mas havia árvores em excesso e vacas em excesso e uma infinidade de outeiros medíocres ao invés de um só outeiro grande, pensou. Não gostava do Devonshire. Rejubilava-se de estar em Londres outra vez, no topo de um ônibus amarelo, com sua pasta recheada de papéis, quando tudo recomeçava – em outubro. Haviam deixado para trás os bairros residenciais. As casas mudavam. Viravam casas comerciais. Esse era o seu mundo. Ali ela se sentia ela mesma. As ruas apinhadas, as mulheres entrando e saindo das lojas com suas cestas de compras. Havia alguma coisa de ritual ou rítmico naquilo, pensou, como corvos mergulhando sobre um campo, evolando-se, precipitando-se de novo.

Ela também ia para o trabalho – rodava o relógio no pulso sem olhar para ele. Depois do Comitê, Duffus; depois de Duffus, Dickson. Então almoço; e o Tribunal... Então almoço, e o Tribunal às duas e trinta, repetiu. O ônibus rolava por Bayswater Road. As ruas iam ficando cada vez mais pobres.

Talvez eu não devesse ter dado o lugar a Duffus, disse consigo. Pensava em Peter Street, onde construíra casas. O forro estava pingando outra vez. E havia um cheiro ruim na pia. Mas o ônibus estacou. Gente entrou e saiu. O ônibus seguiu caminho – mas é melhor dar o lugar a um homenzinho qualquer do que ir a uma dessas grandes firmas. Havia sempre lojas pequenas ao lado das grandes. Isso a deixava perplexa. Como as lojas pequenas conseguiam sobreviver, indagou. Mas e se Duffus... começou. O ônibus parou. Ela se pôs de pé. Se Duffus pensa que pode me embrulhar, pensou enquanto descia, vai descobrir que está redondamente enganado.

Andou depressa pelo chão coberto de carvão moído até o telheiro de ferro galvanizado em que se realizaria a reunião. Estava atrasada. Os outros já estavam lá. Era o seu primeiro encontro depois das férias, e todos lhe sorriram. Judd chegou a tirar o palito da boca, sinal de aceitação que muito a lisonjeou. Aqui estamos de novo, pensou, ocupando seu lugar e pondo os papéis que trouxera em cima da mesa.

Mas queria dizer "eles", não ela. Ela não existia. Não era ninguém. Eles eram: Brocket, Cufnell, a srta. Sims, Ramsden, o major Porter, e a sra. Lazenby. O major pregando organização; a srta. Sims (ex-operária de fábrica) vendendo superioridade; a sra. Lazenby se oferecendo para escrever ao seu primo sir John. Judd, o comerciante aposentado, esnobou-a. Eleanor sorriu ao sentar-se. Miriam Parrish lia cartas em voz alta. Mas por que passar fome?, pensou, enquanto escutava. Ela estava mais magra do que nunca.

Correu o olhar em torno, ouvindo as cartas. Houvera um baile. Guirlandas de papel vermelho e amarelo ainda pendiam do teto. A fotografia colorida da princesa de Gales tinha voltas de rosas amarelas nos cantos. Uma fita verde-mar cruzava-lhe o peito da esquerda para a direita; tinha um cãozinho redondo e amarelo no regaço e um longo fio de pérolas ao pescoço com um nó. Exibia um ar de serenidade, de indiferença. Singular comentário às divisões entre eles, pensou Eleanor. Algo que os Lazenby idolatravam; de que a srta. Sims zombava; que Judd considerava, levantando as sobrancelhas e palitando os dentes. Se tivesse tido um filho, ele lhe contou, estaria na universidade. Mas ela se lembrou de onde estava. O major Porter dirigira-lhe a palavra.

– Vamos, srta. Pargiter – disse; atraindo-a para o debate, pois eram ambos da mesma classe –, a senhora ainda não opinou.

Ela se dominou e deu sua opinião. Tinha uma opinião, e muito clara. Puxou um pigarro para limpar a garganta e começou.

* * *

A fumaça que flutuava sobre Peter Street se condensara no exíguo espaço entre as casas e era agora como um véu diáfano, cor de cinza. Mas as casas, de cada lado da rua, ainda eram perfeitamente visíveis. À exceção de duas bem no meio, eram todas iguais, caixotes de um ocre sujo, com telhados de ardósia, pontudos como tendas. Nada absolutamente acontecia. Umas poucas crianças brincavam na rua, dois gatos viravam e reviravam alguma coisa na sarjeta com as patas. Só uma mulher, debruçada à sua janela, olhava para cima e para baixo da rua, como se procurasse algo de comer. Seus olhos rapaces, gulosos, como os de uma ave de rapina, eram ao mesmo tempo fundos e sonolentos como se não tivessem com que aplacar a fome. Nada acontecia por ali – nada absolutamente. E, todavia, ela varava a rua para cima, para baixo, com o olhar indolente e insatisfeito. De súbito, uma carroça dobrou a esquina. Ela ficou a observá-la. Parou diante das casas fronteiras, que eram, com suas soleiras verdes, diferentes das demais. Tinham, além disso, uma placa por cima da porta, em que havia um girassol pintado. Um homem de boné de *tweed* saltou fora e bateu na porta. Foi aberta por uma mulher grávida. Ela abanou a cabeça. Lançou um olhar à direita e à esquerda. Depois fechou a porta. O homem ficou esperando. O cavalo também esperava pacientemente, as rédeas caídas sobre a cabeça inclinada para o chão. Outra mulher surgiu à janela com um rosto muito branco e uma profusão de queixos. Seu lábio inferior avançava no ar como uma platibanda. Debruçadas para fora, lado a lado, ficaram a observar o homenzinho. Ele tinha pernas tortas, em forma de gancho. Fumava. As duas mulheres trocaram uma observação a respeito dele. Andava de um lado para outro como à espera de alguém. Agora jogava o cigarro fora. Elas o observavam. O que faria em seguida? Daria comida ao cavalo? Mas uma senhora alta, de mantô e saia de *tweed*, dobrou a esquina e veio vindo com andar apressado. O homenzinho virou-se e tocou o boné com a mão.

* * *

– Desculpe o atraso – disse Eleanor, e Duffus levou a mão ao boné com o sorriso amável de que ela gostava.

– Não tem importância, srta. Pargiter – disse. Ela esperava que ele não visse nela uma patroa comum.

– Vamos passar em revista a situação – disse ela. Detestava aquilo, mas tinha de ser feito.

A porta foi aberta pela sra. Toms, que alugava o térreo.

Ó, céus, pensou Eleanor, percebendo o volume do avental da mulher, outro bebê a caminho e depois de tudo o que eu lhe disse.

Foram de cômodo em cômodo. A casa era pequena. A sra. Toms e a sra. Groves fechavam a marcha. Havia uma rachadura aqui, uma mancha ali. Duffus tinha um metro de carpinteiro na mão e batia com ele no reboco. O pior de tudo, pensava Eleanor, deixando a sra. Toms falar, é que não posso evitar gostar dele. Talvez fosse em grande parte o seu sangue galês. O homem era um bandido de muito encanto. Escorregadio como uma enguia, sem dúvida. Mas quando falava daquele modo meio cantado, trazia-lhe à memória os vales do País de Gales... Mas também se enganava a cada passo. Havia um buraco na parede em que era possível enfiar o dedo.

– Veja isso aqui, sr. Duffus – disse, parando e enfiando o dedo no buraco.

Ele estava chupando o lápis. Eleanor adorava ir à sua oficina com ele, vê-lo medir com os olhos tábuas e tijolos. Adorava as palavras técnicas que ele usava para as coisas, as palavras secas de que se valia.

— Agora, vamos subir — disse ela. O homem lhe dava a impressão de uma mosca que luta para sair de um pires. Era sempre arriscado, com empregados menores, do tipo de Duffus; podiam muito bem içar-se, tornando-se os Judd do seu tempo e mandando os filhos para a universidade... Por outro lado, podiam cair no fundo e então... Duffus tinha mulher e cinco filhos. Ela os vira num cômodo por detrás da loja, brincando com peças de fazenda no chão. E sempre desejara que eles a mandassem entrar... Mas aqui era o último andar, em que a sra. Potter jazia entravada. Bateu. Depois chamou em voz alta e alegre: — Posso entrar?

Não houve resposta. A velha era surda como uma porta. Lá estava ela, como de hábito, sem fazer nada absolutamente, escorada por travesseiros no canto da cama.

— Trouxe o sr. Duffus para dar uma olhadela no seu teto — berrou Eleanor.

A anciã ergueu os olhos para ela e se pôs a beliscar as mãos como uma macaca. Olhava-os com ferocidade e desconfiança.

— O teto, sr. Duffus — disse Eleanor, apontando a mancha amarela.

A casa fora construída havia apenas cinco anos, e tudo tinha de ser consertado; Duffus escancarou a janela e debruçou-se para fora. A sra. Potter apertou com força a mão de Eleanor como se temesse que lhe fossem fazer mal.

— Viemos ver o seu teto — repetiu Eleanor bem alto. Mas era como se as palavras não fizessem sentido. A velha embarcou numa queixa interminável, lamurienta. As palavras juntavam-se umas às outras numa tênia que era canto e lamento e maldição, tudo ao mesmo tempo. Ah, se pelo menos o Senhor a levasse desta para melhor! Toda noite, disse, implorava-lhe que o fizesse. Todos os seus filhos estavam mortos.

— Quando acordo de manhã... — começou.

— Sim, sim, sra. Potter — Eleanor procurava acalmá-la. Mas a velha prendia-lhe as mãos com força.

— ... rezo para que Ele me leve... — continuou a sra. Potter.

— São as folhas na calha — disse o sr. Duffus, metendo a cabeça no quarto.

— E a dor... — a sra. Potter espalmou as mãos; eram tão cheias de nós e de sulcos como as raízes retorcidas de uma árvore.

— Sim, sim — disse Eleanor. — Mas há uma infiltração. Não são apenas as folhas mortas — disse a Duffus.

Duffus mostrou a cabeça outra vez.

— Vamos providenciar para que a senhora fique mais confortável — gritou Eleanor para a velha. Esta agora bajulava a moça, levava sua mão aos lábios.

A cabeça de Duffus fez nova aparição.

— Descobriu o que é? — perguntou Eleanor com aspereza.

Ele fazia uma anotação no seu caderninho. Eleanor queria ir embora. A sra. Potter pedia-lhe que apalpasse seu ombro. Ela obedeceu. Sua mão ainda estava presa na garra da anciã. Havia remédios na mesa de cabeceira. Miriam Parrish vinha toda semana. Por que fazemos essas coisas?, indagou consigo. A sra. Potter continuava a tagarelar. Por que obrigamos esta mulher a viver?, indagou, os olhos postos nos remédios da mesa de cabeceira. Não podia mais. Puxou a mão.

— Adeus, sra. Potter — gritou. Era insincera: falava com jovialidade. — Vamos consertar o seu teto! — gritou e fechou a porta.

A sra. Groves singrou à sua frente para mostrar-lhe a pia na copa. Cor de sarro, uma mecha de cabelo se enroscava em volta de sua orelha suja. Se eu tivesse de fazer isso todo santo dia, pensou Eleanor, indo na esteira dela rumo à copa, viraria um feixe de ossos, tal qual Miriam; com um terço... E com que proveito?, pensou, detendo-se para cheirar a pia.

— Bem, Duffus — disse, encarando-o quando a inspeção terminou. Tinha ainda nas narinas o odor do ralo. — O que propõe fazer?

Sua ira crescia. Aquilo era em grande parte culpa dele. Trapaça dele. Mas, contemplando seu corpo mal desenvolvido e mal alimentado e a gravata borboleta mal atada, que trepava por cima do colarinho, sentia-se pouco à vontade.

Ele se agitava e se retorcia. Ela sentiu que ia perder a paciência.

– Se o senhor não puder dar conta do recado – disse secamente –, vou ser obrigada a empregar outra pessoa. – Adotara um tom de filha de coronel; o tom da sua classe, que detestava. Viu-o emburrar, mas persistiu. – O senhor deveria se envergonhar dessa história toda – disse. O homem estava impressionado, era visível.

– Passar bem – concluiu laconicamente.

Notou que o sorriso insinuante não foi acionado dessa vez. Mas ou ficamos firmes com eles ou eles perdem o respeito, pensou, enquanto a sra. Toms a acompanhava até a saída, com seu avental de viés. Um bando de crianças rodeava o pônei de Duffus. Mas nenhuma delas, notou, ousou afagar-lhe o nariz.

* * *

Estava atrasada. Lançou um olhar de relance ao girassol na placa de terracota. Aquele símbolo de sua antiga puerilidade deu-lhe uma sensação esquisita, agridoce. Tinha querido ver nele flores e campos no coração de Londres. Agora, porém, a placa estava rachada. Ela estugou o passo. O movimento pareceu quebrar a crosta desagradável em que estava presa; libertá-la do poder da garra daquela velha que ainda sentia no ombro. Pôs-se a correr, driblando os transeuntes. Mulheres cheias de compras se atravessavam no seu caminho. Meteu-se por entre charretes e cavalos no meio da rua, agitando a mão. O condutor a viu, apanhou-a pela cintura, içou-a para bordo. Conseguira pegar o ônibus.

Pisou no pé do homem que estava sentado no canto e precipitou-se de cabeça entre duas senhoras idosas. Arfava um pouco; seus cabelos se desmanchavam; estava rubra com o esforço da corrida. Lançou um olhar aos outros passageiros. Todos pareciam bem-compostos, maduros, decididos. Por algum motivo, ela sempre se sentia a mais moça de todos num ônibus. Hoje, no entanto, depois de sua vitória contra Judd, sentia-se adulta. A linha cinzenta das casas subia e descia aos trancos diante dos seus olhos, enquanto o ônibus rolava ao longo de Bayswater Road. As lojas iam virando residências. Havia casas grandes e pequenas, públicas e particulares. E aqui, uma igreja erguia sua flecha de filigrana. Por baixo, haveria canos, fios, esgotos... Seus lábios começaram a se mover. Falava consigo. Há sempre um bar, uma biblioteca e uma igreja, resmungava.

* * *

O homem em cujo pé ela pisara examinava-a com atenção; tipo muito conhecido; dada à filantropia; com uma pasta; solteirona; virgem; como todas as mulheres da sua classe, frígida; suas paixões nunca foram tocadas; e, todavia, atraente. Ela ria... Mas então olhou, e seus olhos encontraram os dele. Estivera falando em voz alta num ônibus. Tinha de se curar desse hábito. Mas havia que esperar até a hora de escovar os dentes. Felizmente o ônibus parou. Saltou. Pôs-se a caminhar depressa para Abercorn Terrace. Sentia-se vigorosa e jovem. Via tudo com olhos novos, depois da estada no Devonshire. Contemplou a perspectiva de Abercorn Terrace, seus inumeráveis pilares, seus jardins na frente das casas, todos de aspecto respeitável. Em cada um dos cômodos que davam para a rua, parecia-lhe ver um braço de empregada passar pela mesa, aprontando-a para o almoço. Em várias daquelas salas, já havia pessoas sentando-se para o almoço. Podia vê-las pela abertura em forma de tenda das cortinas. Ela própria estaria atrasada para o seu almoço, pensou, subindo às pressas os degraus e enfiando a chave na fechadura. Então, como se alguém falasse, palavras se formaram na sua cabeça: "Alguma coisa bonita, que ela possa usar". Deteve-se com a chave na mão. O aniversário de Maggie; o presente que seu pai lhe pedira para comprar; tinha esquecido. Hesitou. Depois desceu correndo. Tinha de ir à loja Lamley.

A sra. Lamley, que engordara nos últimos anos, mastigava carneiro frio na sala dos fundos quando viu a srta. Eleanor pela porta de vidro.

– Bom dia, srta. Eleanor – começou, avançando.

– Alguma coisa bem bonita, que se possa usar – disse sem fôlego.

Estava muito bem, queimada de sol, depois das férias, observou a sra. Lamley.

– Para minha sobrinha, ou melhor, prima. A menininha de sir Digby – soltou.

A sra. Lamley lamentou a pobreza do seu estoque. Havia barcos de brinquedo; bonecas; relógios dourados bem baratos. Mas nada bastante digno da filha de sir Digby. Eleanor, porém, tinha pressa.

Aquilo ali – disse, apontando uns colares de contas. – Aquilo serve. – Era ordinário, pensou a sra. Lamley, pescando na caixa um colar azul com contas douradas. A srta. Eleanor estava com tal pressa que nem quis esperar que ela o embrulhasse em papel pardo.

– Já estou atrasada, sra. Lamley – disse, com um aceno gentil. E se foi correndo.

A sra. Lamley gostava dela. Era sempre tão amável. Uma pena que não tivesse casado. Um erro deixar que as mais novas pegassem marido antes das outras. É verdade que a srta. Eleanor tinha de olhar pelo coronel, e ele já não era criança, concluiu a sra. Lamley, voltando ao seu carneiro nos fundos da loja.

* * *

– A srta. Eleanor não tardará mais de um minuto – disse o coronel quando Crosby serviu. – Deixe tudo tampado. – Tinha as costas para a lareira, à espera da filha. Sim, pensou, não vejo por que não. Não vejo por que não, repetiu, de olhos fixos nas tampas das travessas. Mira estava de novo em cena. Aquele sujeito acabara não prestando mesmo, como ele sempre tinha dito. Que provisão fazer em favor de Mira? Que atitude tomar? Ocorrera-lhe que o melhor seria expor a situação a Eleanor. E por que não, afinal de contas? Ela já não era nenhuma criança, pensou. Ademais, não gostava daquela história de... de abafar as coisas, engavetá-las. Ao mesmo tempo, envergonhava-se de contar à filha.

– Aí vem ela! – disse abruptamente a Crosby, que esperava muda por trás dele.

Não, não, disse consigo com uma súbita convicção no momento em que Eleanor apareceu. Não posso fazer isso. Por alguma razão, bastou-lhe ver a filha para saber que não poderia contar-lhe. Afinal, pensou, vendo a despreocupação, o rosto corado da filha, Eleanor tinha lá sua própria vida para viver. Um espasmo de ciúme percorreu-lhe o corpo. Ela tem lá seus problemas, pensou, sentando-se à mesa.

A moça empurrou um colar na sua direção através da mesa.

– Hein? O que é isso? – perguntou, olhando o objeto sem expressão nenhuma.

– O presente de Maggie, papai – disse. – Foi o melhor que pude encontrar. Receio que seja um pouco ordinário demais.

– Não, serve muito bem – disse ele, pegando-o distraído. – É o que ela gosta – completou, colocando-o de lado. E se pôs a trinchar a galinha.

Eleanor estava com muita fome. E ainda sem fôlego. Era como se tivesse saído de um rodopio, considerou. E em torno de que rodopiam as coisas?, começou a imaginar, servindo-se de molho de pão. Sobre um pivô? O cenário mudara tantas vezes nesta manhã. E cada mudança exigia um reajuste; trazia alguma coisa para o primeiro plano; relegava outra ao esquecimento? Agora não sentia nada. Apenas fome. Era uma simples devoradora de galinha. Neutra, enquanto comia, a figura do pai se projetou contra aquele pano de fundo em que nada havia. Gostava da sua solidez, daquele mastigar metódico da sua galinha. O que teria estado a fazer? Teria tirado ações de uma companhia para depositá-las em outra? Mas ele já despertara.

— Então como foi o seu Comitê? – perguntou ele. Ela contou, exagerando sua vitória sobre Judd.

— Muito bem. Há que enfrentá-los, Nell. Não deixe que a espezinhem. – A seu modo, tinha orgulho dela. E ela gostava de que ele tivesse. Ao mesmo tempo, não mencionou Duffus nem o Conjunto Residencial Rigby. Não simpatizava com gente louca por dinheiro e não ficava com um centavo dos lucros: tudo era consumido em consertos. Dirigiu a conversa para Morris e o caso do Tribunal. Conferiu o relógio mais uma vez. Sua cunhada Celia dissera-lhe que fosse encontrá-la no Tribunal às duas e trinta em ponto.

— Tenho de andar depressa – disse. – Ah, mas esses advogados sabem muito bem como esticar as coisas – disse o coronel. – Quem é o juiz?

— Sanders Curry – respondeu Eleanor.

— Então a coisa vai render até o dia do juízo final. Em que corte é o julgamento? – perguntou.

Ela não sabia.

— Crosby! – chamou o coronel. Mandou que Crosby lhe trouxesse *The Times*. Começou a virar as grandes folhas com dedos desajeitados enquanto Eleanor engolia seu pedaço de torta. Quando ela serviu o café, ele tinha achado em que corte o caso estava sendo julgado.

— E o senhor vai até a City, papai? – perguntou Eleanor, depondo a xícara.

— Sim. Tenho uma reunião – disse. Adorava ir à City, não importa o que fizesse por lá.

— Curioso que tenham dado o caso a Curry – comentou ela, erguendo-se. Tinham jantado com ele não fazia muito num lúgubre casarão para os lados de Queen's Cate. – O senhor se lembra daquele jantar? – perguntou, já de pé. – Da velha arca de carvalho? Curry colecionava arcas de carvalho.

— Cópias, suspeito. Tudo reproduções. E não corra – advertiu-a. – Tome um fiacre, Nell. Se precisa de dinheiro trocado... – e começou a remexer no bolso com seus dedos curtos. Observando-o,

Eleanor sentiu outra vez aquela velha sensação que tinha em criança: que os bolsos dele eram minas de prata sem fundo, das quais meias coroas podiam ser extraídas eternamente.

– Muito bem – disse, pegando as moedas. – Vemo-nos de novo no chá.

– Não – lembrou o pai. – Tenho de ir à casa dos Digby. Apanhou o colar na sua mão grande e peluda. Parecia mesmo um tanto ordinário, pensou Eleanor.

– Não teremos uma caixa para isso? – perguntou Eleanor. E Crosby, irradiando importância, foi correndo ao porão. – Até a hora do jantar, então – disse Eleanor ao pai. O que quer dizer, pensou com alívio, que não preciso estar de volta para o chá.

– Sim, até o jantar – disse ele. Tinha um pedaço de papel torcido na mão e aplicava-o à ponta do charuto. Sugou. Uma pequena baforada de fumaça ergueu-se. Ela gostava do cheiro. Ficou um minuto a aspirá-lo.

– E dê minhas lembranças à tia Eugénie – disse ela. Ele fez que sim de cabeça, sugando o charuto.

* * *

Era um deleite tomar um fiacre. E ganhava quinze minutos. Recostou-se a um canto com um curto suspiro de contentamento quando as abas da portinhola bateram acima dos seus joelhos. Por um minuto, ficou com a cabeça completamente oca. Gozava a paz, o silêncio, o repouso depois do esforço, sentada ali, no seu canto. Sentia-se desligada, uma espectadora – enquanto o fiacre corria. A manhã fora frenética, uma coisa em cima da outra. Agora, até chegar ao Tribunal, podia ficar sentada sem fazer nada. E o cavalo era pesadão, com seu pelame avermelhado, pardacento. Manteve o mesmo trote descansado, regular, ao longo de toda a Bayswater Road. Havia pouco tráfego. As pessoas almoçavam. Uma névoa cinzenta toldava a distância. Os sinos bimbalhavam. As casas iam passando. Deixou de ver quais casas passavam. Semicerrou os olhos e então, involuntariamente, viu sua própria mão apanhar uma carta da mesa do vestíbulo. Quando? Nesta mesma manhã. O que tinha feito com ela? Botara-a na bolsa? Sim. Ali estava ela. Fechada. Uma carta de Martin, da Índia. Pois leria a carta em trânsito. Estava escrita em papel muito fino com a letra miúda de Martin. Era mais longa do que de hábito. Sobre uma aventura com alguém chamado Renton. Quem seria Renton? Não se lembrava de ninguém com esse nome. "Partimos de madrugada", leu.

Olhou para fora. Estavam detidos por um engarrafamento em Marble Arch. Carruagens saíam do parque. Um cavalo empinou; mas o cocheiro dominou-o com firmeza.

Continuou a ler: "Vi-me só em meio à selva...".

Mas que diabo estava ele fazendo por lá?, perguntou-se.

Podia ver o irmão. Seu cabelo ruço. Sua cara redonda. A expressão belicosa que sempre a preocupara: temia que ele se desse mal a qualquer momento. Pois parece que se dera mesmo.

"Eu me perdera; e o sol caía", leu.

"O sol caía...", repetiu Eleanor, olhando o caminho à frente, Oxford Street abaixo. O sol batia numa vitrine cheia de vestidos. Uma selva devia ser uma floresta muito espessa, imaginava. Feita de árvores baixas e escuras. Martin estava sozinho em plena selva, e o sol já baixava. O que aconteceria em seguida? "Pensei que era melhor ficar onde estava." De modo que se deixou ficar no meio das árvores anãs, só, na selva. E o sol caindo. A rua em frente dela perdeu a nitidez. Devia esfriar com o sol posto, pensou. Recomeçou a leitura. Ele quis fazer um fogo. "Olhei no bolso e vi que tinha apenas dois fósforos. O primeiro apagou." Ela visualizou uma fogueirinha de gravetos, Martin vendo o fogo morrer. "Aí acendi o outro e por pura sorte ele funcionou." O papel se pôs a queimar, os gravetos arderam, um leque de chamas se ergueu. Ela pulou algumas linhas na aflição de chegar ao fim. "...Uma vez julguei ter ouvido vozes, mas logo se extinguiram...".

– Extinguiram-se! – disse Eleanor em voz alta. Tinham parado em Chancery Lane. Um policial ajudava uma velha a atravessar a rua. Mas a rua era uma selva.

– Extinguiram-se – repetiu ela. – E depois?

"...Subi a uma árvore... vi a trilha... o sol nascia... Eles me tinham dado por morto."

O fiacre parou. Por um momento, Eleanor permaneceu imóvel. Só via árvores deformadas, baixas, e o irmão contemplando o sol nascer sobre a selva. Pois nascia o sol. Chamas dançaram por um momento sobre a vasta massa fúnebre do Tribunal. O segundo fósforo pegou, disse consigo, enquanto pagava o cocheiro e entrava.

* * *

– Oh! Aí está você! – exclamou a mulher baixinha metida em peles, de pé junto a uma das portas. – Já estava desistindo de você. Ia entrar. – Era pequena, tinha cara de gato e estava preocupada, mas também orgulhosa do marido.

Empurraram juntas as portas de vaivém da corte onde o caso estava sendo julgado. Pareceu-lhes escura e atulhada de gente ao primeiro relance. Homens de perucas e becas levantavam-se e sentavam-se, iam e vinham como um bando de pássaros que se acomodavam aqui e ali numa campina. Todos desconhecidos. Não conseguia localizar Morris. Olhou em torno, procurando-o.

– Lá está ele – cochichou Celia.

Um dos advogados na primeira fila voltou a cabeça. Era Morris. Como parecia esquisito com a peruca amarela! O olhar dele passou pelas duas sem qualquer sinal de reconhecimento. Eleanor também não sorriu para ele. A atmosfera solene e baça inibia arroubos pessoais. Havia algo de ritual em tudo aquilo. De onde ela estava, podia ver o rosto de Morris de perfil. A peruca tornava quadrada a testa dele, dava-lhe um ar de coisa emoldurada, como uma pintura. Nunca o vira tão bem, com tal fronte, tal nariz. Olhou em volta. Todos pareciam pinturas. Todos os advogados pareciam enfáticos, recortados como retratos do século XVIII pendurados numa parede. Levantavam-se e sentavam-se outra vez como antes, conversando, rindo... De repente, uma porta se escancarou. O meirinho pediu silêncio para Sua Excelência. Fez-se silêncio. Todo mundo se pôs de pé. E o juiz entrou. Esboçou uma breve mesura e sentou-se debaixo do Leão e do Unicórnio. Eleanor sentiu um pequeno calafrio de temor e respeito. Era o velho Curry. Que transformação! Da última vez que o vira, presidia um jantar. Uma grande faixa amarela e bordada corria ondulante pelo meio da mesa. E ele a conduzira, com uma vela, em torno da sala de visitas para examinar seus velhos móveis de carvalho. Agora, porém, ali estava ele, terrível, magistral nas suas vestes.

Um advogado falava de pé. Ela tentou acompanhar o que o homem de narigão dizia. Mas era difícil àquela altura pegar o fio do discurso. Ficou escutando, apesar disso. Depois, outro advogado se levantou – um homem com peito de pomba, que usava pincenê de ouro. Procedia à leitura de um documento qualquer. Findo o qual, também ele começou a arrazoar. Ela compreendia partes do que ele expunha, mas que relação teria com o caso não seria capaz de dizer. Quando seria a vez de Morris? Não já, aparentemente. Como seu pai dissera, aqueles homens da lei sabiam como fazer render as coisas. Não precisava ter almoçado com tanta pressa. E bem poderia ter vindo de ônibus. Fixou os olhos em Morris. Ele dizia alguma pilhéria ao homem sentado a seu lado. Eram todos camaradas dele, pensou. Aquela era a vida dele. Lembrava-se da paixão do irmão pela advocacia quando pequeno. Fora ela quem convencera o pai. Uma certa manhã, fez das tripas coração e foi ao escritório dele... E agora, para emoção dela, Morris se levantou.

Eleanor viu que sua cunhada se inteiriçava nervosa, apertando a pequena bolsa nas duas mãos. Morris parecia muito alto, muito branco e preto quando começou. Tinha uma das mãos na ourela da beca. Conhecia tanto aquele gesto de Morris!, pensou quando ele segurava algo e se via a lívida cicatriz da mão, onde se cortara certa vez, nadando. Mas não reconhecia o outro gesto – a maneira como lançava o braço à frente. Isso pertencia à sua vida pública, à sua vida no Tribunal. E o tom não era familiar. De quando em quando, porém, já empolgado pelo que dizia, havia uma nota na voz dele que a fazia sorrir: era a sua voz de todo dia. Não podia conter-se a se virar para a cunhada como que dizendo: "Como isso se parece com Morris!". Mas Celia olhava fixamente para a frente, para o marido. Eleanor também tentava concentrar-se na argumentação. Morris falava com extraordinária clareza. Espaçava as palavras numa cadência perfeita. De súbito, o juiz interrompeu:

– Devo entender, sr. Pargiter, que o senhor sustenta... – disse de maneira urbana, mas também temível. E Eleanor sentiu um frêmito, vendo quão prontamente Morris se calou e quão respeitosamente dobrou a nuca enquanto o juiz falava.

Mas saberá responder?, pensou ela, como se o irmão fosse uma criança, mexendo-se na cadeira, com medo de que ele perdesse o pé. Morris, no entanto, tinha a resposta na ponta da língua. Sem açodamento nem confusão, abriu um livro. Encontrou a passagem que procurava. Leu um trecho. E o velho Curry assentiu, inscrevendo uma nota no grande volume que jazia aberto diante dele. Eleanor sentiu-se imensamente aliviada.

– Como ele se saiu bem dessa! – disse num sussurro. A cunhada concordou de cabeça. Ainda apertava a bolsa nas mãos. Eleanor sentiu que poderia ficar descansada. Correu os olhos em torno. A corte era uma curiosa mistura de solenidade e licença. Os causídicos continuavam a entrar e sair. Ou se deixavam ficar encostados às paredes. À luz desmaiada e muito alta, seus rostos tinham um palor de pergaminho, e os traços pareciam cortados a buril. O gás fora aceso. Ela examinou o próprio juiz, agora reclinado na sua grande cadeira trabalhada, sob o Leão e o Unicórnio, a ouvir. Parecia infinitamente triste e sábio, como se as palavras se abatessem sobre ele havia séculos. Ora abria as pálpebras pesadas, franzindo a testa. E a pequenina mão que emergia frágil do enorme punho escrevia umas poucas palavras no grande volume. Ora parecia mergulhar de novo, com olhos semicerrados, na sua eterna vigília sobre o conflito dos pobres mortais. A mente de Eleanor desgarrou-se. Recostou-se na sua cadeira dura e deixou que a maré do esquecimento a envolvesse. Cenas da manhã começaram a tomar forma, a se impor. Judd no Comitê. Seu pai lendo o jornal. A anciã agarrada à sua mão. A empregada distribuindo os talheres na mesa. E Martin riscando seu segundo fósforo na selva...

Estava irrequieta. O ar era abafado, a luz mortiça. E o juiz, agora que a primeira impressão de magia se desvanecera, parecia impaciente, não mais imune às fraquezas humanas. Ela se lembrava muito bem de como ele ficara desfrutável naquela horrenda mansão de Queens Cate, quando se pôs a falar das suas arcas. "Esta aqui desencavei em Whitby", tinha dito. E era uma cópia. Ela queria rir. Queria ir embora. Levantou-se, murmurando:

– Vou indo.

A cunhada também murmurou alguma coisa em resposta. Talvez um protesto. Mas Eleanor abriu caminho tão discretamente quanto pôde e ganhou a rua pelas grandes portas de vaivém.

* * *

O tumulto, a confusão, os vastos espaços do Strand abateram-se sobre ela como um choque, mas a sensação foi de alívio. Sentiu que todo o seu ser se dilatava. Ainda estava claro ali fora. E havia um alvoroço, uma urgência, um tumulto de vida multifária correndo para ela. Era como se uma mola se tivesse quebrado e soltado – nela, no mundo. Parecia-lhe, depois da concentração de há pouco, estar como que dissoluta e liberta e jogada de um lado para outro. Errou pelo Strand, contemplando com volúpia a rua em desfilada; as lojas cheias de cordões brilhantes e bolsas de couro; as fachadas brancas das igrejas; os telhados em ponta, desiguais, riscados de fios. Por cima de tudo, o deslumbramento do céu, lavado, mas estonteante. O vento soprava-lhe no rosto. E ela respirava em grandes haustos o ar fresco e molhado. E aquele pobre homem, pensou, naquele recinto escuro e acanhado do Tribunal, tem de ficar sentado lá o dia inteiro, todo santo dia! Viu Sanders Curry outra vez, derreado em sua cadeira, o rosto caindo em pregas de ferro. Todo santo dia, o dia inteiro, pensou, arguindo pontos da lei. Como podia Morris aguentar aquilo? Mas ele sempre quisera advogar.

Fiacres, caminhões, ônibus passavam por ela. Pareciam lançar-lhe o ar contra o rosto. Espirravam lama na calçada. Os transeuntes se acotovelavam, forçando caminho; ela acertou o passo com o deles. Teve de parar diante de um furgão que virava numa das estreitas ruas transversais que vão dar no rio. Olhando para cima, viu nuvens correndo por entre os telhados, nuvens escuras, pejadas de chuva. Pôs-se outra vez a andar.

E de novo se deteve à entrada da estação de Charing Cross. O céu era aberto ali. Viu uma fila de pássaros voando alto, voando juntos. Ficou a observá-los. Depois continuou. Gente a pé, gente metida em fiacres, era sugada como palha em torno dos pilares de uma ponte. Teve de esperar. Fiacres carregados de malas passavam por ela.

Tinha inveja dos donos das malas. Quisera estar indo também para o exterior, para a Itália, para a Índia... Depois, sentiu vagamente que alguma coisa estava acontecendo. Os jornaleiros nos portões distribuíam jornais com rapidez inusitada. Os homens arrancavam-lhes as folhas das mãos, abriam-nas e iam lendo enquanto andavam. Ela olhou um cartaz amassado contra as pernas de um dos meninos. "Morte", estava escrito nele em grandes letras negras.

Nesse instante, o cartaz se endireitou com o vento e ela pôde ler outra palavra: "Parnell".

Morto... repetiu. Parnell. Ficou pasma por um momento. Como poderia ele estar morto – Parnell? Comprou um jornal. Era o que dizia...

– Parnell morreu! – disse em voz alta. Olhou para o alto e viu o céu mais uma vez. As nuvens passavam. Olhou a rua. Um homem apontava a notícia com o indicador. Parnell morreu, dizia. Exultava. Mas como poderia ele estar morto? Era como alguma coisa que se desvanecesse no céu.

Caminhou devagar rumo a Trafalgar Square, segurando o jornal na mão. De súbito, toda a cena se imobilizou como que petrificada. Um homem estava ligado a um pilar; um leão estava ligado a um homem; ambos pareciam imobilizados, unidos, como se nunca mais devessem mover-se.

Atravessou Trafalgar Square. Pássaros gorjeavam estridentes em algum lugar. Ela parou junto da fonte e olhou para o fundo da grande bacia cheia d'água. O negrume da superfície se franzia todo quando o vento o dedilhava. Havia reflexos no espelho d'água, galhos e uma pálida nesga de céu. Que sonho, murmurou ela. Que sonho... Mas alguém que passava a empurrou. Ela virou-se. Tinha de ir ter com Delia. Delia sempre se importara. Delia se importara apaixonadamente. Como era mesmo que ela costumava dizer? Abandonar a casa, abandoná-los todos pela Causa, por aquele homem? Justiça, Liberdade? Tinha de ir vê-la. Aquilo significava o fim de todos os sonhos de Delia. Virou-se e chamou um fiacre.

Debruçou-se na portinhola para ver. As ruas por onde passava eram horrivelmente pobres. E não só pobres, pensou, mas pervertidas. Ali estavam o vício, a obscenidade, a realidade de Londres. Era lúrido, à meia-luz confusa do crepúsculo. Os bicos de gás começavam a ser acesos. Jornaleiros passavam gritando, Parnell... Parnell... Ele está morto, disse Eleanor consigo, ainda cônscia de dois mundos: um que passava de roldão por cima de sua cabeça; o outro, circunscrito ao calçamento por onde o fiacre rolava.

Tinha chegado, aliás. Ela ergueu a mão, fazendo o veículo estacar em frente a uma pequena fileira de postes numa ruela. Desceu e meteu-se pela praça.

Os sons do tráfego vinham-lhe agora filtrados. Estava quieto ali. Na tarde de outubro, as folhas mortas caindo, a velha praça, desbotada e vestida de névoa, parecia suja e decrépita. As casas alugavam salas para escritórios, sociedades, gente cujos nomes se inscreviam em cartões pregados nos portais. Toda aquela vizinhança lhe parecia estranha e sinistra. Atingiu o vetusto portal Queen Anne com suas grossas sobrancelhas esculpidas e apertou a campainha do alto das seis ou sete existentes. Tinham nomes por cima, às vezes apenas cartões de visita. Ninguém atendeu. Empurrou a porta, que não estava trancada, e entrou. Subiu a escadaria de madeira com seus corrimões trabalhados, que pareciam de certo modo degradados da antiga dignidade. Havia garrafas de leite nos peitoris profundos das janelas. Algumas das vidraças estavam quebradas. Do lado de fora da porta de Delia, no alto, havia também uma garrafa de leite, só que vazia. O cartão estava preso à madeira por uma tacha. Ela bateu e esperou. Silêncio. Torceu a maçaneta. A porta estava fechada a chave. Ficou por um momento à escuta. Uma janela lateral dava para a praça. Os pombos arrulhavam na ramaria das árvores. O rumor do tráfego parecia remoto. Mal podia ouvir os jornaleiros gritando morte... morte... morte. As folhas tombavam. Ela se voltou e desceu.

Andou sem destino pelas ruas. As crianças tinham riscado quadrados a giz na calçada. Mulheres debruçavam-se nas janelas em cima, varrendo a rua com um olhar rapace e insatisfeito. Alugavam-se quartos para senhores solteiros. Exclusivamente. Havia cartazes que diziam: "Apartamentos Mobiliados" ou "Cama e Café da Manhã". Ficou a imaginar que vida se viveria por trás daquelas espessas cortinas amarelas. Aquele era o ambiente em que sua irmã vivia, pensou, voltando sobre seus passos. Ela deveria regressar muitas vezes para casa sozinha à noite. Retornou à praça, subiu as escadas e sacudiu a maçaneta outra vez. Mas não havia nenhum ruído lá dentro. Ficou por algum tempo a contemplar as folhas que caíam. Ouviu o pregão dos jornaleiros, o arrulhar dos pombos na ramaria alta. Requetecum... requetecum... requetecum... requetecum... E uma folha caiu.

* * *

O tráfego em Charing Cross engrossava ao fim da tarde. Gente a pé, gente de carro, era sugada nos portões da estação.

Homens caminhavam apressados como se houvesse algum demônio na estação que se enfureceria se o fizessem esperar. Mesmo assim, paravam e arrebatavam um jornal de passagem. As nuvens, abrindo-se, juntando-se, deixavam passar a luz para depois a toldarem. A lama, ora escura, ora ouro liquefeito, esguichava para os lados sob as rodas dos fiacres e as patas dos cavalos; e, no torvelinho e alarido gerais, o estrídulo chilro dos pássaros nas frondes se perdia. Os fiacres tilintavam e passavam; tilintavam e passavam. Por fim, em meio aos seus guizos, surgiu um em que vinha sentado um homem corpulento, de cara rubicunda, levando na mão uma flor embrulhada em papel de seda – o coronel.

* * *

– Ei! – gritou ele quando o fiacre passou os portões. Meteu a mão pelo alçapão do teto, debruçou-se para a frente e apanhou o jornal que lhe passavam. – Parnell! – exclamou, apalpando os bolsos em busca dos óculos. – Morto, por Júpiter!

O fiacre se foi a trote. Ele leu a notícia duas ou três vezes. Está morto, disse com os seus botões, tirando os óculos. Um choque em que havia uma ponta de alívio, uma ponta de algo como triunfo percorreu-lhe o corpo ao se recostar no banco. Bem, disse consigo mesmo, está morto e acabado, o aventureiro sem escrúpulos, o agitador responsável por todo o mal, o homem que... Um mal-estar impreciso, relacionado com a própria filha, formou-se nele. Não sabia exatamente o que era, mas franziu o cenho. De qualquer maneira, Parnell está morto e bem morto, pensou. Como foi que morreu? Matou-se? Não seria nada surpreendente... Mas está morto e isso põe fim a tudo. Tinha o jornal amassado numa das mãos, a flor envolta em papel de seda na outra, quando o fiacre passou Whitehall abaixo... Afinal, Parnell era digno de respeito, pensou quando o fiacre passou pela Câmara dos Comuns – o que é mais do que se pode dizer de alguns outros sujeitos... e muita baboseira se disse sobre o caso do divórcio. Olhou para fora. O fiacre passava por uma rua onde ele costumava parar anos atrás e olhar em torno. Virou a cabeça e lançou uma olhadela de soslaio à rua, que ficava do lado direito. Mas um homem público não pode se permitir coisas assim, pensou. E fez um pequeno cumprimento de cabeça ao passar. E eis que ela me escreve agora pedindo dinheiro, pensou. O outro sujeito, como ele previra, revelara-se um salafrário. Ela já perdeu a beleza, pensou. Engordou enormemente. Enfim, podia ser generoso. Pôs de novo os óculos e leu as notícias da City.

A morte de Parnell não faria nenhuma diferença sobrevindo agora, pensou. Se tivesse vivido, se o escândalo tivesse amainado... levantou os olhos. O fiacre tomava o caminho mais longo, como de hábito.

– À esquerda! – gritou. – À esquerda!

Pois o cocheiro, como todos os cocheiros, virara para o lado errado.

* * *

No escuro subsolo de Browne Street, o empregado italiano lia o jornal em mangas de camisa, quando a arrumadeira entrou dançando uma valsa e brandindo um chapéu na mão.

– Olhe o que ela me deu! – gritou. Para se desculpar pela desordem do salão, lady Pargiter lhe dera de presente um chapéu. – Não fico elegante? – perguntou, parando em frente do espelho com o chapéu italiano de abas largas um pouco de banda na cabeça. Parecia feito de vidro repuxado. Antonio se viu obrigado a deixar o jornal e a pegá-la pela cintura por pura galanteria, pois não se tratava de nenhuma beldade, e a atitude dela lhe parecia uma pobre paródia do que se lembrava de ter visto nas cidades montanhosas da Toscana. Mas já um fiacre estacionava diante da casa. Havia duas pernas imóveis em frente do gradil, e ele tinha de apartar-se dela, vestir o paletó e subir para atender à porta. Acabavam de tocar a campainha.

* * *

Ele não se apressa, pensava o coronel de pé à soleira. O choque da morte de Parnell já fora quase absorvido. Mas sentia que ainda lhe dava umas voltas por dentro. O que não o impediu de observar, enquanto esperava, que os tijolos haviam sido retocados. Mas como teriam dinheiro sobrando com três meninos por educar, afora as duas meninas? Eugénie era mulher de tino, naturalmente. Mas preferiria que ela tivesse uma boa empregada doméstica em vez daqueles dois carcamanos com seu ar apalermado de eternos comedores de macarrão. A porta abriu-se. E enquanto subia, acreditou ouvir um frouxo de riso à sua retaguarda.

Gostava do salão de Eugénie, pensou enquanto esperava por ela. Era a própria desordem. Havia um monte de palha e papel picado no chão, onde alguém desempacotava alguma coisa. Eles tinham estado na Itália, lembrou-se. Havia um espelho em cima da mesa. Provavelmente um dos objetos que ela recolhera por lá. Um espelho antigo, com a prata coberta de manchas. Ajeitou a gravata diante dele.

Só que prefiro um espelho em que a gente se veja direito, pensou, virando-lhe as costas. O piano estava aberto. E o chá, sorriu, com a xícara pelo meio. Como de hábito. E ramos em profusão, distribuídos pela sala, ramos de folhas murchas, vermelhas, amarelas. Ele gostava de flores. Alegrava-se por ter pensado nisso, por haver trazido o presente usual. Segurava à frente do corpo a flor embrulhada em papel de seda. Mas por que estaria o aposento tão cheio de fumaça? O vento trouxe mais uma lufada. As duas janelas do fundo estavam abertas, e a fumaça vinha do jardim. Estariam queimando ervas daninhas?, indagou consigo. Foi até a janela para olhar. Sim, estavam. Eugénie e as duas meninas. Tinham feito uma pequena fogueira. Enquanto ela olhava, Magdalena, a sua favorita, lançou na fogueira toda uma braçada de folhas secas. Ela as jogara tão alto quanto possível, e as chamas cresceram. Um grande leque de labaredas se ergueu.

– Cuidado! – gritou.

Eugénie puxou as crianças para trás. As duas dançavam de excitação. A outra menina, Sara, mergulhou sob o braço da mãe, apanhou mais folhas no chão e atirou-as no fogo por sua vez. Um grande leque de labaredas se ergueu. Então o empregado italiano surgiu à porta e anunciou-o. Ele bateu com as pontas dos dedos na vidraça. Eugénie voltou-se e viu-o. Segurando as crianças com a mão esquerda, ergueu a outra para saudá-lo.

– Fique aí mesmo. Já vamos! – disse.

Uma nuvem de fumaça soprou diretamente nele. Seus olhos se encheram de água. Ele saiu da janela e sentou-se na cadeira junto do sofá. Mais um segundo, entrou Eugénie, marchando para ele com as duas mãos estendidas. Levantou-se para pegá-las.

– Fizemos uma fogueira – disse ela. Tinha os olhos brilhantes, os cabelos em desordem. – É por isso que estou assim desgrenhada – acrescentou, levando as mãos à cabeça. Estava, sem dúvida, à vontade, mas encantadora ao extremo assim mesmo, pensou Abel. Uma bela mulher, embora avantajada, observou enquanto se cumprimentavam. E está ganhando peso. Que lhe vai bem afinal de contas, concluiu. Admirava muito mais aquele tipo que a beleza inglesa tradicional, toda leite e rosas. A carne moldava-se nela como cera quente, amarela. Tinha os olhos grandes e escuros das estrangeiras e um nariz um tanto semita. Ofereceu-lhe a sua camélia. Era o presente de sempre. Ela soltou uma ligeira exclamação ao tirar a flor do papel de seda e sentou-se.

– Que gentileza a sua! – disse e segurou a camélia por um momento diante de si. Depois fez o que ele a vira muitas vezes fazer com uma flor: prendeu-a entre os dentes. Tudo isso o encantou, como de hábito.

– É uma fogueira comemorativa? Do aniversário? – perguntou. E: – Não, não, não... não quero chá.

Eugénie apanhara a sua xícara e sorvia o chá frio que ainda havia nela. Ao observá-la, uma lembrança do Oriente veio à memória do coronel. Era assim que, nos países quentes, as mulheres se sentavam à soleira das casas ao sol. Mas fazia frio nesse momento, com as janelas abertas e a fumaça a entrar. Ele ainda estava com o jornal na mão. Depositou-o em cima da mesa.

– Viu as notícias? – perguntou.

Ela baixou a xícara e arregalou um pouco os grandes olhos sombrios. Imensas reservas de emoção pareciam morar lá dentro. E como ele não falasse, ela ergueu a mão no ar num gesto expectante.

– Parnell – disse Abel, lacônico. – Morreu.

– Morreu? – fez Eugénie como um eco. E deixou cair a mão dramaticamente.

– Sim. Em Brighton. Ontem.

– Parnell morreu! – repetiu ela.

– É o que dizem – concluiu o coronel. As emoções dela tinham o dom de reduzir as suas à realidade terra a terra. Mas ele gostava disso. Ela apanhou o jornal.

– Coitado! – exclamou, deixando cair a folha.

– Coitado? – fez o coronel.

Os olhos dela estavam marejados. Ele ficou perplexo. Teria ouvido mal? Talvez ela tivesse dito "coitada", referindo-se a Kitty O'Shea? Ele não pensara na mulher.

– Ela arruinou a carreira dele – disse, fungando um pouco.

– Ah! Mas como deve tê-la amado! – murmurou Eugénie.

E passou as mãos nos olhos. O coronel ficou mudo por algum tempo. A emoção dela parecia-lhe desproporcionada com relação ao objeto. Mas era genuína. Ele gostava disso.

– Sim – disse um tanto formal. – Sim. Suponho que sim.

Eugénie pegou de novo a flor e segurou-a, girando a haste entre os dedos. Parecia ausente de vez em quando, mas ele sempre se sentia perfeitamente à vontade na companhia dela. Seu corpo ficava leve. Era como se alguma obstrução o abandonasse quando em presença de Eugénie.

– Como as pessoas sofrem! – murmurou ela, os olhos na flor.
– Como as pessoas sofrem, Abel! – disse. E virou-se para encará--lo de frente.

Uma grande baforada de fumaça veio da outra peça.
— Você não se importa com ar encanado? — perguntou o coronel, olhando para as janelas. Ela não respondeu imediatamente. Brincava com a flor. Depois, pareceu acordar e sorriu.
— Sim, sim! Pode fechá-las — disse, fazendo um gesto vago com a mão.
Ele se levantou e foi fechar as janelas. Quando voltou, ela estava de pé junto do espelho, prendendo os cabelos.
— Fizemos uma fogueira comemorativa. Pelo aniversário de Maggie — dizia ela a meia-voz, contemplando-se no espelho veneziano todo coberto de manchas. — E é por isso... — alisou os cabelos e prendeu a camélia no vestido — ...é por isso que estou assim tão...

Inclinou a cabeça um pouco de lado, como que para observar o efeito da flor no vestido. O coronel sentou-se e esperou. Lançou um olhar ao jornal.
— Parece que desejam abafar as coisas... — disse.
— Você não quer dizer que... — começou Eugénie.

Mas a porta abriu-se, e as crianças entraram. Maggie, a mais velha, veio na frente; depois Sara, que se escondia atrás dela.
— Viva — exclamou o coronel. — Aí estão elas! — E voltou-se. Adorava crianças. — Muitas felicidades para você, Maggie! — disse e remexeu no bolso, procurando o colar que Crosby havia posto numa caixa de papelão. Maggie acercou-se dele para receber o presente. Tinha escovado o cabelo e envergava um vestido limpo, engomado. Pegou o embrulho e abriu-o. Ficou depois com o colar azul e dourado pendurado no dedo. Por um momento, o coronel se perguntou se ela teria gostado. Era um tanto espalhafatoso, agora que ele o via assim, pendendo da mão da menina. E ela não dizia nada. Mas logo a mãe forneceu as palavras que tinham de ser ditas:
— Que bonito, Maggie! Que bonito!

Maggie segurava a fieira de contas na mão, mas não dizia nada.
— Agradeça ao tio Abel pelo belo colar — soprou a mãe.

— Obrigada, tio Abel, pelo colar — obedeceu Maggie. Não hesitara, falara com voz firme. Mas o coronel sentiu outra ferroada de dúvida. Um desapontamento sem proporção com o fato. Eugénie, enquanto isso, prendia o colar no pescoço da menina. Em seguida, chamou a mais nova que os observava de longe, escondida atrás de uma cadeira.

— Venha, Sara. Venha dizer bom-dia.

E estendeu-lhe a mão, em parte para atrair a menina, em parte, como Abel suspeitava, para esconder a ligeira deformidade que sempre o repelia. Alguém a deixara cair quando bebê. Sara tinha um ombro um pouco mais alto que o outro. Era isso que punha Abel contrafeito. Não podia suportar a mais leve deformidade numa criança. O aleijão, todavia, não afetara o humor da pequena. Ela veio até o sofá pulando num pé só, fez uma pirueta e beijou-o no rosto. Depois, deu um puxão na saia da irmã, e as duas se foram correndo e rindo para a outra sala.

— Elas agora vão admirar seu lindo presente, Abel — disse Eugénie. — Como você as estraga com seus mimos! E a mim também — acrescentou, tocando na camélia que pusera no decote.

— Será que ela gostou do colarzinho? — perguntou o coronel. Eugénie não respondeu. Apanhara outra vez a xícara de chá frio e sorvia-o em pequenos goles com seus modos indolentes do sul.

— E agora — disse, reclinando-se confortavelmente — conte-me suas notícias.

O coronel também se acomodara melhor na cadeira. Refletiu. Que notícias? Nada lhe ocorria de pronto. E com Eugénie gostava de fazer sempre alguma impressão. Ela dava um brilho especial às coisas. Como hesitasse, ela começou:

— Foi uma viagem maravilhosa a Veneza! Levei as crianças. É por isso que estamos todas tão morenas. Não ficamos no Grande Canal; detesto o Grande Canal! Ficamos logo adiante. Duas semanas de um sol glorioso! E as cores — hesitou —, que esplendor! — disse e estendeu a mão. Tinha gestos de uma expressividade incrível.

É assim que ela valoriza tudo, pensou o coronel. Gostava daquilo nela.

Ele não ia a Veneza fazia muitos anos.

– Encontrou gente simpática? – perguntou.

– Ninguém! Nem uma alma penada. A não ser uma senhorita horrorosa... Uma dessas mulheres que fazem a gente se envergonhar do próprio país – disse energicamente.

– Conheço o tipo – disse ele, com um risinho maroto.

– Mas voltando do Lido à noite – continuou ela –, com as nuvens por cima e a água por baixo, nós tínhamos um balcão e ali nos instalávamos. – Fez uma pausa.

– Digby estava com vocês?

– Não. Pobre Digby. Tirou férias antes, em agosto. Passou-as na Escócia com os Lasswade, caçando. É muito bom para ele, sabe – completou. Aí vai ela, pensou o coronel, tentando compor as coisas como sempre.

Mas Eugénie já recomeçava.

– Fale-me da família. Martin e Eleanor, Hugh e Milly, Morris e... – interrompeu-se. Ele suspeitou que ela esquecera o nome da mulher de Morris.

– ... Celia – disse. E calou-se.

Quisera falar-lhe de Mira. Mas, em vez, falou da família: Hugh e Milly; Morris e Celia. E Edward.

– Parece que têm o rapaz em grande conta em Oxford – disse num tom deliberadamente ríspido. Tinha grande orgulho de Edward.

– E Delia? – perguntou Eugénie. Lançou um olhar de esguelha ao jornal, e o coronel perdeu logo toda a afabilidade. Ficou de repente sombrio e temível, como um touro velho, a cabeça baixa, pronto para a marrada, pensou ela.

– Pode ser que ela recupere o juízo – respondeu, severo. Ficaram calados por um momento. Vinham risos do jardim.

– Oh, essas meninas! – exclamou ela. E foi até a janela. O coronel acompanhou-a. As crianças tinham fugido para fora. A fogueira ardia furiosamente. Um verdadeiro pilar de chamas levantava-se no meio do jardim. As meninas riam e gritavam dançando em volta da fogueira. Um velho de aspecto lamentável, como um eguariço aposentado e decaído, velava por elas, mas se mantinha um pouco à parte com um ancinho na mão. Eugénie escancarou a janela e chamou. Mas as crianças continuaram na ciranda. O coronel debruçou-se à janela, por sua vez. Pareciam selvagens, bruxas, com os cabelos soltos ao vento. Ele teria gostado de descer, de pular a fogueira. Mas era velho demais para isso. As chamas saltavam para o alto – ouro puro, vermelho vivo.

– Bravo! – gritou ele, batendo palmas. – Bravo!

– Diabinhas! – exclamou Eugénie. Estava tão excitada quanto as filhas, observou Abel. Pendurava-se na janela e gritava para o velho do ancinho: – Mantenha o fogo alto! Vamos!

Mas o velho espalhava o fogo, os gravetos. As labaredas diminuíram.

O velho mandou as crianças embora.

– Bem, acabou – disse Eugénie, com um suspiro, e voltou-se.

Alguém entrara na sala.

– Oh, Digby! – exclamou. – Não ouvi que você chegava!

Digby estava ali, de pé, a pasta nas mãos.

* * *

– Olá, Digby! – fez Abel, apertando-lhe a mão.

– De onde vem essa fumaça toda? – perguntou Digby, olhando em volta.

Estava envelhecido, pensou Abel. Um pouco. Digby continuava de pé, de sobrecasaca, os botões de cima desabotoados. Seu sobretudo parecia coçado. O cabelo estava branco no alto. Mas ainda era um homem bonito. Ao lado dele, o coronel se sentiu tosco, marcado pelas intempéries. Envergonhava-se de ter sido apanhado debruçado na janela, batendo palmas. Digby parece mais velho, pensou quando ficaram lado a lado, e, todavia, ele é cinco anos mais moço do que eu. A seu modo, era um homem fino. Na crista da onda. Cavalheiro e tudo mais. Só não é mais rico do que eu, era uma satisfação lembrar-se disso. Pois sempre, dos dois, fora ele o fracassado.

– Você parece tão cansado, Digby! – exclamou Eugénie, sentando-se. – Ele precisa tanto de umas férias, mas férias de verdade! – disse, voltando-se para Abel. – Por que você não o convence disso?

Digby apanhou um fiapo branco que se prendera às suas calças. Tossiu um pouco. A sala estava cheia de fumaça.

– De onde vem essa fumaça? – perguntou à mulher.

– Fizemos uma fogueira para Maggie, pelo aniversário dela – disse Eugénie, como que se desculpando.

– Oh, sim – disse ele.

Abel ficou irritado, Maggie era a favorita dele. O pai deveria ter se lembrado do aniversário dela.

– É verdade – disse Eugénie –, ele deixa todo mundo tirar férias, mas ele mesmo nunca tem férias. E depois de um dia de trabalho no escritório, ainda traz para casa uma pasta cheia de papéis... – Apontou para a pasta.

– Você não deveria trabalhar depois do jantar – disse Abel. – É um mau costume. – Digby parecia um tanto pálido, pensou.

Digby afastou com um gesto toda aquela solicitude feminina.

– Viu as notícias? – perguntou ao irmão, indicando o jornal.

– Sim, por Júpiter! – respondeu Abel. Gostava de falar de política com o irmão, embora se indignasse com os ares oficiais que ele se dava, como se tivesse sempre mais a dizer do que dizia – e não pudesse. Embora no dia seguinte tudo aparecesse, preto no branco, nos jornais... Eugénie, encolhendo-se no seu canto, sempre deixava que os dois falassem. Nunca interrompia. Mas, por fim, levantou-se e começou a apanhar a palha que caíra do caixote. Digby interrompeu o que estava dizendo e ficou a observá-la. Depois, olhou o espelho.

– Você gosta? – perguntou Eugénie, a mão apoiada na moldura.

– Sim – respondeu Digby. Mas havia uma nota de crítica na sua voz. – É um belo espelho.

– É para o meu quarto – disse ela depressa. Digby ficou olhando enquanto ela punha na caixa os últimos papéis picados.

– Lembre – disse ele – que vamos jantar com os Chatham.

– Eu sei – respondeu ela. E levou a mão à cabeça uma vez mais.

– Tenho de me fazer bonita.

Quem seriam os Chatham?, pensou Abel. Figurões, mandarins, supôs com desprezo. Os dois circulavam muito naquele mundo. Tomou o que tinham dito como deixa de que devia ir embora. De qualquer maneira, tinham dito o que tinham a se dizer, ele e Digby. Mas ainda tinha esperança de poder falar com Eugénie a sós.

– Sobre aquele negócio da África... – começou, lembrando-se repentinamente de um outro assunto, mas as crianças entraram. Vinham dar boa-noite. Maggie usava o colar, que lhe pareceu muito bonito. Ou era ela que era bonita? Contudo, os vestidos delas, os vestidinhos limpos, azul e cor-de-rosa, estavam amarfanhados; manchados, com as folhas das árvores de Londres sujas de fuligem, que tinham apertado nos braços.

– Travessas e sujíssimas! – disse ele, sorrindo para elas.

– Por que usam suas melhores roupas para brincar no jardim? – perguntou sir Digby, beijando Maggie. Falou de brincadeira, mas havia uma nota de desaprovação na voz. Maggie não respondeu. Tinha os olhos fixos na camélia que a mãe usava no peito. Aproximou-se dela e continuou a olhar.

– E você? Parece um limpador de chaminé! – disse sir Digby para Sara.

– É aniversário de Maggie – disse Eugénie, estendendo o braço outra vez como que para proteger a menina.

– Mais um motivo, pensaria eu – disse sir Digby, examinando as filhas –, para... hum... para... corrigir tais hábitos – gaguejou, tentando tornar a frase menos severa. Mas, como sempre acontecia quando falava com as crianças, conseguiu apenas ser desastrado e pomposo. Sara olhou para o pai como a estudá-lo.

– Para... hum... para corrigir tais hábitos – repetiu. Esvaziada de qualquer sentido, a frase guardava o ritmo exato das palavras. O efeito de certo modo era cômico. O coronel riu. Mas Digby, percebeu logo, ficara aborrecido. Limitou-se a bater de leve na cabeça de Sara quando a menina lhe deu boa-noite. Mas beijou Maggie quando esta passou por ele.

– Foi bom seu aniversário? – perguntou, puxando a menina para abraçá-la. Abel usou o pretexto para se despedir.

– Você tem mesmo de ir embora tão cedo, Abel? – protestou Eugénie quando ele lhe deu a mão. Ficou a segurá-la como se quisesse impedir que partisse. O que desejava afinal? Que se fosse? Que ficasse? Seus grandes olhos sombrios eram ambíguos.

– Vocês não vão jantar fora? – perguntou o coronel.

– Sim, vamos – respondeu ela e deixou cair a mão dele.

E, como não falasse mais nada, só lhe restava, pensou, ir-se de fato.

– Oh, eu sei o caminho – disse ao deixar a sala.

Desceu vagarosamente. Sentia-se deprimido, desapontado. Não pudera vê-la a sós. Não lhe contara nada. Talvez nunca fosse contar nada a ninguém. Afinal de contas, pensou, enquanto descia devagar e pesadamente, talvez aquilo fosse coisa só dele. Não interessava a mais ninguém. Cada um tem seus problemas, pensou, apanhando o chapéu. Passeou o olhar em torno.

Sim... A casa estava cheia de objetos bonitos. Olhou vagamente a grande poltrona carmesim com pés dourados do vestíbulo. Invejava Digby, sua casa, sua mulher, suas filhas. Estava ficando velho. Todos os seus próprios filhos já estavam crescidos, já o tinham deixado. Deteve-se no umbral da porta e olhou a rua. Era noite. As luzes tinham sido acesas. O outono escorria.

Enquanto o coronel subia a rua escura, batida de vento, salpicada agora de gotas de chuva, uma baforada de fumaça soprou diretamente o seu rosto. E as folhas caíam.

1907

Estava-se em pleno verão. As noites eram quentes. A lua, batendo na água, tornava-a muito branca, inescrutável, fosse profunda ou rasa. Mas, quando caía sobre objetos sólidos, dava-lhes como que um lustro ou os vestia de uma pátina de prata. De modo que até as folhas despencadas nas estradas do campo pareciam tocadas de verniz.

Ao longo das estradas silenciosas que levavam a Londres, carretas rodavam laboriosamente; e as rédeas de ferro iam seguras em mãos de ferro, porque legumes, frutas e flores viajam devagar. Com pilhas altas de caixas de repolhos, cravos e cerejas, pareciam caravanas carregadas com os bens de tribos em trânsito, migrando à procura de água ou tangidas por inimigos, em busca de novas pastagens. Em frente elas iam, por esta estrada, por aquela, sempre rentes às curvas. Mesmo os cavalos, cegos que fossem, poderiam ouvir o distante rumor de Londres. E os condutores sonolentos viam, apesar das pálpebras semicerradas, a gaze de fogo de uma cidade em perpétua combustão.

De manhãzinha, em Covent Garden, depunham seus fardos. Mesas, cavaletes, até mesmo as pedras do calçamento ornavam-se então com rufos e babados de alguma lavanderia celeste: repolhos, cerejas e cravos.

Todas as janelas estavam abertas. Havia música no ar. Por trás das translúcidas cortinas cor de vinho que o vento enfunava e erguia, vinha o som da eterna valsa – depois do baile, depois da dança – como uma serpente que engoliu a própria cauda, pois que o ciclo se fechara de Hammersmith a Shoreditch. Repetidamente, obsessivamente, os trombones retomavam o tema à porta dos cafés; meninos mensageiros transpunham-no para assobio; e todas as orquestras o tocavam nos salões particulares em que se dançava. As pessoas sentavam-se em mesinhas na estalagem romântica de Wapping, debruçadas sobre o rio, entre os grandes depósitos de madeira onde se amarravam as barcaças. E também em Mayfair. Cada mesa tinha a sua lâmpada; seu abajur de seda vermelha bem esticada; e as flores, que haviam sugado a umidade da terra ao meio-dia, distendiam-se e abriam as pétalas nos vasos. Cada mesa tinha sua pirâmide de morangos, sua codorna gorda, mal assada; e Martin, depois da Índia e da África, achava excitante conversar com uma garota de ombros nus, com uma jovem mulher iridescente, que tinha no cabelo asas de besouros de um verde cambiante, que a valsa ao mesmo tempo escondia e revelava com amorosa blandícia. Importava o que se dissesse? Pois ela, olhando por cima do ombro e ouvindo sem ouvir, percebeu quando um homem entrou recamado de condecorações, e uma dama de preto com diamantes fez sinal para que ele fosse ter com ela num canto discreto.

À medida que a noite avançava, um doce luar azulado envolvia as carretas de mercado ainda em atividade, junto ao meio-fio, para além de Westminster, para além dos redondos relógios amarelos, dos quiosques de café, das estátuas de pé em plena alvorada, com seus bastões e cetros ou com seus rolos de petrificado pergaminho. E, na esteira das carretas, vinham os varredores inundando a rua.

Pontas de cigarro, pedacinhos de papel laminado, cascas de laranja – todo o refugo do dia era removido do chão, e as carretas rodavam sempre, e os fiacres passavam infatigáveis ao longo do calçamento malcuidado de Kensington, sob as luzes brilhantes de Mayfair, levando senhoras em grande toalete e cavalheiros de colete branco ao longo das ruas poentas, sofridas, que pareciam banhadas em prata ao luar.

– Veja! – disse Eugénie quando o fiacre atravessava a ponte no crepúsculo estival. – Não é deslumbrante?

E acenou para a água. Cruzavam a Serpentine. Mas sua exclamação era apenas um aparte. O marido falava, e ela ouvia. Tinham sua filha Magdalena com eles. E ela olhava para onde a mãe tinha apontado. Lá estava a Serpentine, rubra ao pôr do sol. As árvores grupadas, esculturais, cujos detalhes se esfumavam. E a fantasmagórica arquitetura da pequena ponte, branca na extremidade, compunha o cenário. As luzes – a luz do sol e a luz artificial – misturavam-se de maneira bizarra.

– ...claro que isso pôs o governo numa enrascada – dizia sir Digby, – mas não era justamente isso que queriam?

– Sim... – disse lady Pargiter. – Esse moço vai ficar famoso.

O fiacre passava pela ponte. Entrava na sombra das árvores. Agora saía do parque e juntava-se à longa coluna de outros fiacres, que levavam gente em traje de gala para o teatro ou os jantares e se moviam vagarosos no rumo de Marble Arch. A luz era cada vez mais artificial, cada vez mais amarelecida. Eugénie se debruçou e arranjou alguma coisa no vestido da filha. Maggie levantou os olhos para ela. Pensava que ainda estivessem discutindo política.

– Assim – disse sua mãe, ajeitando-lhe a flor do corpete e inclinando a cabeça para um lado a fim de ver o efeito. Olhou a filha com aprovação. Depois, numa explosão de riso e estendendo a mão no ar, com espontaneidade: – Sabe quem me atrasou? Pois foi Sally, aquela diabinha...

Mas o marido a interrompeu. Tinha visto a hora num relógio iluminado.

— Vamos chegar tarde — disse.
— Ora, oito e um quarto quer dizer oito e meia — replicou Eugénie, enquanto o fiacre entrava numa rua lateral.

*　*　*

Tudo estava quieto na casa de Browne Street. Um raio do lampião de rua caía pela bandeira semicircular da porta e caprichosamente punha brilhos numa bandeja de copos na mesa do vestíbulo; numa cartola; numa poltrona com pés dourados. A poltrona, desocupada, como que à espera de alguém, tinha um ar de cerimônia; como se estivesse no piso craquelê de alguma antecâmara da Itália. Mas tudo era silêncio. Antonio, o empregado, dormia. Mollie, a empregada, dormia. Embaixo, num porão, uma bandeira de porta batia. Para cá, para lá. Afora isso, tudo era silêncio.

*　*　*

Sally, no seu quarto no alto da casa, virou-se de lado e escutou atentamente. Pensou ouvir girar a fechadura da porta principal. Uma lufada de música de dança entrou pela janela aberta e impediu-a de ter certeza.

Sentou-se na cama e olhou pela fresta da persiana. Podia ver por essa fresta uma fatia do céu; depois, a árvore do jardim; mais além, os fundos das casas vizinhas, dispostas lado a lado numa fieira comprida. Uma delas estava brilhantemente iluminada, e das suas altas janelas abertas é que vinha a música de dança. Valsavam. Via sombras que rodopiavam projetadas contra a persiana. Impossível ler; impossível dormir. Primeiro, havia a música; depois, um rumor de conversa; em seguida, gente que saía para o jardim; mais vozes; e música de novo.

Era uma noite quente de verão e, embora já fosse tarde, o mundo inteiro parecia viver. O fluxo dos carros era remoto, mas incessante.

Um livro marrom de capa desbotada estava em cima da cama. Impossível ler; impossível dormir. Ela jazia de costas, reclinada no travesseiro, as mãos atrás da nuca.

– E ele diz – murmurou – que o mundo não passa de... – Fez uma pausa. O que era mesmo que ele dizia? Que não passava de pensamento? Mas seria isso? – perguntou-se, como se já tivesse esquecido. Bem, uma vez que não podia ler nem dormir, ela seria apenas pensamento. Era mais fácil fazer coisas do que pensá-las. Pernas, corpo, mãos, sua pessoa inteira, enfim, tinha de ficar ali estirada e passiva para tomar parte nesse universal processo de pensamento que, a crer no homem e no livro, era a vida do mundo. Ela se espichou. Onde começa o pensamento?

Nos pés?, perguntou-se. Lá estavam eles, salientes, debaixo do lençol. Pareciam separados dela, muito longe. Fechou os olhos. E, independentemente de sua vontade, algo dentro de si endureceu. Era impossível agir como pensamento. Tornou-se outra coisa, uma raiz enfiada fundo na terra; veias pareciam percorrer a massa fria. A árvore deitou galhos, os galhos encheram-se de folhas.

– ...o sol brilha através das folhas – disse ela, sacudindo o dedo. Depois, abriu os olhos para verificar se o sol efetivamente batia nas folhas e viu a árvore real lá fora, no jardim. Longe de estar envolta em claridade, não tinha uma só folha. Sentiu por um momento como se tivesse sido desmentida. Porque a árvore era negra, negríssima.

Apoiando o cotovelo no peitoril da janela, ficou a contemplar a árvore. Um som confuso de aplausos vinha da sala onde se dançava. A música cessou. E gente começava a descer a escada de ferro que levava ao jardim delimitado por luzes azuis e amarelas dispostas ao longo do muro. As vozes ficaram mais fortes. Veio mais gente, muito mais gente. O retângulo de verdura, enquadrado pelas lâmpadas de cor, estava cheio, agora, de pálidas figuras de mulheres em vestidos de baile. E das figuras direitas, em branco e preto, dos homens em trajes de gala. Via os que iam e vinham. Falavam, riam. Mas estavam longe demais para que ela pudesse perceber o que diziam. Por vezes, uma palavra solta ou um frouxo de riso destacava-se nítido acima do restante. Depois, era de novo a babel indistinta de sons. O jardim de sua própria casa estava deserto e silente. Um gato deslizou esquivo pelo topo de um muro; parou; e foi em frente, como que empenhado numa expedição secreta. A música de dança recomeçou.

– De novo? E mais e mais! – exclamou, impaciente.

O ar, carregado do seco e estranho cheiro que tem a terra em Londres, soprou-lhe o rosto e fez inchar a cortina para fora. Estendida no leito, Sally viu a lua; parecia imensamente acima dela. Tênues vapores passeavam-lhe pela superfície. Agora abriam-se, e ela viu que havia marcas cinzeladas na face da lua. O que seriam?, imaginou. Montanhas? Vales? E, se eram vales, pensou, cerrando os olhos, teriam árvores alvíssimas; e grotas de gelo; e rouxinóis, dois rouxinóis chamando um pelo outro, chamando e respondendo um ao outro através dos vales. A toada da música apoderou-se das palavras "chamando e respondendo um ao outro" e projetou-as para fora; mas, à força de repetir as mesmas notas, vulgarizou-se e destruiu-as. A música interferia em tudo. No começo, excitante, ficara aborrecida e, por fim, intolerável. E ainda era só meia-noite e quarenta.

O lábio da moça encrespou-se como o de um cavalo que vai morder. O livrinho marrom era maçante. Ela tateou acima da cabeça e tirou outro qualquer a esmo da prateleira onde ficavam, todos coçados. Abriu o volume ao acaso; mas logo sua atenção se prendeu a um dos casais que ainda estavam no jardim, embora os outros tivessem entrado. O que estariam dizendo?, indagou consigo. Algo brilhava na relva e, tanto quanto pôde ver, a figura em preto e branco curvou-se e apanhou-o.

– E, apanhando-o – murmurou, sempre com os olhos no jardim vizinho –, ele diz à dama que está a seu lado: veja, srta. Smith, o que acabo de encontrar na relva: um fragmento do meu coração; do meu coração partido, diz ele. Encontrei-o na relva e vou usá-lo no peito – cantarolou a jovem com a melancólica música da valsa –, meu coração partido, este vidro partido, porque o

amor... – ela se interrompeu e lançou um olhar ao volume. Na guarda estava escrito:
"Para Sara Pargiter, do seu Primo Edward Pargiter".
– ... porque o amor – concluiu ela – é o que há de melhor.
Voltou à folha de rosto.
"Antígona, de Sófocles, tradução inglesa em verso por Edward Pargiter", leu.
Uma vez mais olhou para fora. O casal mudara de lugar. Subiam a escada de ferro. Ficou a observá-los. Entraram no salão de baile.
– Suponhamos que em meio à dança – murmurou – ela o saca e contempla e diz: "O que é isto?". E é só um pedaço de vidro. – Sally voltou a olhar o livro.
"Antígona, de Sófocles", leu. O livro estava novo em folha. Estalou quando o abriu. Era a primeira vez que o abria.
Releu:
"Antígona, de Sófocles, tradução inglesa em verso por Edward Pargiter". Edward dera-lhe o livro em Oxford numa tarde muito quente em que ficaram andando por capelas e bibliotecas. Andando e reclamando, repetiu ela de boca fechada, virando as páginas, e então ele me disse, elevando-se da espreguiçadeira baixa e penteando o cabelo com os dedos (neste ponto Sara olhou para fora mais uma vez), minha mocidade perdida, minha mocidade perdida. A valsa estava no auge do furor e da melancolia também.
– Tomando na mão – ela cantarolou, marcando o tempo – este vidro partido, este coração sem cor, ele me disse... – aqui a música cessou. Soaram aplausos. E os pares saíram como antes para o jardim.
Ela apalpava o livro, pulando páginas. No princípio, lia uma linha aqui outra acolá, ao acaso; depois, da desordem das palavras soltas surgiam cenas rápidas, imprecisas, à medida que ela virava as páginas. O corpo insepulto de um homem assassinado jazia por terra como um tronco de árvore caída, como uma

estátua, com um pé duro espetado no ar. Abutres se juntaram. E desceram como uma nuvem sobre a areia prateada. Com pequenos saltos inseguros, guinadas, cambaleios, as aves pesadonas se aproximavam gingando. Com um meneio do seu pescoço cinzento, saltaram sobre aquela massa – Sara tamborilou na capa ao ler isso – e velozes, bicando, bicando, bicando, atacaram a carne pútrida. Sim. Ela relanceou um olhar para a árvore lá fora. O cadáver insepulto do homem assassinado jazia na areia da praia. E então, numa nuvem amarela, quem chegou em turbilhão? Ela virou a página depressa. Antígona? Ela chegou num redemoinho, surgindo da nuvem de pó onde as aves saltitavam pesadonas, e lançou uma mancheia de areia branca sobre o pé enegrecido. Em seguida, ficou ali ereta, deixando cair por entre os dedos uma fina chuva de areia branca sobre o pé enegrecido. Mas ai! Outras nuvens surgiram; nuvens negras; cavaleiros desmontaram; ela foi capturada, seus pulsos atados com cordas de vime; e assim foi levada por eles – para onde?

Houve risos no jardim. Ela olhou. Para onde a levaram? O jardim estava cheio de gente. Não podia ouvir uma palavra do que diziam. As figuras entravam e saíam.

– Para a estimável corte do respeitado senhor? – murmurou ela, apanhando uma ou outra palavra ao acaso, pois continuava com os olhos pregados no jardim. O nome do homem era Creonte. Ele enterrou a moça. Havia luar. Os acúleos dos cactos eram de pura prata. O homem de tanga deu três pancadas secas no tijolo com a marreta. Ela foi enterrada viva. A tumba era um simples amontoado de tijolos. Mal havia lugar para que ela se deitasse ao comprido. Deitada ao comprido, numa sepultura de tijolos, disse Sara consigo. É o fim, bocejou, e fechou o livro.

Deitou-se de costas, as pernas esticadas sob o lençol macio e frio, e cobriu a cabeça com o travesseiro. O lençol, único, e o único cobertor moldaram docemente seu corpo. No pé da cama ainda havia um largo espaço de colchão, fresquinho e intacto. O som da música de dança agora era surdo. Seu corpo tombou de súbito, depois tocou em terra. Uma asa negra roçou-lhe a mente, deixando um vazio, um branco. A música, as vozes – tudo se fez elástico, indefinido. O livro caiu no chão. Ela dormia.

– É uma noite admirável – disse a moça que subia a escada de ferro pelo braço do cavalheiro. Pousou a mão na balaustrada e sentiu o frio do metal. Levantou os olhos; uma faixa de luz amarela envolvia parte da lua. Parecia rir em volta dela. O rapaz olhou também, depois subiu mais um degrau em silêncio, pois era tímido.

– Vai ao jogo amanhã? – perguntou formal, porque mal se conheciam.

– Se meu irmão tiver tempo para me levar – respondeu ela, e subiu também um degrau. Então, quando entraram no salão, ele lhe fez uma curta mesura e deixou-a. Seu próprio par estava à espera.

A lua, sem véus agora, jazia num espaço vazio como se a luz tivesse desintegrado e consumido as nuvens, deixando um piso calçado e limpo, uma pista de dança para todos os sonhos. Por algum tempo, a iridescência mosqueada do céu permaneceu intocada, depois houve um sopro de vento, e um fiapo de nuvem atravessou a face da lua.

* * *

Houve um ruído no quarto. Sara se voltou.

– Quem é? – murmurou. Depois, sentou-se na cama, esfregando os olhos.

Era sua irmã. Estava na porta e hesitava.

– Dormindo? – perguntou em voz baixa.

– Não – respondeu Sara. E esfregou os olhos. – Estou acordada – disse, abrindo-os.

Maggie atravessou o quarto e sentou-se na beirada da cama. A persiana, bojuda de vento, drapejava do lado de fora da janela. As cobertas caíam da cama. Ela se sentiu tonta por um momento. Depois do salão de baile, o quarto parecia desarrumado. Havia um copo com uma escova de dentes no lavatório; a toalha estava amassada no cabide. E um livro caíra no chão. Ela se abaixou e apanhou-o. Ao fazê-lo, a música explodiu na rua. Maggie puxou a persiana para trás. As mulheres vestidas em cores pálidas e os homens de preto e branco enchiam a escada que conduzia ao salão. Retalhos de conversas e de risos eram soprados para o jardim.

– Está havendo algum baile?

– Sim. Aí mesmo, na rua, um pouco abaixo de nós.

Maggie olhou para fora. Àquela distância, a música parecia romântica, misteriosa, e as cores se fundiam umas às outras; já não eram rosa, nem branco, nem azul.

Maggie espreguiçou-se e tirou a flor que estivera usando. Estava murcha. As pétalas alvíssimas tinham marcas negras. Olhou de novo para fora da janela. A mistura de luzes era muito estranha. Uma folha ficava de um verde vivo; outra parecia esmaltada de branco. Os ramos cruzavam-se em diferentes níveis. Sally se pôs a rir.

– Alguém já lhe deu alguma vez um pedaço de vidro, dizendo: "Srta. Pargiter... eis meu coração partido"?

– Não – respondeu Maggie. – E por que dariam? – A flor caiu do seu regaço no chão.

– Eu estava pensando... – disse Sara. – Essa gente no jardim...

Mostrou a janela com a mão. Ficaram caladas por algum tempo, escutando a música de dança.

– Quem ficou sentado a seu lado? – perguntou Sara, passado um momento.

– Um homem recamado de ouro.

– Como assim? – estranhou Sara.

Maggie permaneceu muda. Estava ficando acostumada com o quarto. A discrepância entre a confusão reinante no aposento e o brilhante salão de baile se esfumava. Teve inveja da irmã deitada na cama, a janela aberta e a brisa entrando.

– Porque ele tinha uma festa para ir depois – disse e ficou muda outra vez.

Alguma coisa lhe chamara a atenção. Um galho de árvore agitava-se de cima a baixo na leve brisa. Maggie segurou a persiana de modo que a janela ficou toda aberta. Agora podia ver o céu, as casas, a ramaria no jardim.

– É a lua – disse.

Era a lua que pintava as folhas de branco. Ambas ergueram os olhos para a luz que brilhava como uma moeda de prata perfeitamente polida, cortante e dura.

– Mas, se eles não dizem "Oh! Meu coração partido" – observou Sara –, o que dizem então nas festas? – perguntou.

Maggie tirou um fiapo branco que as luvas tinham deixado no seu braço.

– Uns dizem uma coisa, outros dizem outra – respondeu e levantou-se.

Apanhou o pequeno livro marrom que estava em cima das cobertas e alisou-as. Sara tomou-lhe o volume.

– Esse homem aqui – disse, batendo no feio livrinho marrom – defende que o mundo não passa de pensamento, Maggie.

– Diz isso mesmo? – fez Maggie, pondo o livro em cima do lavatório. Era um artifício, sabia muito bem, para que ela não se fosse, para que continuasse a conversar.

– Você concorda com ele? – perguntou Sara.

– É possível – disse Maggie sem se atentar ao que respondia. E estendeu a mão para manter a cortina aberta. – Ele diz que o mundo não é mais que puro pensamento? – repetiu, segurando sempre a cortina.

Tinha pensado coisa semelhante quando o fiacre passara pela Serpentine; quando a mãe a interrompera. Tinha pensado: O que sou eu? Isto ou aquilo? Somos um ou somos separados? Coisas desse gênero.

– E as árvores, as cores? – disse, virando-se.

– Que árvores? Que cores? – disse Sara.

– Haveria árvores se não as víssemos? – perguntou Maggie. O que é o eu? Eu? – concluiu. Não sabia bem o que dizia. Tolices.

– Sim – disse Sara. – O que significa "eu"? – E segurou a irmã pela saia para impedir que ela se fosse ou como se quisesse debater a questão. – O que é o "eu"? – repetiu.

Mas houve um farfalhar de saia à porta, e sua mãe entrou.

* * *

– Oh! Minhas queridas! – exclamou. – Ainda não foram para a cama? Ainda estão tagarelando?

Atravessou o quarto radiante, afogueada, como se ainda estivesse sob a influência da festa. Joias cintilavam no seu pescoço e nos braços. Estava extraordinariamente bela. Lançou um olhar em torno.

– A flor no chão e tudo mais na maior desordem – disse. Apanhou a flor que Maggie tinha deixado cair e levou-a aos lábios.

– Porque eu estava lendo, mamãe, porque eu estava esperando – disse Sara. Tomou a mão de sua mãe e acariciou-lhe o braço. Imitava tão exatamente os modos de lady Pargiter que Maggie sorriu. Eram, na verdade, opostas – lady Pargiter tão suntuosa e Sara tão ossuda. Mas funcionava, pensou consigo, ao ver que a mãe se deixava puxar para a cama. A imitação fora perfeita.

– Mas você tem de dormir, Sal – protestou. – Não foi o que o médico mandou? Ficar deitada, ficar imóvel, disse ele – e empurrou-a para trás contra os travesseiros.

– Eu estou deitada e imóvel – disse Sara. – Agora – E ergueu os olhos para a mãe – me conte da festa.

Maggie se mantinha de pé junto à janela. Observava os pares que desciam a escada de ferro. Logo o jardim ficou cheio de tons brancos e rosa desmaiados que iam e vinham. Ouvia a meio as duas que conversavam sobre a festa por trás dela.

– Foi uma festa muito, muito bonita – dizia a mãe.

Maggie olhou para fora. O retângulo do jardim estava coberto de várias cores. Pareciam ondular, quebrando-se umas contra as outras numa vaga macia, até que penetraram o ângulo onde caía a luz da casa, e aí se transmudavam subitamente em damas e cavalheiros em trajes de gala.

– Não tinham facas de peixe? – ouviu Sara dizer.

Voltou-se para elas.

– Quem era o homem que se sentou a meu lado? – perguntou.

– Sir Matthew Mayhew – disse lady Pargiter.

– Quem é sir Matthew Mayhew? – perguntou Maggie.

– Um homem dos mais ilustres, Maggie! – exclamou a mãe com um gesto expressivo.

– Um homem dos mais ilustres – repetiu Sara com um eco.

– Mas é mesmo! – repetiu lady Pargiter, sorrindo para a filha que amava, talvez por causa do defeito do seu ombro. – Foi uma grande honra tê-lo como vizinho na mesa, Maggie – continuou. – Uma grande honra – repetiu em tom de reprovação. E fez uma ligeira pausa, como se revisse uma cena. Levantou depois a cabeça e continuou: – E então, quando Mary Palmer me diz: "Qual é a sua filha?", eu vejo Maggie, a milhas de distância, na outra ponta da sala, conversando com Martin, que ela encontra todo santo dia no ônibus!

Suas palavras eram de tal modo bruscas que pareciam subir e descer. Dava ênfase ainda maior ao ritmo tamborilando com os dedos no braço nu de Sara.

– Mas não vejo Martin todo dia! – protestou Maggie. – Não o via desde que voltou da África.

A mãe interrompeu-a.

– Mas você não vai a festas, Maggie querida, para conversar com primos. Você vai a festas para...

A música de dança encheu o ar. Os primeiros acordes tinham uma energia frenética como se convocassem imperiosamente os pares a voltar do jardim. Lady Pargiter interrompeu no meio o que estava dizendo. Exalou um suspiro. Seu corpo ficou indolente e suave. As pálpebras pesadas cobriram levemente os grandes olhos escuros. E ela balançou lentamente a cabeça, marcando o compasso.

– O que é isso mesmo que estão tocando? – murmurou. E se pôs a cantarolar, marcando o tempo com a mão. – Alguma coisa que eu dançava quando era moça.
– Pois dance agora, mamãe – disse Sara.
– Sim, mamãe. Mostre-nos como a senhora dançava – insistiu Maggie.
– Mas sem um parceiro? – protestou lady Pargiter. Maggie tirou uma cadeira do caminho.
– Imagine um parceiro – disse Sara.
– Muito bem. – lady Pargiter levantou-se. – Era mais ou menos assim – disse. E esperou. Segurava a barra da saia com uma das mãos. Arredondou a outra ligeiramente no ar, a que segurava a flor. E pôs-se a girar no espaço que Maggie criara. Movia-se com extraordinária majestade. Todos os seus membros pareciam vergar e ondear segundo a cadência e a curva da música, que ficava mais e mais forte e nítida à medida que ela dançava. Girou em círculos por entre as cadeiras e mesas até que a música cessou. Então disse: – Viram? – Seu corpo pareceu dobrar-se sobre si mesmo e fechar-se quando ela suspirou: – Viram? – E se deixou cair num só movimento na beirada do leito.
– Maravilhoso! – exclamou Maggie. E seus olhos ficaram postos na mãe com admiração.
– Tolice! – disse lady Pargiter, rindo, mas ofegando um pouco. – Estou velha demais para dançar hoje em dia. Mas, quando jovem, quando tinha a idade de vocês duas... – disse e permaneceu sentada, ofegante.
– A senhora saiu dançando da casa para o terraço e encontrou um bilhete no seu buquê – disse Sara, acariciando o braço da mãe.
– Conte-nos essa história, mamãe.
– Não esta noite – disse lady Pargiter. – Escutem: o relógio está batendo.
Como a abadia ficava muito perto, o som encheu o quarto. Leve, mas também tumultuoso, como se fosse uma lufada de vagos

suspiros atropelando-se uns aos outros, mas escondendo alguma coisa de duro. lady Pargiter contou-os. Era muito tarde.

– Eu conto a vocês a história verdadeira um dia desses – disse, debruçando-se para beijar as filhas.

– Não! Agora, agora! – gritou Sara, segurando-a.

– Não, agora não – disse lady Pargiter, rindo e puxando a mão.

– Seu pai me chama.

Ouviram passos do lado de fora e depois a voz de sir Digby à porta.

– Eugénie! É muito tarde, Eugénie!

– Já vou! Já vou! – disse ela.

Sara segurou-a ainda pela cauda do vestido.

– Ah, mamãe! A senhora não nos contou a história do buquê!

– Eugénie! – repetiu sir Digby. O tom era peremptório. – Você trancou...

– Sim, sim, tranquei – disse Eugénie. E para as meninas: – Eu lhes conto a história verdadeira outro dia. – E livrou-se do controle da filha. Beijou-as rapidamente mais uma vez e deixou o quarto.

* * *

– Ela não conta – disse Maggie, apanhando as luvas. Falava com algum azedume.

Ficaram ouvindo as vozes no corredor. Podiam escutar o pai. Parecia zangado, lamuriento. Expostulava.

– Estará fazendo piruetas para cima e para baixo com a espada entre as pernas; com a cartola debaixo do braço e a espada entre as pernas – disse Sara, martelando os travesseiros com raiva.

As vozes se afastaram, descendo a escada.

– De quem era o tal bilhete a seu ver? – perguntou Maggie. E esperou, contemplando o massacre dos travesseiros pela irmã.

– Que bilhete? – fez Sara. – Ah! O bilhete do buquê. Não me lembro mais – disse. Bocejou.

Maggie fechou a janela e correu as cortinas, mas deixou uma fresta de luz.

– Feche tudo – disse Sara com irritação. – Não quero ouvir essa algazarra.

Enrodilhou-se de costas para a janela. Erguera uma pirâmide de travesseiros para abafar a música de dança que continuava a tocar. Afundou a cabeça no oco dos travesseiros. Parecia uma crisálida enrolada como estava nas dobras tesas e brancas do lençol. Só a ponta do seu nariz era visível. Sua anca e seus pés sobravam no fim da cama coberta por um único lençol. Exalou um suspiro fundo que era quase um ronco. Já dormia.

* * *

Maggie foi andando pelo corredor. Viu, então, que havia luzes no vestíbulo embaixo. Parou e olhou por cima do corrimão. O vestíbulo estava de fato aceso. Podia ver a grande poltrona italiana de pés dourados. Sua mãe tinha lançado por cima dela a capa de baile, de modo que caía em suaves pregas douradas sobre o estofo carmesim. Podia ver uma bandeja com uísque e um sifão de soda na mesa do vestíbulo. Depois, ouviu as vozes de seus pais, que subiam pela escada de serviço. Tinham estado no porão. Alguém assaltara uma casa na rua, e sua mãe prometera substituir a fechadura da porta da cozinha e esquecera. Podia ouvir o pai:

– ...eles tratariam de fundi-la. Nós nunca a veríamos de novo.

Maggie subiu alguns degraus.

– Lamento, Digby – disse Eugénie quando apareceram no vestíbulo. – Vou dar um nó no lenço para não esquecer. E trato disso hoje mesmo, depois do café da manhã... Sim – disse, recolhendo a capa e apertando-a nos braços. – Irei eu mesma e direi: "Estou farta das suas desculpas, sr. Toye. Não, sr. Toye, o senhor já me enganou um sem-número de vezes, mas esta foi a última. Depois de todos esses anos!".

Uma pausa. Maggie pôde ouvir que esguichavam soda num copo; ouviu um tilintar de cristal; em seguida, as luzes se apagaram.

1908

Era março e ventava. Mas não se poderia dizer: o vento soprava. Batia de rijo, flagelava. Tão cruel! Tão indecoroso! Não se limitava a embranquecer rostos e avermelhar narizes. Levantava saias. Expunha pernas roliças. Obrigava as calças a revelarem tíbias esqueléticas. Não havia rotundidades nele, não arredondava em forma de fruto. Era mais a curva da foice que destrói, comprazendo-se na pura esterilidade, do que a outra que sega o trigo proveitosamente. Com um sopro, extinguia toda cor – até as de um Rembrandt na National Gallery; a de um sólido rubi numa vitrine de Bond Street. Uma rajada, e lá se iam eles. Se tinha alguma origem, seria naquela Ilha dos Cães, entre as latas de conserva junto ao pardacento asilo de pobres das fímbrias de uma cidade poluída. Revolvia as folhas podres, lançando-as para cima, o que lhes dava um outro tempo de degradada existência. Desprezava-as, escarnecia delas e, todavia, nada tinha para pôr no lugar das escarnecidas e desprezadas. Elas voltavam para o chão. Incapaz de criar, estéril e infecundo, urrando o seu prazer de destruir, o seu poder de esfolar a casca, arrebatar a flor em botão, expor o osso nu, o vento empalidecia as janelas, impelia os velhos figurões para os mais fundos recessos dos seus clubes cheirando a couro e condenava as velhas senhoras de rosto coriáceo a permanecerem enclausuradas, cegas e sem alegria, por entre as borlas de seda e os paninhos de crochê dos seus dormitórios e cozinhas. Dando livre curso ao seu capricho, esvaziava as ruas, varria do caminho os viventes que encontrava. Batendo em cheio num caminhão de lixo estacionado à porta das Army and Navy Stores, espalhava pelo calçamento uma confusão de envelopes usados, cachos de cabelo, papéis manchados de amarelo ou de sangue, lambuzados de tinta de impressão – que iam colar-se a pernas e postes ou enrolar-se freneticamente a grades de pátios.

* * *

Matty Stiles, a zeladora, toda encolhida no subsolo da casa de Browne Street, olhou para cima. Uma nuvem de poeira se deslocava pela calçada. Esgueirava-se por baixo das portas, pela moldura das janelas, cobria cômodas e armários. Mas ela pouco se importava. Era uma das infelizes. Tinha pensado que o emprego era garantido, que duraria pelo menos o verão. Agora a patroa estava morta, o patrão também. Arranjara aquela colocação por intermédio do filho, o policial. A casa com o subsolo só muito dificilmente se alugaria antes do Natal. Assim lhe disseram. Tinha apenas de mostrá-la aos interessados, desde que exibissem uma licença do corretor. E ela não deixava de mencionar o subsolo – e de dizer o quanto era úmido! Reparem na mancha do teto. Com efeito, havia uma mancha. Pois não é que o chinês gostou da casa com mancha e tudo? Servia-lhe admiravelmente, disse. Tinha negócios na cidade. Azar. Depois de três meses seria obrigada a sair para morar com o filho em Pimlico.

A campainha tocou. Pois que tocasse, resmungou. Não abria mais a porta. Lá estava ele de pé à soleira. Podia ver um par de pernas junto do gradil. Podia tocar quanto quisesse. A casa estava vendida. Será que não via o aviso? Não tinha olhos? Não sabia ler? Achegou-se mais ao fogo coberto de cinzas. E as pernas lá, firmes na soleira, entre a gaiola do canário e a trouxa de roupa suja que ela ia lavar antes que o vento lhe desse a dor no ombro. Que tocasse até rebentar. Ela pouco se importava.

* * *

Martin estava de pé na soleira.

"Vendida", estava escrito num pedaço de papel vermelho vivo pregado na tabuleta do corretor.

– Já! – exclamou Martin. Fizera um pequeno desvio do seu caminho para ir ver a casa de Browne Street. E já fora vendida. O papel vermelho deu-lhe um choque. Vendida – e Digby estava morto havia apenas três meses, Eugénie, não muito mais que um ano. Ficou por um momento a contemplar as janelas pretas agora cheias de pó. A casa tinha caráter, fora construída no correr do século XVIII. Eugénie sempre tivera muito orgulho dela. E eu gostava de vir aqui, pensou. Mas agora havia um jornal velho no degrau da porta, fiapos de palha tinham ficado presos ao gradil e, olhando para dentro, pôde ver, pois não havia persianas, um cômodo vazio. No subsolo, porém, estava alguém: uma velha o observava por entre as barras de uma gaiola. Não adiantava tocar. Fez meia volta. Um sentimento de coisa finda, de extinção, envolveu-o ao descer a rua.

É um fim sujo, sórdido, pensou. Eu gostava de vir aqui. Mas não gostava de ruminar pensamentos desagradáveis. De que serve?, perguntou-se.

A filha do rei da Espanha – cantarolou ao dobrar a esquina – veio me visitar...

* * *

Quanto tempo ainda, disse consigo mesmo, apertando a campainha à porta da casa de Abercorn Terrace, essa velha Crosby vai me fazer esperar? Ventava, e o vento era frio.

Ficou ali examinando a fachada pardacenta da vasta mansão familiar, insignificante como arquitetura, mas sem dúvida conveniente, em que seu pai e sua irmã ainda moravam. Ela não se apressa hoje em dia, pensou, tiritando na ventania. Mas já a porta se abria, e Crosby surgia à vista.

– Olá, Crosby – fez ele.

A anciã se abriu num sorriso tão largo que o dente de ouro apareceu. Ele sempre fora o favorito dela, e ainda hoje esse pensamento lhe era agradável.

– Como vai? – perguntou ao lhe dar o chapéu.

Parecia a mesma – um pouco mais encarquilhada e mais miúda, os olhos azuis mais saltados do que nunca.

– E o reumatismo? – perguntou enquanto ela o ajudava a tirar o sobretudo. Ela sorriu de novo, muda.

Ele se sentia amável, contente ao ver que ela não mudara grande coisa.

– E a srta. Eleanor? – perguntou, abrindo a porta da sala. Não havia ninguém. Mas ela estivera ali, pois via-se um livro em cima da mesa. Nada fora modificado, o que o alegrou. Ficou de frente para o fogo, contemplando o retrato da mãe. No curso dos últimos anos, o quadro deixara de ser sua mãe, tornara-se uma obra de arte. Mas estava sujo.

Antigamente havia uma flor na relva, pensou, escrutinando um canto escuro. Agora, nada se via ali salvo a tinta marrom, encardida. E o que andou lendo minha irmã?, indagou consigo. Apanhou o livro que estava apoiado contra o bule de chá e leu: Renan. Por que Renan?, perguntou-se, lendo um pouco enquanto esperava.

* * *

– O sr. Martin, senhorita – disse Crosby, abrindo a porta do escritório. Eleanor voltou-se. Estava de pé junto à cadeira do pai, as mãos cheias de compridos recortes de jornais, como se lesse as notícias em voz alta. Havia um tabuleiro de xadrez diante do pai. As peças estavam arranjadas para uma partida, mas ele jazia recostado ao espaldar. Parecia letárgico e um tanto triste.

– Pode levá-los. Mas guarde-os em algum lugar seguro... – disse ele, mostrando os recortes com o polegar. Era um sinal de velhice, pensou Eleanor, isso de querer que se guardassem os recortes. O velho ficara inerte e pesado depois da congestão. Tinha veias vermelhas no nariz, nas maçãs do rosto. Ela mesma se sentia envelhecida, pesadona e burra.

– O sr. Martin está aí – repetiu Crosby.

– Martin está aí – disse Eleanor. O coronel não deu sinal de ter ouvido. Continuou sentado com a cabeça afundada no peito. – Martin – repetiu Eleanor –, Martin...

Queria ver o filho ou não? Ela aguardou como se esperasse que um pensamento moroso viesse à tona. Por fim, ele emitiu um pequeno grunhido. Mas o que significaria era impossível precisar.

– Eu o mando aqui depois do chá – disse ela. E esperou mais um momento. O pai se reanimou e começou a mexer as peças do xadrez. Ainda tinha coragem, observou ela com orgulho. Ele ainda insistia em fazer as coisas por si mesmo.

* * *

Ela foi ter à sala e encontrou Martin de pé, embebido na contemplação do plácido retrato da mãe. Tinha um livro na mão.

– Por que Renan? – perguntou, vendo-a entrar. Fechou o livro e beijou-a. Mas repetiu: – Por que Renan?

Ela corou ligeiramente. Por alguma razão, parecia desconcertada que ele tivesse encontrado o livro aberto ali. Sentou-se e depositou os recortes na mesa em que o chá estava servido.

– Como vai papai? – ele perguntou. Ela perdera um pouco das suas belas cores, pensou, atentando-se à irmã. E tinha uma pequena mecha branca nos cabelos.

– Melancólico – respondeu, passando os olhos pelos recortes.

– Fico a imaginar quem se dá ao trabalho de escrever essa espécie de coisa.

– Que espécie de coisa? – perguntou Martin, apanhando uma das tiras amarfanhadas e começando a ler: "um grande servidor público...", "um homem de variados interesses..." – Oh, Digby

– disse. – Obituários. Eu passei pela casa esta tarde – acrescentou. – Foi vendida.

– Já? – disse Eleanor.

– Parecia tão fechada e desolada! – acrescentou ele. – E havia uma velha suja no subsolo.

Eleanor tirou um grampo e começou a desfiar a mecha do fogareiro. Martin observou-a por um momento em silêncio.

– Eu gostava de ir até lá – disse por fim. – Eu gostava de Eugénie – acrescentou.

Eleanor hesitou.

– Bem... – fez ela com uma ponta de dúvida na voz. Nunca se sentira de todo à vontade com Eugénie. – Ela exagerava.

– Sem dúvida! – replicou Martin, rindo. E depois sorriu como que a recordar-se de alguma lembrança. – Eugénie tinha menos preocupação com a verdade... mas interrompeu-se irritado diante da insistência dela com a mecha. – Não adianta nada, Nell.

– Adianta. Vai acabar fervendo.

Parou, em todo caso, e estendendo o braço para a lata de chá, mediu, contando alto: uma, duas, três, quatro.

Usava ainda a velha lata antiga de prata, ele observou, de tampa corrediça. Viu-a medir o chá metodicamente – uma, duas, três, quatro. Continuava calado. Mas, de súbito, disse:

– Nós não sabemos mentir nem que disso dependa a salvação de uma alma.

Por que disse isso?, pensou Eleanor.

– Quando eu estive com eles na Itália – ela acrescentou em voz alta. Mas a porta se abriu, e Crosby entrou, trazendo uma espécie de tigela. Deixou a porta aberta e um cãozinho entrou atrás dela.

– Quero dizer – continuou Eleanor, mas não pôde explicar o que queria dizer com Crosby presente. A velha deixara-se ficar na sala e mexia numa coisa e outra nervosamente.

– É tempo que a srta. Eleanor arranje uma chaleira nova – disse Martin, apontando a velha chaleira de metal dourado, em que havia gravada de leve uma ornamentação de rosas que ele sempre detestara.

– Crosby – disse Eleanor, ainda desfiando a mecha com o grampo – não gosta muito de novidades. Crosby não se arrisca a andar de metrô, por exemplo. Não é mesmo, Crosby?

Crosby riu. Sempre falavam com ela na terceira pessoa, porque ela jamais respondia, apenas ria. O cachorrinho pôs-se a farejar a tigela que ela pusera no chão.

– Crosby está deixando que esse animal engorde demais – disse Martin, apontando para o cão.

– É o que vivo a lhe dizer – anuiu Eleanor.

– Se eu fosse você, Crosby – disse Martin –, diminuiria as refeições dele e o levaria a passear no parque toda manhã. Mas a toque de caixa.

Crosby abriu uma boca enorme.

– Oh, sr. Martin! – protestou chocada. A brutalidade dele desatara-lhe a língua.

O cão foi atrás dela quando saiu.

– Crosby é sempre a mesma – disse Martin.

Eleanor levantara a tampa da chaleira e olhava o fundo. Ainda não havia bolhas na água.

– Para o diabo com essa chaleira – disse Martin. E, pegando num dos recortes, enrolou-o para fazer um chumaço.

– Não, não. Papai quer que eu arquive os recortes – disse Eleanor. – E, no entanto, Digby não era nada disso – disse, as mãos nos recortes. – Não era absolutamente assim.

– Como era, então? – perguntou Martin.

Eleanor hesitou. Podia ver o tio claramente na memória. De cartola na mão. Apoiando a mão no ombro dela quando paravam diante de algum quadro. Mas como descrevê-lo?

Disse apenas:

– Ele costumava me levar à National Gallery.

– Muito culto, naturalmente – disse Martin. – Mas danado de esnobe.

– Só na superfície – disse Eleanor.

– E sempre a censurar Eugénie por uma coisa e outra. Coisas pequenas, tolas.

– Mas pense no que seria viver com ela – disse Eleanor. – Aqueles modos... – acrescentou, fazendo um largo gesto com a mão. Mas não como Eugénie fazia, pensou Martin.

– Eu gostava dela. Gostava de ir lá. – Podia ver a sala em desordem; o piano aberto; a janela aberta; o vento erguendo as cortinas; e a tia avançando para eles de braços abertos. Que prazer, Martin! Que prazer!, dizia ela. Como teria sido a sua vida privada?, perguntou-se. Os seus amores? Pois obviamente tivera amores. Obviamente.

– Não havia uma história qualquer de uma carta? – O que queria dizer era: Eugénie não teve um "caso" com alguém? Era mais difícil, no entanto, ser aberto com sua irmã do que com outras mulheres, porque ela ainda o tratava como um menino. E Eleanor terá amado alguém algum dia?, ficou a se indagar, olhando-a.

– Sim – disse ela –, houve uma história...

Mas nesse momento a campainha elétrica soou com força:

– Papai – disse. E levantou-se a meio.

– Fique – disse Martin. – Eu vou. – E ergueu-se. – Prometi jogar uma partida com ele.

– Obrigada, Martin. Papai ficará contente – disse Eleanor.

Ele saiu da sala, e foi com alívio que ela se viu sozinha outra vez.

* * *

Recostou-se na cadeira. Que coisa terrível a velhice!, pensou. Vai podando as faculdades uma a uma, embora deixe sempre alguma coisa viva no centro: embora deixe – arrebanhou os recortes com um gesto – uma partida de xadrez, um passeio de carro pelo parque e uma visita do velho general Arbuthnot à noite.

Era melhor morrer. Como Eugénie e Digby, no vigor da idade, com todas as faculdades intactas. Mas ele não era nada daquilo, pensou, os olhos nos recortes: "homem de belo porte e grande presença... caçava, pescava, jogava golfe...". Não, não era nada assim. Absolutamente. Digby fora um homem curioso, vulnerável, sensível; amante de títulos, de quadros; muitas vezes deprimido, imaginava, com a exuberância da mulher. Afastou os recortes com a mão e apanhou o livro. Estranho como a mesma pessoa pode parecer diferente a dois observadores distintos. Martin gostando de Eugénie. Ela gostando de Digby. Começou a ler.

Sempre desejara saber sobre a Cristandade – como iniciou; o que significava originariamente. Deus é amor. O Reino do Céu está dentro de nós, frases como essas, pensou, virando as páginas, o que queriam dizer? As palavras eram bonitas. Mas quem as dissera – quando? Nesse momento, porém, o bico da chaleira soprou uma baforada de vapor para cima dela, e teve de mudá-la de lugar. O vento sacudia as janelas na sala dos fundos. Vergava os arbustos menores ainda sem folhas. Um homem pronunciara aquelas coisas debaixo de uma figueira numa colina, pensou. E, depois, outro as escrevera. Mas e se o que este escreveu fosse tão falso quanto o que o outro – tocou nos recortes com a colherinha –, o do jornal, escreveu sobre Digby? E aqui estou eu, pensou, olhando para esta porcelana no armário holandês, neste salão, recebendo uma pequena centelha do que alguém teria dito há tantos anos. Aí vem ela (a porcelana azul ficava lívida), saltando por cima de todas as montanhas, de todos os mares. Encontrou o lugar e retomou a leitura.

Mas um som do vestíbulo interrompeu-a. Alguém chegara? Não, era o vento. Um vento terrível. Sacudia a casa. Agarrava-a com força, depois deixava-a cair. Em cima, uma porta bateu. Uma janela estaria aberta no quarto. Uma persiana batia também. Era-lhe difícil concentrar-se em Renan. Gostava do livro. Lia francês com facilidade, naturalmente; e italiano; e um pouco de alemão. Mas que lacunas havia, que grandes espaços em branco, pensou, recostando-se na cadeira, nos seus conhecimentos! Quão pouco sabia sobre todas as coisas. Esta xícara, por exemplo. Segurou-a à frente do rosto. De que era feita? Átomos? E o que eram átomos, como aderiam uns aos outros? A superfície dura e lisa da porcelana, com suas flores vermelhas, por um segundo pareceu-lhe um maravilhoso mistério. Houve outro ruído no vestíbulo. Era o vento, mas era também uma voz. Alguém falava. Devia ser Martin. Com quem poderia estar falando?, pensou. Escutou e não pôde ouvir o que era por causa do vento. E por que, perguntou-se, por que tinha ele dito: "Nós não sabemos mentir nem que disso dependa a salvação de uma alma". Falava de si mesmo. A gente sempre sabe quando as pessoas estão falando de si mesmas pelo tom da voz. Talvez estivesse procurando justificar-se por ter deixado o exército. Fora um ato de coragem, pensou. Mas não é curioso, ponderou, que ele seja ao mesmo tempo tão dândi? Vestia um terno azul novo de listrinhas brancas. E raspara o bigode. Não deveria ter sido militar nunca, pensou, era belicoso demais... A conversa prosseguia. Não podia ouvir o que ele estava dizendo, mas, pelo som da voz, imaginou que ele teria seguramente uma infinidade de amores. Sim – ficou perfeitamente óbvio para ela, ouvindo a voz de Martin através da porta, que ele tinha inúmeros casos de amor. Com quem? E por que os homens pensam que casos de amor têm importância?, perguntou-se quando a porta se abriu.

* * *

– Olá, Rose! – exclamou surpresa de ver também a irmã. – Imaginava que estivesse em Northumberland!

– Você me imaginava em Northumberland? – disse Rose, rindo e beijando-a.

– Por quê? Eu disse dia 18.

– Mas hoje não são 11?

– Você está apenas com uma semana de atraso, Nell – disse Martin.

– Então devo ter datado todas as minhas cartas errado! – exclamou Eleanor. E olhou apreensivamente para a secretária. A morsa com os pelos roídos não estava mais ali.

– Chá, Rose?

– Não. Quero é um banho – respondeu Rose, tirando o chapéu e passando os dedos pelos cabelos.

– Você está muito bem – disse Eleanor impressionada com a beleza da irmã. Mas tinha um arranhão no queixo.

– Positivamente linda, não é mesmo? – comentou Martin, rindo para a irmã.

Rose sacudiu a cabeça como um cavalo. Eles sempre implicavam um com o outro, pensou Eleanor, Martin e Rose. Rose era bela, mas gostaria de vê-la mais bem vestida. Estava com um casaquinho verde, peludo, saia com botões de couro, e levava uma bolsa lustrosa. Tinha estado a promover reuniões no norte.

– Um banho – repetiu Rose. – Estou suja. E o que é tudo isso? – perguntou, apontando para os recortes na mesa. – Oh, tio Digby – acrescentou com indiferença, empurrando-os. Morrera fazia alguns meses. Os recortes estavam amarelados e começavam a enrolar.

– Martin me contou que venderam a casa – disse Eleanor.

– Ah, é? – disse Rose, sem grande interesse. Partiu um pedaço de bolo e pôs-se a mastigá-lo. – Estragando o meu jantar – disse. – Mas não tive tempo de almoçar.

– Que mulher mais ativa! – disse Martin.

– E as reuniões? – perguntou Eleanor.

– Sim. E o norte? – perguntou Martin.

Puseram-se a discutir política. Ela tinha falado numa eleição suplementar. Alguém lhe atirara uma pedra – Rose levou a mão ao queixo –, mas divertira-se.

– Demos pano para as mangas – disse, beliscando outro pedaço de bolo.

Ela é que deveria ter sido o soldado, pensou Eleanor. Era o retrato do velho Pargiter, do Regimento de Cavalaria Pargiter. Martin, agora que tirara o bigode e exibia os lábios, poderia ser... O quê? Um arquiteto, talvez, pensou. Ele é tão... e ergueu os olhos. Havia granizo. Barras brancas riscavam de viés a janela dos fundos. Uma grande lufada de vento dobrou os pequenos arbustos, que empalideceram. E a janela bateu em cima. Era a do quarto de dormir de sua mãe, pensou Eleanor. Talvez eu devesse ir fechá-la. A chuva deve estar entrando.

– Eleanor – disse Rose. – Eleanor? – repetiu. Eleanor teve um sobressalto.

– Eleanor está preocupada – disse Martin.

– Não, não, absolutamente – protestou. – De que falavam?

– Eu perguntava – disse Rose. – Você se lembra da confusão que foi quando o microscópio quebrou? Pois bem, eu me encontrei com aquele rapazinho, aquele rapazinho horrível, de cara de doninha, Erridge, no norte.

– Ele não era horrível – disse Martin.

– Ah, era – insistiu Rose. – Horrível e mentiroso. Quebrou o microscópio e disse que tinha sido eu... Você se lembra? – Voltou-se para Eleanor.

– Não – disse Eleanor. – Foram tantas as confusões.

– Pois foi uma das piores – disse Martin.

– Foi, mesmo – confirmou Rose. Tinha os lábios apertados. Uma lembrança lhe vinha: – E quando tudo acabou – disse, virando-se para Martin –, você entrou na *nursery* e me convidou para ir com você ao Round Pond. Lembra-se?

Calou-se. Havia alguma coisa esquisita nessa lembrança, pensou Eleanor. Rose falava com exagerada veemência.

– E você disse: "Vou pedir três vezes. Se você não responder até a terceira vez, vou sozinho". E eu jurei: "Vou deixar que vá sozinho". – Os olhos azuis de Rose soltavam chispas.

– Posso ver você – disse Martin. – Usava um vestido cor-de-rosa e estava com uma faca na mão.

– Você foi – continuou Rose. Falava com uma intensidade reprimida. – E eu corri para o banheiro e dei esse corte aqui – disse e estendeu o pulso. Eleanor olhou. Havia uma fina cicatriz já branca logo abaixo do punho.

Quando teria feito aquilo?, perguntou-se Eleanor.

Não conseguia se lembrar. Rose se trancara no banheiro com uma faca e cortara o pulso. Nunca soubera disso. Ficou olhando a cicatriz branca. Devia ter sangrado.

– Oh, Rose sempre foi um azougue – disse Martin, levantando-se. – Era como se tivesse o diabo no corpo – acrescentou. Deixou-se ficar mais um momento a correr os olhos pelo salão atulhado de móveis horrendos de que ele já se teria livrado se fosse Eleanor e tivesse de morar ali. Mas talvez ela não se importasse com essas coisas.

– Você janta fora? – perguntou Rose. Ele jantava fora toda noite. Gostaria de ter perguntado onde ele ia jantar.

Martin se limitou a assentir de cabeça. Ele conhecia toda espécie de gente, gente de que ela nunca ouvira falar, refletiu, e não queria conversar sobre isso. Virou-se para a lareira.

– Esse quadro precisa de uma limpeza – disse ele, apontando para o retrato da mãe. – É um bom quadro – acrescentou, observando-o com olho crítico. – Mas não havia uma flor na relva?

Eleanor firmou a vista. Não olhava assim para a pintura havia muitos anos.

– Você acha?

– Sim, uma florzinha azul – respondeu Martin. – Eu me lembro dela, de criança.

Deu meia volta. E uma nova recordação da infância lhe veio, vendo Rose sentada à mesa do chá com o punho ainda fechado. Viu-a de pé com as costas contra a porta do quarto de estudo; muito vermelha e com os lábios apertados um contra o outro, exatamente como agora. Tinha querido que ele fizesse alguma coisa. E ele fizera uma bolinha de papel e atirara a bolinha nela.

— Que vida levam as pobres crianças! — disse ele, fazendo-lhe um aceno de passagem ao atravessar a sala para sair. — Não é, Rose?

— Sim — disse Rose. — E não podem contar a ninguém.

Houve uma outra lufada e um ruído de vidro quebrado.

— A estufa da srta. Pym? — perguntou Martin, detendo-se, a mão na maçaneta.

— Srta. Pym? — disse Eleanor. — Está morta há vinte anos!

1910

No campo, era um dia comum. Apenas um a mais na longa bobina dos dias, que gira à medida que os anos passam de verde a cor de laranja e da erva à colheita. Não estava nem quente nem frio. Um dia de primavera inglesa, claro, mas não demais – e a nuvem cor de púrpura, de tocaia por trás da coluna, podia significar muito bem sinal de chuva. A relva ondulava na sombra e depois ao sol.

Em Londres, todavia, o rigor e as pressões da estação já se faziam sentir, principalmente no West End, onde as bandeiras drapejavam; as bengalas batiam no chão; os vestidos ondulavam; e as casas, pintadas de fresco, tinham toldos de lona e cestas balouçantes de gerânios vermelhos. Os parques também – St. James's, Green Park, Hyde Park – preparavam-se. Já de manhãzinha, antes que houvesse tempo para um desfile, as cadeiras verdes eram arrumadas por entre os opulentos canteiros marrons, com seus crespos jacintos à espreita, como se algo estivesse justamente para acontecer à subida do pano de boca; a chegada da rainha

Alexandra, cumprimentando ao passar pelos portões. Ela tinha um rosto de pétala de flor e sempre usava um cravo cor-de-rosa.

Estirados de costas na grama, os homens liam jornais com as camisas abertas no peito. No espaço nu, bem varrido e esfregado, junto à Marble Arch, os oradores se congregavam. As babás os contemplavam com olho distraído; e as mães, sentadas por terra, vigiavam as brincadeiras das crianças. Park Lane abaixo e em Piccadilly, furgões, carros, ônibus rolavam pelas ruas como se estas fossem trilhos; estacavam com um solavanco; como se um quebra-cabeça tivesse sido completado e logo se desfizesse, pois a estação estava no auge; e as ruas, congestionadas. Por cima de Park Lane e Piccadilly, as nuvens conservavam sua liberdade de movimento, errando intermitentes, pintando as vidraças de ouro, pintando-as de preto. E nem o mármore na Itália parecia mais sólido a brilhar nas canteiras com seus veios amarelos do que as nuvens por cima de Park Lane.

* * *

Se o ônibus parasse aqui, pensou Rose, olhando para o lado, eu desceria. O ônibus parou, e ela se levantou. Que pena, pensou, ao pisar na rua e se ver refletida na vitrine de um alfaiate, que pena não me vestir melhor, não parecer mais bonita. Sempre roupas feitas, conjuntos do Whiteley's. Afinal, estes representavam uma economia de tempo, e os anos – tinha mais de quarenta – tornavam-na indiferente à opinião dos outros. Costumavam perguntar: "Por que não se casa? Por que não faz isso ou não faz aquilo?". Pois acabara.

Parou por puro hábito num dos pequenos nichos cavados no parapeito da ponte. As pessoas sempre paravam para ver o rio. A correnteza era rápida, de um ouro sujo, barrento, naquela manhã, com espaços lisos e pequenas ondas, pois a maré estava cheia. Havia o movimento de sempre, as barcaças de sempre, cobertas de lona preta com o trigo aparecendo por baixo. A água fazia redemoinhos em torno dos arcos. Enquanto estava ali, olhando para baixo, um sentimento enterrado nela começou a se organizar numa forma coerente com a água. Mas era uma configuração dolorosa. Lembrou-se de como estivera ali mesmo a chorar numa noite, a noite de um certo noivado. As lágrimas caíam e era como se sua felicidade se desfizesse também. Então, voltara-se – como se voltou agora – para a cidade e vira as igrejas, os mastros e tetos da cidade. É isso que fica, dissera consigo mesma. De fato era uma vista esplêndida... Ficou a contemplá-la por um momento e de novo se voltou para o rio. Havia também as Casas do Parlamento. Uma curiosa expressão, que era meio concentração meio riso, formou-se no seu semblante, e ela endireitou os ombros para trás, como se comandasse uma tropa.

Para o diabo com os impostores, disse, esmurrando o parapeito. Um mensageiro que passava encarou-a com espanto. Ela riu. Tinha o hábito de falar sozinha. E por que não? Isso também era uma das suas consolações, como o conjunto de saia e casaco ou o chapéu enfiado na cabeça sem dar confiança ao espelho. Podiam caçoar dela se quisessem. Seguiu em frente. Ia almoçar em Hyams Place com as primas. Ela mesma se convidara num impulso, ao dar com Maggie numa loja. Ouvira uma voz primeiro. Depois, vira a mão de Maggie. E era estranho, considerando quão pouco elas se conheciam – tinham vivido no exterior – com que força sentira, sentada junto ao balcão, e antes que a outra a visse, simplesmente ao som da sua voz, com que força sentira – supunha tratar-se de afeição? – um sentimento nascido do sangue em comum. Levantara-se e dissera: "Posso ir ver você?". Atarefada como estava, com ódio de quebrar o dia assim pela metade. Seguiu em frente. Elas moravam em Hyams Place, do outro lado do rio – Hyams Place, aquele pequeno crescente de casas velhas, com o nome gravado no meio, por onde passava sempre quando vivia para aqueles lados. Costumava indagar consigo mesma, naquele tempo já tão remoto, quem era esse tal de Hyam, mas nunca resolvera a questão de maneira satisfatória. Seguiu em frente e atravessou o rio.

* * *

A rua pobre na margem sul do rio era barulhenta. E, de vez em quando, uma voz se destacava do clamor geral. Era uma mulher gritando com uma vizinha. Ou uma criança chorando. Ou um homem em sua carreta de aluguel que abria a boca e anunciava seu ofício no rumo das janelas por onde ia passando. Havia enxergões, grelhas, atiçadores de lareira e pedaços de metal retorcido na sua carreta. Se vendia ou comprava ferro velho, era impossível saber. A cantilena era audível, mas as palavras se perdiam pelo caminho.

O barulho, o tráfego, os pregões dos vendedores ambulantes, os gritos individuais e o berreiro generalizado alcançavam o cômodo de cima da casa de Hyams Place em que Sara Pargiter estava ao piano. Cantava. Parou em seguida para observar a irmã, que punha a mesa.

– Procure em todos os vales – recitou num sussurro, contemplando-a – e colha todas as rosas. – Fez uma pausa. – É bonito, isso! – acrescentou, sonhadora. Maggie trouxera um ramo de flores; tinha cortado a fita que as prendia, e elas estavam agora lado a lado em cima da mesa. Uma por uma, ela as dispunha num jarro de cerâmica. Eram de várias cores, azuis, brancas, cor de vinho. Sara observava. De repente, soltou uma risada.

– O que foi? – perguntou Maggie. – Por que você ri? – Aquilo lhe era indiferente. Acrescentou uma flor púrpura ao arranjo e conferiu o efeito.

– Deslumbrada, num êxtase contemplativo – disse Sara –, velou os olhos com penas de pavão molhadas no orvalho da manhã... – falou apontando para a mesa. – Maggie disse – continuou Sara, saltando no meio da sala e fazendo uma pirueta – que três é o mesmo que dois, que três é o mesmo que dois – e apontou para a mesa em que três lugares tinham sido postos.

– Mas nós somos três – disse Maggie. – Rose vem aí.

Sara estacou e fez uma cara comprida.

– Rose vem?

— Eu lhe disse. Disse que Rose vinha almoçar na sexta. E hoje é sexta. Logo, Rose vem almoçar. Chegará a qualquer momento. Levantando-se, começou a dobrar um pano que jazia no chão.

— Hoje é sexta, e Rose vem almoçar — repetiu Sara.

— Eu lhe contei — disse Maggie. — Eu estava numa loja, comprando uma fazenda. E alguém — interrrompeu-se para fazer melhor a dobra — saiu de trás de um balcão e disse: "Eu sou a prima. Sou Rose. Posso ir vê-la?". Qualquer dia, qualquer hora, disse ela. Então eu disse — pôs o pano numa cadeira —, venha almoçar.

Olhou em torno a ver se tudo estava em ordem. Faltavam cadeiras. Sara puxou uma.

— Rose vem — disse — e vai se sentar aqui. — Pôs a cadeira de frente para a janela. — Chega, tira as luvas e coloca uma de um lado, outra de outro. Assim. Depois diz: "Nunca estive nesta parte de Londres antes".

— E depois? — perguntou Maggie, olhando a mesa.

— Você dirá: "É prático por causas dos teatros...".

— E então? — disse Maggie.

— Então ela sorri, põe a cabeça um pouco de lado e pergunta com ar pensativo, pois a malícia é disfarçada: "Você vai muito ao teatro, Maggie?".

— Não — disse Maggie. — Ela tem muito cabelo, e cabelo vermelho.

— Cabelo vermelho, Rose vermelha — exclamou Sara. E fez outra pirueta. — Rose de coração ardente, Rose de peito abrasado. Rose de um mundo entediado. Rose, Rose rubra!

Uma porta bateu embaixo. Ouviram pisadas fortes que subiam as escadas.

— Aí vem ela — disse Maggie.

Os passos pararam. Ouviram uma voz dizer: "Ainda mais acima? No último andar? Obrigada!". E os passos recomeçaram a subir as escadas.

— Essa é a pior tortura — começou Sara, torcendo as mãos e achegando-se à irmã — que a vida...

— Não seja burra! – disse Maggie, soltando-se enquanto a porta se abria.

* * *

Rose entrou.

— Faz séculos que não nos encontramos! – disse e deu a mão às duas.

Perguntava a si mesma por que tinha vindo. Tudo era diferente do que esperava. A sala tinha marcas visíveis de pobreza. O tapete, por exemplo, não cobria o chão. Havia uma máquina de costura portátil a um canto, e a própria Maggie tinha aparência muito diversa da que exibira na loja. Viu com alívio uma poltrona com pés dourados e estofo carmesim. Aquela era sua conhecida.

— Costumava ficar no vestíbulo, não é mesmo? – comentou, pondo a bolsa na poltrona.

— Sim – disse Maggie.

— E aquele espelho – disse Rose, olhando o velho espelho italiano anuviado de manchas entre as duas janelas – era também de lá, não?

— Sim – disse Maggie –, ficava no quarto de mamãe.

Calaram-se. Aparentemente não havia nada a dizer.

— Que bom apartamento vocês conseguiram! – disse para que a conversa recomeçasse.

A sala era grande, e os portais tinham pequenos entalhes.

— Mas não é muito barulhento? – perguntou.

O homem gritava o seu pregão debaixo da janela. Rose olhou para fora. Em frente, havia um renque de telhados de ardósia que eram como guarda-chuvas abertos a meio. Para trás, bem mais alto que eles, elevava-se um edifício que, salvo umas poucas listras pretas, parecia feito inteiramente de vidro. Era uma fábrica. O homem continuava a berrar na rua.

— Sim, barulhento é – disse Maggie. – Mas muito prático.

— Muito prático por causa dos teatros – disse Sara, pondo a carne na mesa.

– Era o que eu também achava – disse Rose, voltando-se para encarar a prima – quando morei aqui.

– Você morou aqui? – perguntou Maggie, começando a servir as costeletas.

– Não aqui exatamente. Virando a esquina. Com uma amiga.

– Pensávamos que você morava em Abercorn Terrace – disse Sara.

– Não se pode morar em mais de um lugar? – disse Rose, vagamente aborrecida, pois vivera em muitos lugares, tivera muitas paixões e fizera muitíssimas coisas.

– Eu me lembro de Abercorn Terrace – disse Maggie. E depois de uma breve pausa: – Uma sala comprida; uma árvore nos fundos; um quadro por cima da lareira? O retrato de uma jovem de cabelos ruivos?

Rose assentiu com a cabeça:

– Mamãe quando jovem.

– E uma mesa redonda no meio da sala? – continuou Maggie.

– Sim – fez Rose, repetindo o movimento da cabeça.

– Vocês não tinham uma empregada de olhos azuis muito esbugalhados?

– Crosby. Ela ainda está conosco.

Comeram em silêncio.

– E depois? – perguntou Sara, como uma criança que pede uma história.

– Depois? Bem... – Rose olhou para Maggie, pensando nela como uma menininha que vinha tomar chá.

Viu-as sentadas em torno da mesa. E um detalhe em que não pensara durante anos veio-lhe à memória: como Milly tirava um grampo do cabelo para esfiapar a mecha da chaleira. Viu Eleanor com seus livros de contabilidade. E viu-se a si mesma indo ter com a irmã mais velha, dizendo: "Eleanor, quero ir à loja Lamley".

Seu passado parecia crescer, submergir o presente. Por alguma razão, queria falar do passado. Contar-lhes qualquer coisa de si mesma que jamais contara a ninguém. Qualquer coisa secreta. Mantinha-se calada, os olhos fixos nas flores do centro de mesa, mas sem vê-las. Observou que havia um laço azul sob o amarelo vitrificado da cerâmica.

– Lembro-me de tio Abel – disse Maggie. – Ele me deu um colar uma vez, um colar azul com contas douradas.

– Ele ainda vive – disse Rose.

Conversavam, pensou, como se Abercorn Terrace fosse cenário de uma peça. Falavam das pessoas como se fossem vivas, mas não tão vivas quanto elas mesmas, o que a deixava perplexa. Era como se ela própria fosse duas pessoas diferentes ao mesmo tempo; vivesse em dois tempos diferentes no mesmo momento. Era uma menina de vestido cor-de-rosa; e ali estava ela nesta sala agora. Ouviu-se, porém, um grande alarido embaixo. Um caminhão passou ruidosamente sob as janelas. Os copos tilintaram na mesa. Rose teve um ligeiro sobressalto, despertou do sonho da infância e afastou os copos.

– Você não acha aqui muito barulhento?

– Sim, mas prático por causa dos teatros.

Rose encarou-a. Tinha dito a mesma coisa duas vezes! Estará achando que sou uma velha caduca, pensou, contrariada. E corou um pouco.

De que adianta, pensou, falar a outras pessoas do próprio passado? E o que é afinal o passado?, indagou consigo mesma, contemplando o jarro amarelo com seu frouxo laço azul perdido na superfície vitrificada. Por que vim, se elas zombam de mim?, pensou.

Sally levantou-se e tirou a mesa.

– E Delia? – perguntou Maggie enquanto esperavam. Puxou o jarro e pôs-se a arrumar as flores. Não prestava atenção; pensava seus próprios pensamentos. Para Rose, que a observava à socapa, lembrava muito Digby – absorta na composição daquele arranjo de flores, como se arranjar flores, pôr o branco junto do azul, fosse a coisa mais importante do mundo.

— Casou-se com um irlandês – respondeu Rose um pouco alto demais.

Maggie retirou uma flor azul do buquê e espetou-a junto de uma flor branca.

— E Edward?

— Edward... – começou Rose. Mas Sally entrou com o pudim.

— Edward? – exclamou, apanhando a palavra no ar. – Malditos olhos da irmã de minha falecida mulher! Esmaecido lume de minha mocidade extinta... – citou e pôs o pudim na mesa. – Isso é Edward – disse. – Cito de um livro que ele me deu. Ó juventude perdida, juventude perdida... – A voz era de Edward, era como se Rose a ouvisse. Por que tinha ele a mania de se desmerecer quando, ao contrário, tinha uma grande opinião de si mesmo?

Contudo, isso era apenas uma faceta de Edward. Não permitiria que falassem dele assim. Pois gostava muito do irmão e tinha muito orgulho dele.

— Não há muito de "juventude perdida" em Edward hoje em dia, saibam vocês – disse.

— É o que eu pensava – disse Sara, sentando-se em frente a Rose.

Ficaram caladas. Rose tinha de novo os olhos nas flores. Por que vim?, perguntou-se. Por que abreviara sua manhã, interrompera seu dia de trabalho, se era claro que as primas não tinham prazer em vê-la?

— Continue, Rose – disse Maggie, servindo o pudim. – Continue a falar dos Pargiter.

— Dos Pargiter? – disse Rose.

Viu-se correndo ao longo da larga avenida, à luz dos lampiões.

— O que poderia haver de mais comum? – disse. – Uma família grande, vivendo numa casa grande... – No entanto, sentia que ela mesma fora muito interessante. Fez uma pausa. Sara olhou-a.

— Não vejo nada de comum – disse esta. – Os Pargiter... – Segurava o garfo e riscou uma linha na toalha da mesa. – Os Pargiter – repetiu –, avançando, avançando a galope – o garfo bateu no saleiro –, até que chegam a uma rocha. E então Rose – olhava para Rose, que se inteiriçou um pouco – ... Rose mete as esporas no cavalo, avança em linha reta para um homem de casaco de ouro e diz: "Danação!". Aquela não é Rose, Maggie? – perguntou, levantando os olhos para a irmã, como se até então tivesse desenhado a cena na toalha.

É verdade, pensou Rose, comendo seu pudim. Sou assim mesmo. Mas continuava a ter a velha sensação de ser duas pessoas ao mesmo tempo.

— Pronto! – disse Maggie, empurrando o prato. – Venha se sentar na cadeira de braços, Rose.

Ela mesma foi até a lareira e puxou uma cadeira cujo assento, observou Rose, tinha molas como arcos de pipa.

Estão pobres, pensou Rose, olhando em torno. Por isso escolheram esta casa, por ser barata. Preparam a própria comida – Sally tinha ido fazer café. Rose puxou a cadeira para perto de Maggie.

— Você faz seus próprios vestidos? – perguntou, apontando para a máquina de costura portátil no canto da sala. Havia um corte de seda dobrado em cima dela.

— Sim – respondeu Maggie, olhando também para a máquina.

— É para uma festa? – perguntou Rose. A seda era cambiante, verde com reflexos azuis.

— Amanhã à noite – disse Maggie. E levou a mão ao rosto num gesto curioso, como se quisesse ocultar alguma coisa.

Ela quer se esconder de mim, imaginou Rose, exatamente como eu quero me esconder dela. Observava a prima. Maggie se erguera e fora apanhar a seda e a máquina e enfiava agora a agulha. Tinha as mãos grandes, afiladas e fortes, notou Rose.

— Nunca soube fazer minhas roupas – disse esta, vendo a outra arranjar a seda de modo a ficar bem esticada debaixo da agulha.

Começava a se sentir à vontade. Tirou o chapéu e lançou-o ao chão. Maggie a olhava com aprovação. Era bela, embora devastada. De uma beleza mais masculina que feminina.

– Mas também – disse Maggie, começando a girar a roda com grande cautela – você fazia outras coisas. – Falava no tom absorto de alguém que está entregue a algum trabalho manual.

A máquina produzia um zumbido agradável com a agulha furando a seda.

– Sim, eu fazia outras coisas – confirmou Rose, afagando o gato que viera esfregar-se contra seu joelho – quando morava aqui. Mas isso foi anos atrás – acrescentou –, quando eu era jovem. Morava com uma amiga e dava aulas para ladrõezinhos.

Maggie não disse nada. Continuava a tocar a máquina que zumbia, zumbia.

– Sempre gostei mais de ladrões que dos outros mortais – disse Rose depois de algum tempo.

– Sim – disse Maggie.

– Jamais gostei de viver com a família. Sempre preferi viver no meu próprio canto.

– Sim – disse Maggie.

Rose continuou falando. Era fácil, descobriu; muito fácil. Nem precisava dizer nada de particularmente brilhante. Ou falar de si mesma. Falava de Waterloo Road conforme se lembrava que tinha sido, quando Sara entrou com o café.

– Como foi essa história de se agarrar a um homem gordo na Campagna? – perguntou, depondo a bandeja.

– Campagna? – disse Rose. – Não falamos nada sobre a Campagna.

– Ouvida através da porta – disse Sara, servindo o café –, a conversa fica estranhíssima – Deu a Rose uma xícara. – Pensei que você falava da Itália. Da Campagna, do luar.

Rose sacudiu a cabeça.

– Falávamos de Waterloo Road – disse.

Mas o que tinha dito mesmo? Não falara só de Waterloo Road. Talvez tivesse falado demais. Fora dizendo tudo o que lhe vinha à cabeça.

– Qualquer conversa fica sem pé nem cabeça, imagino, se registrada por escrito – disse, mexendo o café.

Maggie parou a máquina por um momento e sorriu. – E se não registrada também.

– Mas é a única maneira de nos conhecermos umas às outras! – protestou Rose. Em seguida, consultou o relógio. Era mais tarde do que pensava. Levantou-se.

– Tenho de ir embora. Por que vocês não vêm comigo? – perguntou num impulso.

– Aonde? – perguntou Maggie, levantando os olhos para ela.

Rose calou-se, mas acabou por responder sumariamente:

– A uma reunião. – Queria esconder aquilo que, de todas as coisas, era o que mais lhe interessava. Sentia-se extraordinariamente contrafeita. E, no entanto, queria de fato que viessem. Por quê?, perguntava-se enquanto esperava, cada vez mais constrangida.

Houve um silêncio difícil.

– Poderão também esperar em cima – disse de repente. – Poderão ver Eleanor. E Martin. Os Pargiter em carne e osso – acrescentou. E lembrando-se da frase de Sara: – A caravana atravessando o deserto – disse.

Olhou para Sara. Ela se equilibrava no braço da cadeira, balançando o pé no ar e bebericando café.

– Será que vou? – perguntou vagamente, ainda a balançar o pé para cima, para baixo.

Rose deu de ombros.

– Venha se gostar – disse.

– Mas vou gostar – continuou, balançando o pé – dessa reunião. O que acha, Maggie? – apelava para a irmã. – Devo ir ou não?

Maggie não disse nada.

Então Sara se levantou, foi até a janela e ficou ali por um momento, cantarolando:

– Procure em todos os vales, colha todas as rosas...

O homem passava em frente da casa. Ferro velho? Ferro velho? Sara se virou de um golpe.

– Eu vou – disse, como se tivesse tomado uma decisão. – Tenho só de me enfiar numas roupas e vou.

Deu um pulo e entrou no quarto. É como uma dessas aves do zoológico, pensou Rose, que não voam, mas se deslocam aos saltos com a maior rapidez pela verdura.

Voltou-se para a janela. Que ruazinha deprimente, pensou. Havia um bar na esquina. As casas em frente eram positivamente sinistras; e o barulho, enorme. "Ferro velho para vender", gritava o homem debaixo da janela. "Ferro velho?". Havia crianças aos berros pela rua. Brincavam de alguma coisa que exigia marcas de giz na calçada. Deixou-se observá-las.

– Pobrezinhas! – disse. Apanhou o chapéu e enfiou dois alfinetes com força nele. – Você não acha desagradável – disse, olhando-se no espelho e dando ao chapéu um piparote de um lado só – voltar para casa tarde da noite com aquele bar na esquina?

– Bêbados, é isso? – perguntou Maggie.

– Sim – disse Rose. Abotoou a fileira de botões de couro do seu conjunto comprado pronto, dando um tapinha aqui e outro ali, como que se preparando para sair.

– E agora de que falavam vocês duas? – perguntou Sara, entrando com os sapatos na mão. – De outra viagem à Itália?

– Não – respondeu Maggie. Falava indistintamente, porque tinha a boca cheia de alfinetes. De bêbados nos seguindo.

– Bêbados nos seguindo – repetiu Sara, sentando-se e começando a calçar os sapatos. – A mim não seguem – disse.

Rose sorriu. Evidentemente que não. Sara era amarela, angulosa e sem graça.

– Posso atravessar Waterloo Bridge seja a que hora for do dia ou da noite – continuou, lutando com os cadarços dos sapatos – e ninguém presta atenção em mim. – Havia um nó num dos cadarços, e ela ficou a desatá-lo sem muito jeito. – Mas lembro-me de ter ouvido – continuou – de uma bela mulher, uma mulher de fato muito bela, assim como...

– Ande logo, Sara – disse Maggie. – Rose está esperando.

– Rose está esperando... Pois bem, a mulher me convidou, ao entrar em Regent's Park, para tomar um sorvete – levantou-se, tentando ajustar o sapato ao pé –, para tomar um sorvete numa daquelas mesinhas que eles têm debaixo das árvores, uma daquelas mesinhas redondas com toalha, debaixo das árvores – pulava agora num pé só com um sapato calçado e o outro não –, os olhos – disse ela – varavam as folhas, todas as folhas – disse ela – como os raios do sol. E o sorvete dela derreteu. Derreteu! – repetiu, batendo no ombro da irmã enquanto fazia círculos na ponta do pé.

Rose estendeu a mão.

– Você fica para acabar o vestido? – disse. – Não vem mesmo conosco?

– Não, não vou mesmo – respondeu Maggie, apertando-lhe a mão. – Detestaria – acrescentou com franqueza desconcertante.

Detestaria vir comigo? Será isso? Quer dizer que não gosta de mim?, pensou Rose, descendo as escadas. De mim, que gosto tanto dela?

* * *

Na viela que abria na velha praça logo adiante de Holborn, um ancião gasto e de nariz vermelho, como se tivesse visto passar anos sem conta em esquinas de ruas, vendia violetas. Fazia ponto ao longo de uma cerca. Os ramalhetes, apertados por lacinhos, cada um com o verde de suas folhas em torno das flores meio murchas, jaziam lado a lado num tabuleiro. Pois não vendera muitos.

– Lindas violetas, violetas fresquinhas... – repetia ele mecanicamente à passagem das pessoas. Muitas nem olhavam. Mas ele repetia a fórmula como um autômato. Lindas violetas, violetas fresquinhas, como se na verdade não esperasse compra nenhuma. Duas damas, no entanto, se acercaram. O homem lhes apresentou suas flores e disse uma vez mais: – Lindas violetas, violetas fresquinhas. – Uma delas jogou dois cobres na bandeja e ele levantou a cabeça. A outra senhora estacou, apoiou-se num poste e disse:

– É aqui que deixo você.

A outra, que era baixota e gorda, deu-lhe uma pancada no ombro:

– Não seja boba!

Ao que a mais alta soltou uma gargalhada de todo tamanho. E, tendo apanhado no tabuleiro do velho um dos seus miseráveis ramalhetes, como se tivesse pagado por ele, seguiu caminho com a outra.

Que diabo de freguesa, pensou o velho com as suas violetas; levou as flores sem pagar o suficiente. Observou-as por algum tempo enquanto dava a volta à praça. Depois, resmungou outra vez a mesma litania:

– Lindas violetas, violetas fresquinhas...

* * *

– É aqui que vocês se reúnem? – perguntou Sara, passando pela praça.

Era um lugar tranquilo. Não havia mais nenhum rumor de tráfego. As árvores ainda não tinham todas as suas folhas de volta, mas já os pombos voejavam e arrulhavam na ramaria, lançando para o chão galhinhos e brotos. As duas deram a volta à praça; um vento amigo soprava o rosto delas.

– Aquela é a casa – disse Rose, apontando. Parou quando chegaram. O portal era esculpido e havia grande número de nomes na ombreira. As janelas do andar térreo estavam abertas; as cortinas voavam para dentro, para fora; através delas, viam-se diversas cabeças lá dentro. Um grupo de pessoas falando em torno de uma mesa.

Rose parou na soleira.

– Você vem ou não? – perguntou.

Sara hesitou. Deu uma espiadela. Depois, brandiu seu ramalhete de violetas no nariz de Rose e gritou:

– Muito bem – gritou. – Avançar!

* * *

Miriam Parrish lia uma carta em voz alta. Eleanor escurecia os riscos de lápis no seu mata-borrão. Pensava: "Já ouvi tudo isso, já fiz tudo isso tantas vezes". Correu os olhos em torno. Até os rostos das pessoas pareciam repetir-se. Podia distinguir o tipo de Judd, o tipo de Lazenby, o de Miriam, pensou, rabiscando no mata-borrão. Sei o que ele vai dizer, o que ela vai dizer, pensou, espetando o lápis no mata-borrão. Fez um buraco. Foi quando Rose entrou. Mas quem seria a outra?, pensou. Não reconheceu Sara. Fosse quem fosse, Rose mostrou-lhe uma cadeira num canto e a reunião prosseguiu. Por que temos de continuar com isso?, perguntou-se Eleanor, pintando raios em torno do buraco que tinha feito no mata-borrão. Depois, ergueu a cabeça. Alguém estava batendo com uma vara na grade e assobiando. Os galhos de uma árvore agitavam-se para cima e para baixo no jardim. As folhas já se abriam... Miriam pôs a carta em cima da mesa. O sr. Spicer levantou-se.

Imagino que não haverá outra maneira, pensou, apanhando de novo o lápis. Pôs-se a tomar notas do que o sr. Spicer dizia. Logo verificou que o lápis era capaz de tomar notas com a maior precisão enquanto ela pensava em outra coisa. Tinha o dom de se dividir em duas, ao que parecia. Uma acompanhava a discussão – e ele expõe muito bem o seu pensamento, observou –, enquanto a outra – fazia uma tarde esplêndida e ela tinha querido ir a Kew...

Desceu por uma senda coberta de limo verde e deteve-se diante de uma árvore em flor. Seria uma magnólia? Ou já não é tempo de magnólias? Magnólias, lembrou-se, não têm folhas, mas massas de flores brancas... e traçou uma linha no mata-borrão.

Agora Pickford..., disse consigo, levantando os olhos para o orador. O sr. Pickford falava. Ela fez mais riscos. Depois, escureceu-os. Em seguida, levantou outra vez a cabeça, pois o tom de voz mudara.

– Conheço Westminster muito bem! – dizia a srta. Ashford.

– Eu também! – disse o sr. Pickford. – Vivo lá há quarenta anos.

Eleanor ficou surpresa. Sempre pensara que ele vivia em Ealing. Vivia então em Westminster? Era um homem glabro, pequeno e arrumado, que ela sempre figurara correndo para pegar o trem com um jornal debaixo do braço. Pois então vivia em Westminster! Vejam só!, pensou.

A discussão prosseguia. O arrulho dos pombos ficou audível. Requetecum... requetecum. Martin tinha a palavra. Fala muito bem, pensou, mas não devia ser tão sarcástico. Irrita as pessoas; ela fez novo rabisco.

Ouviu um carro na rua. Vinha depressa e parou do lado de fora da janela. Martin interrompeu-se. Houve uma pausa momentânea. A porta se abriu, e entrou uma senhora alta em vestido de gala. Todo mundo olhou para ela.

– Lady Lasswade! – disse o sr. Pickford, levantando-se e empurrando sua cadeira para trás com estrépito.

– Kitty! – exclamou Eleanor. Ergueu-se a meio, mas sentou-se outra vez. Houve uma comoção na sala. Acharam uma cadeira para ela. Lady Lasswade sentou-se diante de Eleanor.

– Lamento infinitamente meu atraso e vir nessas roupas ridículas – disse, tocando de leve na capa. De fato parecia cômica no vestido de gala, com alguma coisa a refulgir nos cabelos.

– A ópera? – perguntou Martin quando ela se sentou ao seu lado.

— Sim — respondeu ela simplesmente. E pôs as luvas brancas em cima da mesa com naturalidade. A capa se abriu e deixou ver o brilho do lamê por baixo. Parecia mesmo estranha naquela companhia. Mas que gentileza ter vindo, considerando que tem de ir à ópera. A reunião recomeçou.

Há quanto tempo estará casada?, perguntou-se Eleanor. Quanto tempo faz que quebramos aquele balanço juntas em Oxford? Fez outro risco no mata-borrão. O furo estava agora todo cercado de raios.

— ...e discutimos o assunto com perfeita franqueza — dizia Kitty. Eleanor apurou o ouvido. Essas são as maneiras de que gosto, pensou. Kitty tinha encontrado sir Edward num jantar... Maneiras de grande dama, pensou Eleanor, autoritária, mas natural. Escutou mais. As maneiras de grande dama encantavam o sr. Pickford, mas irritavam Martin, Eleanor estava certa disso. Martin estava fazendo pouco de sir Edward e da franqueza dele. Mas já o sr. Spicer se lançava a uma nova tirada. E Kitty se metia na fala dele. E agora Rose. Ninguém se mostrava de acordo. Eleanor limitava-se a ouvir. Mas ia ficando cada vez mais exasperada. Tudo acaba nisto: eu estou certo e você não está, pensou. Uma guerra de palavras, pura perda de tempo. Se pudéssemos pelo menos chegar a alguma coisa, alguma coisa mais séria, mais profunda, pensou, castigando o mata-borrão com o lápis. De repente, viu o único ponto que tinha alguma importância naquilo tudo. Chegou a ter as palavras na ponta da língua. Abriu a boca para falar. Mas, enquanto limpava a garganta, o sr. Pickford arrebanhou seus papéis e levantou-se. Poderiam desculpá-lo?, perguntou. Tinha de ir ao Tribunal. Ergueu-se para sair.

A reunião se arrastava. O cinzeiro no meio da mesa estava cheio de pontas de cigarros. O ar, cheio de fumaça. O sr. Spicer se foi; a sra. Bodham se foi; a srta. Ashford enrolou uma echarpe bem junto ao pescoço, fechou sua pasta com um estalo e saiu pisando duro. Miriam Parrish tirou o pincenê e pendurou-o num gancho que tinha costurado no corpete do vestido. Todo mundo ia para casa. A reunião chegava ao fim. Eleanor se levantou. Queria falar com Kitty. Mas Miriam se atravessou no seu caminho.

– Sobre minha visita na quarta... – começou.

– Sim – disse Eleanor.

– Lembrei-me agora de que prometi levar uma sobrinha ao dentista – disse Miriam.

– Sábado também estou livre.

Miriam hesitou. Refletia.

– Seria possível segunda?

– Escreverei – disse Eleanor, com uma irritação que nunca conseguia esconder, por mais santa que fosse Miriam, e Miriam se afastou com passo incerto e um ar de cão apanhado a furtar alguma coisa.

* * *

Eleanor se voltou. Os outros ainda discutiam.

– Vocês todos vão concordar comigo um dia desses! – disse Martin.

– Nunca, nunca mesmo – replicou Kitty, batendo com as luvas na mesa. Estava belíssima. E ao mesmo tempo um tanto absurda naqueles trajes de gala. – Por que você não falou, Nell? – perguntou, virando-se para ela.

– Porque – começou Eleanor. – Não sei – disse sem convicção. Sentia-se de repente malvestida e surrada ao lado de Kitty de pé ali, em grande toalete, com alguma coisa a cintilar nos cabelos.

– Bem – disse Kitty, virando-se para sair –, tenho de ir andando. Posso dar carona a alguém? – perguntou, mostrando a janela. O carro estava lá fora.

– Que carro magnífico! – comentou Martin com uma ponta de ironia.

– É de Charlie – disse Kitty secamente. E acrescentou: – Você vem comigo, Eleanor?

– Sim, obrigada. Um momento.

Estava meio perdida. Não sabia onde deixara as luvas. E tinha trazido guarda-chuva ou não? Sentia-se atrapalhada, confusa, como se tivesse de súbito voltado aos tempos de colégio. E aquele esplêndido carro à espera. O chofer segurava a porta aberta com uma manta na mão.

– Entre – disse Kitty. Ela entrou e o chofer pôs a manta sobre seus joelhos.

– Deixemos os outros – disse Kitty, fazendo um gesto com a mão no ar – entregues à sua cabala!

E o carro deu partida.

* * *

– Como são teimosos todos! – disse Kitty, voltando-se para Eleanor. – Qualquer pressão é sempre errada, não concorda comigo? Sempre! – repetiu, puxando uma ponta da manta.

Estava ainda sob a influência da reunião. E, todavia, queria conversar com Eleanor. Viam-se tão pouco! Gostava muito de Eleanor. Sentia-se contrafeita, porém, com aquele vestido absurdo, e não conseguia libertar-se da bitola em que sua mente se metera com a discussão.

– Teimosos, cabeçudos, todos eles! – repetiu. Depois começou:
– Diga-me, Eleanor...

Queria perguntar muitas coisas, mas o motor era tão potente! O carro ia rolando macio, desviando-se ágil, rápido, das armadilhas do tráfego... Antes que tivesse tempo de dizer uma única das coisas que tinha a dizer, Eleanor já lhe estendia a mão. Tinham chegado à estação do metrô.

– Ele poderia parar aqui? – perguntou, erguendo-se a meio.

– Mas você tem mesmo de descer? – começou Kitty. Queria conversar mais.

– Preciso. Papai está à minha espera. – Sentia-se outra vez como uma criança ao lado daquela grande dama e do chofer que mantinha a porta aberta para ela.

– Venha me ver. Vamos marcar um novo encontro logo, Nell – disse Kitty, tomando-lhe a mão.

* * *

    O carro partiu. Lady Lasswade recostou-se no seu canto. Gostaria de ver Eleanor com mais frequência, pensou, mas não conseguia que viesse jantar. Era sempre aquele "papai está à minha espera" ou outra desculpa qualquer, pensou com azedume. Tinham seguido caminhos diferentes, tinham vivido vidas tão diversas desde os tempos de Oxford! O carro diminuiu a marcha. Tinha de tomar seu lugar na longa fila de carros que se moviam lentos, ora parando de todo, ora avançando com um arranco pela rua estreita, bloqueada de carretas de mercado, que levava à ópera. Homens e mulheres em trajes de gala caminhavam ao longo da calçada. Pareciam constrangidos, um tanto envergonhados de si mesmos, esgueirando-se por entre as carrocinhas dos vendedores, com suas cabeleiras altas, suas saídas de baile; com suas botoeiras e seus coletes brancos, à luz do sol poente. As senhoras tropeçavam com seus saltos altos; de vez em quando, levavam as mãos à cabeça. Os homens se mantinham muito colados a elas como que para protegê-las. É absurdo, pensou Kitty. É ridículo sair em traje de gala ainda a essa hora. Recostou-se no seu canto. Porteiros do Convent Garden, empregadinhos de escritório com suas roupas de todo dia, mulheres de aspecto grosseiro e avental cravavam os olhos nela. Havia um forte cheiro de laranjas no ar. Mas o carro diminuiu a marcha, entrou por baixo de uma arcada, parou. Lady Lasswade empurrou as portas envidraçadas e entrou.

    Teve imediatamente uma sensação de alívio. Agora que a luz do dia já não contava para nada, que o ar era um só fulgor amarelo e carmesim, ela não mais se achou absurda. Pelo contrário: sentiu-se adequada. As senhoras e os cavalheiros que subiam a escadaria vestiam-se exatamente assim. O cheiro de laranjas e de bananas maduras fora substituído por outro, em que se combinavam de maneira sutil roupas e luvas e flores, e que a afetava agradavelmente. O tapete era espesso sob seus pés. Seguiu pelo corredor até seu camarote, que tinha o cartão na porta. Entrou, e toda a ópera se abriu à sua visão. Não estava atrasada afinal. A orquestra ainda afinava. Os músicos riam, conversavam, viravam-se nas suas cadeiras, ocupando-se ativamente com seus instrumentos. Ela correu os olhos pelas poltronas da primeira fila. Reinava na plateia grande agitação. As pessoas esgueiravam-se até seus lugares marcados; sentavam-se; punham-se de pé outra vez; tiravam os abrigos e acenavam para os conhecidos. Eram como pássaros que se instalam num campo cultivado. Nos camarotes, surgiam figuras brancas aqui e ali; braços brancos descansavam nas beiradas; brancos peitilhos engomados luziam a seu lado. A casa toda era uma cintilação só, ouro, escarlate, creme, e cheirava a roupas e a flores e ecoava com os rangidos e trilos dos instrumentos e com o burburinho das vozes. Kitty examinou o programa que estava na beirada do camarote. Era *Siegfried*, sua ópera favorita. Num pequeno espaço livre por entre a larga margem pesadamente decorada liam-se os nomes do elenco. Curvou-se um pouco para ler; então um pensamento lhe ocorreu e ela lançou um olhar para o camarote real. Estava desocupado. Enquanto olhava, a porta do seu próprio camarote se abriu e dois homens entraram. Um era seu primo Edward; o outro, um adolescente, primo de seu marido.

– Não adiaram o espetáculo, não é? – disse ele, cumprimentando. – Temi que o fizessem. – Ele era qualquer coisa no Foreign Office. E tinha uma bela cabeça romana.

Todos olharam instintivamente para o camarote real. Havia programas alinhados na beirada, mas nenhum buquê de cravos cor-de-rosa. O camarote estava vazio.

– Os médicos o desenganaram – disse o rapaz, com ar importante.

Todos pensam que sabem de tudo, pensou Kitty, sorrindo do ar de informação que ele afetava.

– E se morrer? Vocês acham que eles interrompem o espetáculo?

O rapaz deu de ombros. Sobre isso, aparentemente não poderia ser tão positivo. A casa se enchia. Brilhavam chispas nos braços das damas quando elas se moviam; pequenas centelhas acendiam-se fugazes para um lado e já luziam na direção oposta, quando elas viravam a cabeça.

O maestro surgiu e abriu caminho através da orquestra rumo ao pódio. Houve uma onda de aplausos. Ele se voltou e fez a sua reverência para o público. Depois, olhou de novo o palco, todas as luzes se apagaram, e teve início a abertura da ópera.

Kitty recostou-se contra o fundo do camarote, o rosto escondido pelas dobras da cortina. Alegrava-se de ficar assim, na sombra. Enquanto executavam a abertura, ficou a observar seu primo Edward. Podia ver apenas o perfil à meia-luz avermelhada. As feições eram agora mais pesadas do que costumavam ser. Parecia belo, intelectual e um pouco remoto, a escutar a abertura. Não teria dado certo, pensou Kitty, sou muito... Não terminou a frase. E ele nunca se casou, pensou. Ela se casara. Tenho três filhos. Estive na Austrália, na Índia... A música a levava a pensar em si mesma e na sua própria vida como raras vezes fazia. A música a exaltava, mostrava ela mesma e seu passado a uma luz lisonjeira. Mas por que Martin zombou de mim por ter um carro?, pensou. Por que riu?

O pano subiu. Ela se debruçou para ver o palco. O anão martelava a espada. Martelava para cá, martelava para lá, com pancadas secas, firmes. Ela escutava. A música mudara. Ele, pensou, olhando o belo rapaz, ele sabe exatamente o que a música significa. Era visível que já estava completamente possuído pela música. Kitty encantava-se com a expressão concentrada que descera sobre o seu ar de imaculada respeitabilidade, fazendo-o parecer quase severo. Mas eis que Siegfried surge no palco. Ela se curvou para a frente. Vestido em pele de leopardo e muito gordo, com coxas morenas, cor de avelã, lá estava ele puxando um urso. Agradou-lhe o cantor, sua enxúndia, sua peruca de linho, sua vitalidade. E tinha uma voz magnífica. Pam, pam, pam – recomeçaram as marteladas. Ela se reclinou de novo na cadeira. Aquelas marteladas lembravam-lhe algo, mas o quê? Um rapaz que entrava numa sala com uma lasca de madeira nos cabelos... quando ela era muito jovem. Em Oxford? Fora tomar chá com eles; sentara-se numa cadeira dura; numa sala banhada de luz; e vinha do jardim um som de marteladas. Depois, o rapaz entrou com uma lasca de madeira presa no cabelo. E desejara que ele a beijasse. Ou teria sido o empregado da fazenda dos Carter, quando o velho Carter surgira de repente, puxando um touro pela argola no focinho?

Esta é a vida que me agrada, pensou, apanhando o binóculo. Esta é a espécie de pessoa que eu sou... concluiu.

Levou o binóculo aos olhos. O palco ficou logo brilhante e próximo. A grama parecia feita de lã verde, grossa. Podia ver os gordos braços marrons de Siegfried lustrosos de pintura. O rosto dele resplandecia de suor e tinta. Ela baixou o binóculo e sentou-se para trás.

E a velha Lucy Craddock... Podia ver Lucy sentada a uma mesa; o nariz vermelho, os olhos pacientes, bondosos. "De novo você não fez nenhum trabalho esta semana, Kitty!" – dizia em tom de censura. Como eu a adorava!, pensou. Depois voltava para casa, a casa do reitor, e lá estava a árvore escorada por uma estaca e mamãe sentada muito direita... Ah, como desejaria não ter brigado tanto com minha mãe, pensou, dominada por um súbito sentimento da passagem do tempo e da tragédia que isso é. Então a música mudou.

Olhou de novo o palco. O Peregrino entrara em cena. Vestia uma longa bata cinza e estava sentado num banco. Uma espécie de atadura oscilava de maneira incômoda por cima de um dos seus olhos. Cantou sem parar. Até que a atenção dela se cansou. Correu os olhos pela penumbra vermelha do ambiente. Podia ver apenas cotovelos brancos apoiados à balaustrada e um ponto de luz aqui e ali, onde alguém acompanhava a partitura com uma lanterna de bolso. O belo perfil de Edward chamou-lhe de novo a atenção. Ele ouvia com atenção de crítico, intensamente. Não, não teria dado certo, de modo algum teria dado certo.

Por fim, o Peregrino se foi. E agora?, perguntou-se, debruçada para a frente. Siegfried irrompeu no palco. Sempre metido na sua pele de leopardo, rindo e cantando, lá estava ele outra vez. A música a excitava. Era magnífico. Siegfried apanhou a espada, soprou o fogo e se pôs a martelar – pam, pam, pam – de novo! A cantoria, aquele martelar incessante, o fogo que crepitava, tudo se fundia e confundia. Cada vez mais depressa, ritmicamente, triunfantemente, Siegfried martelava, até que, por fim, brandiu a espada bem alto acima da cabeça e desceu-a de chofre – vupt! – sobre a bigorna, que se partiu em duas. Então, brandindo a espada de novo acima da cabeça, gritou e cantou, e a música encachoeirada surdiu cada vez mais forte num crescendo. E o pano desceu.

As luzes se acenderam no centro do teatro, e as cores inumeráveis se fizeram de novo visíveis. A ópera inteira viveu outra vez com os rostos e os diamantes, os homens e as mulheres que aplaudiam, agitando seus programas no ar. Com todos aqueles retângulos de papel que acenavam, o teatro parecia tomado por uma revoada de asas brancas. As cortinas se partiram ao meio e ficaram entreabertas, seguras por lacaios de alta estatura em calções de corte. Kitty aplaudiu de pé. As cortinas se fecharam; de novo se abriram. Os lacaios eram quase levantados do chão pelas pesadas pregas que tinham de manter abertas; que mantiveram abertas seguidamente. E mesmo depois que as deixaram cair e que os cantores desapareceram e a orquestra começou a se retirar, o público ainda aplaudia e saudava, agitando os programas.

No seu camarote, Kitty virou-se para o rapaz. Ele estava debruçado à balaustrada e ainda aplaudia.

– Bravo! Bravo! – gritava.

Esquecera-se dela. Perdera o prumo.

– Não foi maravilhoso? – perguntou por fim, voltando-se.

Tinha uma expressão estranha no rosto, como se estivesse em dois mundos ao mesmo tempo e fosse preciso reuni-los num só.

– Maravilhoso – concordou Kitty. E olhou-o com uma ponta de inveja. – E agora – disse, reunindo suas coisas – vamos jantar.

* * *

Acabavam de jantar em Hyams Place. A mesa fora tirada. Só restavam migalhas de pão, e o jarro de flores posto no centro era uma sentinela. Maggie costurava em silêncio; o único som na sala era o da agulha de sua máquina furando seda. Sara estava sentada no banco do piano, mas não tocava.

– Cante alguma coisa – pediu Maggie de repente. Sara virou-se e dedilhou as teclas.

– Brandindo, dardejando minha espada na mão... – cantou. As palavras faziam parte da letra de alguma pomposa marcha do século XVIII, mas a voz era aguda e fina. Logo se interrompeu, e Sara parou de cantar.

Continuou sentada e muda, com as mãos no teclado.

– De que serve cantar quando não se tem voz? – perguntou.

Maggie costurava.

– O que você fez hoje? – quis saber por fim, levantando os olhos abruptamente.

– Saí com Rose – disse Sara.

– E o que você fez com Rose? – perguntou Maggie. Falava distraidamente. Sara se voltou para lançar-lhe um olhar. Depois recomeçou a tocar.

– Ficamos na ponte, olhando a água – murmurou no compasso da música. – Água que corre, água que flui – cantarolou –, que meus ossos se tornem coral; que os peixes iluminem suas lanternas, que os peixes iluminem suas verdes lanternas nos meus olhos. – Virou-se a meio e olhou para Maggie. Mas Maggie não prestara atenção. Sara voltou-se para as teclas. Mas não viu as teclas, o que viu foi um jardim; e a irmã; e um rapaz de nariz grande que parou para colher uma flor que luzia no escuro. E ele ficou com a flor na mão ao luar.

Maggie interrompeu-a.

– Você saiu com Rose. Aonde foram?

Sara abandonou o piano e ficou em frente à lareira.

– Tomamos o ônibus e fomos a Holborn – disse. – Andamos por uma rua – continuou – e de súbito – estendeu a mão no ar –, de súbito senti uma pancada no ombro. "Sua mentirosa!", Rose disse e me pegou pelo ombro e me jogou contra a parede de uma taberna.

Maggie costurava em silêncio.

– Entramos numa sala – continuou Sara – onde havia gente, muita gente. E eu disse comigo mesma...

– Uma reunião? – murmurou Maggie. – Onde?

– Numa sala – respondeu Sara. – A luz era fraca, esverdeada. No quintal, uma mulher estendia roupas... E alguém passou batendo com uma bengala contra a grade.

– Posso ver – disse Maggie. E continuou a costurar, mais depressa agora.

– Eu disse comigo mesma: que caras são essas? – continuou Sara.

– Uma reunião – interrompeu Maggie. – Para quê? A respeito de quê?

– Havia pombos arrulhando – disse Sara. – Requetecum... requetecum... Aí uma asa escureceu o céu, e Kitty entrou nimbada da luz das estrelas. E sentou-se numa cadeira.

Calou-se por um momento. Maggie permaneceu silenciosa. Costurou um pouco mais.

– Quem entrou?

– Alguém de uma grande beleza. Vestida da luz das estrelas. Com um reflexo verde nos cabelos – disse Sara. – Depois do que – mudou a voz e imitou o tom em que um homem da classe média saúda uma senhora de sociedade. O sr. Pickford se levantou de um salto e disse: "Oh, lady Lasswade, gostaria de se sentar aqui?".

E Sara puxou uma cadeira.

– Em seguida – continuou –, lady Lasswade se sentou e pôs as luvas em cima da mesa – Sara alisou uma almofada –, assim...

Maggie levantou os olhos da costura. Tinha a impressão geral de uma sala cheia de gente; de bengalas batendo em grades; de roupas penduradas a secar num varal; e de alguém que entrava com asas de libélula nos cabelos.

– O que aconteceu depois?

– Depois a murcha Rose, a pálida Rose, a fulva Rose, a Rose espinhosa – e Sara soltou uma gargalhada –, Rose verteu uma lágrima!

– Não, não – disse Maggie. Alguma coisa estava errada na história. Havia um elemento de impossibilidade. Ergueu os olhos. As luzes de um carro que passava zebraram o teto. Estava ficando escuro demais, já não enxergava direito. A lâmpada do bar em frente projetava um clarão amarelo dentro da sala. O forro tremia com um desenho líquido de luz flutuante. Da rua vinham sons de briga: passos arrastados, tropel, como se a polícia levasse alguém à força. Seguiram-se gritos e vaias.

– Outra briga? – murmurou Maggie, enfiando a agulha no pano.

Sara levantou-se e foi ver. Havia uma multidão à porta do bar. Um homem estava sendo expulso. Saiu cambaleando e caiu contra um poste a que se agarrou. A cena era iluminada pela luz forte de uma lanterna por cima da porta do bar. Sara deixou-se ficar por um momento à janela, observando as pessoas. Depois, voltou-se. Seu rosto na meia-luz parecia cadavérico e gasto, como se ela não fosse mais uma donzela, mas uma anciã, destruída por uma vida inteira de partos, deboches e crimes. Permaneceu onde estava, curvada, as mãos crispadas uma contra a outra.

– Dia virá – disse, encarando a irmã – em que as pessoas, olhando para dentro desta sala, desta caverna, deste pequeno antro, escavado em lama e bosta, prenderão o nariz com os dedos, assim – disse e demonstrou – e dirão: "Puxa! Como fede"!

E deixou-se cair numa cadeira.

Maggie olhou-a. Enrodilhada, os cabelos caídos sobre o rosto, as mãos apertadas uma na outra, Sara parecia uma enorme macaca que de fato habitava um buraco de lama e bosta.

– Puxa! – repetiu Maggie. – Como fede! – Enfiou a agulha na seda com um espasmo de nojo.

Era verdade. Elas não passavam de pobres criaturas asquerosas, escravas de desejos incontroláveis. Lá fora, a noite estava cheia de grunhidos e pragas; de violência e insegurança; mas também de beleza e alegria. Levantou-se, segurando o vestido novo. A seda caía em pregas até o chão e Maggie alisou-a, dizendo:

– Acabei. Está pronto – e pôs o vestido em cima da mesa.

Não havia mais nada que pudesse fazer com as mãos. Dobrou e guardou o vestido. O gato, que estivera adormecido, levantou-se devagar e se esticou em todo seu comprimento.

– Está querendo jantar, não é? – disse Maggie. Foi à cozinha e voltou com um pires de leite. – Aí está, pobre gatinho – disse, pondo o pires no chão. Depois ficou observando o gato tomar o leite aos poucos, uma lambida atrás da outra. Quando terminou, estirou-se de novo com uma graça extraordinária.

Sara, a alguma distância, fitava a irmã. Depois, arremedou-a:

– Pobre gatinho, pobre, pobre gatinho... – repetiu. – É assim que você faz.

Maggie levantou os braços para o céu como se quisesse conjurar um destino irrevogável. Depois, deixou-os cair. Sara sorriu, observando-a. Mas lágrimas brotaram nos seus olhos, rolaram e escorreram lentamente pelo rosto. Quando levou a mão para enxugá-las, alguém começou a bater furiosamente na casa ao lado. As batidas pararam, depois recomeçaram.

Escutaram.

– Upcher chegou bêbado e quer entrar – disse Maggie.

O barulho parou. Recomeçou.

Sara enxugou os olhos com um gesto brusco, enérgico.

— Crie seus filhos numa ilha deserta onde os navios aportem apenas na lua cheia — exclamou.

— Ou não tenha filhos — retorquiu Maggie.

Uma janela foi escancarada. Ouviu-se uma voz de mulher que, aos gritos, dizia toda uma enxurrada de desaforos ao homem. Ele respondia da soleira, no barítono pastoso dos bêbados. Uma porta bateu.

Escutaram.

— Agora ele se escora na parede e vomita — disse Maggie. Podiam ouvir os passos pesados do homem subindo a escada na casa vizinha. Depois silêncio.

Maggie atravessou a sala para fechar a janela. As grandes vidraças da fábrica em frente estavam todas acesas. Dir-se-ia um palácio de cristal, com finas barras transversais de ferro. As metades inferiores das casas fronteiras pareciam tocadas de um verniz cor de ocre. Os telhados de ardósia brilhavam azuis, porque o céu baixo era como um pesado baldaquino de luz amarela. Ouviam-se passos lá fora, pois ainda havia gente andando na rua. A distância, uma voz gritou roufenha. Maggie se debruçou à janela. A noite era quente e ventava.

— O que grita ele? — perguntou Sara.

A voz estava agora mais próxima.

— Morte?... — disse Maggie.

— Morte?... — repetiu Sara.

Ambas se debruçavam para ouvir. Mas não entenderam o restante da frase. Um homem, porém, que vinha empurrando seu carrinho de mão ao longo da rua, gritou-lhes:

— O rei morreu!

1911

O sol nascia. Devagar ele subia no horizonte, esparzindo luz. Mas o céu era tão vasto, tão nu, que enchê-lo de luz demandava tempo. Só muito gradualmente as nuvens se tornaram azuis. As folhas nas árvores da floresta refulgiam; muito embaixo, uma flor brilhou; olhos de animais, tigres, macacos, aves faiscaram. Lentamente o mundo emergia da treva. O mar dourado se fez como a pele de um peixe de escamas inumeráveis. Aqui no sul da França, os vinhedos com seus sulcos captavam a luz, e as vinhas ainda jovens ficavam purpúreas, ficavam amarelas. E o sol, passando pelas varetas das persianas, punha listras nas paredes brancas. Maggie, de pé à janela, olhou o pátio embaixo e viu o livro do marido riscado pela sombra da parreira; o copo que ele tinha na mão reluzia amarelo. Os gritos dos camponeses no trabalho entravam pela janela aberta.

O sol, cruzando o canal, batia em vão na manta espessa do nevoeiro marinho. Vagarosa, a luz permeava a bruma de Londres; tocava as estátuas de Parliament Square e o Palácio, cuja bandeira flutuava ao vento, embora o rei, coberto por uma Union Jack branca e azul, jazesse nas criptas de Frogmore.

Estava mais quente do que nunca. As narinas dos cavalos soltavam uma espécie de silvo quando eles bebiam nas tinas; seus cascos abriam trilhas duras e quebradiças como gesso nas estradas de terra. O fogo, alastrando-se pelas charnecas, deixava galhos calcinados na sua esteira. Era agosto, tempo de férias. Os telhados de vidro das grandes estações ferroviárias eram globos de luz incandescente. Os viajantes vigiavam os ponteiros dos grandes relógios amarelos e, puxando cachorros, seguiam os carregadores que rolavam suas malas. Em todas as gares, os trens estavam prontos para cumprir suas rotas através da Inglaterra: para o norte, para o sul, para oeste. Agora, o chefe do trem, de pé, a mão levantada, baixava a bandeirola, e o carrinho de chá passava pela plataforma. Os trens partiam oscilando através dos jardins públicos com alamedas asfaltadas; para além das fábricas; rumo ao campo aberto. Homens que pescavam sentados em pontes levantavam os olhos; cavalos tomavam o freio nos dentes; mulheres chegavam às portas botando a mão em pala sobre os olhos; e a sombra da fumaça flutuava sobre o trigal, fazia uma laçada para baixo, apanhava uma árvore. E lá se iam os trens.

* * *

No pátio da estação de Wittering, a velha vitória da sra. Chinnery esperava. O trem estava atrasado. Fazia muito calor. William, o jardineiro, empoleirado na boleia com seu casaco cor de camurça com botões dourados, espantava moscas. As moscas eram maçantes. Juntavam-se em pequenos magotes escuros em torno das orelhas do animal. Ele usou o chicote. A velha égua escarvou o chão com o casco e sacudiu a cabeça, pois as moscas tinham voltado. Fazia muito calor. O sol batia em cheio no pátio da estação, nos tílburis e aranhas e cabriolés que aguardavam o trem. Por fim, veio o sinal. Um penacho de fumaça surgiu acima da sebe. Mais um minuto e os passageiros começaram a derramar-se no pátio, e lá estava a srta. Pargiter com um guarda-chuva branco e uma valise na mão. William tocou o chapéu.

– Lamento o atraso – disse Eleanor, sorrindo para ele, que era seu velho conhecido; vinha todo ano.

Pôs a maleta debaixo do assento e recostou-se à sombra do guarda-chuva branco. O couro da carruagem estava quente. Sentiu-o nas costas. Fazia calor, mais calor do que em Toledo. Dobraram para High Street. O calor tornava tudo em redor sonolento e quieto. A rua larga estava atravancada de carroças e coches estacionados, com as rédeas largas nos pescoços dos cavalos e os cavalos de cabeça pendendo para o chão. Mas, depois do alarido das praças de mercados no estrangeiro, como tudo parecia abençoadamente tranquilo! Homens de polaina encostavam-se às paredes; as lojas tinham baixado seus toldos; a calçada estava zebrada de sombras. Havia compras a recolher. Pararam na peixaria, onde um embrulho branco e úmido lhes foi entregue. Pararam na casa de ferragens, e William voltou com uma segadeira. Pararam na farmácia; tiveram de esperar, pois a loção não ficara pronta.

Eleanor abrigava-se sob o guarda-chuva branco. Mas o calor era tão intenso que o ar parecia zumbir. Cheirava também a sabão e a produtos químicos. Com que afã as pessoas se lavam e se esfregam na Inglaterra, pensou, contemplando o sabonete amarelo, o sabonete verde e o sabonete cor-de-rosa na vitrine do farmacêutico. Na Espanha, ela mal se lavara. Secara-se com um lenço, de pé nas pedras brancas e secas do leito do Guadalquivir. Na Espanha, tudo era crestado e engelhado. Mas aqui – e deixou que seu olhar percorresse a High Street de ponta a ponta – todas as lojas estavam cheias de hortaliças e legumes; de peixes coruscantes cor de prata; de galinhas de peito estufado e pés amarelos; de baldes, ancinhos e carrinhos de mão. E como as pessoas eram afáveis!

Observou a frequência com que os homens levavam a mão ao chapéu, com que as pessoas se detinham para trocar algumas palavras no meio da rua. Mas eis que o farmacêutico aparece na porta com uma grande garrafa envolta em papel de seda. Foi posta cuidadosamente debaixo da segadeira.

— Os mosquitos estão bravos este ano, William? — perguntou ela, pois reconhecera a loção.

— Terríveis, senhorita! Terríveis mesmo! — respondeu o velho, levando a mão ao chapéu. Não se vira seca igual desde o Jubileu, foi o que ela pensou ter ouvido. Mas o sotaque do homem e sua maneira cantada de falar — coisa do Dorsetshire — tornavam difícil entender o que ele dizia.

William acionou o chicote, e lá se foram eles. Passaram o cruzeiro do mercado; a prefeitura em tijolo vermelho com grandes arcadas no térreo; uma rua de casas do século XVIII com janelas salientes como balcões, residências de médicos e advogados; no tanque, isolado por curtos postes brancos ligados com correntes, havia um cavalo bebendo água. E acharam-se no campo. A estrada estava coberta de pó, um pó alvacento e macio; as cercas, em que se penduravam festões de clematites, pareciam também cobertas de poeira. A égua logo encontrou sua andadura habitual, um trote sacudido, e Eleanor recostou-se sob o guarda-chuva branco.

Todo verão ela vinha visitar Morris na casa da sogra dele. Viera sete, oito vezes, contava as visitas. Mas este ano era diferente. Este ano tudo era diferente. Seu pai morrera. A casa estava fechada. Ela não tinha nenhuma obrigação no momento, qualquer vínculo. Sacolejando por aqueles caminhos tão quentes, ia pensando sonolentamente: O que vou fazer agora? Viver aqui?, indagou consigo ao passarem por uma casa georgiana das mais respeitáveis, situada no meio de uma rua. Não, não numa aldeia, decidiu, e lá se foram aos solavancos pela aldeia afora. E por que não naquela casa?, pensou, olhando outra mansão com uma varanda em meio a algumas árvores. Acabaria convertida numa velha senhora de cabelos grisalhos, cortando flores com um par de tesouras e batendo à porta dos *cottages*.* Não, não queria bater em portas de *cottages*. E o vigário – um vigário passava a pé, empurrando sua bicicleta colina acima – viria tomar chá com ela. Só que não queria também tomar chá com vigário algum. Mas como tudo é limpinho e arrumado, pensou, pois atravessavam a aldeia. Os jardinzinhos estavam risonhos, com suas flores vermelhas e amarelas. Começaram, então, a encontrar os habitantes: uma procissão. Algumas das mulheres carregavam embrulhos; um objeto de prata brilhava em cima do acolchoado de um carrinho de bebê; e um velho apertava contra o peito um coco inteiro, cabeludo. Houvera alguma festa, imaginou. Estariam de volta para casa. Alinharam-se à margem da estrada quando a vitória passou a trote, lançando olhares curiosos à senhora sentada à sombra do guarda-chuva verde e branco. Mas já a vitória estava diante de um portão branco; trotou vivaz por uma curta alameda; parou com um floreio do chicote diante de duas colunas esguias. Os capachos eriçados como ouriços-cacheiros. E a porta do vestíbulo largamente aberta.

 Ela aguardou um momento no vestíbulo. Não via muito bem depois da luz forte, ofuscante, da estrada. Tudo lhe parecia amical, mas frágil e esmaecido. Os tapetes tinham cores desmaiadas. Os quadros também. Até o Almirante, com seu chapéu de bico por cima da lareira, aparentava um curioso ar de desbotada urbanidade. Na Grécia, a gente estava sempre a contar dois mil anos para trás. Aqui caía sempre no século XVIII, pensou, deixando o guarda-chuva em cima da mesa de jantar longa e estreita, com sua tigela de porcelana no meio com pétalas de rosa dentro. Secas. O passado, como de resto tudo o que é inglês, parecia próximo, doméstico, cordial.

* * *

---

* Optou-se por não traduzir essa palavra, pois trata-se de uma espécie tipicamente inglesa de casa de campo. (N. T.)

A porta abriu-se.

– Oh, Eleanor! – exclamou a cunhada, que entrara correndo, com suas roupas vaporosas de verão. – Que bom ver você! Como está queimada! Venha para uma sala mais fresca.

Levou-a para a sala de estar: o piano estava coberto de roupinhas de bebê. Tudo branco. Frutas cor-de-rosa e verdes brilhavam em garrafas de vidro.

– Uma confusão! – disse Celia, afundando-se no sofá. – Lady St. Austell saiu neste minuto, e o Bispo também.

Abanou-se com uma folha de papel.

– Mas foi um grande sucesso. Fizemos uma quermesse no jardim. Representamos uma peça...

Abanava-se justamente com o programa.

– Uma peça? – disse Eleanor.

– Sim, uma cena de Shakespeare – disse Celia. – *Mid-summer-night? As you like it?* Não me lembro. Foi a srta. Green quem organizou. Por sorte, tudo se saiu muito bem. Mas como meus pés estão doendo! – A janela abria para o gramado. Eleanor podia ver pessoas arrastando mesas.

– Que trabalheira! – disse.

– Pois foi! – Celia ofegava. – Tivemos lady St. Austell e o bispo, tiro ao alvo, usando cocos como alvos, e um leitão. Acho que tudo se saiu muito bem. Eles gostaram.

– Em benefício da igreja? – perguntou Eleanor.

– Sim, para a nova torre – respondeu Celia.

– Que trabalheira! – repetiu Eleanor. Olhou a grama já queimada e amarela. Os loureiros pareciam engelhados. Havia mesas desarmadas encostadas neles. Morris passou, arrastando outra.

– Que tal a Espanha? – perguntou Celia. – Viu muita coisa maravilhosa?

– Oh, sim! – exclamou Eleanor. – Vi, por exemplo... – interrompeu-se. Vira coisas lindas, edifícios, montanhas, uma cidade vermelha numa planície. Mas como descrever tudo isso?

– Você precisa me contar tudo mais tarde – disse Celia, levantando-se. – Está na hora de nos arrumarmos. Mas tenho de lhe pedir – disse enquanto subia laboriosamente a larga escadaria – que tenha cuidado: estamos com pouca água. O poço... – Calou-se. O poço, Eleanor se lembrava muito bem, sempre falhava no verão. Seguiram juntas pelo amplo corredor, passando em frente ao velho globo amarelo que ficava sob o belo quadro do século XVIII, que representava todos os pequenos Chinnery, de ceroulas e calças de nanquim, grupados em torno dos pais, no jardim. Celia se deteve com a mão na maçaneta da porta. Pela janela aberta vinha do jardim um arrulho de pombos.

– Você vai ficar no quarto azul desta vez – disse Celia. Em geral, à Eleanor cabia o quarto rosa. – Espero que tenha tudo de que precisa...

– Oh, sim, estou certa de que tenho tudo – respondeu Eleanor. E Celia deixou-a.

* * *

A empregada já tirara as coisas da mala. Estava tudo ali em cima da cama. Eleanor despiu o vestido e ficou em anágua branca, fazendo sua toalete metodicamente, mas com cuidado: estavam com pouca água. O sol da Inglaterra ainda fazia arder seu rosto em todos os lugares onde fora queimado pelo sol da Espanha. A cabeça parecia cortada do restante do corpo, como se tivesse sido pintada de marrom, pensou enquanto enfiava seu vestido de noite diante do espelho. Depois enrolou rapidamente numa trança os bastos cabelos já com um toque cinzento; pôs a joia no pescoço, um globo de geleia de framboesa congelada com um grão de ouro no meio; e lançou um olhar à mulher que lhe era tão familiar havia tantos anos – cinquenta e cinco – que já não a via mais: Eleanor Pargiter. Envelhecia, era óbvio. Tinha rugas na testa, entradas e saliências onde antes a carne costumava ser firme.

O que tenho de melhor?, perguntou-se, passando o pente uma vez mais pelo cabelo. Os olhos? Os olhos riram para ela em resposta quando os examinou de perto. Sim, meus olhos, pensou. Alguém certa vez elogiara seus olhos. Obrigou-os a se abrirem bem, ao invés de se contraírem como queriam. Em torno de cada olho havia diversas linhas brancas, provocadas quando os crispara para defender-se da claridade excessiva na Acrópole, em Nápoles, Granada e Toledo. Acabou-se, pensou, essa coisa de as pessoas elogiarem meus olhos. E deu por terminada a toalete.

Ficou por um momento a contemplar o gramado queimado e seco. A grama estava quase amarela; os elmos começavam a tocar-se de ouro velho; vacas vermelhas e brancas ruminavam do outro lado da sebe baixa. Mas era decepcionante a Inglaterra, pensou. Diminuta. Agradável também, não mais do que isso. Não sentia nenhuma afeição pela sua terra natal, nenhuma absolutamente.

Desceu. Queria, se possível, ver Morris a sós.

* * *

Mas ele não estava só. Levantou-se quando ela entrou e apresentou-lhe um velho rotundo de cabeleira branca que vestia traje a rigor.

– Vocês já se conhecem, pois não? – disse Morris. – Eleanor, sir William Whatney – disse, acentuando um pouco o *sir* com ar de troça. Eleanor ficou por um momento confusa com o título.

– Sim, nós nos conhecíamos antigamente – disse sir William, adiantando-se com um sorriso para tomar-lhe a mão.

Ela o examinou. Poderia ser William Whatney, o velho Dubbin, que costumava ir a Abercorn Terrace anos atrás? Era o próprio. Não o via desde que ele fora para a Índia.

Estaremos todos assim?, perguntou-se, olhando o rosto amassado, vermelho e amarelo, do moço que ela conhecera praticamente imberbe e que hoje grisalhava. Olhou em seguida seu irmão Morris. Este lhe pareceu estranhamente calvo e magro. Mas não estava na flor da idade; não estava ela também na flor da idade? Ou ambos de súbito se teriam tornado outras tantas velharias como sir William? Mas então seu sobrinho North e sua sobrinha

Peggy entraram com a mãe, e foram todos para a sala de jantar. A velha sra. Chinnery comia em cima.

Como Dubbin se convertera em sir William Whatney? Imaginava, lançando-lhe uma olhadela enquanto comiam o peixe que viera no tal embrulho úmido. Da última vez em que o vira, fora num barco, no rio. Tinham ido a um piquenique. Comeram numa ilha no meio do rio. Maidenhead, talvez?

Falavam da quermesse. Craster ganhara o leitão. A sra. Grice ganhara a salva de prata.

– Então foi isso o que vi no carrinho de criança – disse Eleanor. – Cruzei com a quermesse ao chegar – explicou. E descreveu a procissão. Depois continuaram a falar da festa.

– O senhor não inveja minha cunhada? – perguntou Celia, virando-se para sir William. – Acaba de voltar da Grécia.

– É mesmo?! – exclamou sir William. – De que parte da Grécia?

– Fomos a Atenas, depois a Olímpia, em seguida a Delfos – começou Eleanor, recitando a litania habitual. Conversavam em termos de pura formalidade, evidentemente, ela e Dubbin.

– Meu cunhado Edward – explicou Celia – organiza essas maravilhosas excursões.

– Você se lembra de Edward? – perguntou Morris. – Não foram colegas?

– Não, ele era mais novo do que eu – disse sir William. – Mas ouço falar nele. É, deixe-me pensar, o que é mesmo? Uma grande figura, não?

– Ah, sim, está na crista da onda – disse Morris.

Morris não tem inveja de Edward, pensou Eleanor. Mas havia uma certa nota na voz que lhe mostrou que ele comparava sua carreira com a de Edward.

– Todo mundo adorou Edward – disse ela. E sorriu. Revia o irmão falando na Acrópole para um exército de professoras devotas. Elas tiravam os caderninhos das bolsas e escreviam tudo o que ele dizia. Mas ele se mostrara muito generoso, muito gentil. Cuidara dela o tempo todo.

– Você conheceu alguém da embaixada? – perguntou sir William. Mas logo se corrigiu. – Nós não temos embaixada em Atenas, não é?

– Não. Atenas não é embaixada – disse Morris. Abriu-se um desvio na conversa: qual a diferença entre uma legação e uma embaixada? Em seguida, passaram a discutir a situação nos Bálcãs.

– Teremos problemas por lá, e num futuro muito próximo – disse sir William. Falava com Morris. Discutiram a situação nos Bálcãs.

A atenção de Eleanor desgarrou-se. O que terá feito Dubbin?, imaginava. Certas palavras e gestos o traziam de volta como ele fora um dia, trinta anos atrás. Havia restos do antigo Dubbin, mas era preciso fechar os olhos. Foi o que ela fez. De chofre, lembrou--se: fora *ele* quem lhe elogiara os olhos. Sua irmã tem os olhos mais brilhantes do mundo, ele dissera a Morris. Morris lhe contara. E ela escondera o rosto por trás do jornal no trem de volta para casa, a fim de disfarçar o prazer que sentira. Olhou para ele de novo. Estava falando. Pôs-se a prestar atenção. Dubbin parecia grande demais para aquela sala de jantar inglesa, acanhada e tranquila. Sua voz era tonitruante. Pedia plateia.

Contava uma história. Falava em frases breves, nervosas, como se tivessem um anel em volta delas. Era um estilo que ela admirava, mas tinha perdido o começo. O copo dele estava vazio.

– Sirva um pouco de vinho a sir William – murmurou Celia à copeira assustada. Houve um entrechoque de garrafas no aparador. Celia franziu a testa nervosa. Deve ser da aldeia, pensou Eleanor, e não conhece o serviço. A história, entrementes, chegava ao desfecho. Mas ela perdera vários segmentos.

– ... e eu me vi metido nos meus surrados culotes, de pé debaixo de um para-sol de penas de pavão. E toda aquela boa gente prosternada batia com a testa no chão. Céus!, pensei, se eles soubessem que asno eu me sinto! – concluiu sir William, apresentando o copo para que o enchessem. – Era assim que aprendíamos nosso ofício naquele tempo – acrescentou.

Vangloriava-se evidentemente; era natural. Voltara para a Inglaterra depois de governar um distrito "do tamanho da Irlanda", como diziam sempre. E jamais ninguém ouvira falar nele. Ela sentia que ouviria ainda um grande número de histórias naquele fim de semana, histórias que navegariam serenamente para um porto que fizesse honra a sir William. Mas ele falava bem. Fizera muita coisa interessante. Gostaria que Morris fosse capaz de contar histórias também. Gostaria que ele se afirmasse, em vez de ficar recostado a passar a mão – a mão da cicatriz – na fronte.

Fizera bem animando-o a estudar Direito?, pensou. Seu pai se opusera. Mas uma vez feito, feito está. Casou-se. Vieram os filhos. Tinha de continuar, quisesse ou não. Como são irrevogáveis as coisas!, pensou. Fazemos nossas experiências, mas depois é a vez delas... Olhou para o sobrinho, North, e para a sobrinha, Peggy. Estavam sentados à sua frente, o sol em plena cara. Pareciam vender saúde com seus rostos de porcelana e davam uma impressão de extrema juventude. O vestido azul de Peggy chamava a atenção como uma roupa de menina em musselina. E North, com seus olhos castanhos, ainda era um garoto, aberto, esportivo. Estava atento, escutando. Peggy tinha a cabeça baixa e o ar de indiferença que as crianças bem-educadas arvoram quando os mais velhos falam. Divertia-se ou estaria entediada? Eleanor não saberia dizer.

– Aí vai ela – disse Peggy de repente, erguendo os olhos do prato. – A coruja... – disse e seu olhar cruzou com o de Eleanor.

Eleanor voltou-se para olhar a janela que estava por trás dela. Perdeu a coruja. Viu só as árvores pesadas, douradas ao sol poente; e as vacas que se moviam vagarosas ruminando através da campina.

— É possível acertar o relógio por ela, de tão pontual que é... — disse Peggy. Então Celia fez um movimento.

— Deixemos os homens entregues à sua política — disse. — Vamos tomar nosso café no terraço? — Saíram, fechando a porta sobre os homens e sua política.

— Vou apanhar o binóculo — disse Eleanor. E subiu para o quarto.

Queria ver a coruja antes que ficasse muito escuro. Estava a cada dia mais interessada em pássaros. Era um sinal de velhice, imaginou. Vovó viu a ave, disse consigo mesma, contemplando-se no espelho. Ali estavam seus olhos — pareciam-lhe ainda bastante brilhantes, apesar dos pés de galinha —, os mesmos que ela escondera no trem só porque Dubbin os elogiara. Mas agora já estou rotulada, pensou, uma velha solteirona que se interessa por pássaros. Vovó viu a ave. É isso que pensam que eu sou! Mas não sou, não sou assim absolutamente, disse, sacudindo a cabeça, e deu as costas ao espelho. Era um quarto encantador, civilizado, fresco, depois de todos aqueles quartos de pensão no estrangeiro, com marcas na parede onde alguém esmagara um percevejo, e homens vociferando debaixo da janela. Mas onde estaria o binóculo? Pôs-se a procurá-lo à meia-luz.

* * *

— Papai não disse uma vez que sir William andou apaixonado por ela? — perguntou Peggy enquanto esperavam no terraço.

— Não sei nada disso — disse Celia. — Mas desejaria que tivessem se casado. E que ele tivesse tido filhos. Talvez tivessem se instalado aqui. Ele é um homem tão simpático.

Peggy ficou calada. Houve uma pausa.

Depois Celia disse:

— Espero que você tenha sido amável com os Robinson esta tarde, por mais horrorosos que sejam...

— Mas dão festas incríveis! — disse Peggy.

– Incríveis, incríveis... – disse Celia, rindo. – Se você adota todo o vocabulário de North, minha filha... Oh, aí está Eleanor – e interrompeu o que estava dizendo.

Eleanor surgiu no terraço com o binóculo na mão e foi sentar-se ao lado de Celia. Ainda fazia bastante calor. E havia luz bastante para ver as colinas na distância.

– A coruja passa de novo num minuto – disse Peggy, puxando uma cadeira. – Vem sempre ao longo daquela sebe.

E apontou a linha escura de uma cerca viva que atravessava o campo. Eleanor focalizou o binóculo e esperou.

– Agora – disse Celia, servindo o café. – Há tanta coisa que quero perguntar a você... – Deteve-se. Tinha sempre mil coisas para perguntar. Não via Eleanor desde abril. Em quatro meses, as perguntas se acumulam. Mas foram surgindo gota a gota. – Em primeiro lugar – começou. – Não... – rejeitou a pergunta em favor de outra: – Que história toda é essa a propósito de Rose?

– História? – fez Eleanor distraidamente, corrigindo o foco do binóculo. – Está ficando escuro – disse. O campo estava impreciso.

– Morris diz que ela teve de comparecer perante um juiz – disse Celia. Baixara um pouco a voz, embora estivessem sozinhas.

– Ela jogou um tijolo – disse Eleanor. Tinha o binóculo na sebe outra vez. Conservou-o em posição para ver a coruja caso ela voltasse mesmo por ali.

– Mas vai ser presa? – perguntou Peggy, aflita.

– Não dessa vez – disse Eleanor. – Da próxima... Aí vem ela! – exclamou. E calou-se. A ave, de cabeça achatada, seguia a sebe num voo ondeante. Parecia quase branca no lusco-fusco. Eleanor conseguiu apanhá-la no círculo das suas lentes. Segurava alguma coisa preta. – Tem um rato nas garras! – exclamou.

– O ninho dela é no campanário – disse Peggy. E a coruja voou para fora do campo visual de Eleanor.

— Não vejo mais nada — disse Eleanor. E baixou o binóculo. Ficaram caladas por um momento, tomando o café. Celia pensava na sua próxima pergunta quando Eleanor se antecipou:

— Fale-me de William Whatney — disse. — Quando o vi pela última vez, era um moço magro num barco.

Peggy rebentou de riso.

— Isso deve ter sido há séculos!

— Não tanto assim — disse Eleanor. Sentia-se irritada. — Bem — refletiu —, vinte anos, vinte e cinco, talvez.

Parecia muito pouco tempo para ela mesma. Mas, afinal, Peggy ainda não era nascida. Agora ela não teria mais de dezesseis anos ou dezessete.

— Não é um homem encantador? — perguntou Celia. — Estava na Índia, sabe? Aposentou-se, e esperamos que alugue uma casa aqui na vizinhança. Morris teme que ele ache tudo isso muito aborrecido.

Permaneceram mudas, contemplando o campo. As vacas mugiam de tempos em tempos, quando mascavam e andavam um passo na relva. Um cheiro bom de vacas e de relva vinha até onde elas estavam.

— Amanhã vai ser quente de novo — disse Peggy. O céu estava perfeitamente liso. Parecia feito de inumeráveis átomos cinza-azulados, da cor do casaco de um oficial italiano. Isso até chegar ao horizonte. Então surgia uma longa barra de puro verde. Tudo parecia estável, tranquilo e puro. Não havia uma única nuvem, e as estrelas ainda não se tinham mostrado.

Era pequeno, presunçoso, mesquinho depois da Espanha, mas ainda assim, agora que o sol se deitara e que as árvores estavam confundidas e não se viam mais as suas folhas separadas, tinha a sua beleza. As colinas iam ficando mais largas, mais simples, tornavam-se parte do céu.

— Como é bonito! — exclamou Eleanor, como se desse satisfações à Inglaterra por causa da Espanha.

– Se pelo menos o sr. Robinson desistisse de construir! – suspirou Celia, e Eleanor lembrou-se. Os Robinson eram o flagelo local. Gente abastada que ameaçava construir casas na aldeia. – Fiz o que pude para me mostrar polida com eles na quermesse hoje – continuou Celia. – Há quem não os convide, mas acho que devemos ser polidos com os vizinhos no campo.

Ela se interrompeu.

– Há tantas coisas que desejo perguntar a você! – disse. A garrafa estava outra vez de gargalo para baixo. Eleanor esperou, dócil.

– Alguém já apareceu para comprar Abercorn Terrace? – perguntou Celia. Gota a gota, as perguntas vinham saindo.

– Ainda não – respondeu Eleanor. – O corretor acha que eu deveria dividir a casa em apartamentos.

Celia refletiu. Depois pulou para outro tema:

– E o que me conta de Maggie? Para quando ela espera o bebê?

– Para novembro, acho – respondeu Eleanor. – Em Paris – acrescentou.

– Espero que tudo corra bem – disse Celia. – Mas preferia que a criança nascesse na Inglaterra. – Refletiu de novo: – Imagino que os filhos dela serão franceses? – disse.

– Sim, franceses, acho – respondeu Eleanor. Tinha os olhos fixos na barra verde; que desmaiava; que se fazia azul. Anoitecia.

– Todo mundo comenta que ele é um sujeito excelente – disse Celia. – Mas René... René... – a pronúncia dela era péssima – não soa como nome de homem.

– A senhora pode chamá-lo de Renny – disse Peggy, pronunciando à inglesa o nome do marido de Maggie.

– Mas isso me lembra Ronny, e não gosto de Ronny. Tivemos um eguariço que se chamava Ronny.

– E que roubava feno – disse Peggy.

Calaram-se por algum tempo.

– É uma pena... – começou Celia. Depois, calou-se outra vez. A empregada tinha vindo buscar a bandeja do café.

– É uma noite deliciosa, não é mesmo? – disse Celia, adaptando a voz à presença de empregados. – É como se não fosse chover nunca mais. Se isso acontecesse, eu me pergunto...

E continuou nesse tom, falando sobre a estiagem, sobre a falta d'água. O poço andava sempre seco. Eleanor, contemplando as colinas, mal ouvia. Oh! Não é que não tenhamos ainda o suficiente para todo mundo... dizia Celia. E, por alguma razão, Eleanor ficou com o fim da frase em suspenso no ouvido da sua mente – embora esvaziado de qualquer sentido... suficiente para todo mundo, repetiu. Depois de todas as línguas estrangeiras que andara ouvindo, a frase lhe pareceu inglês puro. Que bela língua, pensou, repisando consigo as palavras banais de Celia, proferidas com simplicidade, mas com um rolar dos erres absolutamente impossível de descrever. Os Chinnery tinham vivido no Dorsetshire desde o começo de todos os tempos.

A empregada fora embora. Celia recomeçou:

– O que dizia eu? Dizia... que era uma pena.

– Sim... – Mas houve um rumor de vozes, um odor de fumaça de charuto. Os cavalheiros se aproximavam. – Oh! Aí estão eles! – exclamou. E as cadeiras foram puxadas e arrumadas de outra maneira.

Sentaram-se em semicírculo de frente para as campinas e para as colinas imprecisas. A larga faixa verde que barrara o horizonte desaparecera. Restou apenas um toque no céu. Tudo agora parecia fresco e sereno. Neles também qualquer coisa fora aplainada. Não havia necessidade de falar. A coruja voou de novo através do campo. Não puderam ver mais que o alvor de sua asa contra o fundo escuro da sebe.

– Lá vai ela – disse North, tirando uma baforada do charuto, o primeiro de sua vida provavelmente, imaginou Eleanor, um presente de sir William. Os elmos tinham ficado negros contra o céu. Suas folhas pendiam num babado crespo como renda preta esburacada. Por um dos buracos, Eleanor viu a ponta de uma estrela. Levantou a cabeça. E deu com outra.

— Vai fazer um dia bonito amanhã — disse Morris, batendo o cachimbo contra o salto do sapato.

De uma estrada longínqua vinha o pachorrento rangido de rodas de carroça. Depois um coro de vozes cantando: camponeses de volta para casa. Isso é a Inglaterra, pensou Eleanor consigo. Sentia como se estivesse se afundando lentamente numa rede fina, feita de galhos balouçantes, colinas esmaecidas, folhagem que pendia como renda preta com estrelas presas nas malhas. Mas um morcego voou baixo e veloz por cima das cabeças delas.

— Tenho horror a morcegos! — exclamou Celia, levando a mão à cabeça nervosamente.

— Tem, é? — disse sir William. — Pois eu até que gosto deles. — A voz era serena e quase melancólica. Agora Celia vai dizer: "Eles entram no cabelo da gente", pensou Eleanor.

— Eles entram no cabelo da gente — disse Celia.

— Mas eu não tenho cabelo nenhum — respondeu sir William. Seu crânio calvo e seu rosto largo brilharam na escuridão.

O morcego passou de novo, raspando pelo solo aos pés deles. Um ventinho frio correu-lhes pelos tornozelos. As árvores já se tinham tornado parte do céu. Não havia luz, mas as estrelas vinham saindo. Lá estava mais uma, pensou Eleanor, os olhos fixos numa luz que piscava à sua frente. Era talvez baixa demais, amarela demais. Era outra casa, percebeu, não outra estrela. Em seguida, Celia se pôs a falar com sir William, que ela queria convencer a vir morar perto deles; e lady St. Austell tinha dito a ele que a granja estava para alugar. Seria a granja, perguntou-se Eleanor, olhando a luz, ou uma estrela. E continuaram a conversar.

* * *

Fatigada da própria companhia, a velha sra. Chinnery descera cedo. Lá estava ela sentada no salão à espera. Dera-se ao trabalho de fazer uma entrada formal, mas não havia ninguém para vê-la.

Toda enfarpelada em sua toalete de velha senhora em cetim preto, touca de renda na cabeça, lá estava ela sentada à espera. O nariz adunco de harpia era um arco entre as bochechas murchas. Uma das pálpebras caídas tinha um leve debrum vermelho.

– Por que não entram? – perguntou irritada para a discreta empregada negra postada atrás de sua cadeira. Ellen foi até a janela e bateu na vidraça.

Celia parou de falar e voltou-se.

– É mamãe – disse. – Temos de entrar. – Levantou-se e empurrou a cadeira para trás.

Depois do escuro, o salão com suas lâmpadas acesas fazia um efeito de ribalta. A velha sra. Chinnery, sentada na sua cadeira de rodas, com a trombeta de surdos enfiada na orelha, parecia entronizada para um beija-mão. Era a mesma de sempre; nem um dia mais velha e tão vigorosa como antes. Quando Eleanor se curvou para dar-lhe o beijo costumeiro, a vida retomou as proporções habituais. Assim ela se curvara noite após noite para beijar o pai. Gostava de curvar-se; fazia-a sentir-se jovem. Conhecia todo o cerimonial de cor. Eles, os de meia-idade, mostravam deferência para com os mais velhos; os mais velhos eram gentis para com eles; seguia-se o silêncio. Não tinham o que dizer a ela, que não tinha também nada para dizer a eles. E depois? O que acontecia? Eleanor viu que os olhos da velha senhora se iluminavam. O que é capaz de tornar azuis de repente os olhos de uma anciã de noventa anos? Cartas de baralho? Exatamente.

Celia fora apanhar a mesinha com tampo de feltro. A sra. Chinnery tinha paixão pelo *whist*. Mas ela também tinha o seu ritual e as suas boas maneiras.

– Esta noite, não – disse com um pequeno gesto, como se quisesse dispensar a mesa verde. – Pois não será aborrecido para sir William? – E fez um sinal de cabeça na vaga direção do hóspede rotundo, que parecia deslocado no círculo familiar.

– Mas absolutamente! Absolutamente! – disse ele com alacridade.

– Nada poderia me dar maior prazer – assegurou.

Você é um bom sujeito, Dubbin, disse Eleanor consigo. Puxaram as cadeiras; deram as cartas; e Morris ficou a caçoar da velha senhora pela trombeta abaixo; e jogaram uma vaza após outra. North lia um livro; Peggy dedilhava o piano; Celia, cochilando em cima do seu bordado, tinha, de tempos em tempos, um sobressalto e levava a mão à boca. Por fim, a porta se abriu cautelosamente. Ellen, a discreta empregada negra, postou-se como antes atrás da cadeira da sra. Chinnery e esperou. A sra. Chinnery fez como se não a visse, mas os outros se alegraram com a interrupção. Ellen adiantou-se, e a sra. Chinnery, resignada, foi levada embora, rolando para a câmara alta e misteriosa da extrema velhice. Findara-se seu prazer.

Celia bocejou abertamente.

– A quermesse! – disse, enrolando o bordado. Vou dormir. Venha, Peggy. Venha, Eleanor.

North levantou-se de um salto para abrir a porta.

Celia acendeu as velas nos seus castiçais de metal dourado e começou a subir pesadamente as escadas. Eleanor foi na esteira dela. Mas Peggy deixou-se ficar para trás. Eleanor ouviu-a cochichar com o irmão no vestíbulo.

– Venha, Peggy! – chamou Celia por cima do corrimão, detendo-se por um momento na sua laboriosa ascensão. Quando atingiu o patamar, parou debaixo do grupo dos pequenos Chinnery e chamou de novo, um pouco severamente: – Peggy, venha, minha filha. – Houve uma pausa. Depois Peggy veio, relutante. Beijou a mãe obedientemente, mas sem cara de sono. Estava muito bonita e afogueada. Era certo que não tinha a menor intenção de ir deitar-se, pensou Eleanor.

* * *

Entrou em seu quarto e despiu-se. Todas as janelas estavam abertas, e Eleanor podia ouvir as árvores farfalhando no jardim. Estava tão quente ainda que ela se estendeu na cama de camisola, coberta simplesmente com o lençol. A vela ardia com sua pequena chama pontuda em forma de pera na mesinha de cabeceira. Ficou a escutar vagamente as árvores lá fora; e a seguir com os olhos a sombra de uma mariposa que fazia círculos, voejando pelo quarto. Ou me levanto para fechar a janela ou tenho de apagar a vela, pensou, sonolenta. Não queria fazer nem uma coisa nem outra. Queria jazer ali quieta. Era um alívio estar assim, na penumbra, depois da conversa, depois do jogo. Via ainda as cartas caindo; preto, vermelho, amarelo; reis, damas e valetes; sobre o pano verde da mesa. Correu os olhos em torno preguiçosamente. Havia um belo vaso de flores em cima do toucador; o guarda-roupa envernizado; uma caixa de porcelana ao lado da cama. Levantou a tampa. Sim: quatro bolachas e uma pálida barra de chocolate – para o caso de ter fome de noite. Celia se lembrara também de pôr livros: *Diário de um homem sem importância*, *A viagem em Northumberland*, de Ruff, e um velho volume de Dante – para o caso de querer ler na cama. Tomou um dos volumes e colocou-o em cima da colcha, ao lado da cama. Talvez pelo fato de ter viajado havia pouco, era como se o navio ainda estivesse a singrar as ondas macio mar afora; como se o trem ainda sacudisse para um lado, para o outro, ao atravessar com estrépito a França. Sentia que as coisas passavam por ela deitada ali e coberta por um único lençol. Mas já não é a paisagem, pensou, é a vida das pessoas, suas vidas em contínua transformação.

A porta do quarto cor-de-rosa fechou-se. William Whatney tossiu do outro lado da parede. Podia ouvir seus passos atravessando o aposento. Estaria à janela agora, fumando um último charuto. Em que pensaria ele, indagou consigo; nas Índias? No episódio do para-sol de penas de pavão? Depois ele começou a andar pelo quarto: despia-se. Ouviu-o apanhar uma escova e botá-la de novo em cima da cômoda. E pensar que é a ele, pensou, lembrando a larga papada e as manchas rosas e amarelas que jaziam por baixo dela; pensar que é a ele que devo aquele momento de indizível prazer, quando escondi o rosto atrás do jornal num canto do vagão da terceira classe.

Agora eram três mariposas que rodopiavam pelo teto. Faziam um som abafado, batendo repetidamente aqui e ali no seu voo em torno do quarto de um canto para outro. Se deixasse a janela aberta por muito tempo, o quarto ficaria cheio de mariposas. Uma tábua rangeu no corredor. Escutou. Devia ser Peggy fugindo. Para reunir-se ao irmão? Estava certa de que havia alguma coisa no ar. Mas apenas ouviu o farfalhar dos galhos pesados que se moviam para cima, para baixo, no jardim; um mugido de vaca; um pipilo de pássaro; e então, para grande deleite seu, o líquido apelo de uma coruja voando de árvore em árvore traçando guirlandas de prata.

Permaneceu imóvel, os olhos no teto. Distinguiu uma pequena marca de água que semelhava uma elevação. Recordava-lhe uma daquelas altas e desoladas montanhas da Grécia ou da Espanha que dão a impressão de jamais terem sido pisadas pelo homem desde o começo de todos os tempos.

Abriu o livro que pusera em cima da colcha. Tinha a esperança de que fosse a *Viagem*, de Ruff, ou o *Diário de um homem sem importância*, mas era Dante, e ela se sentia preguiçosa demais para trocá-lo. Leu umas poucas linhas, respigando aqui e ali. Mas seu italiano estava enferrujado; o sentido lhe escapava. Havia um sentido, porém. Era como se um gancho raspasse a superfície da sua mente.

"chè per quanti si dice più lì nostro
tanto possiede più di ben ciascuno."

O que significava? Leu a tradução:

"Pois, para tantos quantos digam 'nosso'
Maior será o bem de todos nós." *

Tocadas apenas de leve pela sua mente, ocupada em observar as mariposas no teto e em escutar o pio da coruja em seu voo de

---

* Tradução de Afonso Teixeira.

árvore em árvore, aquele pio que era como um grito líquido, as palavras não lhe comunicaram seu sentido pleno, mas pareceram reter alguma coisa enroscada no fundo da dura concha do italiano arcaico. Lerei isso um desses dias, pensou, fechando o volume. Quando tiver aposentado Crosby, quando... Mudaria de casa? Viajaria? Deveria ir à Índia pelo menos? Ouvia William metendo-se na cama no quarto ao lado. A vida dele terminara; a dela mal começava. Não, não quero ter outra casa, nada de outra casa, pensou, olhando a mancha no teto. De novo, foi possuída pela sensação de estar a bordo: o navio singrava macio mar afora; o trem sacudia para um lado, para outro, nos seus trilhos. As coisas não podem continuar indefinidamente, pensou. As coisas passam, as coisas mudam, pensou, os olhos postos no teto. Para onde vamos? Para onde? Para onde? ...As mariposas voejavam loucas, loucas. O livro caiu no chão. Craster ganhou o leitão; mas quem tirou mesmo a salva de prata?, ponderou. Depois fez um esforço, virou-se e soprou a vela. A escuridão reinou.

1913

Era janeiro. Nevava. A neve caíra o dia todo. O céu se estendia como a asa de um ganso selvagem, cinzenta, da qual choviam penas sobre toda a Inglaterra. O céu não era mais que um turbilhão de flocos despencando. As estradas se aplainavam, os ocos da terra se enchiam. A neve bloqueava os regatos, empanava as vidraças, forçava as portas. Havia um frêmito no ar que crepitava de leve, como se ele próprio se convertesse em neve. Afora isso, tudo era silêncio. Salvo quando um carneiro tossia, quando a neve caía de um galho ou deslizava em avalancha de algum telhado de Londres. De vez em quando, um feixe de luz varria devagar o céu: era um carro que passava silente pelas estradas – a neve amortecia o som. Com o progresso da noite, a neve cobriu os sulcos das rodas no chão; abafou todos os sinais do tráfego; e revestiu monumentos e estátuas com um espesso manto de neve.

* * *

Nevava ainda quando o rapaz enviado pelos corretores chegou para ver Abercorn Terrace. A neve projetava um reflexo duro e branco sobre as paredes do banheiro, revelando as rachaduras da banheira esmaltada e as manchas da parede. Eleanor ficou olhando pela janela. A neve cobria as árvores do jardim dos fundos e moldava os telhados. Continuava a cair. Ela se voltou. O rapaz também. A luz não era lisonjeira nem para um nem para o outro; no entanto, a neve, que Eleanor ainda podia ver caindo pela janela do fim do corredor, era bela.

O sr. Grice dirigiu-lhe a palavra enquanto desciam, encarando-a:

– A verdade é que nossos fregueses esperam melhores instalações sanitárias hoje em dia – disse, detendo-se à porta de um dos dormitórios.

Por que ele não diz simplesmente "banheiros" e dá a coisa por encerrada?, pensou Eleanor. Desceu sem pressa. Podia ver da escada, através dos painéis da porta da frente, a neve caindo. Pôde ver também, pelas costas, as orelhas vermelhas do rapaz, acabanadas por cima do seu colarinho alto; e o pescoço mal lavado em alguma pia de Wandsworth. Estava aborrecida. Vistoriando tudo, cheirando tudo, o rapaz pusera em dúvida a limpeza da família, sua humanidade. E gostava de palavras compridas. Estaria tentando alçar-se, imaginou ela, a uma classe acima da sua com aquela absurda escolha de palavras.

Agora ele passava a perna com alguma cautela sobre o cão adormecido, pegava o chapéu que deixara na mesa do vestíbulo e ia-se pelos degraus abaixo, para a rua, com suas botinas abotoadas de homem de negócios deixando pegadas amarelas no espesso colchão de neve. Um fiacre esperava por ele.

Eleanor voltou para dentro. Lá estava Crosby, como uma barata tonta, mas com sua melhor boina na cabeça e o melhor mantô. Estivera a manhã toda atrás de Eleanor como um cão. O odioso momento não podia mais ser adiado. Seu próprio fiacre estava à porta. Cumpria dizer adeus.

– Bem, Crosby, tudo parece tão vazio, não é? – disse Eleanor, contemplando a sala de estar nua e deserta. A luz crua da neve brilhava nas paredes, mostrando as marcas deixadas nelas pela mobília, pelos quadros.

– Parece mesmo, srta. Eleanor – respondeu Crosby. Ela também olhava. Eleanor sabia que a governanta ia chorar. Não queria que ela chorasse. Ela também não queria chorar. – Posso ver todos sentados em volta da mesa, srta. Eleanor – disse Crosby. Mas a mesa se fora. Morris levara uma coisa, Delia levara outra. Tudo fora repartido, dispersado.

– E a chaleira que não fervia nunca, você se lembra? – disse Eleanor e tentou rir.

– Oh, srta. Eleanor! – exclamou Crosby. – Se me lembro! Eu me lembro de tudo! – As lágrimas já se formavam. Eleanor desviou os olhos para a sala dos fundos.

Lá também havia marcas nas paredes onde ficava a estante, onde ficava a escrivaninha. Pensou em si mesma sentada lá, rabiscando no mata-borrão, fazendo um buraquinho com a pena, somando nas cadernetas dos fornecedores... Virou-se. Crosby estava ali. Crosby chorava. A mistura de emoções era penosa. Estava contente por ficar livre de tudo aquilo, mas para Crosby era o fim.

Ela conhecera cada armário, laje de piso, cadeira e mesa daquele casarão desconjuntado, e não de cinco ou seis pés de distância, como todos eles. Esfregara e lustrara aquele chão de joelhos. Conhecia cada ranhura, mancha, garfo, faca, guardanapo e guarda-louça. Tinham sido todo o seu mundo. E agora ia embora dali sozinha para um quarto em Richmond.

– De qualquer maneira, imagino que você ficará contente de se livrar desse porão para sempre, Crosby – disse Eleanor, voltando para o vestíbulo. Nunca se dera conta de como era escuro e baixo o subsolo até vê-lo com "nosso sr. Grice". Ficara envergonhada.

– Foi meu lar durante quarenta anos, senhorita – disse Crosby.

As lágrimas corriam pelo rosto. Quarenta anos!, pensou Eleanor, com um sobressalto. Ela teria treze anos, talvez quatorze, quando Crosby viera para Abercorn Terrace empertigada e lépida. Agora seus olhos azuis de mosca saltavam-lhe do rosto e as bochechas estavam sumidas.

Crosby se curvou para pôr Rover na corrente.

– Você quer mesmo ficar com ele? – perguntou Eleanor, olhando a triste figura do cão velho, ofegante e fedorento. – Seria possível conseguir uma boa casa para ele no campo.

– Oh! Não me peça para renunciar ao Rover! – disse Crosby. As lágrimas embargavam-lhe a voz. Desciam pelo rosto livremente. Por mais que Eleanor tentasse, não conseguiu evitar que as suas também se formassem.

– Querida Crosby, adeus – disse. Debruçou-se sobre Crosby para beijá-la. Observou que tinha uma pele curiosamente seca. Mas já suas lágrimas escorreriam. Então Crosby, com Rover pela corrente, começou a descer obliquamente os degraus escorregadios. Eleanor manteve a porta aberta e acompanhou-a com os olhos. Foi um momento terrível, doloroso, confuso, todo errado. Crosby estava tão miserável; e ela, tão contente. Todavia, ali, segurando a porta, as lágrimas se formaram e caíram. Todos tinham vivido naquela casa. Daquela porta costumava acenar para Morris quando ele ia para a escola. E havia o pequeno jardim onde eles plantavam crocos. E agora Crosby, com flocos de neve em sua boina negra, pegava Rover nos braços e subia no fiacre. Eleanor entrou e fechou a porta.

* * *

A neve caía sobre o fiacre que seguia a trote pelas ruas. Havia longos sulcos nas calçadas, deixados pelas pessoas que faziam compras e pisoteavam a neve, transformando-a numa lama amarelada. O degelo começava. Grandes blocos de neve deslizavam dos telhados e despencavam na rua. Os meninos também já se bombardeavam com bolas de neve; uma delas bateu no fiacre ao passar. Mas quando este fez a curva em Richmond Green, todo o largo espaço estava branco. Ninguém cruzara por ali;

tudo estava de uma brancura imaculada. A grama era branca. As árvores eram brancas. Os gradis eram brancos. As únicas manchas em toda a vasta extensão eram as gralhas, desordenadamente amontoadas na ramada, e pretas, pretas. O fiacre seguiu caminho.

As carretas tinham convertido a neve liquefeita numa espécie de vasa grumosa e pardacenta quando o fiacre se deteve, um pouco depois do Green, diante da pequena moradia que era o seu destino. Crosby, com Rover nos braços para que as patas dele não sujassem a escada, subiu. Louisa Burt estava de pé à porta para recebê-la. E o sr. Bishop também, o inquilino de cima, que fora mordomo. Ele ajudou com a bagagem. Crosby seguiu atrás dele e da mala para o seu quarto.

* * *

Ficava no topo da casa e dava para os fundos, para o jardim. Era pequeno, mas, quando ela desempacotou suas coisas, pareceu mais confortável. Tinha, por exíguo que fosse, um certo ar de Abercorn Terrace. Anos a fio, ela colecionara miudezas, pensando justamente na futura aposentadoria. Elefantes da Índia, vasos de prata, a morsa que ela achara numa cesta de papéis um belo dia, quando os canhões troavam para os funerais da velha rainha – tudo estava lá. Arrumou os objetos um pouco de lado no consolo da lareira. Quando pendurou os retratos da família – uns com trajes de casamento, outros com becas e perucas, o sr. Martin fardado no meio, porque o sr. Martin era o seu favorito –, sentiu-se em casa outra vez.

Mas fosse a mudança para Richmond, fosse um resfriado apanhado na neve, o fato é que Rover adoeceu imediatamente. Não quis comer. Ficou de focinho quente. Seu eczema apareceu. Quando ela tentou levá-lo ao sair para fazer compras no dia seguinte, ele rolou por terra e ficou de patas para o ar, como que a pedir-lhe que o deixasse em paz. O sr. Bishop teve de dizer à sra. Crosby – porque ela usava o título de cortesia em Richmond – que, em sua opinião, o pobre bicho (e fez-lhe um afago na cabeça) estaria bem melhor se fosse posto "para dormir".

– Venha comigo, minha querida – disse a sra. Burt, passando o braço em torno dos ombros de Crosby –, pode deixar que Bishop cuida dele.

– Ele não vai sofrer, eu lhe asseguro – disse o sr. Bishop, erguendo-se (pusera-se de joelhos). Ele se encarregara de pôr para dormir outros cães muitas e muitas vezes. – Basta uma cheiradinha – disse o sr. Bishop, que tinha seu lenço na mão –, uma cheiradinha e pronto!

– Será para o bem dele, Annie – acrescentou a sra. Burt, tentando tirá-la do quarto.

De fato, o pobre cão tinha aspecto deplorável. Mas Crosby sacudiu a cabeça. Ele abanara o rabo, os olhos estavam abertos, vivia. Tinha até na cara um lampejo do que ela sempre considerara um sorriso. Rover dependia dela, sentia-o. Não iria entregá-lo em mãos de estranhos. Sentou-se à cabeceira dele três dias e três noites. Alimentava-o com uma colher de chá de Brand's Essence. Mas, por fim, o animal recusou abrir a boca, seu corpo foi ficando cada vez mais rijo; e uma mosca andou pelo focinho dele sem que o cão o torcesse. Isso se passou de madrugada com um alvoroço de pardais nas árvores do jardim.

* * *

É uma bênção de Deus que ela tenha alguma coisa que a distraia, disse a sra. Burt de si para si quando Crosby passou pela janela da cozinha um dia depois do enterro, com seu melhor mantô e sua melhor boina. Porque era quinta-feira, e ela ia a Ebury Street buscar as meias do sr. Pargiter. Mas ele devia ter sido posto para dormir havia muito tempo, acrescentou, voltando à sua pia. O hálito dele empestava.

* * *

Crosby tomou a District Railway até Sloane Square, e daí em diante foi a pé. Andava devagar, os cotovelos espetados para os lados, como que se defendendo dos imprevistos da via pública. Ainda tinha um ar triste. Mas a mudança de Richmond para Ebury Street lhe fizera bem. Sentia-se muito mais ela mesma em Ebury Street do que em Richmond. Sempre achara que os moradores de Richmond eram gente comum. Aqui, damas e cavalheiros tinham todos um certo ar. Olhava com aprovação para as lojas pelas quais passava. E o general Arbuthnot, que costumava visitar o patrão, morava em Ebury Street, refletiu ao entrar naquela rua tristonha. Já era falecido, o general. Louisa lhe mostrara a notícia no jornal. Mas, quando vivia, vivia aqui. Chegou à casa do sr. Martin. Parou nos degraus e ajustou a boina. Sempre dizia uma palavrinha ao sr. Martin quando vinha apanhar as suas meias. Era um dos seus prazeres. Também gostava de tagarelar um pouco com a senhoria, sra. Briggs. Hoje teria o gosto de contar-lhe a morte de Rover. Andando de lado cuidadosamente, porque os degraus estavam resvaladiços depois da neve e da chuva, chegou à porta de serviço no subsolo e tocou.

* * *

Martin, sentado na sala, lia o jornal. A guerra nos Bálcãs terminara, mas haveria outras confusões fermentando, não padecia dúvida. Não padecia mesmo. Virou a folha. Estava muito escuro na sala com o granizo miúdo. E não conseguia ler quando esperava alguém. Crosby devia vir. Já ouvia vozes no vestíbulo. Como falavam aquelas mulheres! Quanto mexerico!, pensou com impaciência. Deitou o jornal ao chão e esperou. Agora ela vinha, tinha a mão no trinco da porta. Que poderia dizer-lhe?, perguntou-se, vendo girar o trinco. E quando ela apareceu, valeu-se da fórmula habitual:

– Então, Crosby, como vai indo neste mundo de Deus?

A governanta lembrou-se de Rover. E lágrimas lhe subiram aos olhos.

* * *

Martin escutou a história, o cenho franzido, mas com simpatia. Depois, levantou-se, foi até o quarto e voltou com um paletó de pijama na mão.

– O que você acha que é isto aqui, Crosby? – perguntou, mostrando logo abaixo da gola um buraco preto orlado de marrom. Crosby ajustou os óculos de aro de ouro.

– Ferro, sr. Martin. Queimou... – disse ela com convicção.

– Pijama novo em folha, usado duas vezes só – disse Martin, exibindo a peça de acusação. Crosby tocou-a. Era seda e da boa, tinha certeza.

– Tasq, tasq, tasq – fez ela, sacudindo a cabeça.

– Quer ter a bondade de dar esse paletó de pijama à sra. Não-Sei-Quem? – disse Martin.

Quisera empregar qualquer metáfora, mas lembrou-se em tempo que era preciso ser literal e usar apenas a linguagem mais simples ao falar com Crosby.

– Diga-lhe que arranje outra lavadeira – concluiu – e que mande a antiga para o diabo.

Crosby apertou o pijama arruinado contra o seio com ternura. O sr. Martin nunca pudera suportar lã junto à pele. Sabia disso muito bem. Martin estava mudo. Tinha de falar um pouco com Crosby, mas a morte de Rover tornava limitados os tópicos de conversa.

– Como vai o reumatismo? – perguntou a Crosby, que estava de pé muito esticada, à porta do quarto, com o pijama no braço. Parecia distintamente menor, pensou ele.

A mulher sacudiu a cabeça. Richmond não se comparava a Abercorn Terrace, disse ela. E fez uma cara comprida. Estava pensando em Rover, sem dúvida, achou ele. Tinha de desviar a atenção dela daquele tema. Não suportava lágrimas.

– Já viu o novo apartamento de Eleanor? – perguntou. Sim, Crosby tinha visto. Mas não gostava de apartamentos. Na sua opinião, a srta. Eleanor se matava.

— E as pessoas não merecem, sr. Martin – disse, referindo-se a todos os Zwingler, Paravicini e Cobb, que costumavam bater na porta dos fundos em outros tempos para pedir roupas usadas.

Martin abanou a cabeça. Não lhe ocorria mais nada para dizer. Detestava falar com empregados. Sentia-se sempre falso. Ou sorria afetado ou ficava caloroso e vulgar, pensou. A insinceridade era a mesma.

— E como vai passando o pequeno senhor, sr. Martin? – perguntou Crosby, usando uma prerrogativa dos seus longos anos de serviço na família.

— Ainda solteiro, Crosby – respondeu.

Crosby correu os olhos pelo aposento. Era um típico apartamento de solteiro, com suas cadeiras de couro, seu tabuleiro de xadrez em cima de uma pilha de livros, o sifão de soda numa bandeja. Aventurou-se a dizer que muita moça bonita gostaria certamente de tomar conta dele.

— Ah! Mas eu gosto de ficar na cama de manhã – disse Martin.

— O senhor sempre gostou – disse ela, sorrindo. E então foi possível para Martin tirar o relógio, correr à janela e exclamar, como se de súbito se tivesse lembrado de um compromisso:

— Por Júpiter, Crosby, estou atrasado! – disse, e a porta se fechou sobre a governanta.

* * *

Era mentira. Não tinha encontro algum. Sempre mentimos para os empregados, pensou, olhando pela janela. A medíocre silhueta das casas de Ebury Street era visível através do granizo. Todo mundo mente, pensou. Seu pai mentia. Depois da morte dele, acharam cartas de uma mulher chamada Mira amarradas com uma fita, na gaveta da sua mesa. Ele se avistara com Mira, uma senhora gorda e respeitável que pedira recursos para consertar o teto. Por que seu pai mentira? Que mal havia em manter uma amante? Ele também mentira: sobre o quarto para além de Fulham Road, onde ele e Dodge e Erridge costumavam ir para fumar charutos baratos e contar histórias sujas. Era um sistema abominável, pensou. A vida de família. Abercorn Terrace. Não admirava que a casa ficasse por alugar. Tinha um único banheiro e um subsolo. E todos eles vivendo lá como sardinhas em lata, a mentir uns para os outros.

Observando as minúsculas figuras que se esgueiravam sorrateiras pela calçada molhada, viu Crosby assomar ao alto da escada do subsolo com um embrulho debaixo do braço. Ela se deteve por um momento, como um pequeno animal assustado, dardejando olhares para a direita e para esquerda antes de enfrentar os perigos da rua. Por fim, arriscou-se. Martin viu a neve cair sobre sua boina escura quando ela desapareceu. Ele entrou.

1914

Era uma primavera brilhante, e o dia estava radioso. O ar parecia sussurrar quando tocava a ramaria das árvores. Vibrava, marulhava. E as folhas eram rijas e verdes. No campo, velhos relógios de campanários davam a hora com um som rascante. E esse som enferrujado e velho passava por sobre os campos vermelhos de cravo, e as gralhas subiam em bando, como se os sinos as tivessem espantado. Rodopiavam um pouco, mudando de direção, depois se aquietavam no alto das árvores.

Em Londres, tudo era gala e estrépito. A estação começava. As buzinas soavam; o tráfego rolava barulhento; as bandeiras drapejavam, batiam ao vento esticadas como trutas num riacho. E de todas as flechas de todas as igrejas de Londres – santos elegantes de Kensington, santos veneráveis da City – a hora era proclamada. O ar por cima de Londres parecia um revolto mar de sons, através do qual os círculos passavam cortantes... Mas os relógios eram irregulares, como se os santos estivessem divididos. Havia pausas, silêncios... Depois os relógios recomeçavam.

* * *

Aqui em Ebury Street, um relógio longínquo, de voz quebradiça, batia. Eram onze horas. Martin, de pé à janela, olhava embaixo a rua estreita. O sol brilhava; ele se sentia no melhor dos espíritos: ia visitar seu corretor na cidade. Os negócios andavam bem. Certa vez, pensava, seu pai tinha feito muito dinheiro: depois o perdera; em seguida, se recuperara do prejuízo; no fim, saíra-se muito bem.

Deixou-se ficar à janela por um momento, admirando uma senhora elegante, com um belo chapéu na moda, que examinava um vaso no antiquário em frente. Era uma espécie de pote azul num soco chinês contra um fundo de brocado verde. A simetria do vaso, os contornos suaves, o azul profundo, o craquelê do esmalte, tudo lhe agradava. E a mulher que contemplava o vaso também era encantadora.

Martin pegou o chapéu e a bengala e saiu para a rua. Faria a pé uma parte do caminho para a City. "A filha do rei da Espanha", cantarolou ao dobrar a esquina e subir Sloane Street, "veio me fazer uma visita. E tudo por amor". Ia olhando as vitrines de passagem. Estavam cheias de vestidos de verão, lindas confecções em verde e gaze. E havia uma revoada de chapéus espetados em finas varetas de madeira... da minha moscadeira de prata... Mas que diabo poderia ser uma moscadeira de prata?, cismou. Um realejo, mais abaixo na rua, ia moendo sua alegre musiquinha. E o realejo girava e girava, para cá, para lá, como se o velho na manivela estivesse dançando no compasso. Uma bela empregadinha subiu correndo do subsolo e lhe deu um pêni. A expressiva fisionomia do italiano enrugou-se toda de prazer. Ele tirou o barrete e saudou-a, curvando-se. A garota sorriu e se esgueirou de volta à cozinha.

...tudo por amor da minha moscadeira de prata, cantarolou Martin, espiando por cima do gradil do subsolo a cozinha onde os empregados estavam. Sentados em volta da mesa, pareciam todos muito confortáveis, com bules de chá e pão com manteiga. Sua bengala balançava de um lado para outro, como a cauda de um cão buliçoso. Todo mundo parecia de coração leve, sem um só cuidado no mundo. As pessoas saíam das casas e singravam pela rua, com moedinhas para os tocadores de realejo, moedinhas para os mendigos. Todos pareciam ter dinheiro a rodo. As mulheres ajuntavam-se diante das vitrines. Ele também parou para ver o modelo de um barco de brinquedo; lustrosos estojos amarelos de toalete, com renques de frascos de prata. Mas quem teria escrito aquela canção, ruminava ele, sobre a filha do rei da Espanha, a canção que Pippy costumava cantar para ele quando limpava as suas orelhas com um imundo pedaço de flanela? Ela tinha o hábito de botá-lo sentado nos joelhos e de grasnar com aquela voz asmática de chocalho avariado: "A filha do rei da Espanha veio me fazer uma visita, e tudo por amor da...". E, de chofre, ela abria as pernas, e lá se ia ele para o chão.

Estava agora em Hyde Park Corner. A cena era animada ao extremo. Caminhões, automóveis, ônibus a motor precipitavam-se colina abaixo. As árvores do parque tinham pequenas folhas verdes. Carros com alegres senhoras em vestidos claros já entravam pelos portões. Todo mundo se azafamava, tratando dos seus negócios. Alguém, observou ele, escrevera as palavras "Deus é amor" em giz cor-de-rosa nos portões de Apsley House. É preciso ter coragem, pensou, para escrever "Deus é amor" nos portões de Apsley House, quando a qualquer momento pode surgir um policial. Mas o ônibus chegava. E ele subiu para a imperial.

– Para St. Paul – disse, dando as moedas ao condutor.

* * *

Os ônibus giravam e regiravam num perpétuo redemoinho em volta da escadaria de St. Paul. A estátua da rainha Ana parecia presidir à confusão e supri-la de um centro, como o eixo de uma roda. Era como se a branca senhora regesse o tráfego caótico com seu cetro; dirigisse as atividades de todos aqueles homenzinhos de chapéu-coco e fraque curto; de todas as mulheres com bolsas; dos caminhões fechados, dos caminhões abertos, dos ônibus a motor. De tempos em tempos, figuras isoladas deslocavam-se da massa e subiam os degraus da igreja. As portas da catedral eram como portas de vaivém. Deixavam escapar intermitentemente baforadas de música de órgão, que eram fracas e se perdiam no ar. Os pombos andavam pelo chão com seu passinho gingado; no alto, os pardais voltejavam. Pouco depois do meio-dia, um velho de pequena estatura com uma sacola de papel instalou-se a meio da escadaria e pôs-se a dar comida aos passarinhos. Oferecia-lhes um pedaço de pão. Seus lábios se moviam. Parecia persuadi-los e lisonjeá-los ao mesmo tempo. Logo tinha em torno como que um halo de asas palpitantes. Os pardais se empoleiravam na cabeça dele, subiam-lhe às mãos. Uma pequena multidão observava-o dando de comer aos pássaros. Ele semeava o pão em volta, num círculo. Então, houve uma vaga no ar. O relógio grande, todos os relógios da City, pareceram conjugar suas forças para zumbir em uníssono uma espécie de advertência preliminar. Então o golpe soou. "Uma", soou. Todos os pardais fugiram juntos, subindo alto no ar. Até os pombos se assustaram; alguns ensaiaram mesmo um tímido voo em torno da cabeça da rainha.

* * *

Quando a última vibração da hora se extinguiu, Martin chegou ao espaço aberto diante da catedral.

Atravessou-o e foi postar-se com as costas contra uma vitrine, de frente para o grande domo. Todos os pesos e contrapesos do seu corpo pareceram deslocar-se. Teve uma curiosa sensação de que algo se movia nele em harmonia com o edifício; estabilizava-se; e ficava imóvel. Era excitante – aquela mudança de relação entre as coisas. Desejou ser arquiteto. De pé, as costas apertadas contra a loja, procurou ver se tinha uma visão de conjunto da catedral. Era difícil com tanta gente passando. As pessoas esbarravam nele, passavam pela sua frente. Era a hora do *rush*, naturalmente, quando todo indivíduo que trabalha na City sai às pressas para almoçar. Cortavam caminho pela escadaria. Os pombos rodopiavam no ar e vinham pousar de novo aos seus pés. As portas se abriam e fechavam quando ele subiu os degraus. Esses pombos são um transtorno, pensou, e ainda fazem suas sujeiras nos degraus. Subiu devagar.

Quem será?, indagou consigo, vendo alguém de pé contra um dos pilares. Será que eu a conheço?

Os lábios da moça moviam-se. Falava sozinha.

– É Sally! – E hesitou; falaria com ela ou não? Afinal, ela era uma companhia, e ele estava cansado da sua própria. – Um pêni pelos seus pensamentos, Sal! – disse, batendo no ombro dela.

Ela se voltou. Sua expressão mudou instantaneamente:

– Martin! E eu que pensava justamente em você – exclamou.

– Mentira! – disse ele, apertando-lhe a mão.

– Sempre que penso nas pessoas elas aparecem – disse Sally. E mexeu com os pés, do modo peculiar que tinha, como se ela mesma fosse uma ave mal emplumada, na verdade, pois seu mantô estava fora de moda. Ficaram por um momento no alto da escadaria, olhando a rua cheia de gente. Lufadas de música saíam da catedral às suas costas quando as portas se abriam e fechavam. O surdo rumor das preces causava alguma impressão, bem como a sombria vastidão da igreja vista de fora.

– Em que pensava de fato, quando... – começou. Mas cortou o que ia dizer. – Venha almoçar comigo – disse. – Vou levá-la a um lugar na City que tem sempre uma carne excelente – disse. E guiou-a escada abaixo por uma rua estreita, bloqueada por carroças nas quais os armazéns despejavam mercadorias. Entraram juntos no restaurante, empurrando os batentes da porta de vaivém.

– Como está cheio hoje, Alfred – disse Martin com afabilidade quando o garçom lhe tomou o sobretudo e o chapéu para pendurá-los no cabide. Ele conhecia o garçom. Comia sempre ali. E o garçom o conhecia também.

– Transbordando, capitão – disse ele.

– E agora – disse Martin, instalando-se à mesa – o que vamos pedir?

— Daquilo ali — disse Sara com um gesto. Um enorme pernil de carneiro estava sendo passado cerimoniosamente de mesa em mesa num carrinho de rodas.

— E para beber? — perguntou Martin, pegando a lista dos vinhos e consultando-a.

— Para beber — disse Sara —, para beber deixo por sua conta. — Tirou as luvas, pousando-as em cima de um pequeno livro marrom avermelhado, obviamente um livro de orações.

— Deixe por minha conta... — repetiu Martin. Pensava: "Por que os livros de orações sempre têm essa douração em ouro e vermelho?". Escolheu o vinho. — E o que estava fazendo em St. Paul? — perguntou, despachando o garçom.

— Assistindo ao serviço religioso — disse ela. Depois olhou em torno. A sala estava muito quente e repleta. As paredes eram cobertas de folhas de ouro incrustadas numa superfície marrom. Pessoas passavam pela mesa deles, entrando e saindo. O garçom trouxe o vinho. Martin serviu-lhe um cálice.

— Não sabia que você ia à igreja — disse, contemplando o livro de orações.

Ela não respondeu. Continuou a olhar em volta, vendo as pessoas que entravam e saíam. Provou o vinho e tomou um pouco. Logo um laivo de cor lhe veio ao rosto. Apanhou o garfo e a faca e se pôs a comer o admirável carneiro. Comeram em silêncio por um momento.

Ele queria forçá-la a falar.

— E o que você entende disso, Sara? — perguntou, tocando no livro.

Ela abriu o volume ao acaso e começou a ler:

— "O Pai é incompreensível, o Filho é incompreensível..." — falava no seu tom de voz normal.

— Psiu! — fez Martin. — Tem gente ouvindo.

Por deferência para com ele, ela assumiu as maneiras de uma dama almoçando com um cavalheiro na City.

— E o que você estava fazendo em St. Paul? — perguntou ela.

– Lamentando não ser arquiteto – disse. – Mandaram-me para o exército, coisa que abominei com ênfase.

– Psiu – cochichou Sara –, tem gente ouvindo...

Ele se voltou vivamente, depois riu. O garçom punha a sua torta à frente deles. Comeram em silêncio. Ele encheu o copo dela outra vez. Sara tinha as maçãs coradas e os olhos brilhantes. Ele lhe invejava aquela sensação geral de bem-estar que costumava sentir também outrora, depois de um copo de vinho. Vinho era coisa excelente, punha todas as barreiras abaixo. Queria que Sara falasse.

– Não sabia que costumava ir à igreja – disse, olhando o livro de orações. – E o que acha você disso? – Ela olhou, por sua vez; depois bateu no livro com o garfo.

– O que pensam eles disso, Martin? – perguntou. – A mulher que ora e o homem de longas barbas brancas?

– Pouco mais ou menos o que Crosby pensa quando vai lá em casa – respondeu ele. Via a pobre velha de pé à porta do seu quarto, com o paletó de pijama no braço e o ar de devoção que tinha estampado no rosto. – Eu sou o Deus de Crosby – disse, servindo-se de couve-de-bruxelas.

– O Deus de Crosby! O Altíssimo, o Todo-Poderoso sr. Martin! – ela riu e fez-lhe um brinde mudo.

Estaria rindo às minhas custas?, perguntou-se Martin. Esperava que Sara não o achasse muito velho.

– Você se lembra de Crosby, pois não? – perguntou. – Está aposentada e seu cão morreu.

– Aposentada? E o cão morreu? – repetiu ela. Olhou de novo por cima do ombro. Qualquer conversa era impossível em restaurantes; ficava toda fragmentada. Homens da City, com suas roupas listradas e seus chapéus-melão, roçavam por eles incessantemente.

– É uma bela igreja – disse, encarando Martin outra vez.

Sua mente voltara de um salto a St. Paul, pensou.

– Magnífica – respondeu. – Você esteve admirando os monumentos?

Alguém que ele conhecia acabava de entrar: Erridge, o corretor. Levantou um dedo e chamou. Martin levantou se e foi falar com ele. Quando voltou, Sara tinha enchido o próprio copo outra vez. Sentada à mesa, olhando atentamente as pessoas, era como uma criança que alguém tivesse levado a uma pantomima.

– E o que faz hoje à tarde? – perguntou ele.

– Round Pond às quatro – respondeu ela. E tamborilou na mesa. – Round Pond às quatro.

Passara, imaginou ele, para aquele estado de benevolência sonolenta que se segue a um bom repasto e a um copo de vinho.

– Vai encontrar alguém?

– Sim; Maggie – disse.

Comeram em silêncio. Fragmentos de conversa de outras pessoas chegavam-lhes em frases desconexas. Então o homem com quem Martin havia falado tocou-lhe no ombro ao sair.

– Quarta, às oito – disse.

– Certo – respondeu Martin. E tomou nota na sua agenda de bolso.

– E o que faz você hoje à tarde? – perguntou ela.

– Tenho de ir ver minha irmã na cadeia – disse, acendendo um cigarro.

– Na cadeia? – perguntou ela.

– Rose. Por atirar um tijolo – disse ele.

– Rose vermelha, Rose fanada – começou ela, avançando a mão para servir-se de vinho. – Rose selvagem, Rose cheia de espinhos...

– Não – disse ele, cobrindo a boca da garrafa com a mão –, você tomou o bastante. – Um pouco já a deixava excitada. Mas tinha de estancar essa excitação. Havia gente ouvindo.

– Aborrecido isso de estar presa – disse.

Ela recolheu o copo, mas ficou olhando para ele, como se o motor do cérebro tivesse falhado de repente. Era muito parecida com a mãe, exceto quando ria.

Gostaria de lhe falar de sua mãe, mas era impossível falar. Havia gente demais ouvindo – e fumando. A fumaça, misturada ao cheiro da carne, tornava o ar pesado. Ele pensava no passado quando Sara exclamou:

– Sentada num tripé enquanto lhe enfiam carne à força pela garganta abaixo!

Ele voltou a si. Ela estaria, sem dúvida, pensando em Rose.

– Aí vem um tijolo! – riu-se ela, brandindo o garfo no ar. – Enrole o mapa da Europa, disse o homem ao lacaio, eu não creio em soluções de força! – e Sara baixou o garfo com força. Um caroço de ameixa saltou. Martin olhou para trás. As pessoas estavam atentas. Havia gente ouvindo. Ergueu-se.

– Podemos ir embora – disse – se você não quer mais nada.

Ela se levantou também e procurou o mantô.

– Bem, gostei muito – disse, apanhando o mantô. – Obrigada, Martin, por este bom almoço.

Ele fez um aceno ao garçom, que veio com alvoroço e somou depressa. Martin pôs um soberano no prato. Sara começou a enfiar os braços nas mangas do mantô.

– Devo ir com você – perguntou, ajudando-a – ao Round Pond às quatro?

– Sim! Ao Round Pond às quatro! – respondeu Sara, girando rápida. E afastou-se pouco firme nas pernas por entre os homens da City que ainda comiam.

O garçom voltou com o troco, e Martin começou a enfiá-lo discretamente no bolso. Reservou uma das moedas para a gorjeta. Estava a ponto de dá-la ao garçom quando alguma coisa de furtivo na expressão de Alfred o deteve. Levantou a conta: havia uma peça de dois xelins debaixo. O truque habitual. Enfureceu-se:

– Que diabo é isso?

O garçom gaguejou:

– Não vi que estava aí, senhor.

Martin sentiu o sangue subir-lhe à cabeça. Encolerizava-se exatamente como seu pai. Talvez tivesse as mesmas manchas brancas nas têmporas. Embolsou a moeda que pretendera dar ao garçom e passou por ele empurrando-lhe a mão. O homem recuou, murmurando alguma coisa.

– Vamos embora – disse, pegando Sara pelo cotovelo e pilotando-a para fora do restaurante apinhado. – Vamos sair deste lugar.

Arrastou-a para a rua. O ar daquele restaurante da City, quente e abafado, o cheiro opressivo de carne, eram-lhe de súbito intoleráveis.

– Como detesto que queiram passar a perna em mim! – disse, pondo o chapéu. – Lamento, Sara – acrescentou, desculpando-se. – Não devia ter trazido você a esse lugar. É um antro.

E respirou fundo o ar fresco. Os ruídos da rua, o ar despreocupado e prático das coisas eram um prazer depois do calor úmido do restaurante. Havia as mesmas carroças à espera, em fila, ao longo da sarjeta; e os mesmos fardos que deslizavam para elas dos armazéns. De novo, se viram diante de St. Paul. Olhou para cima. O ancião ainda dava de comer aos pardais. E lá estava a catedral. Quisera sentir de novo aquela impressão de pesos que se deslocavam dentro dele e depois se iam imobilizando devagarinho; mas a bizarra sensação de uma correspondência entre o seu corpo e a pedra não aconteceu dessa vez. Não sentia nada senão raiva. Além disso, Sara o perturbava. Estava a ponto de atravessar a rua apinhada de veículos. Teve de estender a mão para detê-la.

– Cuidado – disse.

Atravessaram juntos.

– Vamos caminhar um pouco? – perguntou. Ela concordou de cabeça. Foram andando por Fleet Street. Conversar era impossível. Havia tão pouco espaço que ele se via obrigado a descer do meio-fio da calçada e a subir de novo para ficar emparelhado com ela. Sentia ainda o mal-estar da cólera, mas a própria cólera já esfriava. O que deveria ter feito a rigor?, pensou, vendo-se passar de novo arrebatadamente pelo garçom sem lhe dar gorjeta. Não, pensou, isso não. Os transeuntes, forçando passagem, obrigavam-no a descer da calçada. Afinal, o pobre diabo tem de viver. Gostava de ser generoso, gostava de ver sorrir as pessoas; e dois xelins nada significavam para ele. Mas de que adianta, pensou, se está feito? Pôs-se então a cantarolar entre os dentes a sua canção, mas logo parou, lembrando-se de que estava na companhia de alguém.

– Veja só aquilo, Sal! – disse, apertando-lhe o braço. – Veja aquilo!

Apontava para a esparramada figura de Temple Bar. Ridícula como de costume e absurda: alguma coisa entre serpente e ave.

– Veja aquilo! – repetiu rindo. Estacaram por um momento, a fim de contemplar as figurinhas achatadas e tão desconfortavelmente empoleiradas contra o frontão triangular do tribunal: rainha Vitória, o rei Eduardo. Depois seguiram. Era impossível conversar na multidão. Homens de perucas e becas atravessavam a rua às carreiras; alguns levavam bolsas vermelhas; outros, bolsas azuis.

– O Palácio da Justiça – disse, apontando a fria massa de pedra decorada. Parecia sombria e funérea. – Onde Morris passa o seu tempo – disse em voz alta.

Ainda sentia um certo mal-estar por haver perdido a calma. Mas começava a passar. Só uma pequena aresta de aspereza permanecia na sua mente.

– Você não acha que eu devia ter sido... – começou. Queria dizer um advogado; mas também devia ter se mostrado mais paciente com o garçom.

– Devia ter sido?... Devia ter feito?... – perguntou ela, curvando-se para ele. Não percebera bem o que ele tinha dito em meio ao barulho do tráfego. Era impossível falar; mas, de qualquer maneira, a penosa sensação de que ele tinha perdido o controle diminuía. A dor da pequena ferroada começava a passar. Surgiu-lhe à vista, porém, uma mendiga que vendia violetas. E aquele pobre diabo, pensou ele, teve de ficar sem a sua gorjeta por ter me ludibriado... Fixou os olhos numa caixa de correios. Depois num automóvel. Era curioso como as pessoas se acostumaram depressa a carros sem cavalos, pensou. Pareciam tão ridículos, no começo! Então passou à violeteira. Tinha o chapéu caído na cara. Ele deixou cair meio xelim na sua bandeja. Multava-se pelo que fizera ao garçom. Mas abanou a cabeça. Não, não queria violetas. Na verdade, estavam murchas. Mas então viu o rosto da mulher. Ela não tinha nariz. O rosto dela estava cheio de manchas brancas: e havia dois buracos orlados de vermelho como narinas. Ela não tinha nariz! Por isso puxava o chapéu, para esconder-se.

– Vamos atravessar – disse abruptamente. Travou do braço de Sara e ajudou-a a atravessar por entre os ônibus. Ela já deve ter visto coisas assim. Ele tinha, muitas vezes. Mas não juntos; o que fazia toda a diferença. Arrastou-a para a calçada em frente.

– Vamos apanhar um ônibus – disse. – Ande!

Pegou-a pelo cotovelo para fazê-la avançar mais rapidamente. Mas foi impossível: uma carreta bloqueava o caminho. E havia gente passando aos magotes. Estavam perto de Charing Cross. Era como um pegão de ponte: homens e mulheres eram sugados em vez de água. Tiveram de parar. Pequenos jornaleiros levavam cartazes contra as pernas. Havia homens comprando jornais. Alguns sem pressa. Outros arrancavam o jornal arrebatadamente. Martin comprou um e ficou com ele na mão.

– Esperemos aqui – disse. – O ônibus virá. – Um velho chapéu de palha com uma fita vermelha em volta, pensou, abrindo o jornal. A visão persistiu. Ele ergueu os olhos. O relógio da gare está sempre adiantado, garantiu a um homem que corria para pegar um trem. Sempre adiantado, disse consigo mesmo, abrindo o jornal. Mas não havia relógio. Voltou-se para ler as notícias da Irlanda. Os ônibus vinham, paravam, arrancavam de novo, um atrás do outro. Era difícil concentrar-se nas notícias da Irlanda. Levantou os olhos.

– Este é o nosso – disse, quando o ônibus certo chegou. Subiram para a imperial e sentaram-se lado a lado atrás do chofer. – Duas para Hyde Park – disse, tirando um punhado de moedas. Depois correu os olhos pelas colunas do vespertino. Mas era a primeira edição. – Não tem nada – disse, metendo o jornal debaixo do banco. – Agora... – continuou, enchendo o cachimbo. Iam suavemente morro abaixo em direção a Piccadilly. – ...ali meu pai costumava se refestelar... – disse, apontando com o cachimbo para as janelas do clube. – E agora... – acendeu um fósforo – ...agora, Sally, você pode dizer tudo o que quiser. Ninguém está ouvindo. Diga alguma coisa... – concluiu, lançando fora o fósforo riscado – ...profunda.

Virou-se para ela. Queria de fato que falasse. O ônibus mergulhou numa descida forte e logo subiu um aclive igualmente íngreme. Queria que ela falasse; ou teria de falar ele mesmo. E o que tinha para dizer? Sepultara seus sentimentos. Contudo, alguma emoção ficara. Queria que ela falasse nisso; Sara permanecia muda. Não, pensou, mordendo o cano do cachimbo. Não falo. Se falasse, ela me julgaria...

Olhou-a. O sol punha em brasa as vidraças do St. George's Hospital. Ela contemplava o espetáculo com enlevo. Por que com enlevo?, perguntou-se perplexo. O ônibus parou, e ele desceu.

* * *

A cena mudara pouco desde a manhã. Os relógios batiam três horas longe. Havia mais carros; maior número de mulheres em vestidos estivais, claros; os homens estavam de fraque e cartola cinza. A procissão de veículos em demanda do parque começava. Todo mundo tinha um ar festivo. Mesmo as aprendizes de modistas, com suas grandes caixas redondas de chapéus, pareciam tomar parte numa espécie de cerimonial. Cadeiras verdes eram puxadas para a beirada da alameda central, o Row. Havia muita gente sentada, que olhava em volta como se tivesse comprado entrada para uma peça de teatro. Cavaleiros galopavam pelo meio até a extremidade do Row; sofreavam seus ginetes; faziam meia-volta; e galopavam na direção inversa. O vento, que vinha do poente, tangia nuvens brancas matizadas de ouro pelo céu afora. As janelas de Park Lane tinham reflexos azuis e dourados.

Martin acelerou o passo.

– Vamos! – disse. – Vamos, ande! – E foi em frente. Sou jovem, pensou, estou na flor da idade. Havia um cheiro de terra no ar. Mesmo no parque havia um leve perfume de primavera, de campo aberto.

– Como eu adoro... – começou Martin em voz alta. Olhou em torno. Falara sozinho. Sara ficara para trás: lá estava ela, atando o cordão do sapato. Mas ele sentiu como se tivesse pulado um degrau na descida de uma escada. – Como a gente se sente idiota quando fala sozinho em voz alta – disse quando ela o alcançou. Ela mostrou com o dedo.

– Mas veja, todos fazem isso.

Uma senhora de meia-idade vinha na direção deles. Falava com os seus botões. Seus lábios moviam-se. E gesticulava com a mão.

– É a primavera – disse Martin quando a mulher cruzou com eles.

– Não. Uma vez estive aqui no inverno – disse Sara – e havia um negro rindo alto na neve.

– Na neve – repetiu Martin –, um negro... – O sol brilhava na relva. Eles passavam por um canteiro em que havia uma profusão de jacintos de várias cores, todos crespos e lustrosos. – Não pensemos em neve – disse Martin. – Pensemos... – Alguém empurrava um carrinho de criança e um pensamento lhe atravessou a cabeça. – Maggie! – disse. – Fale-me de Maggie! Não nos vemos desde que a criança nasceu. E nunca vi o tal francês, como é que vocês o chamam? René?

– Renny – disse ela. Estava ainda sob a influência do vinho; do ar movente, vagabundo; da gente passando. Mas ele queria acabar com aquilo.

— Sim. Como ele é? Esse nome René; Renny?
Pronunciou a palavra primeiro em francês; depois, como Sara tinha feito, em inglês. Queria acordá-la. Pegou-a pelo braço.
— Renny! – repetiu ele. Lançou a cabeça para trás e soltou uma risada. — Deixe-me ver... Ele usa uma gravata vermelha com poás brancos. E tem olhos escuros. Pega numa laranja, suponha que estamos num jantar, e diz, olhando firme para a gente: "Esta laranja, Sara..." falava rolando os erres. Mas deixou a frase no meio. — Lá vem outra pessoa falando sozinha – disse.
Um rapaz passou por eles num sobretudo abotoado até o queixo como se não tivesse camisa. Resmungava consigo e fez cara feia quando ficou na altura deles.
— E Renny? — insistiu Martin. — Estávamos falando de Renny — lembrou-lhe. — Ele pega uma laranja...
— ... e se serve de um copo de vinho – continuou ela. – A ciência é a religião do futuro! – exclamou, erguendo a mão como se tivesse nela o copo.
— De vinho? – estranhou Martin. Escutando vagamente, tinha imaginado um professor francês todo sério, imagem a que era obrigado agora a acrescentar, puro despropósito, um copo de vinho.
— De vinho, sim! – repetiu ela. O pai dele era negociante de vinhos – continuou. – Um homem de barbicha preta. Negociante em Bordeaux. Um belo dia – continuou –, quando ele ainda era pequeno e brincava no jardim, bateram na janela. "Não faça tanto barulho. Vá brincar mais longe", disse uma mulher de touca branca. A mãe dele tinha morrido... Ele tinha medo de dizer ao pai que o cavalo era grande demais para montar... e eles o mandaram para a Inglaterra...
Ela saltava as cerquinhas baixas.
— E então o que aconteceu? – perguntou Martin, indo ter com ela. – Ficaram noivos?
Ela não respondeu. Esperava que explicasse... por que se tinham casado... Maggie e Renny. Esperou, mas ela não contou mais

nada. Bem, casaram-se e eram felizes, pensou. Teve ciúmes por um momento. O parque estava cheio de casais. Tudo era frescor e doçura. O ar soprava macio no rosto deles; carregado de murmúrios; de rodas passando velozes; de cães latindo; e do tremor de ramos nos quais, de quando em quando, intermitente, vinha um canto de tordo.

Então outra mulher passou por eles falando sozinha. Quando a encararam, ela se voltou e assoviou como se chamasse seu cão. Mas o cão que chamara assoviando não era seu, era de outra pessoa e seguiu aos saltos na direção oposta. A mulher continuou no seu caminho, comprimindo os lábios.

– As pessoas não gostam de ser encaradas – disse Sara – quando estão falando sozinhas.

Martin despertou.

– Escute, Sara – disse. – Estamos no caminho errado.

Vozes chegaram até eles.

Tinham estado a caminhar para o lado errado e aproximavam-se da clareira onde os oradores se congregam. O debate estava no auge. Vários grupos se tinham formado em torno dos diferentes oradores. Trepados em plataformas ou algumas vezes simplesmente em caixotes, os oradores peroravam. Suas vozes ficaram mais fortes quando eles se aproximaram.

– Vamos escutar – disse Martin.

Um homem seco debruçava-se para a frente com uma lousa na mão. Ouviram que ele dizia: "Senhores e senhoras...". Pararam diante dele. "Fixem os olhos em mim." Eles fixaram os olhos nele. "Não tenham medo", dizia, curvando o dedo no ar. Tinha um jeito insinuante. Virou a lousa. "Eu pareço um judeu?", perguntou. Depois virou de novo a lousa e olhou o outro lado. Ouviram-no dizer então que sua mãe nascera em Bermondsey – já se iam embora – e seu pai, na ilha de... A voz ficou para trás, extinguiu-se.

– Que acha desse? – perguntou Martin. Estavam diante de um homem avantajado que esmurrava a beirada do seu púlpito.

– Compatriotas! – gritava. Pararam. A massa de desocupados, mensageiros e babás olhava-o de boca aberta e olhos sem expressão. A mão do orador englobava, num gesto de supremo desdém, a linha de carros que passava. Sua camisa aparecia por baixo do colete.

– Justiça e liberdade – disse Martin, repetindo as palavras dele enquanto o punho fechado descia sobre a guarda da plataforma. Esperaram. Tudo se repetiu. – Mesmo assim, é um excelente orador – disse Martin, afastando-se. A voz morreu. – E agora o que estará dizendo a velha senhora? – Foram ver.

O público da velha senhora era extremamente reduzido. Mal se ouvia a sua voz. Tinha um pequeno livro na mão e dizia algo sobre os pardais. Tinha um fio de voz, e um coro de meninos a imitava.

Ouviram por um momento. Depois Martin se afastou de novo.

– Vamos, Sara – disse, pondo a mão no seu ombro.

As vozes foram diminuindo. Logo cessaram de todo. Foram andando pelo terreno ondulado e liso que se elevava e caía como uma peça de pano verde listrado de marrom que se desenrolava macia aos seus pés. Grandes cães brancos faziam cabriolas na relva. Através das árvores, as águas da Serpentine rebrilhavam, picadas aqui e ali por pequenos botes. A urbanidade do parque, o brilho da água, o ímpeto, a curva, a composição do cenário, como se alguém o tivesse desenhado, agradavam a Martin.

– Justiça e liberdade – disse baixinho, quando se acercaram da beira da água e ali ficaram por um momento, vendo as gaivotas cortarem o céu em planos brancos, geométricos, com as asas.

– Você concorda com ele? – perguntou Martin, pegando o braço de Sara para trazê-la de volta da lua; pois os lábios de Sara se moviam. Ela falava sozinha. – Aquele homem rotundo – explicou – que gesticulava tanto.

Ela teve um sobressalto.

– Oi, oi, oi – fez, imitando o sotaque *cockney* do orador.

Sim, pensou Martin quando seguiram caminho. Oi, oi, oi, oi, oi, oi. É sempre a mesma coisa. Não haveria grande justiça ou liberdade para os de sua espécie se o gordo pudesse mandar – nem beleza.

– E a pobre velhinha a quem ninguém dava atenção e que falava dos pardais... – disse ele.

Podia ver ainda com os olhos da memória o orador que lançava persuasivamente o dedo curvo no ar; e o gordo que lançava os braços (a ponto de exibir os suspensórios); e a diminuta senhora de voz sumida, que em vão tentava fazer-se ouvir por cima das vaias e dos assobios. Havia um misto de comédia e tragédia na cena.

Alcançaram o portão de Kensington Gardens. Uma longa fila de carros e carruagens estava acostada ao longo do meio-fio. Para-sois listrados estavam abertos por sobre as pequenas mesas redondas onde já havia pessoas esperando pelo chá. Garçonetes atarefadas entravam e saíam com bandejas. A estação começara. O espetáculo era de grande alegria.

Uma senhora vestida no rigor da moda, uma pluma cor de púrpura dependurada de um lado do chapéu, estava sentada a uma mesa tomando sorvete. O sol punha manchas no tampo da mesa e dava à mulher uma curiosa transparência, como se ela tivesse ficado presa numa rede de luz; como se fosse composta de losangos de cores oscilantes. Martin teve a vaga impressão de conhecê-la; chegou a ensaiar um cumprimento, mas ela permaneceu muito direita, olhando em frente e degustando o seu sorvete. Não, refletiu ele, não a conhecia. E parou um momento para acender o cachimbo. O que seria do mundo – sua mente continuava ocupada com o rotundo orador gesticulante – sem o "eu" que o pensasse? Riscou o fósforo e ficou a contemplar a chama quase invisível ao sol. Por um bom momento, chupou o cano do cachimbo. Sara se adiantara. Ela também parecia envolta na tremeluzente rede que a folhagem criava. Uma inocência primeva parecia banhar toda a cena. E os pássaros faziam um suave e adequado acompanhamento musical do alto das frondes. O surdo burburinho de Londres cercava o espaço aberto num anel de som longínquo, mas inteiro e exato. As flores em botão, róseas, brancas, balançavam nos galhos que a brisa movia. O sol, pondo pintas nas folhas, dava a tudo um estranho ar de insubstancialidade, como se a matéria se tivesse pulverizado. Ele também parecia disperso. Seu espírito por um momento ficou vazio. Mas o mundo se recompôs, ele voltou a si, lançou fora o fósforo riscado e alcançou Sally.

– Vamos! – disse – Vamos andando... Round Pond às quatro!

Caminharam de braços dados e em silêncio pela comprida alameda abaixo, o palácio e a igreja fantasma com sua vista ao fim. A dimensão da figura humana parecia reduzida. Ao invés de gente grande, as crianças eram ali a maioria. Abundavam também cachorros de todas as espécies. O ar estava cheio de latidos e de gritos repentinos e estridentes. Cardumes de babás empurravam carrinhos de um lado para o outro. Os bebês que neles jaziam em sono profundo eram como imagens de cera que alguém tivesse colorido de leve; suas pálpebras perfeitamente lisas moldavam-se com tal justeza aos olhos que era como se os selassem de maneira completa. Martin curvou a cabeça para vê-los bem; gostava de crianças. Sally era assim quando ele a vira pela primeira vez, adormecida no seu carrinho no vestíbulo de Browne Street.

Estacou. Tinham chegado ao lago.

– Onde está Maggie? – perguntou. – Lá? Será ela? – Apontava para uma jovem que tirava um bebê de um carrinho à sombra de uma árvore.

– Onde? – perguntou Sara. Olhava na direção oposta.

Ele apontou.

– Lá, debaixo daquela árvore.

– Sim – disse ela. – É Maggie.

E foram ter com ela.

– Mas será mesmo? – disse Martin. Tinha de súbito suas dúvidas, pois a mulher demonstrava a inconsciência das pessoas que não sabem que estão sendo observadas. O que a tornava pouco familiar. Segurava a criança com uma das mãos; com a outra arranjava os travesseiros no carrinho. Ela também estava toda malhada da luz oscilante, em losangos.

– Mas é Maggie – disse, reconhecendo alguma coisa num gesto.

Nesse momento, ela se voltou e os viu. Elevou a mão como que a pedir que se achegassem sem fazer ruído. Pôs mesmo um dedo de psiu nos lábios. Eles se aproximaram na ponta dos pés. Estavam junto de Maggie quando o distante som de um relógio lhes chegou na asa da brisa. Um, dois, três, quatro... E cessou.

* * *

– Nós nos encontramos em St. Paul – disse Martin num sussurro. Puxou duas cadeiras e sentou-se. Ficaram todos calados por um momento. O bebê não estava dormindo. Mas, depois, Maggie debruçou-se sobre o carrinho, examinou a criança e disse:

– Vocês já não precisam falar tão baixo. Ele dormiu.

– Nós nos encontramos em St. Paul – repetiu Martin, agora no seu tom normal de voz. – Eu tinha ido ver o meu corretor. – Tirou o chapéu e pousou-o no gramado. – Quando saía – resumiu –, quem estava lá? Sally! – Olhou-a. Ela não lhe contara, lembrou-se, em que estava pensando quando ele a surpreendera com os lábios se movendo, na escadaria da catedral.

Agora bocejava. Em vez de sentar-se na pequena cadeira verde e dura que ele puxara para ela, deixara-se cair na relva. E ali ficara dobrada como um gafanhoto, as costas apoiadas na árvore. O livro de reza, com suas folhas douradas e vermelhas, jazia no chão sob um minúsculo dossel de trêmulas folhas de capim. Ela bocejava. Espreguiçava-se. Estava quase adormecida.

Martin puxou sua cadeira para junto da cadeira de Maggie e contemplou a vista.

Era uma composição admirável. Havia a branca figura da rainha Vitória contra um talude verde; atrás, via-se o tijolo vermelho do antigo palácio; a igreja fantasmagórica erguia mais além a sua flecha, e o Round Pond fazia uma grande poça azul. Realizava-se uma corrida de iates. Os barcos inclinavam-se tanto para um lado que as velas tocavam a água. E soprava uma leve brisa amável.

– De que falaram? – quis saber Maggie.

Martin não conseguiu lembrar-se.

– Ela estava um pouquinho embriagada – disse, apontando para Sara. – E agora vai dormir. – Ele também sentia alguma sonolência. Sentia o sol pela primeira vez quente na cabeça.

Respondeu, então, à pergunta de Maggie:

– Do mundo, de tudo no mundo. Política, religião, moral. – Bocejou.

As gaivotas soltavam seu grito, alçando voo e se abatendo por cima da cabeça de uma senhora que lhes dava de comer. Maggie estava absorta no espetáculo. Martin encarou-a.

– Não vi você depois que o menino nasceu – disse.

Aquilo a transformara, pensou; ter um filho. Fora proveitoso para ela. Mas ela só tinha olhos para as gaivotas. A velha dama lhes atirara uma mancheia de peixe. As aves faziam círculos em torno da cabeça dela.

– Você está contente com o bebê?

– Sim, estou – respondeu ela, fazendo um esforço. – Mas é uma escravidão.

– E não é agradável ter amarras assim? – perguntou ele. Era para ele. Adorava crianças. Demorou o olhar no bebê adormecido com os olhos perfeitamente selados e o polegar na boca.

– Você gostaria de ter filhos? – perguntou ela.

– Era justamente o que eu me perguntava – respondeu Martin – antes...

A essa altura, Sara emitiu um pequeno estalo no fundo da garganta, e ele baixou a voz a um sussurro:

– ...antes de encontrá-la em St. Paul – completou.

Calaram-se. O bebê dormia. Sara dormia. A presença daquelas duas pessoas adormecidas parecia encerrá-los num círculo de privacidade. Dois dos iates da corrida estavam tão perto um do outro que era de acreditar que se chocassem; mas um passou à frente do outro. Martin os observava. A vida recuperara as dimensões normais. Tudo estava de volta aos seus lugares. Os barcos singravam; os homens andavam; os meninos metiam a mão no tanque para ver se pegavam um peixinho; e as águas do lago se crispavam azuis, muito azuis. Tudo estuava do ímpeto, da potência, da fertilidade primaveris.

De chofre, ele exclamou:

– Ser possessivo é o diabo!

Maggie encarou-o. Estaria falando dela, dela e do bebê? Não. Uma nota na voz de Martin advertiu-a de que tinha outra pessoa em mente.

– Em quem está pensando? – perguntou.

– Na mulher que amo – disse. – O amor deveria acabar nas duas pessoas, não acha? E simultaneamente? – Falava sem dar ênfase às palavras no receio de acordar os dorminhocos. – Mas não acaba, e isso é o diabo! – acrescentou na mesma voz velada.

– Você está farto, é isso? – murmurou ela.

– Farto até as orelhas – respondeu. Depois, curvou-se para o chão e desenterrou um seixo encravado na grama.

– E enciumado? – ela murmurou. Sua voz era suave e quase inaudível.

– Horrivelmente – segredou. Era verdade, agora que punha o sentimento em palavra. Mas o bebê fez que ia acordar, estendeu a mão. Maggie balançou o carrinho. Sara se mexeu. A privacidade deles estava ameaçada. Seria destruída de um momento para o outro. E ele queria falar.

Relanceou um olhar para os que dormiam. Os olhos do bebê estavam fechados; os de Sara também. O anel de solidão ainda os envolvia, a ele e a Maggie. Falando em voz baixa e em tom deliberadamente neutro, ele contou sua história; a história da mulher; de como ela queria conservá-lo; e do quanto ele queria libertar-se. Era uma história banal, mas também incômoda, confusa. Ao contá-la, porém, o espinho soltou-se. Ficaram calados no fim, os olhos fitos na cena que se desenrolava à sua frente, alegre, inocente, um pouco tola. Começava uma nova corrida. Os competidores se acocoravam à beira do lago, cada qual com um bastão pousado num daqueles barcos de brinquedo. Foi dado o sinal. Os barcos largaram. Vendo o bebê adormecido, Martin pensou: E esse aí terá de passar pela mesma coisa. No fundo, pensava em si mesmo – no seu ciúme.

– Meu pai – disse de repente, mas com doçura –, meu pai tinha uma amante... Ela o tratava por "Bogy". – E contou-lhe toda a história da velha senhora que fora dona de uma pensão familiar em Putney; da velha senhora que engordara tanto e que lhe pedira ajuda para fazer obras no telhado. Maggie riu, mas sem fazer barulho, para não despertar o bebê ou Sara. Ambos dormiam a sono solto.

– Ele terá amado sua mãe? – perguntou Martin.

Ela tinha os olhos postos nas gaivotas que riscavam desenhos no céu ao longe. A pergunta dele pareceu atravessar o que ela via; depois, de súbito, alcançou-a.

– Somos irmão e irmã? – perguntou ela. E teve uma explosão de riso. A criança abriu os olhos e esticou os dedos.

– Nós o acordamos – disse Martin. O bebê se pôs a chorar. Maggie teve de consolá-lo. Sua privacidade se fora. O bebê chorou. E os relógios começaram a bater. O som vinha em ondas, trazido suavemente pela brisa. Uma, duas, três, quatro, cinco...

– Está na hora de voltar – disse Maggie quando a última badalada se extinguiu. Pôs o bebê outra vez no travesseiro e virou-se. Sara ainda dormia toda dobrada, as costas contra a árvore. Martin debruçou-se e lançou-lhe um graveto. Ela abriu os olhos, mas fechou-os em seguida.

– Não, não... – protestou, estirando os braços para o alto.

– Está na hora – disse Maggie.

Sara se endireitou com esforço.

– Está na hora, é? – suspirou. – Como é estranho... – murmurou. Sentou-se e esfregou os olhos. Martin! – exclamou, erguendo os olhos para ele, que estava de pé, no terno azul, bengala na mão. Olhava-o como se procurasse focalizá-lo melhor. – Martin – repetiu.

– Sim, Martin! – replicou ele. – Você ouviu o que dissemos?

– Vozes – bocejou ela, sacudindo a cabeça. – Apenas vozes.

Ele esperou um momento, os olhos nela.

– Bem, vou andando – disse e apanhou o chapéu. – Tenho de jantar com uma prima em Grosvernor Square – acrescentou. Depois, deu-lhes as costas e se foi.

Olhou para trás quando já estava a alguma distância. Continuavam sentadas junto ao carrinho de bebê sob as árvores. Olhou uma segunda vez, de mais longe. O terreno era em declive, e as árvores estavam escondidas no ângulo morto. Uma senhora muito gorda vinha pela alameda, rebocada por um cãozinho numa corrente. Não podia ver mais as duas.

* * *

O sol se punha quando ele atravessou o parque uma hora ou duas mais tarde. Pensava que esquecera alguma coisa, não sabia o quê. As cenas se sucediam uma a outra como fotogramas; e uma obliterava a anterior. Agora ele atravessava a ponte por cima da Serpentine. A água brilhava à luz poente. Postes de iluminação retorcidos atravessavam-se à superfície e, ao fundo, a ponte branca completava o cenário. O fiacre entrou para a sombra das árvores e juntou-se à longa fila de outros fiacres que se dirigiam para Marble Arch. Gente vestida a rigor para a noite dirigia-se ao teatro ou a recepções. A luz ficava cada vez mais amarela. O caminho parecia de prata metálica. E havia em tudo um ar festivo.

Vou chegar atrasado, pensou, pois o fiacre ficara bloqueado em Marble Arch. Conferiu o relógio: eram exatamente oito e meia. Mas um convite para oito e meia é na verdade para oito e quarenta e cinco, pensou, quando o fiacre afinal avançou. Com efeito, quando virou na praça, havia um carro à porta e um homem que apeava. Estou na hora então, pensou, e pagou ao cocheiro.

* * *

A porta se abriu mal tocou a campainha. Era como se tivesse se aberto antes, como se ele tivesse apertado uma mola secreta. A porta se abriu e dois lacaios avançaram ao mesmo tempo para tomar as suas coisas logo que entrou no vestíbulo de piso preto e branco. Acompanhou um terceiro homem escada acima. Era uma imponente escadaria de mármore branco que se arrojava em curva. Uma sucessão de grandes telas escurecidas adornava as paredes do vestíbulo e, em cima, do lado de fora da porta, havia uma vista, toda em amarelos e azuis, de palácios venezianos e canais verde-pálidos.

Canaletto ou escola de Canaletto?, pensou, deixando o outro homem passar à frente. Depois, disse seu nome ao criado.

– Capitão Pargiter! – anunciou ele em voz estentórica. E lá estava Kitty de pé, à porta. Formal, elegante, com uma sombra de batom nos lábios. Estendeu-lhe a mão, mas ele teve de ir em frente, pois outros convidados chegavam.

Um salão de baile?, disse consigo mesmo, pois a peça com seus lustres, painéis amarelos, sofás e cadeiras distribuídos aqui e ali tinha todo o ar de um grandioso lugar público. Sete ou oito pessoas já estavam ali. Dessa vez, a coisa não vai dar certo, disse consigo enquanto conversava com o anfitrião, que estivera nas corridas. Seu rosto luzia como se tivesse saído do sol naquele momento. Ninguém se surpreenderia se ele tivesse ainda um binóculo a tiracolo. Pois ainda mostrava na fronte a marca vermelha do chapéu. Não, não vai dar certo, pensou Martin, falando de cavalos. Ouviu um jornaleiro na rua e o som de buzinas. Preservava claramente o seu sentido de identidade dos objetos e das suas diferenças também. Quando uma festa dava certo, todos os sons se misturavam num só. Observou uma velha senhora com um rosto anguloso, cor de pedra, escondida, a salvo, num sofá. Relanceou um olhar para o retrato de Kitty por um pintor importante enquanto falava, primeiro apoiado num pé, depois no outro, com aquele homem que começava a grisalhar, com olhos de perdigueiro e maneiras urbanas, que Kitty desposara em vez de Edward. Então ela veio ter com ele e apresentou-lhe uma moça de branco, que estava só, de pé, com a mão apoiada no espaldar de uma cadeira.

– Srta. Ann Hillier – disse. – Meu primo, capitão Pargiter.

Demorou-se um momento com eles como que para facilitar a aproximação. Mas ela era sempre um pouco dura. Limitava-se a abanar o leque para cima, para baixo.

– Você foi às corridas, Kitty? – perguntou Martin, porque sabia que ela detestava corridas e porque adorava brincar com ela.

– Eu? Não, não vou a corridas – respondeu secamente. E foi embora, pois alguém acabava de entrar, um homem com uma estrela e galões.

Eu estaria muito melhor sozinho em casa com meu livro, pensou Martin.

– E você estava nas corridas? – perguntou à moça que deveria acompanhar à mesa. Ela abanou a cabeça. Tinha braços brancos; um vestido branco; um colar de pérolas. Puramente virginal, disse ele consigo mesmo; e apenas há uma hora eu estava nu no meu banho em Ebury Street.

– Estive assistindo a uma partida de polo – disse ela. Martin baixou os olhos para os próprios sapatos e viu que tinham rugas e que eram velhos; pensara em comprar outros, mas esquecera. Então era isso que tinha esquecido, pensou, vendo-se de novo no fiacre, atravessando a ponte sobre a Serpentine.

Mas já iam jantar. Deu o braço à moça. Enquanto desciam a escadaria, e ele via os vestidos das mulheres arrastando-se pelo chão degrau por degrau, pensou: Sobre que diabo vou conversar com essa moça. Atravessaram o vestíbulo com o seu chão quadriculado em preto e branco e foram para a sala de jantar. Era uma peça discreta, harmoniosamente recatada. Os quadros, iluminados frouxamente por baixo, destacavam-se nas paredes; a mesa resplandecia; mas nenhuma luz brilhava diretamente no rosto de ninguém. Se dessa vez não der certo, pensou Martin, contemplando o retrato de um fidalgo de manto carmesim com uma estrela fulgurante pendurada no peito, não insisto mais. Então, preparou-se para o tédio de conversar com a virginal criatura a seu lado. Mas tinha de rejeitar quase tudo que lhe vinha à cabeça, ela era jovem demais.

– Pensei em três assuntos de conversa – começou afoitamente, sem pensar em como a frase terminaria. – Corridas de cavalo, o balé russo e – hesitou por um momento – a Irlanda. Qual desses temas lhe interessa?

– Perdão – disse ela, debruçando-se ligeiramente para ele. – Quer ter a bondade de repetir?

Martin riu. A moça tinha um jeito encantador de inclinar a cabeça e de curvar-se para ele.

– Pois não falemos de nada disso, falemos de algo interessante. Gosta de festas?

Ela mergulhava a colher na sopa. Encarou-o com olhos que eram como gemas brilhantes sob uma película de água. Como gotas de vidro debaixo d'água, pensou. Era de fato extraordinariamente bela.

– Mas se fui apenas a três festas na vida! – disse ela com um pequeno riso de grande encanto.

– Não me diga! Esta é a terceira então? Ou será a quarta?

Escutou os sons na rua. Podia ouvir as buzinas, mas agora eram remotas. Os carros faziam também um só rumor contínuo, veloz. Começavam a dar certo. Ele segurou o copo. Gostaria que ela dissesse depois, pensou enquanto lhe enchiam o copo: "Que homem adorável esteve sentado ao meu lado!", isso quando fosse dormir naquela noite.

– Essa é a minha terceira festa *de verdade* – disse ela, acentuando o "de verdade" de um modo que pareceu a Martin ligeiramente patético. Três meses atrás ainda estaria na *nursery* comendo pão com manteiga.

– E eu que pensava ao fazer a barba que não iria nunca mais a jantares!

Era verdade. Tinha visto uma lacuna na sua biblioteca e pensara com a navalha parada no ar: Quem levou minha vida de Wren? E tinha querido ficar em casa lendo. Mas agora... Que fragmento da sua vasta experiência poderia destacar agora para dar àquela jovem?

– Você mora em Londres? – ela perguntou.

– Ebury Street – respondeu.

Ela conhecia Ebury Street, porque ficava a meio caminho da Victoria Station. Ia muito à Victoria, pois tinham uma casa em Sussex.

– E agora, me diga – começou ele, sentindo que haviam quebrado o gelo. Mas a moça se voltara para responder a alguma coisa dita pelo vizinho do outro lado. Martin ficou aborrecido. E veio por terra todo o edifício que estava construindo, como um jogo de varetas em que cada frágil elemento repousa sobre o que lhe fica por baixo. Ann conversava como se conhecesse o outro homem desde sempre. Era muito jovem, e os cabelos dele pareciam alisados a ancinho. Martin permaneceu calado. Olhava o grande retrato à sua frente. Havia um lacaio de pé debaixo dele. Um renque de garrafas de cristal escondia as pregas do manto no chão. Seria o terceiro conde ou o quarto?, – perguntou-se. Ele sabia tudo sobre o século XVIII. O quarto conde é que fizera o grande casamento. Mas, afinal de contas, pensou, contemplando Kitty à cabeceira da mesa, os Rigby eram de melhor família que os Lasswade. Sorriu. Refreou-se. Só penso em famílias "melhores" quando janto num lugar como este. Olhou para outro quadro, uma dama em verde-mar: o famoso Gainsborough. Mas lady Margaret, à sua esquerda, se virou para ele.

– Estou certa de que concorda comigo, capitão Pargiter – disse, e ele notou que ela correra os olhos pelo nome no cartão antes de dirigir-se a ele, embora já se tivessem encontrado inúmeras vezes –, quando digo que foi uma infâmia fazer isso...

Falou tão energicamente que o garfo que tinha em riste parecia uma arma prestes a espetá-lo se discordasse. Ele se lançou à conversa. Falavam de política, naturalmente, da Irlanda.

– Diga-me, qual a sua opinião? – perguntou ela, sempre empunhando o garfo.

Por um momento, Martin teve a ilusão de estar ele também participando da ação nos bastidores. O pano de boca estava baixado, as luzes acesas. E ele do lado de dentro. Era uma ilusão, naturalmente; lançavam-lhe apenas as sobras do guarda-comidas. Mas foi uma sensação agradável enquanto durou. Agora a mulher enfrentava um distinto ancião no pé da mesa. Martin observou o velho. Afivelara no rosto uma máscara de infinita tolerância, enquanto lady Margaret continuava a sua arenga. Ocupava-se, entretanto, em arranjar três rodelas de pão ao lado do seu prato, como se entregue a um jogo misterioso e de profunda significação. Aí está, parecia dizer com os seus botões, aí está, como se manipulasse fragmentos do destino humano, e não fatias de pão. A máscara poderia esconder muita coisa ou não esconderia nada? De qualquer maneira, era máscara da maior distinção. A ele também lady Margaret ameaçava com o garfo. E ele levantou uma sobrancelha e moveu uma das rodelas de pão um pouco para o lado antes de falar. Martin se debruçou para a frente a fim de ouvi-lo melhor:

– Quando eu estava na Irlanda – começou – em 1880... – Falava com simplicidade. O que lhes oferecia era uma memória pessoal. E narrou a sua história admiravelmente. O discurso sustinha todo o sentido até o fim sem que uma só gota entornasse. E ele desempenhara papel fundamental nos acontecimentos. Martin escutava atentamente. Sim, era apaixonante. E a coisa continuava absorvente, interminável. Ele se debruçava sobre a mesa para não perder uma única palavra. Mas sentiu que alguém interrompia. Era Ann.

– Diga-me – perguntou –, quem é *ele*? – Tinha a cabeça inclinada para a direita. Parecia convencida de que ele conhecia todo mundo. Sentiu-se lisonjeado. E correu os olhos ao longo da mesa. Quem era mesmo? Alguém que ele já encontrara; alguém que não estava, podia ver, inteiramente à vontade.

– Eu o conheço – respondeu –, conheço... – Tinha um rosto largo, muito branco; e falava com grande rapidez. E a jovem mulher casada a quem se dirigia ia dizendo "entendo, entendo", com pequenos sinais afirmativos de cabeça. Mas havia também sinais de tensão na fisionomia dela. Não é o caso de dar-se a todo esse trabalho, meu bom senhor, quis dizer Martin. Ela não percebe uma palavra do que está lhe dizendo. – ... mas não consigo ligar um nome à pessoa. Sei que nos conhecemos... deixe-me ver... de Oxford? De Cambridge?

Uma expressão divertida brilhou nos olhos de Ann. Ela percebera a diferença. Classificou os dois homens na mesma categoria: não pertenciam ao mundo dela. Não.

– Viu os bailarinos russos? – dizia. Fora ao teatro com o namorado, ao que parecia. E qual seria o seu mundo?, pensava Martin, enquanto a moça desfiava sua parca provisão de adjetivos: celestial, incrível, divino e assim por diante. Ele baixou os olhos para a toalha. De qualquer maneira, nenhum outro mundo teria qualquer possibilidade de sucesso contra aquele ali, pensou. Ademais, é um mundo bom, vasto, generoso, hospitaleiro. E muito agradável à vista. Examinou um rosto depois do outro. O jantar chegava ao fim. Todos davam a impressão de haverem sido lustrados com um esfregão de camurça, como pedras preciosas. E eram pedras bem lapidadas; não havia jaça nem indecisão. Nesse momento, a mão enluvada de branco de um criado que trocava os pratos derrubou um copo de vinho. Um laivo cor de púrpura escorreu para o vestido de uma senhora. Ela não mexeu um músculo. Continuou a conversar. Depois, com mão displicente, apoiou contra a mancha o guardanapo limpo que lhe trouxeram.

É disso que gosto, pensou Martin. Admirava aquilo. Ela poderia ter abanado os dedos diante do nariz como uma vendedora de maçãs, se isso lhe aprouvesse. Mas Ann lhe falava.

– E quando ele dá aquele salto – exclamou, levantando a mão no ar com um gesto gracioso – e depois desce de novo! – E deixou a mão cair no regaço.

– Maravilhoso! – concordou Martin. Dissera-o com a acentuação adequada, pensou; a acentuação que tomara de empréstimo ao moço cuja cabeleira parecia tratada a ancinho. – Sim, Nijinski é maravilhoso – concordou. – Maravilhoso – repetiu.

– E minha tia me convidou para uma festa a fim de que eu pudesse vê-lo.

– Sua tia? – perguntou Martin em voz alta. Ela mencionou um nome muito conhecido.

– Oh, ela é sua tia? – disse ele. Agora podia classificá-la. Então era *aquele* o mundo de Ann. Quisera perguntar-lhe – pois a jovem lhe parecia encantadora na sua mocidade, na sua singeleza –, mas era tarde demais. Ann já se erguia.

– Espero... – começou. Ela inclinou a cabeça para o lado dele, como se desejasse ficar mais tempo, ouvir sua última palavra, a menor de suas palavras. Mas não podia, pois lady Lasswade se levantara. Era tempo de ir.

Lady Lasswade se levantara. Todos se levantaram. Todos os vestidos se desdobraram longos, róseos, cor de pérola, cor de mar, e, por um breve momento, as altas senhoras em torno da mesa pareceram-se ao celebrado Gainsborough pendurado à parede. A mesa, semeada de guardanapos e copos de vinho, ficou com um ar desamparado quando a deixaram. Por um minuto, as senhoras se agruparam à porta. Então a velha dama de preto, pequenina e frágil, passou por elas com extraordinária dignidade; e Kitty, que fechava a marcha, passou o braço pelos ombros de Ann e levou-a consigo. A porta se fechou sobre as senhoras.

* * *

Kitty parou um instante.

– Espero que tenha gostado do meu velho primo – disse a Ann enquanto subiam juntas. E ajeitou com a mão alguma coisa ao passarem por um espelho.

– Achei-o um encanto! – exclamou Ann. E que árvore divina!

– Falava de Martin e da árvore exatamente no mesmo tom. Pararam por um momento a fim de admirar a pequena árvore coberta de botões cor-de-rosa que emergia de uma tina posta junto da porta. Algumas das flores já se abriam. Enquanto olhavam, uma pétala caiu.

– É cruel deixá-la aqui – disse Kitty – neste ar tão quente.

Entraram. Enquanto jantavam, os criados tinham aberto as portas de sanfona e acendido as luzes do aposento que ficava ao fundo. De modo que, ao voltarem, tinham a impressão de estar de algum modo num salão novo, recém-preparado para elas. Havia um grande fogo ardendo entre dois imponentes cães de lareira; mais parecia cordial e decorativo que ardente. Duas ou três das senhoras postaram-se diante dele, abrindo e fechando os dedos estendidos para as chamas. Mas viraram-se e fizeram lugar para a dona da casa.

– Gosto tanto desse retrato seu, Kitty! – disse a sra. Aislabie, erguendo os olhos para o retrato de lady Lasswade em moça. Tinha cabelos muito ruivos naquela época e brincava com uma cesta de rosas. Fogosa, mas terna, ela emergia, por assim dizer, de uma nuvem de musselina branca.

Kitty lançou um olhar ao quadro, depois lhe voltou as costas.

– Ninguém gosta do seu próprio retrato – disse.

– Mas é um retrato tão fiel! – disse outra senhora.

– Não mais – disse Kitty, descartando todos esses cumprimentos lisonjeiros com um riso forçado.

As mulheres sempre trocam elogios assim depois de um jantar, pensou, falam das suas toaletes, da sua aparência. Detestava ficar sozinha com um bando de mulheres depois do jantar. Sentia-se contrafeita. Mantinha-se dura no meio delas, enquanto os empregados caminhavam em torno da sala com bandejas de café.

– A propósito, espero que o vinho – começou, interrompendo a frase para servir-se –, espero que o vinho não tenha arruinado o seu vestido, Cynthia – disse à jovem senhora que enfrentou o desastre com tanta naturalidade.

– Um vestido tão bonito! – disse lady Margaret, alisando as pregas de cetim dourado entre o indicador e o polegar.

– Gosta dele? – perguntou a moça.

– É absolutamente lindo! Fiquei a contemplá-lo a noite toda! – disse a sra. Treyer, uma mulher de aspecto oriental que tinha uma pena a flutuar atrás da cabeça, contrabalançando o nariz semita.

Kitty ficou a observá-las admirando o belo vestido. Eleanor se teria sentido deslocada. Recusara o seu convite para jantar. Isso a aborrecera.

– Diga-me – interrompeu lady Cynthia –, quem era o homem sentado ao meu lado? A gente sempre encontra pessoas interessantes em sua casa – acrescentou.

– O homem sentado ao seu lado? – disse Kitty. Refletiu um momento. – Tony Ashton.

– Não é ele quem tem feito conferências sobre poesia francesa em Mortimer House? – intrometeu-se a sra. Aislabie. – Quis muito assistir a essas conferências. Disseram-me que são interessantíssimas.

– Mildred foi – disse a sra. Treyer.

– Por que estamos todas de pé? – perguntou Kitty. E fez um gesto na direção das cadeiras. Fazia coisas assim tão abruptamente que a chamavam pelas costas de "o granadeiro". Todas procuraram acomodar-se de um lado e de outro, e ela, depois de ver como se instalavam duas a duas, sentou-se junto da velha tia Warburton, que se entronizara na grande poltrona.

– Fale-me do meu adorável afilhado – começou a velha senhora. Referia-se ao segundo filho de Kitty, que estava com a esquadra em Malta.

– Está em Malta... – começou Kitty. Sentou-se numa cadeira baixa e começou a responder às perguntas da tia. Mas o fogo estava quente demais para tia Warburton. Ela ergueu sua velha mão ossuda. – Priestley quer nos assar vivas – disse Kitty, levantando-se e indo até a janela.

As mulheres trocaram sorrisos vendo-a atravessar a sala e abrir de um puxão o postigo do alto da janela. Por um segundo apenas, quando as cortinas se entreabriram, Kitty olhou a praça fronteira. Havia um desenho de sombras de folhas e luz do poste na calçada. O policial de sempre bamboleava o corpo fazendo a ronda. Os homens e mulheres de sempre, vistos em escorço daquela altura, passavam apressados ao longo do gradil. De manhã, ela os via correndo na direção oposta, quando escovava os dentes. Voltou a sentar-se no mesmo pufe aos pés da tia Warburton. A velha senhora vivida era honesta a seu modo.

– E o pequeno rufião de cabelos vermelhos que eu amo tanto? – perguntou. Era o seu favorito: o menino que estava em Eton.

– Esteve em apuros – respondeu Kitty. – Foi vergastado. – Sorriu. Era o seu favorito também.

A velha senhora soltou uma risada. Gostava de meninos que se metiam em apuros. Tinha uma cara amarela em forma de cunha, com um ocasional chumaço de pelos no queixo. Andava pelos oitenta, mas sentava-se como se estivesse na sela a caçar, pensou Kitty, olhando as mãos da velha, grossas e de juntas proeminentes. Quando ela as movia, seus brilhantes e rubis faiscavam vermelhos, brancos.

– E você, minha querida – disse a velha senhora, lançando-lhe um olhar astuto por baixo das sobrancelhas cerradas –, muito ocupada sempre?

– Sim, muito. Como de costume – disse Kitty, fugindo aos olhos espertos da velha. Pois fazia coisas à socapa que elas, as mulheres presentes, não aprovavam.

Tagarelavam juntas animadamente. Mas por animada que fosse, a conversa delas não tinha substância, na opinião de Kitty. Era conversa fiada, um blá-blá-blá vazio que só cessaria quando a porta se abrisse para dar entrada aos homens. Então acabava. Elas falavam de uma eleição suplementar. Lady Margaret contava uma história, provavelmente forte no sentido das histórias do século XVIII, pois baixara a voz. Kitty ouviu um pedaço:

– ...virou-a de pernas para o ar e deu-lhe umas boas palmadas – dizia lady Margaret. Houve um coro de risadas nervosas.

– Alegro-me tanto que ele tenha conseguido entrar apesar delas! – disse a sra. Treyer. Depois baixaram a voz de novo.

– Sou uma velha cansativa – disse tia Warburton, levando a mão nodosa ao ombro. – Mas vou lhe pedir agora que feche a janela. – O ar encanado começava a afetar sua junta reumática.

Kitty marchou para a alta janela. Para o diabo com essas mulheres, disse consigo. Segurou a longa vara com um bico na ponta e cutucou o postigo. Mas nada aconteceu. Teria desejado despojar as amigas das suas roupas, das suas joias, das suas intrigas, dos seus mexericos. O postigo fechou-se de chofre com um estrondo. E lá estava Ann de pé, sozinha, sem ninguém com quem falar.

– Venha conversar conosco, Ann – disse Kitty, chamando-a com a mão. Ann puxou um pufe e sentou-se ao pé de tia Warburton. Houve uma pausa. A velha tia Warburton não gostava de mocinhas. Mas tinham amigos comuns.

– Por onde anda Timmy, Ann? – perguntou.

– Em Harrow – disse Ann.

– Ah, vocês sempre foram para Harrow – disse tia Warburton. Em seguida, a velha senhora, com as belas maneiras que simulavam pelo menos caridade cristã, lisonjeou a moça, comparando-a à sua avó, uma beldade famosa.

— Como eu gostaria de ter conhecido minha avó! – disse Ann.

— Conte-me como ela era.

A velha senhora começou a fazer uma seleção mental das suas lembranças. Era apenas uma seleção. Uma edição expurgada, com asteriscos... Porque era uma história que não podia ser contada a uma mocinha vestida de cetim branco. A mente de Kitty desgarrou-se. Se Charles se demorasse demais embaixo, pensou, olhando o relógio de parede, ela perderia o trem. Poderia confiar em Priestley para dar-lhe um recado ao ouvido? Esperaria mais dez minutos. Voltou-se de novo para tia Warburton.

— Ela deve ter sido maravilhosa! – dizia Ann. Estava sentada com as mãos entrelaçadas em torno dos joelhos, e os olhos erguidos para o rosto barbudo da velha viúva. Kitty teve pena dela. Seu rosto seria como o das outras, pensou, contemplando o pequeno grupo do outro lado da sala. Todas as mulheres mostravam rostos atormentados, exaustos. Suas mãos se agitavam sem cessar. E todavia, pensou, elas são valentes; generosas. Davam tanto quanto recebiam. Que direito tinha Eleanor de desprezá-las? Fizera mais da sua vida que Margaret Marrable? E eu?, pensou. E eu? Quem está e quem não está com a razão? Misericordiosamente a porta se abriu.

Os cavalheiros entraram. Vinham relutantes e devagar, como se tivessem acabado de falar havia pouco e precisassem de algum tempo para se ambientarem no salão. Estavam corados e ainda riam, como se tivessem interrompido no meio o que estavam dizendo. Entraram em fila indiana; e o ilustre velhote atravessou a sala com o ar de um navio que adentrasse um porto. As senhoras não se levantaram, naturalmente, mas mexeram-se nos seus lugares. O jogo estava terminado, raquetes e volantes foram postos de lado. Eles são como gaivotas descendo sobre peixes, pensou Kitty. Era como se tivessem levantado voo e batido asas. O grande homem deixou-se cair molemente numa cadeira ao lado de sua velha amiga lady Warburton. Juntou as pontas dos dedos e começou: "E então?" – como se continuasse uma conversa que tivesse deixado interrompida na noite anterior. Sim, pensou Kitty, havia alguma coisa. De humano? De civilizado? Não encontrava a palavra exata; havia alguma coisa naquele casal de velhos, que conversava como conversara cinquenta anos corridos... Todos conversavam, aliás. Todos se tinham instalado, prontos para acrescentar uma palavra à história que caminhava para o seu desfecho ou estava no meio, senão prestes a começar.

Apenas Tony Ashton ficara sozinho e de pé, sem nada a dizer, aparentemente, sem nada para acrescentar a história nenhuma. lady Lasswade foi ter com ele.

– Tem visto Edward ultimamente? – perguntou ele, como de hábito.

– Sim – respondeu ela. – Ainda hoje... Almocei com ele, depois passeamos pelo parque... – Calou-se. Tinham, sim, passeado pelo parque. Um tordo cantava, e pararam para ouvi-lo. É o ladino do tordo, dissera Edward, que canta toda canção duas vezes... "O tordo faz isso?", perguntara ela inocentemente. E era uma citação*.

Sentira-se como uma tola. Oxford sempre lhe dava essa sensação. No entanto, ela respeitava Edward; e Tony também, pensou, olhando-o. Um esnobe na superfície; no fundo um erudito... Tinham padrões em Oxford... E ela voltou a si.

Tony gostaria, sem dúvida, de conversar com alguma das mulheres mais inteligentes, como a sra. Aislabie ou Margaret Marrable. Mas ambas estavam ocupadas, intervindo com grande vivacidade na conversação geral. Depois houve um silêncio prolongado. Ela não era uma boa anfitriã, pensou, pois esse transtorno sempre acontecia nas suas festas. Deu com os olhos em Ann, Ann que estava

---

* "*That's the wise thrush; he sings each song twice over. / Lest you should think he never could recapture / The first fine careless rapture!*" Robert Browning. *Home thoughts from abroad*. (N. T.)

a ponto de ser capturada por um moço que ela conhecia. Mas Kitty chamou. Ann acorreu submissa na mesma hora.

– Venha ser apresentada – disse Kitty – ao sr. Ashton. Ele fez uma conferência em Mortimer House – explicou – sobre... – e hesitou.

– Mallarmé – esclareceu ele com aquela espécie de falsete que tinha e que era como se sua voz se tivesse estrangulado.

* * *

Kitty afastou-se. Martin veio a seu encontro.

– Uma recepção brilhante, lady Lasswade – disse no seu tom de habitual e tediosa ironia.

– Esta? Mas de maneira nenhuma – respondeu um tanto brusca.

Não era uma recepção. E suas recepções jamais eram brilhantes. Martin dizia aquilo para caçoar dela, como de costume. Ela baixou os olhos e deu-se conta de que os sapatos dele estavam surrados.

– Venha conversar comigo um pouquinho – disse, sentindo voltar o velho afeto de família. Observou divertida que ele estava corado, um tanto, como outrora diziam as babás, "alegre". Quantas festas levaria, pensou, para transformar seu primo satírico e intransigente num membro dócil da sociedade? – Vamos sentar e conversar direito – disse, afundando-se num pequeno sofá. Ele sentou-se ao seu lado. – Diga-me, o que anda fazendo Nell? – perguntou.

– Ela mandou lembranças – respondeu Martin. – Pediu-me que lhe dissesse o quanto deseja vê-la.

– Então por que não veio? – disse Kitty. Sentia-se magoada. Não podia evitar.

– Ela não tem os grampos de cabelo que julga indispensáveis – disse Martin com uma risada, baixando os olhos para os próprios sapatos. Kitty olhou-os também. – Meus sapatos não importam – disse Martin. – Afinal, sou homem.

– Que tolice! – começou Kitty. – Que diferença faz...

Mas ele desviara os olhos para os grupos de mulheres bem-vestidas, depois para o retrato.

– É medonho esse quadro em cima da lareira – disse, contemplando a jovem de cabelos ruivos. – Quem fez mesmo?

– Já nem sei. Mas não vamos ficar olhando o meu retrato... – disse. – Conversemos.

E calou-se. Ele observava o salão. Havia excesso de mobília; mesinhas com fotografias; pequenas vitrines trabalhadas, com vasos de flores em cima; e painéis de brocado amarelo incrustados nas paredes. Ela teve a impressão de que Martin criticava a decoração e a ela ao mesmo tempo.

– Eu sempre tenho vontade de pegar uma faca e raspar tudo isso fora – disse. Mas de que adiantaria? Se mudava um quadro de lugar, "Para onde foi Tio Bill no seu cavalo?", dizia o marido, e o quadro ia de volta para o lugar primitivo. – É como um hotel, não acha? – continuou ela.

– Um salão de baile – disse Martin. Não sabia por que sempre tinha vontade de feri-la, mas tinha. Era um fato. – Eu me perguntava justamente – continuou, baixando a voz – por que conservar um quadro como aquele – e indicou o retrato com um movimento de cabeça – quando se tem um Gainsborough...

– E por que – ela também diminuiu a voz, imitando o tom a um tempo galhofeiro e brincalhão do primo –, por que vir comer a comida dos donos da casa se você os despreza?

– Mas eu não os desprezo. Nem por sombra! – exclamou ele. – Divirto-me imensamente. Gosto de vê-la, Kitty – acrescentou. Era verdade, sempre gostara dela. – Você não esqueceu seus parentes pobres, e isso é muito bonito.

– Eles é que me esqueceram – disse Kitty.

– Ora, Eleanor – atalhou Martin. – Eleanor é uma esquisitona.

– É tudo tão... – começou Kitty. Mas havia algo de errado na atmosfera da festa, e ela cortou a frase no meio. – Você tem de conversar um pouco com a sra. Treyer – disse e levantou-se.

Por que as pessoas agem assim?, indagava ele consigo, indo atrás dela. Teria preferido ficar com Kitty. Era com ela que queria conversar, e não com aquela harpia de ar oriental, com sua pena de faisão flutuando atrás da cabeça. Todavia, quando se toma o bom vinho da nobre condessa, disse, fazendo a reverência, fica-se na obrigação de distrair as suas convidadas menos desejáveis, mesmo que não se tenha nada para dizer-lhes. E escoltou Kitty. Esta voltou sozinha para junto da lareira. Deu um golpe seco nos carvões, e as fagulhas voaram chaminé acima. Estava irritadiça, irrequieta. O tempo passava. Se aquela gente se demorasse muito, perderia o trem. Sub-repticiamente, notou que os ponteiros do relógio se aproximavam das onze. A recepção estava no fim; era apenas o prelúdio de outra festa. E, no entanto, todos conversavam com animação como se nunca tivessem de ir embora. Correu os olhos pelos grupos aparentemente inarredáveis. Mas o relógio soou numa sucessão de pequenas batidas petulantes. A última ainda reverberava quando a porta se abriu, e Priestley entrou. Com os seus inescrutáveis olhos de mordomo e com o indicador em gancho, convocou Ann Hillier.

– É mamãe que veio me buscar – disse Ann, atravessando o salão com algum alvoroço.

– Ela se encarrega de você, então? – disse Kitty, retendo por um momento a mão da outra. Por quê?, perguntou-se, examinando o adorável rosto da jovem, vazio de expressão ou de caráter como o de um pajem, em que nada está escrito, apenas a mocidade. Conservou a mão dela na sua. – Você tem mesmo de ir? – perguntou.

– Receio que sim – respondeu Ann, retirando a mão.

Todos se levantaram, e houve um movimento geral como se muitas gaivotas juntas tivessem batido de repente as suas asas brancas.

– Você vem conosco – disse Ann ao seu outro vizinho de mesa, o rapaz de cabelos repartidos a ancinho. Martin ouviu. Deram-lhe as costas e saíram juntos. À porta, ao passar por ele, que tinha a mão estendida, Ann fez-lhe um simples cumprimento de cabeça, como se a sua imagem já se tivesse apagado da sua mente. Sentiu-se aniquilado. Sua reação estava fora de qualquer proporção com o motivo. Avassalava-o o desejo de ir com eles aonde quer que fossem. Mas não fora convidado. Ashton, sim. Saiu com os demais.

Que velhaco!, pensou consigo mesmo, com uma amargura que o surpreendeu. Curioso como por um momento tivera ciúmes. Ao que parecia, todo mundo ia esticar em alguma outra festa. Ele se deixou ficar para o fim desajeitadamente. Só os velhotes ficaram. Mas não, até o grande homem preparava-se para acompanhar os outros convivas. Só a velha senhora ficou. Mancava através do salão pelo braço de Lasswade. Queria ver confirmada a exatidão de algo que dissera havia pouco a respeito de determinada miniatura. Lasswade tirara o quadro da parede e segurava-o debaixo de uma lâmpada para que lady Warburton proferisse seu veredito. Seria vovô no cavalo ou seria tio William?

– Sente-se, Martin – disse Kitty –, vamos conversar. – Ele obedeceu. Mas achava que ela queria vê-lo pelas costas. Surpreendera um olhar para o relógio. Conversaram assim mesmo por um momento. A velha voltou. Provava, sem sombra de dúvida, valendo-se de sua incomparável coleção de anedotas, que o cavaleiro era o tio William e não vovô. Ia-se embora, mas remanchava. Martin esperou até que ela estivesse com um pé na soleira, apoiada ao braço do sobrinho. Deveria ir também ou ficar? Hesitava. Mas Kitty se levantara, estendia-lhe a mão.

– Volte logo, quando eu não estiver com visitas – disse. Despedia-o na verdade, foi o que sentiu.

Era o que as pessoas sempre dizem, refletiu, descendo lentamente as escadas atrás de lady Warburton. Volte logo. Pois não pretendo fazê-lo. A tia Warburton descia como um caranguejo, segura ao corrimão com uma das mãos e ao braço de Lasswade com a outra. Não tinha por que apressar-se. Contemplou uma vez mais o Canaletto. Um belo quadro; cópia, provavelmente, comentou consigo mesmo. Olhou por entre os balaústres e viu o quadriculado preto e branco do vestíbulo embaixo.

Dera certo, reconheceu, descendo para o vestíbulo degrau por degrau, aos trancos e barrancos, é verdade, e com altos e baixos. Mas valia a pena?, perguntou-se, deixando que o lacaio a ajudasse a enfiar as mangas. As portas duplas estavam abertas de par em par sobre a rua. Uma ou duas pessoas passavam. Olhavam para dentro com curiosidade ao verem os criados; o grande vestíbulo iluminado; e a velha senhora que se demorara um momento em meio ao piso em xadrez. Vestia-se para sair; recebia agora o seu manto vazado e com forro violeta; em seguida, as suas peles. Tinha uma bolsa pendurada do pulso; correntes por todos os lados; e anéis em todos os dedos. Seu rosto pontiagudo, cor de pedra, crivado de linhas e pregueado de rugas, emergia de um ninho macio de peliça e rendas. Os olhos ainda eram muito vivos.

O século XIX recolhendo-se ao leito, disse Martin consigo ao vê--la descer para a carruagem pelo braço do seu lacaio. Ajudaram-na a embarcar. Martin despediu-se com um aperto de mão daquele excelente sujeito, o dono da casa, que bebera um pouco além da conta. E atravessou a pé Grosvenor Square.

* * *

Baxter, a criada de quarto de Kitty, acompanhava a saída dos hóspedes de uma janela no alto da casa. Ah, a velha senhora ia embora finalmente. Desejava que todos partissem, e depressa. Se a festa durasse mais tempo, seu pequeno passeio estaria estragado. Pois, na manhã seguinte, combinara ir de barco rio acima com seu namorado. Voltou-se e olhou em redor. Tinha tudo preparado: o casaco da senhora, sua saia, a bolsa com a passagem dentro. Passava muito das onze. Esperava junto da penteadeira. O espelho de três faces refletia púcaros de prata, plumas de pó de arroz, escovas de cabelo, pentes. Baxter curvou-se e sorriu à sua própria imagem. Assim vou estar amanhã no rio.

Depois, endireitou-se. Ouvira passos no corredor. A senhora se aproximava. Ali estava.

Lady Lasswade entrou, tirando os anéis dos dedos.

– Lamento o atraso, Baxter – disse. – Agora tenho de correr.

Baxter desabotoou-lhe o vestido, deixou-o cair por terra e levou-o embora, tudo sem uma palavra e com a maior destreza. Kitty sentou-se à penteadeira e chutou os sapatos para longe. Sapatos de cetim são invariavelmente apertados. Conferiu o relógio da mesa. Dispunha de pouco tempo, mas era o necessário.

Baxter passou-lhe o casaco, depois a bolsa.

– A passagem está aí dentro, senhora – disse, batendo na bolsa.

– Agora o chapéu – disse Kitty. Abaixou-se um pouco para ajustá-lo em frente ao espelho. Com o pequenino chapéu de viagem em *tweed* posto no alto da cabeça, tornava-se uma pessoa muito diferente, a pessoa que gostaria de ser. Ficou parada no seu costume de viagem, a pensar se não esquecera alguma coisa. Por um momento, sua mente foi um completo vazio. Onde estou? O que estou fazendo? Para onde vou?, perguntava-se. Seus olhos fixaram-se na penteadeira; vagamente se recordou de outro quarto, de outro tempo, quando era moça. Em Oxford, talvez?

– E a passagem, Baxter? – perguntou por perguntar.

– Na bolsa, senhora – respondeu Baxter. Kitty tinha a bolsa na mão.

– Tenho tudo, então – disse Kitty. Sentiu uma pontada de remorso. – Obrigada, Baxter. Espero que se divirta com a sua... – Hesitou. Não sabia o que Baxter fazia com a sua folga. – ...com a sua peça de teatro – arriscou. Baxter sorriu, mordendo os lábios. As empregadas de quarto aborreciam Kitty com a decorosa polidez, com seus rostos impenetráveis, contraídos. Mas eram úteis.

– Boa noite! – disse à porta do quarto de dormir. Pois aquela fronteira Baxter não passava. Ali terminavam suas responsabilidades para com a patroa. Outra pessoa cuidava da escadaria. Kitty olhou o salão a ver se o marido estava ali. Mas estava deserto. O fogo ainda ardia, as cadeiras, puxadas para formar um semicírculo, ainda pareciam conter o esqueleto da festa nos seus braços vazios. Mas o carro esperava à porta.

— Temos tempo, não? — disse ao chofer quando ele estendeu a manta sobre os seus joelhos. E partiram.

* * *

Na noite clara e imóvel, cada árvore da praça era visível: algumas eram escuras; outras, pintalgadas com estranhas manchas de uma luz artificial, verde. Acima das lâmpadas em arco voltaico, elevavam-se colunas de treva. Embora já fosse quase meia-noite, era como se ela estivesse em meio a alguma espécie de dia etéreo e incorpóreo, pois havia muitas lâmpadas nas ruas; carros passando; homens em cachenê branco, com sobretudos leves, abertos, andando ao longo das calçadas limpas e secas; muitas casas ainda estavam acesas, pois todo mundo dava festas.

A cidade mudava de aspecto à medida que rolavam macio através de Mayfair. Os bares estavam fechando. Em torno de um poste numa esquina, formara-se um pequeno grupo. Um bêbado berrava uma canção; uma mulher, uma pluma a dançar diante dos olhos, oscilava agarrada a outro poste... Mas só com os olhos Kitty registrava o que via. Depois da conversação, do esforço, da correria, nada se podia acrescentar a essas impressões que se sucediam com grande rapidez. Tinham feito uma curva agora, e o carro deslizava a toda velocidade por uma longa avenida muito clara, de grandes lojas fechadas. As ruas quase desertas. O relógio amarelo da estação mostrava que ainda tinham cinco minutos em seu favor.

Em cima da hora, pensou Kitty. Caminhando depressa pela plataforma, sentia crescer dentro de si a alegria habitual. Uma luz difusa tombava de grande altura. Gritos de homens e o clangor dos vagões que mudavam de linha ecoavam na vastidão daquele espaço. Seu trem esperava; os passageiros preparavam-se para partir. Alguns bebiam alguma coisa em xícaras de louça grossa, com um pé na escada do vagão, como se tivessem medo de se afastar demais dos seus lugares. Ela correu os olhos pela composição e viu a locomotiva bebendo água de uma mangueira. Era tudo corpo, tudo músculo. Até o pescoço desaparecia, integrado na rotundidade geral e lisa do conjunto. Aquilo era *o* trem; os outros, simples brinquedos em comparação. Ela sorvia o ar sulfuroso, que deixava um leve travo ácido no fundo da garganta, como se já fosse um bafo do norte.

O chefe de trem reconhecera-a de longe e vinha ao seu encontro, o apito na mão.

– Boa noite, senhora – disse.

– Boa noite, Purvis. Tenho só um minuto, se tanto... – respondeu Kitty enquanto ele abria a porta da cabine.

– Sim, senhora. Mas chegou em tempo – replicou o homem.

Ele fechou a porta. Kitty voltou-se e examinou o pequeno compartimento iluminado em que passaria a noite. Tudo estava preparado; o leito fora feito; as cobertas estavam abertas; a mala no banco. O chefe de trem passou pela janela, a bandeira na mão. Um homem que apanhava o trem à última hora corria pela plataforma com os braços abertos. Uma porta bateu.

Em cima da hora, disse Kitty consigo. O trem produziu um leve sacolejo. Kitty mal podia crer que um tal monstro encetasse tão suavemente viagem tão longa. Depois viu o carrinho de chá passar.

Estamos a caminho, disse consigo, afundando no assento. A caminho!

Toda a tensão deixou-a. Estava só. O trem movia-se. A última lâmpada da plataforma desapareceu. A última figura da plataforma esfumou-se.

Que bom!, disse consigo mesma, como uma menina que fugisse de casa. Que bom!

* * *

Ficou sentada por um momento, imóvel na cabine brilhantemente iluminada. Depois puxou o estore, que subiu de uma vez com um repelão. Riscos de luz deslizavam por ela; luzes de fábricas, de armazéns; luzes de ruas anônimas de subúrbio. Passaram, em seguida, grandes trechos asfaltados; luzes de jardins públicos; arbustos, uma sebe num campo. Deixavam Londres para trás; ficava para trás aquele imenso clarão que se contraía, à medida que o trem avançava para dentro da noite circundante; parecia contrair-se num único anel de fogo. A composição se precipitou com um rugido na boca de um túnel. Era como se procedesse a um ato de amputação; agora ela estava cortada daquele círculo de luz.

Olhou em torno da exígua cabine em que estava insulada. Tudo sacudia um pouco. Havia uma vibração muito leve, mas constante. Sentia como se passasse de um mundo para outro e como se aquele fosse o momento da transição, do traslado. Permaneceu sentada imóvel por um momento. Depois, despiu-se e ficou de pé junto à janela com a mão pousada sobre o estore. O trem encontrara seu ritmo agora e rolava a toda velocidade pela campina. Poucas luzes esparsas ainda cintilavam, ao longe. Massas escuras de árvores pontilhavam a planura cor de chumbo; e as ervas da estação atapetavam o chão. O farol da locomotiva lambeu um grupo de vacas em repouso; depois uma cerca viva de pilriteiros. Era o campo aberto.

Kitty baixou o estore e deitou-se. Ficou recostada no leito duro, as costas contra a parede do compartimento, de modo que sentia uma leve trepidação atrás da cabeça. Estava atenta ao zunido que o trem fazia, agora que atingira sua velocidade normal. Suavemente, mas poderosamente também, ela era levada para o norte através da Inglaterra. Não tenho de fazer nada, nada, nada, pensou, exceto me deixar arrastar. Virou-se e puxou o abajur azul para cobrir a lâmpada. O ruído do trem lhe pareceu mais forte no escuro; seu ronco, sua vibração pareciam fundir-se num só ritmo regular de som que lhe penetrava o cérebro, desenrolando seus pensamentos.

Ah, mas não todos, pensou, dando voltas no leito, sem encontrar posição. Alguns ainda apontavam. Já não sou uma criança, pensou, os olhos na luz sob sua cápsula azul. Os anos nos transformam; destroem coisas; amontoam coisas, aborrecimentos, cuidados. Ali estavam os seus de novo. Frases soltas lhe vinham outra vez à memória; e cenas. Viu-se outra vez fazendo subir o estore de um repelão; viu os pelos no queixo da tia Warburton. Viu as mulheres no ato de se levantarem num só movimento e os homens entrando pela porta em fila indiana. Suspirou ao virar-se no leito. Todos se vestem da mesma maneira, pensou, e têm a mesma vida. E qual a vida certa, pensou irrequieta, dando voltas na cama, qual a errada? E virou-se para o outro lado.

O trem a levava na sua carreira. O ruído agora era mais profundo, transformara-se numa espécie de rugido contínuo. Como dormir? Como impedir-se de pensar? Deu as costas à lâmpada de cabeceira. *Agora* onde estaremos?, disse consigo a meia-voz. Onde estará o trem neste exato momento? *Agora*, murmurou, fechando os olhos, estamos passando pela casa branca do alto da colina; *agora* atravessamos o túnel; *agora* passamos pela ponte sobre o rio... Um vazio. Seus pensamentos ficaram espaçados. Confusos. Passado e presente misturaram-se. Viu Margaret Marrable palpando entre os dedos o tecido do seu vestido, mas ela puxava um touro por uma argola que ele tinha no focinho... É o sono, disse consigo, entreabrindo as pálpebras, fechando-as, é o sono. Então, resignada, abandonou-se ao trem, cujo rugido se fez surdo e em seguida distante.

* * *

Bateram na porta. Por um momento, ficou sem saber onde estava, a indagar consigo mesma por que o quarto vibrava tanto. Mas logo a situação fez sentido. Estava num trem, era isso. Estava no campo. Chegavam. Levantou-se.

Vestiu-se rapidamente e foi para o corredor. Ainda era cedo. Viu passarem os campos a galope. Eram campos do norte, agrestes, sáfaros, com traçados angulosos. A primavera tardava aqui; as folhas mal começavam a sair. A fumaça fez uma curva mais fechada para baixo e capturou uma árvore na sua nuvem branca. Quando se ergueu mais adiante, ela percebeu como era fina a luz; clara e nítida, alvacenta e cor de cinza. A terra não tinha nada da ondulação, nada do verde da terra do sul. Mas ali estava a bifurcação; o gasômetro; entravam na gare. O trem diminuiu a marcha, e os postes da plataforma gradualmente se imobilizaram.

Ela saltou e respirou fundo o ar frio e puro. O carro a esperava. E mal o viu, lembrou-se: era o carro novo, presente de aniversário do marido. Ainda não andara nele. Cole tocou no chapéu.

– Vamos abrir a capota, Cole – disse, e ele obedeceu, forçando a coberta dura de nova. Kitty sentou-se ao lado dele. Bem devagar, porque o motor parecia funcionar intermitentemente, arrancando e parando para arrancar outra vez, foram em frente. Atravessaram a cidade. As lojas ainda estavam fechadas; havia mulheres de joelhos esfregando soleiras de portas; persianas descidas em quartos de dormir e em salas de estar; e muito pouco tráfego. Só as carroças de leite passavam com estrépito. Cães corriam pelo meio da rua, tratando dos negócios lá deles. Cole era obrigado a buzinar frequentemente.

– Vão acabar aprendendo, senhora – disse, quando um enorme vira-lata malhado saiu da frente deles com um salto. Dentro da cidade, guiou com cautela; uma vez fora, acelerou. Kitty ficou a vigiar a agulha que subia no velocímetro.

– O carro obedece direitinho? – perguntou ela, escutando o ronronar macio do motor. Cole levantou o pé para mostrar como ele tocava de leve no acelerador. Depois pisou nele de novo e o carro avançou veloz. Iam muito depressa, pensou Kitty; mas a estrada, da qual ela não tirava os olhos, ainda estava deserta. Só duas ou três carroças de fazenda cruzaram com eles; os homens iam até a cabeça dos cavalos e seguravam-nas até que o carro os tivesse ultrapassado. A estrada se estendia a perder de vista e era de um branco leitoso de pérola; e as sebes estavam todas espetadas com as pequeninas folhas pontudas do começo da primavera.

– A primavera está muito atrasada por aqui – disse Kitty. – Ventos muito frios, imagino?

Cole assentiu de cabeça. Não tinha nada das maneiras servis dos lacaios de libré de Londres. Ela se sentia à vontade com ele, sentia que podia calar-se, se assim desejasse. O ar parecia conter diferentes graus de calor e frio; ora lhe parecia suave; e logo – agora, por exemplo, que passavam por um curral – cheirava forte, acre, a estrume. Recostou-se no assento, segurando o chapéu com a mão ao subirem uma colina mais íngreme.

– Você não vai conseguir chegar até lá em cima em terceira, Cole – disse.

Ele diminuiu a marcha. Subiam a conhecida Colina Crabbs, riscada de listras amarelas onde as pesadas carroças tinham freado. Antigamente, quando vinham a cavalo, ela e os outros costumavam apear naquele ponto e continuar a subida a pé. Cole não disse nada. Queria exibir o motor, suspeitava Kitty. O carro aguentou. Mas o caminho era longo morro acima, e o carro falhou. Cole encorajou-o a continuar. Kitty viu que ele balançava ligeiramente o corpo para trás e para a frente como se animasse um cavalo. Sentiu a tensão dos músculos do homem. O carro ia agora muito devagar. Pareceu-lhe prestes a parar. Mas é que tinham chegado à crista. E em terceira!

– Muito bem! – exclamou. Cole não respondeu. Kitty, porém, sabia que ele estava orgulhoso. – Nunca teríamos feito isso no carro velho – disse.

– Ah, mas era culpa dele! – respondeu o chofer.

Era profundamente humano, Cole. Do gênero de homem de que gostava, refletiu Kitty, caladão, reservado. Seguiram caminho. Agora estavam em frente ao solar cinzento, de pedra, onde morava a louca com seus pavões e seus sabujos. Passaram. Agora as florestas estavam à direita, e o ar vinha cantando por entre as árvores. Era como o mar, pensou Kitty, enfiando o olhar de passagem por uma alameda de um verde profundo marchetada de amarelo pelo sol. Passaram. Montes de folhas de um marrom avermelhado jaziam agora à beira da estrada, tingindo de sangue as poças d'água.

– Tem chovido? – perguntou ela. O chofer fez que sim com a cabeça. Emergiram da floresta no alto e lá, numa clareira, estava a torre cinzenta do castelo. Ela sempre aguardava ansiosamente a sua aparição e saudava-a como se acenasse para uma amiga. Estava em seu próprio chão finalmente. Os mourões das porteiras tinham suas iniciais gravadas a fogo; as armas da família balançavam à entrada dos albergues; seu brasão ostentava-se na fachada dos *cottages* logo por cima da porta principal. Cole olhou o relógio. E a agulha fez um salto.

Demais! Iam depressa demais outra vez, disse Kitty consigo mesma. Mas gostava que o vento lhe batesse no rosto. Chegaram agora ao portão do castelo. A sra. Preedy mantinha-o aberto. Tinha uma criança nos braços, e o cabelo do menino era branco de tão louro. Atravessaram o parque num átimo. Os gamos ergueram a cabeça e fugiram céleres para o mato.

– Um quarto de hora menos dois minutos, senhora – disse Cole, fazendo o último círculo e estacando em frente à porta. Kitty demorou-se por alguns instantes, examinando o automóvel. Pousou a mão no capô. Estava quente. Fez-lhe um afago.

– O carro se portou esplendidamente – Cole disse. – Não deixarei de contar a lord Lasswade.

Cole sorriu feliz.

Kitty entrou. Não havia ninguém. Tinham chegado mais cedo do que imaginavam. Atravessou o grande vestíbulo com seu piso de pedra, com sua armadura e seus bustos, e foi para a sala de estar, onde a mesa do café estava posta.

A luz verde cegou-a ao entrar. Era como se estivesse no interior de uma esmeralda. Tudo era verde lá fora. As estátuas das damas francesas em granito cinza continuavam no terraço com as cestas de sempre. Só que as cestas estavam vazias. No verão estariam abrasadas de flores. O relvado verde, verde, descia em largas ondulações, afundando para o rio e subindo pela coluna da margem oposta até a floresta da crista. Havia uma echarpe de neblina nas árvores àquela hora – a leve neblina esgarçada da manhã. Enquanto olhava, uma abelha veio zumbir no seu ouvido; acreditou perceber o murmúrio das águas quebrando nas pedras embaixo e o arrulhar dos pombos na ramagem. Eram as vozes da madrugada, as vozes do estio. Mas a porta se abriu. Café.

Comeu. E teve uma grande sensação de conforto, calor e bem-estar, quando, por fim, recostou-se na cadeira. Não tinha nada que fazer – nada absolutamente. O dia era todo seu. E era um dia perfeito. A luz do sol subitamente se acentuou na sala, riscando o chão com um largo friso de luz. O sol também estava nas flores do jardim. Uma borboleta-tartaruga, asas alaranjadas e vermelhas, bateu contra a janela; viu-a pousar numa folha e ali deixar-se ficar, abrindo e fechando as asas alaranjadas e vermelhas, abrindo e fechando as asas, como que a deleitar-se com a luz solar. Kitty observou-a atentamente. A penugem das asas era macia contra o fundo cor de ferrugem. Voou. E então, admitido à sala por mão invisível, o pequinês entrou, veio direito para ela, cheirou-lhe as saias e deixou-se cair por terra no meio de uma grande mancha de sol.

Animal insensível!, pensou. Mas a indiferença do cão lhe agradava. Não lhe exigia nada ele também. Estendeu a mão para apanhar um cigarro. O que diria Martin, pensou, alcançando a caixa esmaltada que mudou de verde para azul ao abri-la. Horrendo? Vulgar? Possivelmente, mas o que importava o que os outros diziam? A crítica lhe parecia leve como a fumaça naquele momento. Que importa o que ele disse, o que todos disseram, o que qualquer pessoa tenha dito – se o dia à frente lhe pertencia inteiro? Se ela estava só?

Quanto aos outros, dormem ainda nas suas casas, pensou de pé à janela, contemplando a grama verde-cinza, dormem depois das suas danças, das suas festas... O pensamento lhe agradou. Jogou fora o cigarro e subiu para mudar de roupa.

O sol estava muito mais forte quando desceu. O jardim perdera seu ar de pureza; a névoa deixara a mata. Podia ouvir o chiado do cortador de grama ao passar pela porta-janela. O pônei andava sem rumo pelo jardim, com seus cascos de borracha deixando apenas uma esteira pálida na selva pisada. Os pássaros gorjeavam a seu modo, que era disperso. Os estorninhos, com sua brilhante cota de malhas, comiam aqui e ali pelo chão. O orvalho brilhava nas trêmulas folhas da erva – rubro, violeta, cor de ouro. Era uma perfeita manhã de maio. Ela foi andando devagar pelo terraço. Ao passar pela biblioteca, espiou os livros através dos altos janelões. Tudo estava coberto e fechado. Mas o comprido salão parecia mais majestoso que de costume, suas proporções mais decorosas; e os livros, encadernados em marrom e alinhados em longas filas, pareciam existir em silêncio, com dignidade, por si e para si mesmos. Deixou o terraço e caminhou pela grande alameda gramada. O jardim ainda estava deserto; apenas um homem em mangas de camisa ocupava-se de uma árvore. Mas ela não era obrigada a falar com ninguém. O pequinês vinha atrás dela; ele também guardava silêncio. Ela passou ao longo dos canteiros em flor e seguiu até o rio. Ali sempre se detinha, na ponte, com suas balas de canhão de espaço a espaço. A água sempre tivera grande fascínio para ela. O rio vinha do norte, das charnecas; não era liso e verde nem profundo e plácido como os rios do sul; corria ligeirinho, afanava-se. E espadanava água vermelha, amarela, parda sobre os seixos rolados do seu leito. Apoiando os cotovelos na balaustrada, Kitty ficou a vê-lo redemoinhar junto dos arcos, fazer diamantes e pontas de flecha nas pedras. Escutava. Conhecia os muitos ruídos do rio, verão e inverno. Agora corria veloz. Afanava-se.

Mas o cãozinho se aborreceu e seguiu caminho. Ela o acompanhou. Subiu pela senda verde que levava ao monumento em forma de apagador de velas no topo do outeiro. Cada caminho da mata tinha um nome. Havia a Trilha do Guarda, o Passeio dos

Namorados, a Milha das Damas, e ali estava o Caminho do Conde. Antes de se embrenhar pela floresta, parou e olhou para trás, para a casa. Eram sem conta as vezes em que ficara de pé ali vendo o castelo cinzento e imponente; adormecido naquela manhã, com as persianas descidas e sem bandeira no mastro. Parecia muito nobre, antigo, perene. Então penetrou na floresta. O vento começou a soprar quando ela se viu sob as copas das árvores – ou assim lhe pareceu. Cantava alto na ramaria, mas era silente junto ao chão alcatifado. As folhas secas estalavam sob seus pés; por entre elas, apontavam pálidas flores da primavera, as mais lindas do ano – flores azuis e flores brancas, trêmulas em almofadas de musgo verde. A primavera é tão triste sempre, pensou, sempre traz lembranças sombrias. Tudo passa, tudo muda, pensou, ao subir o estreito sendeiro por entre as árvores. Nada daquilo lhe pertencia; seu filho herdaria, a mulher dele caminharia por ali depois dela. Quebrou um galhinho seco; apanhou uma flor que pôs entre os lábios. Mas estava na flor dos seus dias, em pleno vigor. Prosseguiu. O caminho subia abrupto; sentia os músculos fortes, elásticos, ao pisar com firmeza nos seus sapatos de sola grossa. Jogou longe a flor. As árvores agora eram mais ralas. Subia. De chofre, viu o céu extraordinariamente azul entre dois troncos listrados. Saiu da mata na crista. O vento cessara. Havia campo em toda a volta. Seu corpo pareceu diminuir; os olhos se escancararam. Deixou-se cair no chão e ficou a contemplar a vastidão daquela terra que se espraiava a perder de vista, que subia e descia em ondulações suaves até que em algum lugar distante chegava ao mar. Virgem, desabitada, a existir por si e para si mesma, sem casas nem cidades, ao que parecia daquelas alturas. Largas fatias de sombra vizinhavam com grandes espaços luminosos. E enquanto contemplava, a luz se moveu, e a sombra também; luz e sombra viajaram por sobre colinas e vales. Um murmúrio profundo cantava-lhe nos ouvidos – era a própria terra a cantar para si mesma um embalo, um coral, solitária. Kitty ficou a ouvi-la perfeitamente feliz. O tempo deixara de existir.

1917

Uma noite friíssima de inverno, tão silenciosa que o ar parecia congelado – e, como não havia lua, congelado à imobilidade do cristal –, cobriu a Inglaterra. Canais e lagos estavam reduzidos a gelo sólido; as poças d'água eram como olhos vidrados nas estradas, e, nas calçadas, a geada erguera protuberâncias escorregadias. A treva esfregava-se contra as vidraças. E as cidades se tinham fundido ao campo. Nenhuma luz brilhava, exceto quando um farol varria o céu e se detinha aqui, ali, como que a perscrutar melhor algum ponto alvacento, lanoso.

* * *

– Se aquilo for o rio – disse Eleanor, parando no meio da rua escura em frente à estação –, então Westminster fica ali. – O ônibus em que ela tinha vindo, e cujos silenciosos passageiros pareciam cadavéricos à luz azulada, já desaparecera. Voltou-se.

Ia jantar com Renny e Maggie, que viviam em uma das pequenas ruelas obscuras à sombra da abadia. Avançou a pé. O outro lado da rua era quase invisível. As lâmpadas estavam envolvidas em pano azul. Ela apontou a lanterna para uma placa numa esquina: aqui a luz mostrava um muro de tijolos; mais além, um tufo de hera verde-escuro. Por fim, o número trinta, o número que ela buscava, luziu. Bateu e tocou a campainha ao mesmo tempo, porque a escuridão parecia abafar os sons tanto quanto impedir a vista. O silêncio era pesado enquanto esperava. Depois a porta se abriu e um homem disse:

– Entre!

Fechou a porta rapidamente, como se quisesse impedir que a luz escapasse. Era estranho depois das ruas – o carrinho de bebê no vestíbulo, os guarda-chuvas no lugar próprio; o tapete, os quadros; tudo parecia intensificado.

– Entre! – repetiu Renny e mostrou-lhe o caminho para a sala brilhante de luzes. Havia outro homem ali, coisa que a surpreendeu. Esperara encontrar o casal sozinho. E o homem era um desconhecido.

Por um momento ficaram a olhar um para o outro. Depois, Renny disse:

– Você conhece Nicholas... – mas não pronunciou o sobrenome distintamente. De qualquer maneira, era longo demais para que ela pudesse aprendê-lo. Um sobrenome estrangeiro, pensou. Um estrangeiro então. Inglês o homem não era, obviamente. Cumprimentou-a com uma curvatura, como fazem os estrangeiros, e continuou o que estava dizendo, como se estivesse em meio a uma frase que desejasse completar.

– Falávamos de Napoleão... – disse, voltando-se para ela.

– Sim... – disse Eleanor. Mas não fazia nenhuma ideia do que ele dizia. Estavam no meio de uma discussão, imaginou, que chegou ao fim diante dela sem que compreendesse uma palavra, exceto que se tratava de fato de Napoleão. Tirou o mantô e depositou-o em algum lugar. Pararam de falar.

– Vou avisar Maggie – disse Renny. E deixou-os abruptamente.

– Falavam de Napoleão? – perguntou Eleanor, encarando o homem cujo sobrenome não conseguia perceber. Viu que era moreno; que tinha cabeça redonda e olhos escuros. Gostava dele ou não? Estava indecisa.

Interrompi-os, pensou, e agora não tenho nada para dizer. Sentia-se um tanto aturdida e estava com frio. Estendeu as mãos para o fogo. Era um fogo de verdade; havia blocos de madeira ardendo; a chama corria ao longo das riscas lustrosas de alcatrão. Na sua própria casa só restava um fio de gás muito débil.

– Napoleão – disse, aquecendo as mãos. Disse sem pôr qualquer sentido na palavra.

– Discutíamos a personalidade dos grandes homens – disse ele – à luz da ciência moderna – acrescentou com um riso breve.

Eleanor desejaria que o debate estivesse mais ao seu alcance.

– É muito interessante – disse ela timidamente.

– Seria – replicou ele – se entendêssemos alguma coisa do assunto!

– Se entendêssemos... – repetiu ela. Houve um longo silêncio. Sentia-se totalmente entorpecida, não só nas mãos, no cérebro também. – A psicologia dos grandes homens – disse para que ele não julgasse que era uma tola –, era isso o que discutiam?

– Dizíamos... – começou ele. E calou-se.

Ela entendeu que o homem achava difícil resumir o debate. Tinham conversado, era evidente, por algum tempo, a julgar pelos jornais que juncavam o chão ou pelas pontas de cigarro nos cinzeiros.

– Eu dizia – continuou ele –, dizia que não nos conhecemos, nós, povo comum; e se não nos conhecemos, como podemos fazer leis, religiões que... – ele usava as mãos como quem acha a linguagem recalcitrante – que...

— Sirvam... que sirvam — disse ela, fornecendo-lhe uma palavra sem dúvida mais curta que a palavra do dicionário que os estrangeiros usam.

— Que sirvam, que sirvam — repetiu ele, aceitando a palavra e reiterando-a, como se estivesse grato pela ajuda.

— ... que sirvam — repetiu Eleanor.

Não tinha a menor ideia do que diziam. Mas então, de súbito, ao curvar-se para o fogo a fim de aquecer as mãos, palavras lhe vieram à mente e compuseram uma frase inteligível. Pareceu-lhe que o que ele tinha dito era: "Não podemos fazer nem leis nem religiões porque não nos conhecemos a nós mesmos".

— Como é curioso que tenha dito isso! — exclamou, sorrindo-lhe. — Muitas vezes já pensei a mesma coisa!

— O que há de curioso nisso? — disse ele. — A gente pensa as mesmas coisas o tempo todo; apenas não as exprimimos.

— Ainda há pouco, no ônibus — disse ela —, vinha pensando na guerra. Eu não sinto essa guerra, mas conheço pessoas que sentem... — interrompeu-se.

Ele parecia perplexo; provavelmente ela não entendera direito o que ele tinha dito; ou ele não tornara claro seu pensamento.

— Quero dizer — recomeçou — que, quando vinha há pouco no ônibus, pensei...

Nesse momento, porém, Renny entrou. Trazia copos e garrafas numa bandeja.

— Que bela coisa ser filho de um negociante de vinhos! — exclamou Nicholas.

Parecia uma citação extraída de uma gramática francesa.

Filho de um negociante de vinhos, repetiu Eleanor de si para si, observando o rosto corado, os olhos escuros e o nariz proeminente. O outro homem devia ser russo, pensou. Russo, polonês, judeu? Não tinha ideia do que ele fazia nem do que era.

Bebeu. O vinho pareceu acariciar-lhe uma saliência na espinha. Então Maggie entrou.

– Boa noite – disse, ignorando a mesura do estrangeiro como se o conhecesse tão bem que não precisasse responder. – Jornais! – protestou, vendo a desordem. – Jornais e mais jornais! – O soalho estava coberto de jornais esparsos. – Jantamos no subsolo – acrescentou, falando com Eleanor –, porque não temos empregada. – E seguiu em frente para mostrar-lhe o caminho. A escada era pequena, mas íngreme.

– Magdalena – disse Nicholas quando se viram no pequeno cômodo de teto baixo em que o jantar estava servido.

Sara disse:

– Nós nos veremos amanhã à noite em casa de Maggie... E ela não está.

Permanecera de pé. Os outros estavam sentados.

– Ela virá a tempo – disse Maggie.

– Vou telefonar para ela – disse Nicholas. E saiu da sala.

– Não é muito melhor – disse Eleanor, pegando seu prato – não ter empregados...

– Nós temos uma mulher que lava a louça... – disse Maggie.

– Não, esse garfo por acaso está limpo – disse e botou-o de volta no lugar.

Nicholas voltou. Parecia perturbado.

– Ela não está em casa – disse para Maggie. – Telefonei, ninguém respondeu.

– E estamos extremamente sujos... – disse Renny.

Levantou um garfo e examinou-lhe os dentes.

– Provavelmente está a caminho – disse Maggie. – Pode também ter esquecido...

Passou-lhe a sopa. Mas ele tinha os olhos fixos no próprio prato e não se mexeu. Havia rugas agora na sua testa, e ele não fazia nenhum esforço para disfarçar a ansiedade. Parecia completamente destituído da consciência de si.

– Ah! – exclamou de repente. E pousou a colher. – Aí vem ela! – Alguém descia lentamente os difíceis degraus.

A porta se abriu e Sara entrou. Tinha o rosto contraído de frio. Piscava como se ainda estivesse atordoada pela sua corrida ao longo das ruas encobertas de azul e tinha manchas vermelhas e brancas nas faces. Estendeu a mão para Nicholas, que a beijou. Mas não usava anel de noivado no dedo, observou Eleanor.

– Sim, estamos sujos – disse Maggie, olhando a irmã com sua roupa comum de usar de dia. – Em trapos! – acrescentou, pois um fio de ouro pendia da sua manga enquanto servia a sopa.

– Pois eu pensava justamente que beleza... – disse Eleanor, que vinha admirando o vestido de prata da outra entremeado de fios de ouro. – Onde você conseguiu esse tecido?

– Em Constantinopla; comprei de um turco – respondeu Maggie.

– Um turco fantástico, de turbante – murmurou Sara, alisando a manga ao receber o prato de sopa. Ainda parecia aturdida.

– E a porcelana... – disse Eleanor, examinando os pássaros cor de púrpura do seu prato. – Acho que me lembro desses pratos...

– Na vitrine do salão lá em casa – disse Maggie. – Pareceu-me meio idiota deixá-los ficar a vida inteira numa vitrine...

– Quebramos um por semana – disse Renny.

– Durarão até o fim da guerra – disse Maggie.

Eleanor observou que à palavra "guerra" uma curiosa expressão desceu sobre o rosto de Renny qual uma máscara. Como todos os franceses, pensou, ele ama apaixonadamente o seu país. Mas com alguma contestação talvez, pensou, observando-o. Ele estava calado. Seu silêncio a oprimia. Havia algo de terrível naquele silêncio.

– E por que chegou tão tarde? – perguntou Nicholas, voltando-se para Sara. Falava com gentileza, num tom de suave reprimenda, como se ela fosse uma criança. Serviu-lhe em seguida um copo de vinho.

Cuidado! – quis dizer Eleanor; o vinho sobe à cabeça. Não tomava vinho havia meses e sentia a cabeça leve, os pensamentos um tanto anuviados. Era a luz depois do escuro; a conversa depois do silêncio; a guerra talvez que removia barreiras.

Mas Sara bebeu. Depois explodiu:

– Foi culpa daquele idiota!

– Que idiota? – perguntou Maggie.

– O sobrinho de Eleanor – disse Sara –, North. – E apontou o copo para Eleanor como se estivesse falando apenas com ela. – North... – e sorriu. – Eu estava sozinha em casa. A campainha tocou. É a lavadeira, pensei. Soaram passos na escada, e North apareceu, North com um ar... – levou a mão à fronte como se fizesse uma continência. – "Que diabo é isso?", perguntei. Parto para a frente essa noite, disse ele, e bateu os calcanhares. Sou tenente do, seja o que for, Real Regimento de Caça-Ratos ou qualquer coisa semelhante... E pendurou o quepe no busto do nosso avô. Eu lhe dei chá... "Quantos pedaços de açúcar toma um tenente dos Caçadores de Ratos?", perguntei. Um. Dois. Três. Quatro...

Deixava cair bolinhas de miolo de pão na mesa à medida que contava. Cada uma parecia acentuar sua amargura. Parecia envelhecida, gasta. E, embora sorrisse, era com amargura.

– Quem é North? – perguntou Nicholas. Pronunciava o nome como se fosse um dos pontos cardeais.

– Meu sobrinho. O filho de meu irmão Morris – explicou Eleanor.

– Ficou sentado lá comigo – continuou Sara –, no seu uniforme cor de barro, com uma chibata entre as pernas e as orelhas muito saídas de cada lado do seu rosto vermelho e meio tolo. A tudo que eu dizia, ele replicava "bom", dizia, "bom", "bom", até que apanhei o atiçador na lareira e as tenazes – pegou o garfo e a faca – e toquei *God save the King, Happy and Glorious, Long to reign over us...* – Segurava o garfo e a faca em riste, como se fossem armas.

Sinto tanto que ele tenha ido, pensou Eleanor. Uma imagem se apresentou diante dos seus olhos, a imagem de um menino em roupas de jogar críquete, fumando um charuto num terraço.

Lamento... Depois, outra tomou o lugar dessa – ela própria estava sentada no terraço, mas o sol já se punha, uma empregada saiu e disse: "Os soldados estão guardando a linha com baionetas caladas!". Fora assim que soubera da guerra três anos antes. Pensara então, depositando a xícara de café na mesinha: Não, se eu puder impedi-los! Fora tomada do absurdo desejo de proteger aquelas colinas. Ficara depois a contemplá-las por cima da campina... Agora contemplava o estrangeiro por cima da mesa.

– Como você é injusta – dizia Nicholas a Sara. – Cheia de preconceitos, estreita, parcial! – repetia, espetando a mesa com o indicador.

Dizia tudo o que Eleanor pensava.

– Tem razão. Não é natural... – começou ela. – Você deixaria que os alemães invadissem a Inglaterra sem fazer nada? – perguntou, dirigindo-se a Renny. Arrependeu-se de ter falado. E as palavras que usara não eram as que pretendera dizer. Leu uma expressão de dor (ou seria de cólera?) no rosto dele.

– Eu? Poderia ajudar a fazer bombas.

Maggie estava de pé por trás dele. Tinha trazido a carne.

– Trinche! – disse.

Ele se limitava a olhar fixamente a carne que ela pusera à sua frente. Apanhou a faca e começou a cortar como um autômato.

– Agora uma porção para a babá – lembrou ela. Renny cortou mais algumas fatias.

– Sim – disse Eleanor desajeitadamente, enquanto Maggie saía com o prato da empregada. Não sabia o que dizer, falava sem pensar. – Vamos acabar com a guerra o mais depressa possível e então... – olhou para Renny. Ele permaneceu mudo. Depois, virou-se para ouvir o que os outros diziam no lado oposto da mesa, como se buscasse refúgio neles, como se não quisesse falar.

– *Poppycock, poppycock...* – dizia Nicholas –, não passou de *poppycock* tudo o que você disse até agora – continuou ele. Tinha mãos grandes muito limpas, e as unhas estavam cortadas rentes, notou Eleanor. Poderia ser um médico, pensou.

– O que é *poppycock?* – perguntou ela a Renny. Não conhecia a palavra.

– Gíria americana para conversa fiada – disse Renny. – Ele é americano – explicou com um sinal de cabeça na direção de Nicholas.

– Não – disse Nicholas, virando-se –, sou polonês.

– A mãe dele era princesa – disse Maggie, como que brincando com ele. Isso explica o sinete na corrente, pensou Eleanor. Ele usava um sinete grande e antigo na corrente do relógio.

– Era, sim – disse Nicholas com ar sério. – De uma das famílias mais nobres da Polônia. Mas meu pai era plebeu, um homem do povo... Você deveria ter mais autodomínio – acrescentou. Falava agora com Sara.

– Deveria mesmo – concordou ela, suspirando. – Mas aí ele sacudiu as rédeas e disse: "*Adieu* para todo o sempre, *adieu* para todo o sempre!" – ela concluiu e avançou a mão para servir-se outra vez de vinho.

– Você não deve beber nem mais uma gota – disse Nicholas, afastando a garrafa. – Ela se imaginou – explicou para Eleanor – no alto de uma torre, acenando com um lenço branco para um jovem cavaleiro em armadura.

– E a lua nascia por trás de uma charneca escura... – murmurou Sara, tocando a pimenteira.

A pimenteira é a charneca escura, pensou Eleanor, olhando-a. As coisas estavam ficando um pouco esfumadas. Era o vinho ou a guerra. As coisas pareciam ter perdido a casca protetora, pareciam livres de toda dureza superficial; até a poltrona com seus pés de bronze dourado que eram como garras e que ela contemplava naquele momento parecia porosa. Era como se irradiasse uma espécie de calor, de magia...

– Lembro-me daquela poltrona – disse, dirigindo-se a Maggie. – E de sua mãe... – acrescentou. Mas quando recordava

Eugénie, era em movimento, nunca sentada. – ...dançando – acrescentou.

– Dançando... – repetiu Sara. E começou a martelar de leve o tampo da mesa com o garfo. – Quando eu era jovem – cantarolou –, dançava... Todos os homens me amavam quando eu era jovem... Rosas e lilases pendiam em festões quando eu era jovem. Você se lembra, Maggie? – Olhava para a irmã como se as duas se lembrassem das mesmas coisas.

Maggie aquiesceu:

– Num quarto. Uma valsa...

– Uma valsa... – repetiu Eleanor. Sara marcava o compasso de valsa no tampo da mesa. Eleanor começou a cantarolar de boca fechada: Tralalá... lalá...

Um uivo oco, prolongado, que era como um lamento, soou lá fora.

– Não, não! – protestou ela, como se alguém lhe tivesse dado uma nota falsa. Mas o som se repetiu. – Uma sirene de neblina talvez no rio? – disse.

Mas sabia muito bem do que se tratava.

A sirene se fez ouvir de novo.

– Os alemães! – exclamou Renny. – Esses miseráveis alemães! – e depôs os talheres com um gesto de exasperação.

– Outro ataque – disse Maggie, levantando-se. E saiu da sala. Renny foi atrás dela.

* * *

– Os alemães... – disse Eleanor quando a porta se fechou. Sentia como se alguém maçante tivesse interrompido uma conversa interessante. As cores começaram a desmaiar. Ela fixara o tempo todo a velha poltrona carmesim. Perdera o fulgor enquanto olhava, como se uma luz se tivesse apagado por baixo.

Ouviram ruído de rodas na rua. Rodas que passavam em grande velocidade. Ouviram também passos na calçada. Tudo parecia apressado lá fora. Eleanor se levantou e entreabriu as cortinas. O subsolo ficava muito mais baixo que a calçada e só se podiam ver pernas e saias da gente que desfilava do outro lado do gradil. Dois homens vinham rapidamente, depois uma velha que balançava a saia para um lado e para o outro ao andar.

Não deveríamos convidar as pessoas a entrar?, pensou, virando-se. Mas quando olhou de novo, a mulher tinha desaparecido. Os homens também. A rua estava deserta agora, e as casas da frente tinham persianas descidas. Ela correu a cortina cuidadosamente. A mesa, com sua louça festiva, e a lâmpada pareciam cercadas por um anel de luz brilhante quando ela deu as costas à janela.

Sentou-se outra vez.

– Você tem medo dos ataques? – perguntou Nicholas, encarando-a com expressão inquisidora. – As pessoas são tão diferentes umas das outras.

– Não, não tenho – respondeu. Podia reduzir a migalhas uma fatia de pão para mostrar-lhe que estava à vontade; mas como não tinha de fato medo, o ato lhe pareceu desnecessário. – São tão pequenas as chances de sermos atingidos! – disse ela. – Mas de que falávamos? – acrescentou.

Parecia-lhe que antes estavam dizendo algo do maior interesse, não se lembrava do quê. Ficaram em silêncio por algum tempo. Depois ouviram movimento na escada.

– As crianças... – disse Sara. Muito longe, soou um disparo surdo de canhão.

Renny entrou.

– Tragam seus pratos – disse. – Aqui – levou-os à adega, que era espaçosa. Com seu teto abobadado de cripta e paredes de pedra, tinha um ar de umidade e de igreja. A luz no centro brilhava sobre montes de carvão luzidio; garrafas de vinho envoltas em palha jaziam ao comprido nas prateleiras de pedra. Havia um cheiro de mofo composto de vinho, palha e umidade. Fazia frio depois da sala. Sara entrou com uma braçada de cobertas e de roupões que fora buscar em cima. Eleanor agasalhou-se com prazer num roupão azul; bem embrulhada, pôs o prato nos joelhos. Fazia muito frio.

– E agora? – perguntou Sara com a sua colher no ar.

Todos pareciam esperar que alguma coisa acontecesse. Maggie entrou, trazendo um pudim de ameixas.

– Não vejo por que não terminarmos nosso jantar – disse. Mas sua calma era exagerada. Estava aflita por causa das crianças, imaginou Eleanor, que estava na cozinha. Vira-as de relance ao passar.

– Estão dormindo? – perguntou.

– Sim. Mas o ataque... – começou ela, cortando o pudim. Outro canhão reboou, dessa vez nitidamente mais forte.

– Eles penetraram nas defesas – disse Nicholas.

Começaram a comer o pudim.

Mais um canhão atirou. Dessa feita havia uma espécie de latido na detonação.

– Hampstead – disse Nicholas. E tirou o relógio do bolso. O silêncio era profundo. Nada aconteceu. Eleanor olhou os blocos de pedra em arco acima das suas cabeças. Viu uma teia de aranha a um canto. Outro canhão se fez ouvir, acompanhado de um suspiro como de ar passando velozmente. Fora bem por cima deles dessa vez.

– O cais – disse Nicholas. Maggie pousou seu prato na mesa e subiu para a cozinha.

Silêncio total. Nada. Nicholas fixava o relógio como se marcasse o tempo dos canhões. Havia alguma coisa estranha nele, pensou Eleanor. De médico? De padre? O sinete pendia pesado da corrente do relógio. O número na tampa do relógio era 1397. Ela via tudo. Os alemães deviam estar por cima deles agora. Sentiu um peso estranho na cabeça. Um, dois, três, quatro, contou, os olhos na abóbada cinza-esverdeada. Houve em seguida um estalo violento, como se um raio tivesse cortado o céu. A teia de aranha oscilou.

– Sobre nós – disse Nicholas, erguendo os olhos. Todos fizeram o mesmo. Uma bomba podia cair a qualquer momento. O silêncio era de morte. E, no silêncio, ouviram a voz de Maggie na cozinha.

– Não foi nada. Virem para o canto e durmam – falava com perfeita calma, de maneira a tranquilizar as crianças.

Um, dois, três, quatro, contou Eleanor. A teia de aranha oscilava. Aquela pedra pode cair, pensou ela, fixando um certo bloco de granito no teto. A artilharia se fez ouvir de novo. Muito mais fraca, muito mais longe.

– Acabou – disse Nicholas. E fechou o relógio com um dique. Aí todos se viraram e mexeram nas respectivas cadeiras, como se tivessem estado mal acomodados até então.

* * *

Maggie entrou.

– Ainda bem que terminou – disse. E a meia-voz para Renny: – Ele acordou por um momento, mas logo dormiu de novo. Quanto ao bebê, dormiu o tempo todo. – Sentou-se e pegou o prato que Renny lhe passou. – Agora vamos comer o nosso pudim – disse no seu tom habitual.

– E tomar um pouco mais de vinho – completou Renny. Examinou uma garrafa, depois outra. Finalmente apanhou uma terceira e limpou-a cuidadosamente com a barra do roupão. Pôs a garrafa de pé, em cima de um caixote, e todos se sentaram em círculo à volta dele.

– Não foi tão grave assim, hein? – disse Sara. Balançava para trás na cadeira ao apresentar o copo.

– Ah, mas ficamos apavorados – disse Nicholas. – Repare como estamos pálidos.

Eles se entreolharam. Metidos nas suas cobertas e nos seus roupões, pareciam mesmo brancos e até esverdeados contra o fundo cinza-verde da adega.

– Em parte é a luz – disse Maggie. – Eleanor – acrescentou, olhando para ela – parece uma abadessa.

A bata azul-profundo, que escondia os ridículos ornamentos do vestido, os toques de veludo e renda, melhorara consideravelmente a aparência dela. Seu rosto de mulher de meia-idade era marcado como uma velha luva que tivesse sido riscada numa infinidade de linhas finas pelos gestos da mão.

– Estou desgrenhada? – perguntou, levando a mão ao cabelo.

– Não, não mexa no cabelo – disse Maggie.

– E de que falávamos antes do ataque? – perguntou Eleanor. Sentia outra vez que tinham deixado no meio uma discussão das mais interessantes. Mas a interrupção fora fatal. Não se lembrava mais do que tinham dito.

– Bem, ficou para trás – disse Sara. – Vamos fazer um brinde. Ao Novo Mundo! – exclamou, levantando o copo com um largo gesto. Todos sentiram um desejo súbito de falar e de rir.

– Ao Novo Mundo! – gritaram, erguendo os copos e fazendo-os tinir uns contra os outros.

Os cinco copos cheios de líquido amarelado juntaram-se como num buquê.

– Ao Novo Mundo! – gritaram em uníssono e beberam. O líquido amarelo oscilou para cima e para baixo nos seus copos.

– Agora, Nicholas – disse Sara, pousando seu copo com um ruído seco em cima do caixote –, um discurso. Um discurso!

– Senhoras e senhores! – começou ele, a mão no ar num gesto de orador. – Senhoras e senhores...

– Não queremos discursos – disse Renny, interrompendo-o.

Eleanor ficou desapontada. Teria gostado de um discurso. Mas Nicholas não levou a mal que lhe cassassem a palavra. Sentou-se sorrindo, abanando a cabeça para baixo e para cima.

– Vamos para cima – disse Renny, tirando o caixote do caminho.

– E deixemos essa adega – disse Sara, espreguiçando-se –, essa caverna de lama e estrume...

– Escutem! – interrompeu Maggie. E levantou a mão. – Tive a impressão de ouvir os canhões outra vez.

Ficaram atentos. Os canhões de fato continuavam a atirar, mas longe. Faziam um ruído como o de vagas que se quebrassem numa praia remota.

— Estão apenas matando gente de outros lados — disse Renny, num tom selvagem. E deu um chute no caixote.

— Mas você tem de deixar que pensemos em outra coisa — protestou Eleanor. A máscara descera de novo sobre o rosto dele.

— Que tolice o que Renny está dizendo, que tolice — disse Nicholas, virando-se para ela num aparte. — São apenas crianças soltando fogos no quintal — resmungou, ajudando-a a tirar o roupão.

Subiram.

* * *

Eleanor entrou na sala. Parecia maior do que se lembrava, muito espaçosa e confortável. Havia jornais pelo chão. O fogo ardia; era quente; acolhedor; alegre. Sentia-se muito cansada e deixou-se cair numa poltrona. Sara e Nicholas tinham ficado para trás. Os outros ajudavam a babá a levar as crianças para a cama, imaginava. Recostou-se na poltrona. Tudo parecia ter ficado quieto e natural outra vez. Um sentimento de grande tranquilidade apoderou-se dela. Como se um outro lapso de tempo lhe fosse conferido, mas privado, pela presença da morte, de qualquer coisa de pessoal; ela se sentia — hesitou em busca de uma palavra adequada — "imune"? Era isso o que queria mesmo dizer? Imune, repetiu, olhando fixamente para um quadro sem vê-lo. Imune. Representava uma colina e uma aldeia, do sul da França talvez; talvez da Itália. Havia oliveiras e telhados brancos agrupados contra a encosta de uma elevação. Imune, disse mais uma vez, fitando a paisagem.

Podia ouvir pequenos baques no andar de cima. Maggie e Renny estavam pondo as crianças para dormir, imaginou. Houve um leve chiado, como se um filhote de pássaro piasse no ninho. Era tudo muito íntimo e calmo depois do bombardeio. Mas os outros entraram.

– Elas ficaram muito alarmadas – perguntou, endireitando-se na poltrona –, as crianças?
– Não – respondeu Maggie. – Dormiram o tempo todo.
– Mas podem ter sonhado – disse Sara, puxando uma cadeira. Ninguém disse nada. A quietude era total. Os relógios, que costumavam dar a hora com tanto barulho em Westminster, estavam mudos.
Maggie apanhou o atiçador e deu uma boa pancada na lenha. As fagulhas voaram chaminé acima num chuveiro de olhos de ouro.
– Como isso me recorda... – começou Eleanor.
– Sim? – disse Nicholas.
– ... minha infância – acrescentou ela.
Pensava em si mesma e em Morris e na velha Pippy; mas, se contasse, ninguém saberia o que queria dizer. Permaneceram em silêncio. De súbito, uma nota límpida como de flauta soou embaixo na rua.
– O que é isso? – perguntou Maggie com um sobressalto, olhando para o lado da janela. Chegou a erguer-se a meio.
– São os clarins – esclareceu Renny, cortando-a com a mão.
Os clarins soaram de novo, agora bem debaixo da janela. Ouviram-nos depois mais abaixo, na mesma rua. E, em seguida, mais abaixo ainda, já na outra rua. Imediatamente, ou quase, ouviram-se outra vez as buzinas dos carros e o rolar das rodas, como se o tráfego tivesse sido liberado e a habitual vida noturna de Londres retomasse seu ritmo.
– Acabou-se – disse Maggie. Recostou-se na cadeira e pareceu exausta por um momento. Mas logo puxou uma cesta de costura para junto de si e começou a serzir um pé de meia.
– Alegro-me de estar viva – disse Eleanor. – Faço mal, Renny? – perguntou. Queria forçá-lo a falar. Parecia-lhe que ele tinha represadas imensas reservas de emoção que não sabia exprimir. Ele não respondeu. Apoiado num cotovelo, fumava um charuto com os olhos nas chamas.

– Passei a noite sentado numa adega gelada enquanto outras pessoas se entremeatavam por cima da minha cabeça – disse de repente. Depois estendeu as pernas e apanhou um jornal no chão.

– Renny, Renny, Renny – fez Nicholas, como se estivesse ralhando com uma criança mal comportada. Renny continuou a ler.

O ruído das rodas e o das buzinas eram agora um único som contínuo.

Enquanto Renny lia e Maggie costurava, o silêncio reinou na sala. Eleanor fitava o fogo que corria ao longo dos veios do breu, flamejava, abatia-se.

– Em que pensa, Eleanor? – perguntou Nicholas. Ele me chama Eleanor, pensou ela. É o certo. E em voz alta:

– No novo mundo... Você acredita que alguma coisa vai melhorar?

– Sim, sim... – disse ele, reforçando as palavras com uma inclinação de cabeça.

Falava em voz baixa, como se não quisesse perturbar Renny, que lia, ou Maggie; que consertava meias, ou Sara, que parecia cochilar recostada na sua cadeira. Era como se conversassem em particular só os dois.

– Mas como... – começou ela – ...como poderemos melhorar a nós mesmos... viver mais... – baixara também a voz, como se temesse acordar os que dormiam... – viver mais naturalmente... melhor... Como poderemos?

– É só uma questão – disse ele e interrompeu-se. Depois chegou mais perto dela e prosseguiu: – Uma questão de aprender. A alma... – novamente se interrompeu.

– ... a alma? – repetiu ela, estimulando-o.

– A alma... todo o ser – explicou ele. Mostrou-lhe as mãos que arredondara no ar, como se contivessem um círculo. Ela pensou: Ele deseja expandir-se; aventurar-se; formar... novas combinações?

– Sim, sim... – disse ela para persuadi-lo de que suas palavras eram mesmo as que ele queria dizer.

— Ao passo que hoje – ele se endireitou na cadeira, juntou os pés. Parecia uma velha dama com medo de camundongos. – É assim que vivemos, apertados numa espécie de... nó?

— Nó, nó... Sim, é isso mesmo – concordou ela.

— Cada um no seu cubículo; cada um com a sua cruz, com o seu livro santo; cada um com o seu fogo, a sua mulher...

— ...a cerzir meias – interrompeu Maggie.

Eleanor estremeceu. Parecera-lhe antes que contemplava o futuro. Mas a conversa fora escutada. Era o fim da privacidade.

Renny pôs o jornal no chão.

— Um monte de asneiras! – disse. Se falava das notícias ou do que tinham dito, Eleanor não sabia. Mas conversar privadamente era impossível.

— Por que você os compra, então? – disse, mostrando os jornais.

— Para acender o fogo com eles.

Maggie riu e deixou cair na cesta a meia que remendava.

— Pronto! – exclamou. – Está cerzida!

De novo, calaram-se, contemplando a lareira acesa. Eleanor desejaria que ele continuasse falando, o homem a quem chamava Nicholas. Quando – desejava perguntar-lhe –, quando virá esse mundo novo? Quando nos libertaremos? Quando poderemos viver perigosamente e em plenitude, e não como inválidos numa caverna? Ele parecia haver desencadeado alguma coisa nela; ela sentia não só um novo lapso de tempo, mas novas potencialidades, algo que não saberia precisar, dentro de si. Observava o cigarro dele que subia e descia. Depois Maggie apanhou o atiçador, bateu nas achas de lenha, e um novo chuveiro de fagulhas vermelhas como olhos vermelhos subiu pela chaminé. Seremos livres um dia, seremos livres, pensou Eleanor.

— E você, em que andou pensando todo esse tempo? – perguntou Nicholas, pousando a mão no joelho de Sara. Ela sobressaltou-se. – Ou dormiu? – acrescentou ele.

– Ouvi tudo o que vocês disseram – respondeu Sara.
– Sobre...
– Sobre a alma subindo como essas fagulhas da lareira – disse.

As fagulhas subiam efetivamente pela chaminé.

– Não se saiu nada mal! – disse Nicholas.

– É que as pessoas sempre dizem as mesmas coisas – explicou Sara, rindo. Em seguida, endireitou-se na cadeira, já completamente desperta. – Vejamos: ali está Maggie, que não diz nada; e Renny, que dirá "Bela porcaria!"; e Eleanor, que diz: "Justamente o que eu estava pensando..." E Nicholas, Nicholas... – deu-lhe um tapinha no joelho. – Nicholas, que deveria estar preso, diz: "Oh, meus queridos amigos, é preciso aperfeiçoar a alma!".

– Por que deveria estar preso? – estranhou Eleanor, olhando para Nicholas.

– Porque ele ama – disse Sara e calou-se. Mas logo continuou: – o outro sexo, o outro sexo, entende? – disse, num tom leviano e com um gesto de mão que lembrava extraordinariamente o gesto característico de sua mãe.

Por um segundo, um arrepio de repugnância correu pela pele de Eleanor, como se uma faca a tivesse cortado. Em seguida, descobriu que o golpe não tocara em nada de importância. O arrepio passou. Debaixo dele ficara... o quê? Olhou para Nicholas, que a observava.

– Você... – ele hesitava – não vai gostar de mim por causa disso?

– De modo algum! Nem pensar! – respondeu ela espontaneamente. A noite toda, ora sim, ora não, ela sentira alguma coisa em relação a ele: ora isso, ora aquilo... Agora essas impressões se fundiam num único sentimento: a simpatia. Gostava dele. – Absolutamente! – repetiu. Ele lhe fez uma curta mesura. Ela respondeu com outra. Mas o relógio do consolo dava as horas. Renny bocejava. Era tarde. Ela se levantou. Foi até a janela, entreabriu as cortinas e olhou para fora. Todas as casas ainda estavam veladas. A noite de inverno era quase negra. Sentiu como se mergulhasse o olhar no âmago de uma safira. Aqui e ali uma estrela perfurava o azul profundo. Teve uma impressão de imensidade e de paz, como se algo se tivesse consumado...

– Devo chamar um táxi para você? – perguntou Renny.

– Não, vou a pé – respondeu, voltando-se para ele. – Gosto de andar em Londres.

– Nós lhe faremos companhia. Venha, Sara – disse Nicholas. Ela estava recostada na cadeira, balançando o pé no ar para cima e para baixo.

– Mas eu não quero ir embora! – disse Sara, despedindo-o com um gesto. – Quero ficar, conversar, cantar... um hino de louvor... um cântico de Ação de Graças...

– Pois aqui estão o seu chapéu e a sua bolsa – disse Nicholas, passando-lhe a bolsa e o chapéu. – Agora venha – disse. – Venha, Sara.

Eleanor foi dizer adeus a Maggie.

– Eu também gostaria de ficar – disse ela. – Tenho tantas coisas sobre as quais desejaria falar...

– Mas eu quero ir para a cama – disse Renny. – Quero ir para a cama! – protestou, levantando os braços e bocejando.

Maggie se ergueu.

– Você vai então para a cama – disse, rindo-se.

– Não se dê ao trabalho de descer – protestou Eleanor quando Renny abriu a porta para ela. Mas ele insistiu. É muito grosseiro e ao mesmo tempo muito polido, pensou Eleanor, acompanhando-o escada abaixo. Um homem que sente muitas coisas diversas simultaneamente, e todas com grande paixão, pensou ela... Mas estavam no vestíbulo. Nicholas e Sara esperavam ali.

– Deixe de zombar de mim, Sara, pelo menos para variar – dizia Nicholas, vestindo o sobretudo.

– E você de me fazer sermões – respondeu ela, abrindo a porta da rua.

Renny sorriu para Eleanor. Tinham parado por um instante junto do carrinho de bebê.

– Educam-se mutuamente esses dois! – disse.

– Boa noite – disse ela, sorrindo também e dando-lhe a mão. Esse é o homem que eu deveria ter desposado, pensou com uma certeza repentina ao sair para o ar gelado. Reconhecia um sentimento que jamais sentira antes. Mas ele é vinte anos mais moço do que eu, pensou, e está casado com a minha prima. Por um momento indignou-se com a passagem do tempo e com os acidentes da vida que a levavam de roldão para longe de tudo aquilo, disse de si para si. E uma cena se apresentou diante dos seus olhos: Maggie e Renny sentados diante da lareira. Um casamento feliz, pensou, senti isso o tempo todo. Um casamento feliz. Olhou para o alto. Ia na esteira dos outros pela ruazinha escura. Um largo leque de luz, que era como a pá de um moinho de vento, varria lentamente o céu. Parecia apoderar-se do que ela sentia e expressá-lo de um modo simplificado e singelo, como se fosse uma outra voz que falasse uma outra língua. Mas a luz se imobilizou e examinou um ponto lanoso do céu, um ponto suspeito.

O ataque!, disse ela consigo mesma. E eu que me esquecera do ataque!

Os outros haviam chegado ao cruzamento e esperavam.

– Eu tinha esquecido o ataque! – disse em voz alta ao alcançá-los. Estava surpresa. Mas era verdade.

Encontravam-se em Victoria Street. A rua deserta fazia uma curva logo adiante e parecia mais larga e mais escura que de hábito. Só umas poucas figuras diminutas passavam depressa pela calçada; emergiam por um momento debaixo de uma lâmpada para sumir em seguida na escuridão.

– Haverá ônibus correndo normalmente? – perguntou Eleanor quando se reuniram na esquina.

Olharam em volta. Não vinha nada pela rua no momento.

– Vou esperar aqui – disse Eleanor.

– Pois eu continuo – disse Sara quase rude, de inopino. – Boa noite.

Fez um gesto com a mão e se foi. Eleanor supôs que Nicholas iria com ela.

– Eu vou esperar – repetiu.

Nicholas não saiu do lugar. Sara já desaparecera. Eleanor olhou-o com atenção. Estaria zangado? Infeliz? Não sabia. Mas já uma grande massa emergia da treva; tinha as luzes veladas com tinta azul. Dentro, as pessoas estavam aconchegadas umas às outras e em completo silêncio. Pareciam cadavéricas e irreais à luz azulada.

– Boa noite – disse ela, estendendo a mão para Nicholas.

* * *

Olhando para trás, pôde vê-lo de pé na calçada. Conservava ainda o chapéu na mão. Parecia alto, imponente e solitário, só contra o céu em que giravam lentos os holofotes. O ônibus seguiu viagem. Deu-se conta de que olhava fixamente para um velho que, num canto, comia alguma coisa de um saco de papel. Ele percebeu que estava sendo examinado.

– Quer ver em que consiste minha ceia? – disse, levantando uma sobrancelha por cima dos velhos olhos remelentos, maliciosos. E avançou para que ela inspecionasse um pedaço de pão com uma fatia de carne ou uma salsicha.

1918

Um véu de bruma cobria o céu de novembro. Era um véu tantas vezes dobrado e de malha tão fina que parecia denso e espesso. Não chovia; aqui e ali, porém, a névoa se condensava úmida na superfície e tornava as calçadas gordurosas. Aqui e ali, numa folha da relva ou das sebes, uma gota pendia imóvel. O ar era calmo. Não ventava. E os sons vinham coados pelo véu: balido de carneiros, crocitar de gralhas. Tudo amortecido. O rumor do tráfego fundia-se num só rosnado unido e surdo. De vez em quando, como se uma porta se tivesse aberto ou fechado, ou como se o véu se tivesse partido por um instante e voltado à posição anterior, o som crescia atroador para desvanecer-se em seguida.

* * *

Grosseirão, resmungava Crosby, trotando pelo asfalto rumo a Richmond Green. Suas pernas doíam. Não chovia propriamente, mas o grande espaço aberto estava cheio de névoa; e não havia ninguém por perto, de modo que podia falar à vontade.

Grosseirão, resmungou de novo. Pegara o hábito de falar sozinha. É verdade que não havia ninguém à vista. O fim do caminho perdia-se na neblina. E tudo estava quieto. Só as gralhas em grupo na ramaria das árvores soltavam de tempos em tempos um pequeno grasnido, e uma folha manchada de negro caía por terra. O rosto da mulher crispava-se em tiques enquanto ela andava, como se os músculos tivessem o hábito de protestar por conta própria contra a malevolência dos outros, contra os problemas que a atormentavam. Crosby envelhecera muito nos últimos quatro anos. Parecia tão miúda e corcunda que talvez não fosse capaz de atravessar sozinha aquela vastidão envolta em névoa alvacenta. Mas tinha de ir a High Street para as suas compras.

Grosseirão, repetia. Dissera a mesma coisa à sra. Burt naquela manhã a respeito da banheira do conde. Ele tinha escarrado nela, e a sra. Burt mandara que ela limpasse.

Conde de uma figa... Aposto que não é mais conde do que a senhora, continuou. Falava agora com a sra. Burt: embora eu esteja disposta a fazer como a senhora manda, concluiu. Mesmo aqui, em plena cerração, onde era livre para dizer o que bem quisesse, adotava um tom conciliatório, pois sabia que queriam livrar-se dela. Gesticulava com a mão que não estava ocupada com a bolsa, dizendo a Louisa que estava pronta para obedecer-lhe. Continuou seu caminho mancando. Também não me importaria de ir embora, acrescentou com amargura, mas isso era dito apenas de si para si. Não gostava mais de viver naquela casa. Mas não tinha para onde ir. Coisa que os Burt sabiam perfeitamente.

Estou pronta a fazer como a senhora manda, disse em voz alta, como dissera a Louisa. Mas a verdade é que já não era capaz de trabalhar como antes. Suas pernas doíam. Fazer as compras já lhe tirava as forças, quanto mais limpar a banheira. Mas era pegar ou largar. Outrora teria mandado toda aquela gente passear.

Porcalhona... vagabunda... dizia. Falava da empregadinha ruiva que largara o emprego na véspera sem prevenir ninguém. Essa arranjaria fácil outro emprego. Para ela, não fazia diferença. E agora era Crosby quem tinha de limpar a banheira do conde.

Grosseirão, bruto, resmungava ela; e seus olhos de um azul muito aguado luziam de fúria impotente. Viu uma vez mais o escarro que o conde deixara na borda de esmalte da banheira. Aquele belga que se dizia Conde de qualquer coisa. Estou acostumada a trabalhar para gente de bem, não para estrangeiros sujos como o senhor, disse ela, mancando sempre.

O fragor dos veículos era maior agora que ela se aproximava da fantasmagórica linha de árvores. As casas já eram visíveis ao fundo. Apertando seus olhos de conta, Crosby procurava enxergar através da neblina enquanto avançava em direção ao gradil. Só esses olhos expressavam a sua invencível determinação; não se entregaria; haveria de sobreviver, custasse o que custasse. A bruma leve, solta, começava a levantar. Havia folhas molhadas, cor de púrpura, coladas contra o asfalto. As gralhas gritavam e se agitavam no cimo das árvores. E já a silhueta escura das grades emergia. O tráfego de High Street era mais audível do que nunca. Crosby parou e apoiou a sua bolsa na grade antes de enfrentar a multidão que fazia compras em High Street. Teria de empurrar e abrir caminho com os cotovelos; teria de sofrer que a jogassem para cá e para lá; e seus pés doíam. Pouco se importavam que a gente também estivesse comprando alguma coisa. Várias vezes já fora expulsa do lugar onde estava por alguma freguesa mais afoita. Pensou outra vez na moça de cabelo vermelho enquanto juntava as forças, arfando um pouco, a sacola em repouso em cima do gradil. Suas pernas doíam. E, de repente, a nota ululante, melancólica, de uma sirene soltou-se no ar. E houve uma explosão surda.

Os canhões outra vez, murmurou Crosby, olhando com irritação e impaciência para o céu de um cinza lavado. As gralhas, que a detonação espantara, alçaram-se e se puseram a rodar em torno das altas copas. Houve um segundo estrondo. Um homem que pintava as janelas de uma casa no alto de uma escada parou com a brocha no ar e olhou em torno. Uma senhora que vinha pela rua com uma bisnaga de pão que saía do papel de embrulho parou também. Ambos esperaram como se alguma coisa estivesse para acontecer. Um penacho de fumaça subiu das chaminés, flutuou um pouco, caiu. Os canhões troaram de novo. O homem da escada disse alguma coisa à mulher da calçada. Ela concordou com a cabeça. Depois ele molhou o pincel e recomeçou a pintar. A mulher seguiu caminho. Crosby se empertigou e atravessou a rua, trôpega, em direção a High Street. Os canhões continuaram a troar; e as sirenes, a gemer. Acabou a guerra, disse-lhe alguém, mal tomou lugar na fila da mercearia. Os canhões troaram, e as sirenes gemeram.

O dia de hoje

Era um crepúsculo de verão. O sol se punha. O céu ainda azul tingia-se de dourado, como se tudo se cobrisse de um fino véu de gaze. Aqui e ali, na amplidão ouro e azul, pairavam ilhas de arminho em suspenso. Nos campos, as árvores se erguiam majestosas e ricamente ataviadas por suas inumeráveis folhas. Viam-se ovelhas e vacas, cor de pérola ou malhadas, jacentes as mais das vezes ou passando através da relva translúcida. Tudo estava orlado de luz. E o pó vermelho que subia das estradas como um rolo de fumaça tinha também um corte de ouro. Até as pequenas casas de tijolo vermelho aparente à margem das estradas eram porosas, incandescentes de claridade, e as flores nos jardins dos *cottages*, lilases e róseas como vestidos de algodão, brilhavam e tinham veios como que iluminados por dentro. E os rostos das pessoas paradas às soleiras das portas ou flanando pelas calçadas mostravam o mesmo rubro fulgor, como se encarassem de frente o sol que aos poucos desaparecia.

* * *

Eleanor saiu do apartamento em que morava e fechou a porta. Logo seu rosto se tingiu de vermelho com o rubor do sol que se punha sobre Londres. Por um momento, ela ficou incandescida e tonta a contemplar os telhados e espiras da cidade embaixo. A conversa continuava animada na sala. Tinha querido dizer uma palavra em particular ao sobrinho. North, filho de seu irmão Morris, acabava de chegar da África, e ainda não pudera vê-lo a sós. Tanta gente viera nesta tarde! Miriam Parrish, Ralph Pickersgill, Antony Wedd, sua sobrinha Peggy, e, por cima, aquele homem tão falante, seu amigo Nicholas Pomjalovsky, que eles todos chamavam Brown por comodidade. Até o momento, mal pudera falar com North. Por um instante, ficaram os dois imóveis no quadrado de luz que caía sobre o piso de pedra da passagem. Ouviam-se as vozes dos outros lá dentro. Ela pôs a mão no ombro do rapaz.

– É tão bom ver você – disse. – E não mudou nada... – Examinou-o. Via ainda traços do menino que ele fora, do menino de olhos castanhos que jogava críquete, naquele homenzarrão queimado de sol que começava a ficar grisalho por cima das orelhas. – Não vamos deixar que se vá de novo – continuou, começando a descer com ele a escada da frente – para aquela fazenda horrorosa.

Ele sorriu.

– Você também não mudou.

Ela parecia muito forte. Estivera na Índia. Viera curtida de sol. Com os cabelos brancos, o rosto moreno, não traía a idade, mas devia ter mais de setenta anos, pensava ele. Desceram de braços dados. Havia seis lances de escada, mas ela insistira em acompanhá-lo até embaixo para despedir-se.

– North – disse, quando chegaram ao vestíbulo –, seja cauteloso. Dirigir em Londres não é a mesma coisa que dirigir na África.

Estavam juntos no degrau da porta. O pequeno carro esporte dele esperava junto ao cordão da calçada. Um homem passava pela rua, banhado pela luz do crepúsculo, anunciando:

– Cadeiras, cestas para consertar!

Ele assentiu e disse qualquer coisa. Sua voz se perdeu na voz do homem do pregão. Olhou de relance para o quadro que pendia da parede do vestíbulo com os nomes dos moradores. Quem estava e quem não estava era assinalado ali com um cuidado que ele achou divertido depois da África. A voz do homem já se perdia ao longe:

– Cadeiras... cestas...
– Bem, adeus, Eleanor – disse, virando-se para ela. – Vemo-nos ainda. – Entrou no automóvel.
– Ah, North! – exclamou ela, lembrando-se de repente de algo que desejava dizer-lhe. Mas o sobrinho ligara o motor; não ouviu. Fez-lhe um aceno com a mão. Ela estava no alto da escada, o cabelo voando ao vento. O carro deu partida com o solavanco. Ela acenou mais uma vez com a mão quando ele virou a esquina.

Eleanor é a mesma, pensou, mais errática, talvez. Com a casa cheia de gente, o pequeno quarto dela ficara lotado; insistira em mostrar ao sobrinho seu novo chuveiro. Você aperta aquele botão, dissera, e veja! Inumeráveis agulhas de água tombaram de fato como chuva. Ele rira alto e sentara-se com ela na beirada da banheira.

Mas os carros atrás dele buzinavam sem parar. Buzinavam e buzinavam. Quem seria o alvo daquele concerto? Subitamente percebeu que era ele mesmo. O sinal mudara para verde e ele bloqueava o caminho. Deu partida com um violento arranco. Não dominara ainda a arte de dirigir em Londres.

O barulho da cidade parecia ensurdecedor, e era aterrorizante a velocidade com que as pessoas conduziam. Mas era excitante, depois da África. Até as lojas, pensou, passando como um raio diante das vitrines, eram maravilhosas. Ao longo da calçada havia carrocinhas de frutas, de flores. Por toda parte a profusão, a fartura... De novo a luz vermelha. Freou.

Olhou em torno. Estava em Oxford Street, mas em que altura não sabia. As calçadas estavam cheias de gente que se acotovelava, enxameando em volta dos mostruários ainda iluminados. A alegria, a cor, a variedade eram espantosas, comparadas com a África. Todos esses anos, pensou, contemplando um corte de seda que flutuava transparente numa vitrine, todos esses anos estive habituado a produtos primários; couros e peles. E ali estava o artigo acabado. Um *nécessaire de voyage*, em couro amarelo, guarnecido de frascos de prata, chamou-lhe a atenção. Mas a luz ficou verde. Arrancou.

Estava de volta havia apenas dez dias, sua mente era uma confusão de coisas soltas. Parecia-lhe que falava pelos cotovelos; que apertava mãos sem conta; que não parava de dizer "como vai?". Havia gente surgindo de tudo que era buraco; seu pai; sua irmã; velhos que se erguiam de poltronas para perguntar: "Lembra-se de mim?" Meninos que ele deixara na *nursery* eram agora homens feitos, cursavam a universidade; as meninas de trancinhas estavam casadas. Tudo aquilo o deixava confuso. E todos falavam tão depressa! Deviam estranhar que ele fosse tão lento, pensou. Tinha de retirar-se para um vão de janela a fim de considerar: "O que querem dizer de fato?".

Esta tarde, por exemplo, no apartamento de Eleanor, havia um homem com sotaque estrangeiro que espremia limão no chá. Quem poderia ser?, cogitava. Um dos dentistas de Nell, tinha dito sua irmã Peggy com um trejeito. Porque todos tinham frases feitas, recitavam papéis decorados, como no teatro. Mas este era o homem calado, o do sofá. E ele se referia ao outro, ao dos limões no chá. Nós o chamamos de Brown, murmurava Peggy. Por que "Brown", se era um estrangeiro?, perguntava-se ele. De qualquer maneira, todos romanceavam a solidão e a barbaria (desejaria tanto ter feito o que o senhor fez, dissera-lhe um homenzinho de nome Pickersgill), todos, exceto o tal de Brown, que se saíra com algo interessante: "Se não nos conhecemos a nós mesmos, como podemos conhecer aos outros?". Discutiam ditadores, Napoleão, a psicologia do grande homem. Mas lá estava a luz verde: siga. Ele disparou outra vez. E a senhora dos brincos, tão arrebatada com as maravilhas da natureza! Olhou de relance a placa da rua à esquerda. Ia jantar, mas não sabia muito bem como chegar à casa dela. Apenas ouvira sua voz ao telefone, dizendo: "Venha jantar comigo, Milton Street, 52. Meu nome está na porta". Era perto de Prison Tower. Mas aquele homem, o tal de Brown... Era difícil classificá-lo à primeira vista. Ele falava abrindo os dedos com a volubilidade de um homem que depois de algum tempo fica tedioso. E Eleanor, que ia de grupo em grupo, com uma xícara na mão, falando do seu chuveiro. Desejaria que todos eles se restringissem ao assunto em pauta. Discutir interessava-o. Discutir a sério sobre temas abstratos: seria boa a solidão e perversa a sociedade? Matéria atraente. Mas pulavam de um tópico para outro. Quando o homenzarrão disse: "A prisão em solitária é a maior tortura que se pode infligir a alguém", a mulherzinha de cabelo esfiapado exclamara com voz de falsete, levando a mão ao seio: "Tem de ser abolida!". Visitava prisões, ao que parecia.

Onde estarei agora?, perguntou-se, conferindo outra placa num entroncamento. Alguém traçara um círculo de giz na parede com uma linha quebrada dentro. Olhou a longa perspectiva da rua. Porta depois de porta, janela depois de janela, todas as casas eram iguais. E estavam todas banhadas àquela hora por uma luz vermelha alaranjada, pois o sol se punha em meio ao pó de Londres. E tudo parecia transfigurado pela bruma iridescente, amarelada. Carroças transbordantes de frutas e flores estavam alinhadas ao longo da calçada. O sol dourava as frutas; as flores tinham um brilho meio baço. Havia rosas, cravos e até lírios. Ele estava a ponto de parar e comprar um buquê para Sara. Mas os carros buzinaram à retaguarda. Prosseguiu. Um buquê de flores, pensou, que a gente empunha, atenua o constrangimento de um encontro e suaviza a banalidade das coisas que se dizem nessas ocasiões. "Que prazer vê-la de novo." Ou "Você engordou". Apenas ouvira-lhe a voz ao telefone, e as pessoas mudam depois de tantos anos. Se aquela era a rua certa ou não, ele não podia ter certeza; fez a curva devagar, entrou, parou, progrediu mais um pouco. Estava de fato em Milton Street, uma rua sombria, de casas velhas convertidas agora em casas de cômodos. Já tinham vivido melhores dias.

Números ímpares daquele lado, pares deste, disse consigo. A rua estava bloqueada por caminhões. Buzinou. Depois, deteve-se. Buzinou de novo. Um homem foi segurar o cavalo pelo freio, porque era uma carroça de carvão, e o cavalo avançou a passo. O número 52 ficava logo adiante. North diminuiu a marcha e estacionou diante da porta. Esperou.

Uma voz soou do outro lado da rua, uma voz feminina solfejando.

Que rua mais suja, disse entre os dentes, sentado dentro do carro, mais sórdida, acrescentou, e dilapidada para se morar! Desligou o motor, saiu e examinou os nomes nas portas. Estavam inscritos uns acima dos outros, aqui num cartão de visita, ali numa placa de metal dourado: Foster; Abrahamson; Roberts. S. Pargiter estava quase no alto, picotado numa fita de alumínio. Tocou uma das muitas campainhas. Ninguém apareceu. A mulher continuava com o seu solfejo, do outro lado da rua. Ia subindo devagar escala acima. A disposição de fazer uma coisa tanto vem como vai, pensou. Ele próprio costumava fazer poesia; e agora a vontade lhe vinha outra vez, enquanto esperava. Tocou a campainha mais duas ou três vezes com energia. Depois empurrou a porta. Estava aberta. Havia um cheiro curioso no vestíbulo, de legumes cozinhando. E era escuro com o papel de parede marrom, oleoso. Subiu as escadas do que fora um dia a residência de um homem fino. O corrimão era esculpido, mas fora recoberto com um verniz barato, amarelo. Subiu vagarosamente e deteve-se no patamar, hesitando. Em que porta bater? Via-se agora com frequência diante de portas de casas desconhecidas. Tinha a impressão de não ser ninguém, de não estar em lugar algum em particular. Do outro lado da rua, vinha ainda a voz da cantora que deliberadamente subia na escala como se as notas fossem degraus. E, por fim, apoiava-se indolentemente, languidamente, com uma voz que já não era mais que puro som. Mas nesse momento ouviu alguém rir lá dentro.

É a voz dela, disse consigo. Mas há alguém em sua companhia. Isso o aborreceu. Tinha esperado encontrá-la sozinha. Falavam e não responderam quando ele bateu. Cautelosamente ele abriu a porta e entrou.

– Sim, sim, sim... – dizia Sara. Estava de joelhos e falava ao telefone. Não havia ninguém com ela. Fez um gesto com a mão e sorriu-lhe, ao vê-lo, mas ficou com a mão no ar, como se o ruído que ele fizera ao entrar a tivesse impedido de perceber alguma coisa.

– O quê? – disse, falando no aparelho. – O quê?

North permaneceu de pé, silencioso, contemplando as silhuetas de seus avós no consolo da lareira. Não havia flores, observou. Lamentou não ter comprado o buquê. Depois prestou atenção ao que ela estava dizendo, a ver se reunia os fragmentos descosidos.

– Sim... Agora estou ouvindo... Sim, você tem toda razão. Alguém chegou... Quem foi? North. Meu primo da África...

Esse sou eu, pensou North. O primo da África. É o meu rótulo.

– Já o conheceu, é? – dizia ela. Fez uma pausa. – Você acha? – perguntou.

Evidentemente falavam dele, pensou. Sentiu-se constrangido.

– Adeus – disse ela e desligou. – Ele disse que conheceu você hoje – disse Sara, avançando para ele e dando-lhe a mão. – E que gostou de você – acrescentou, sorrindo.

– Quem era? – perguntou North, ainda pouco à vontade. E não tinha flores para dar-lhe.

– Um homem que viu você na casa de Eleanor – disse ela.

– Um estrangeiro? – perguntou ele.

– Sim. Chamado Brown – disse Sara, puxando uma cadeira para ele.

Ele sentou-se na cadeira que ela puxara, e Sara sentou-se à sua frente no chão, com um pé escondido. Lembrava-se daquele jeito dela. Era como se ela viesse em seções: primeiro a voz; depois aquela atitude. Mas sempre ficava algo desconhecido.

– Você não mudou nada – disse. De rosto, queria dizer. Uma fisionomia comum pouco se altera. Já a beleza fenece. Sara não parecia nem jovem nem velha, apenas desleixada. E o aposento com o capim-dos-pampas num vaso ao canto também lhe pareceu mal cuidado. Um quarto de casa de cômodos arrumado às pressas.

– E você... – disse ela, examinando-o. Era como se procurasse juntar duas versões diversas dele; o do telefone talvez e aquele, ali presente, de carne e osso. Ou haveria outras mais? Isso de conhecer as pessoas pela metade; de ser conhecido pela metade; essa sensação do olho pousado na carne como uma mosca que se move pesada... como era incômodo, pensou; mas inevitável também, depois de todos aqueles anos. As mesas estavam em desordem, cobertas de coisas. Ele hesitava, o chapéu na mão. Sara sorriu-lhe, vendo-o assim sentado na ponta da cadeira, segurando o chapéu, inseguro.

– Quem era mesmo o francesinho – perguntou ela – com a cartola... No quadro, quero dizer.

– Que quadro? – perguntou ele.

– O homem que está sentado com um ar perplexo e chapéu na mão...

North pôs o chapéu em cima da mesa desajeitadamente. Derrubou um livro.

– Desculpe – disse. Talvez, ao compará-lo com o homem no quadro, ela tivesse querido dizer que ele era desajeitado. Sempre fora.

– Este não é o quarto em que estive da última vez? – perguntou. Reconhecia uma poltrona, uma poltrona com os pés dourados. E havia o piano de sempre.

– Não, aquele era do outro lado do rio – disse ela. – Você veio se despedir.

Ele se lembrava. Fora despedir-se dela de noite na véspera de partir para a guerra. E pendurara o quepe no busto do avô. Este desaparecera. E ela zombara dele.

"Quantos pedaços de açúcar toma um tenente do Real Regimento de Caça-Ratos de Sua Majestade?", dissera ela então, fazendo troça. Podia vê-la ainda pondo os cubos de açúcar em seu chá. E tinham discutido. E ele fora embora. Na noite do ataque, lembrava-se. Tinha aquela noite bem viva na memória; os holofotes que varriam o céu muito lentos, demorando-se aqui e ali, para examinar mais detidamente um ponto branco, fiocoso... Choviam pequenos fragmentos de metal dos obuses. E as pessoas fugiam correndo pelas ruas desertas com sua iluminação velada e azul. Fora jantar com a família em Kensington. Dissera adeus a sua mãe. Não iria vê-la nunca mais.

A voz da cantora interrompeu o curso de seu pensamento. Ah--h-h, oh-h-h, ah-h-h, oh-h-h... gargarejava ela languidamente, subindo e descendo a escala do outro lado da rua.

– Ela faz isso toda noite? – perguntou.

Sara assentiu de cabeça. As notas que lhes vinham pelo ar trepidante eram lentas e sensuais. A cantora parecia ter todo o tempo do mundo, podia demorar-se em cada degrau.

E nem sinal de jantar, observou ele. Só uma fruteira em cima da toalha de mesa vagabunda, de pensão, já manchada com algum molho de carne amarelo.

– Por que diabo você sempre escolhe lugares ordinários – começou ele, porque as crianças berravam embaixo na rua, quando a porta se abriu e entrou uma jovem com um monte de garfos e facas. A típica empregada de casa de pensão, pensou North, com mãos vermelhas e uma dessas audaciosas toucas brancas engomadas que as empregadas desses lugares botam no alto da cabeça quando algum dos locatários dá uma festa. Na sua presença, tiveram de conversar amenidades. – Estive na casa de Eleanor – disse ele. – Foi onde fiquei conhecendo seu amigo Brown...

A moça fazia grande barulho pondo a mesa, com os garfos e facas que segurava como um feixe.

– Oh, Eleanor – disse Sara. – Eleanor... – mas tomava conta da empregada, que se movia desajeitada e respirava forte, botando a mesa.

– Ela acaba de voltar da Índia – disse North. Também ele observava a moça que punha a mesa. Ela acabava de depositar uma garrafa de vinho em meio à louça barata da casa.

– Perambulando em volta do mundo – murmurou Sara.

– E recebendo em casa a mais estranha coleção de velhos excêntricos – acrescentou ele. Pensava no homenzinho de olhos azuis vivos que desejara ter estado na África; e na mulher de cabelo esfiapado, com seu colar de contas, que visitava prisões, ao que parecia. – Quanto àquele seu amigo – começou. A moça foi-se embora, mas deixou a porta aberta, sinal de que voltaria.

– Nicholas – disse Sara, completando a frase. – O homem que você conhece por Brown.

Houve uma pausa.

– De que falaram? – perguntou ela por fim.

Ele procurou lembrar-se.

– De Napoleão; da psicologia dos grandes homens. Se não nos conhecemos a nós mesmos, como podemos conhecer os outros?...
– calou-se. Era difícil lembrar exatamente o que fora dito uma hora atrás.

– E depois – disse Sara, esticando a mão para a frente e tocando um dedo tal qual Brown havia feito –, como podemos fazer leis, religiões adequadas, quando não conhecemos sequer a nós mesmos?

– Sim, sim! – exclamou ele. Ela apanhara o modo dele à perfeição. Imitava o leve sotaque estrangeiro; a repetição da palavra "adequada", como se ele não estivesse muito seguro do seu inglês. – E Eleanor – continuou Sara –, Eleanor diz assim, sentada na beiradinha de um canapé: "Como podemos melhorar a nós mesmos?". Não falou disso?

– Não; falou do chuveiro novo – corrigiu North, com uma risada. – Você já passou por isso, imagino... – Era precisamente o que ele mesmo sentia. Via que tinham conversado entre elas sobre o assunto. – Depois... – continuou – discutimos...

Mas a empregada entrou nesse momento. Tinha pratos nas mãos dessa vez, pratos com uma barra azul em volta, pratos baratos, de casa de pensão.

– ...as vantagens da sociedade e da solidão. O que seria melhor – concluiu.

Sara ficou olhando fixamente para a mesa.

– E qual – perguntou, com a aparência distraída de uma pessoa que acompanha superficialmente com os sentidos o que ocorre em torno e ao mesmo tempo pensa em outra coisa –, qual das duas você defendeu? Você, que esteve longe todos esses anos – disse. A moça deixara a sala. – Com os seus carneiros...

Calou-se. Um trombone soara de repente na rua embaixo, e a voz da mulher das escalas continuava. Eram como duas pessoas que tentavam expressar ao mesmo tempo duas visões completamente diferentes do mundo em geral. A voz subia, o trombone lamentava-se. Sara e North riram-se.

– ...sentado na sua varanda – continuou Sara, a ver as estrelas.

Ele ergueu os olhos. Estaria ela citando alguém? Lembrou-se então da primeira carta que lhe escrevera.

– Sim, vendo as estrelas – disse.

– Sentado na varanda em meio ao silêncio – acrescentou ela.

Um caminhão passou diante da janela. Todos os outros sons por um momento foram obliterados.

– E então... – disse ela quando o veículo se afastou com um fragor de ferros, e interrompeu-se, como que prestes a fazer menção a outra coisa que ele tivesse escrito. – Então... – disse – você selou um cavalo e partiu!

Ela se levantou de um salto, e pela primeira vez North pôde ver-lhe o rosto em plena luz. Tinha alguma coisa preta no lado do nariz.

– Você sabe – disse ele, encarando-a – que está com alguma coisa preta no rosto, do lado do nariz?

Ela tocou o lado errado.

— Não desse lado, do outro — disse ele.

Ela saiu da sala sem olhar no espelho. Donde se deduz, disse ele consigo, como se estivesse escrevendo um romance, que a srta. Sara Pargiter nunca atraiu o amor dos homens. Ou teria atraído? Ele, North, ignorava-o. Esses pequenos instantâneos das pessoas deixavam muito a desejar; esses retratos superficiais que a gente compõe, como uma mosca que passeia por um rosto e vai sentindo, aqui está o nariz, aqui uma sobrancelha...

* * *

Foi até a janela. O sol devia estar a ponto de deitar-se, pois os tijolos da casa da esquina mostravam agora um tom rosa amarelado. Uma das duas altas janelas brilhava como ouro brunido. A moça estava na sala, e isso o perturbava. Também os ruídos de Londres ainda o incomodavam. Contra o fundo surdo dos ecos do tráfego, feito de sons de rodas que giram e freios que rangem e chiam, soou bem perto o grito de uma mulher alarmada de súbito com o filho; o monótono pregão de um vendedor ambulante vendendo legumes; e, mais longe, o som de um realejo. Eu costumava escrever-lhe tarde da noite, pensou, quando me sentia só, quando era mais jovem. Contemplou-se no espelho. Viu o rosto queimado de sol, com as largas maçãs e os pequenos olhos castanhos.

A moça fora sugada pelas regiões inferiores da casa. A porta ficara aberta. Nada acontecia. Esperou. Sentia-se um estranho. Depois de todos esses anos, pensou, cada um tem seu par, todos se instalaram, ocupam-se dos próprios negócios. Ele os surpreendia em meio a telefonemas ou lembrando-se de outras conversas. Eles saíam, e ele ficava sozinho. Apanhou um livro qualquer e leu uma sentença:

"Uma sombra, como um anjo, de cabeleira luminosa..."

* * *

Ela voltou. Parecia ter havido alguma dificuldade no curso das coisas. A porta estava aberta, a mesa posta. E nada acontecia. Esperavam juntos lado a lado e de costas para a lareira.

– Como deve ser estranho para você – dizia ela – voltar assim, depois de tanto tempo... como se caísse das nuvens num aeroplano... – E mostrou a mesa, como se fosse um campo de pouso onde ele pudesse ter aterrissado.

– E caísse em terra estranha – disse North. Curvou-se um pouco, tocou uma faca na mesa.

– ...encontrando todo mundo a conversar – acrescentou ela.

– Sim, a falar e falar – disse ele – sobre dinheiro, sobre política – completou, dando na guarda da lareira atrás dele um chute de mau humor.

Nesse momento, a empregada entrou. Tinha um ar de importância, aparentemente derivado da travessa que carregava, pois estava coberta com uma grande tampa de metal. Levantou a tampa com um certo floreio. Havia uma perna de carneiro por baixo.

– Vamos comer – disse Sara.

– Estou com fome – disse ele.

Sentaram-se, ela apanhou a faca e fez uma longa incisão. Um filete vermelho escorreu para fora. A perna de carneiro não estava pronta. Ela ficou a examiná-la.

– Carneiro não pode ficar assim – disse. – Carne de vaca, sim. Mas não carneiro.

Olhavam o suco vermelho que se empoçava no fundo da travessa.

– Devemos mandá-lo de volta ou comer assim mesmo? – perguntou ela.

– Comê-lo – respondeu ele. – Já vi muito piores.

– Na África, provavelmente... – disse ela, erguendo as tampas das travessas dos legumes. A primeira continha uma achatada massa de repolho, nadando num pouco de água verde; a outra, batatas que pareciam duras. – Na África, no fundo da África – disse ela, completando seu pensamento –, naquela fazenda em que você esteve, onde não aparecia ninguém meses a fio, e onde você ficava sentado na varanda, ouvindo...

– ...os carneiros – completou ele. Cortava o seu pedaço em tiras. Estava duro como pedra.

– E não havia nada que quebrasse o silêncio – continuou Sara, servindo-se de batatas. – A não ser uma árvore que caísse ou uma rocha que descesse pelo flanco de uma escarpa distante... – Ela olhava para ele a fim de verificar se estava reproduzindo corretamente as sentenças tiradas de suas cartas.
– Sim – disse ele. – Era tudo muito quieto.
– E quente – acrescentou ela. – Ardente mesmo, ao meio-dia. Um velho vagabundo bateu à sua porta...
Ele concordou. Viu-se moço ainda e muito solitário.
– E então... – continuou ela. Mas um grande caminhão veio com estrépito pela rua. As coisas sacudiam na mesa. As paredes e o soalho pareceram tremer. Sara separou dois copos que se entrechocavam. O caminhão passou. Ouviram-no trovejar a distância. – E os pássaros? – disse ela. – Os rouxinóis que cantavam ao luar?
Ele se sentiu desconfortável com a visão que ela evocava.
– Devo ter escrito muitas tolices para você! – exclamou. – Desejaria que rasgasse todas essas cartas.
– Não! Eram lindas, maravilhosas, as suas cartas! – exclamou ela, erguendo o copo numa espécie de brinde. North lembrou-se de que uma gota de vinho bastava para deixá-la embriagada. Os olhos de Sara brilhavam, suas faces luziam. – E então você teve um dia de folga – continuou ela – e se foi por uma estrada branca e ruim, numa charrete sem molas, até a cidade próxima...
– ...a sessenta milhas de distância – disse ele.
– E foi a um bar. E havia um homem do rancho vizinho? – disse ela, hesitando na palavra "rancho", que podia não estar certa.
– Sim, rancho – confirmou ele. – Fui à cidade e tomei alguma coisa num bar...
– E então? – perguntou ela.
North riu. Havia coisas que ele não contava nas cartas. Permaneceu mudo.
– E então você deixou de escrever – disse ela. E pousou o copo na mesa.

— Quando me esqueci como você era — disse ele, encarando-a.
— Mas você também não me escreveu mais.
— Sim, eu também — disse ela.
O trombone mudara de ponto e agora uivava lúgubre debaixo da janela deles. O som desconsolado, como se um cão tivesse lançado a cabeça para trás e virasse para a lua, chegava até eles. Ela marcou o compasso com o garfo.
— Nossos corações cheios de lágrimas, nossos lábios cheios de risos — ela arrastava as palavras deliberadamente para acompanhar o queixume do trombone —, fomos pelas es-ca-das... — Mas o trombone mudou de andamento e atacou uma jiga. — Ele com sua tristeza, e eu com minha alegria, ele com sua alegria, eu com minha tristeza, fomos os dois pelas es-ca-das...
Sara pousou o copo.
— Mais uma fatia? — perguntou.
— Não, obrigado — respondeu ele com um olhar para o rebarbativo objeto fibroso que ainda sangrava na travessa. A porcelana decorada com folhas de salgueiro tinha laivos sinistros. Ela estendeu a mão e tocou a campainha. Tocou uma segunda vez. Ninguém acudiu.
— Suas campainhas não tocam — disse ele.
— Não — sorriu ela. — As campainhas não tocam, e as torneiras não têm água. — Bateu com o pé no chão e esperou. Ambos esperaram. Ninguém acudiu. O trombone gemia embaixo.
— Mas houve uma carta que você me escreveu — continuou ele enquanto esperavam. — Uma carta zangada, cruel.
Encarou-a. Ela arregaçara o lábio como um cavalo que vai morder. Daquilo também ele se lembrava.
— Sim? — fez ela.
— Na noite em que voltou do Strand — lembrou-lhe.
Mas a empregada entrou com o pudim. Era um pudim semitransparente, ornamentado com bolotas de creme.
— Lembro-me — disse Sara, metendo a colher no trêmulo pudim —, lembro-me de uma noite parada de outono; de luzes

acesas; de gente que caminhava apressada com guirlandas nas mãos. É isso?

— Sim. Isso mesmo.

— E eu disse comigo mesma — continuou ela, fazendo uma pausa — "Isso é o inferno? Estamos todos condenados?" É isso?

Ele assentiu com a cabeça.

Ela lhe serviu pudim.

— E eu — continuou, quando ele pegou o prato — estava entre os danados. North enterrou a colher na massa trêmula que ela lhe dera.

— Covarde, hipócrita, com sua chibata na mão e seu quepe na cabeça... — ele parecia citar de uma carta que Sara lhe escrevera. Interrompeu-se, e ela sorriu.

— Mas qual foi mesmo a palavra, a palavra que usei? — perguntou, como que a lembrar-se.

— Baboseiras — respondeu ele. Sara concordou.

— E então fui até a ponte — continuou ela, levando a colher a meio caminho da boca — e fiquei numa daquelas alcovas ou nichos ou que nome tenham, debruçadas sobre a água, e olhei para baixo... — Sara olhou para o prato.

— Foi quando você morava do outro lado do rio — ajudou ele.

— Fiquei olhando e olhando — disse ela, fixando o copo que tinha à sua frente — e pensei: água que corre, água que flui, água que quebra e amarrota a luz da lua, das estrelas... — Sara bebeu e calou-se.

— Então surgiu o carro — ajuntou ele.

— Isso mesmo. O Rolls-Royce. Parou debaixo do poste. E lá dentro estavam...

— Duas pessoas — disse ele para avivar-lhe a memória.

— Duas. Sim — concordou ela. — O homem fumava charuto. Era um inglês de sociedade com um narigão de todo tamanho. Estava de casaca. E ela, sentada a seu lado, vestia um mantô debruado de pele. Aproveitou a parada debaixo da luz para retocar — levantou a mão no ar — sua boca em forma de espadim...

Engoliu seu bocado de pudim.

– E a peroração? – lembrou North.

Ela abanou a cabeça. Não.

Calaram-se. Ela acabara o pudim. Tirou a cigarreira. Salvo as maçãs e bananas bicadas da fruteira, nada mais havia para comer, aparentemente.

– Como éramos tolos na nossa juventude, Sal – disse ele, acendendo o cigarro –, com nossa literatura rebuscada.

– ...e feita de manhãzinha com os pardais em festa! – disse ela, puxando a fruteira. Começou a descascar uma banana como se tirasse uma luva de couro macio. Ele apanhou uma maçã e cortou-a. A espiral da casca no prato era como uma pele de serpente, pensou. E a casca da banana, como um dedo de luva que alguém tivesse aberto de cima abaixo.

A rua se aquietara. A mulher parara de cantar. O músico se fora com seu trombone. Passada a hora do *rush*, ninguém andava mais pela calçada. Ele ficou a vê-la dando mordidas na banana.

Quando ela viera para o 4 de junho, ele lembrava-se, vestira a saia de trás para a frente. Já era louca naquele tempo, e tinham rido a sua custa, ele e Peggy. Nunca se casara, e ele se perguntava por quê. Pôs-se a brincar com a casca de maçã no prato.

– O que ele faz – perguntou de repente –, aquele homem que gesticula tanto?

– Assim? – fez ela, abrindo os dedos no ar.

– Sim – concordou ele.

Era bem o homem, um desses estrangeiros cheios de volubilidade que têm uma teoria para cada coisa. E, todavia, gostara dele. Tinha uma aura, um frêmito. Sua fisionomia móvel era divertida. Tinha a fronte abaulada, olhos francos. E era calvo.

– O que ele faz? – perguntou.

– Ele fala – respondeu Sara – sobre a alma.

Sorriu. E ele se sentiu um estranho. Tantas conversas teriam havido entre aqueles dois, tanta intimidade.

– Sobre a alma – continuou ela, apanhando um cigarro. – Conferências. Dez xelins por uma cadeira na primeira fila. – Soprou uma baforada de fumaça. – Há também lugares em pé, por meia coroa. Mas também não se escuta nada. Ou se percebe apenas metade da lição do professor, do mestre – disse, rindo.

Zombava de Brown. Dava a impressão de tratar-se de um charlatão. E, todavia, Peggy dissera que eram amigos íntimos, ela e o estrangeiro. A visão do homem na casa de Eleanor mudava um pouco, como um balão que se desloca com um sopro.

– Pensava que ele era seu amigo – disse.

– Nicholas? – exclamou Sara. – Eu amo Nicholas!

Os olhos dela brilhavam realmente. Estavam fixos num saleiro com tal expressão de êxtase que North ficou outra vez perplexo.

– Você o ama... – começou. Mas o telefone tocou.

– É ele! – exclamou Sara. – É ele! Nicholas!

Falava com extrema irritação. O telefone soou de novo.

– Não estou! – disse ela.

O telefone tocou mais uma vez.

– Não estou, não estou, não estou! – repetiu ela no ritmo da campainha. Não fez nenhuma menção de atender. E ele não pôde suportar por mais tempo o tom ácido da sua voz e o som do aparelho.

Houve um pequeno silêncio quando ele se levantou, pegou o telefone e ficou com ele na mão.

– Diga que não estou – disse ela.

– Alô! – disse ele. Mas houve uma pausa. Olhava-a sentada na beirada da cadeira, balançando o pé no ar. Depois uma voz falou na outra ponta. – Aqui é North – respondeu ele. – Estou jantando com Sara. Sim, eu lhe direi. – Olhou-a de novo. – Está sentada na beirada da cadeira – explicou – com alguma coisa preta no rosto, balançando um pé. Para cima, para baixo...

* * *

Por um momento, Eleanor ficou com o telefone na mão. Sorriu, desligou e, ainda sorrindo, voltou-se para a sobrinha Peggy que jantava com ela.

– North está jantando com Sara – disse, divertida com o quadro que o telefone a fizera ver: as duas pessoas do outro lado de Londres, uma das quais com alguma coisa preta no rosto. – Ele está jantando na casa de Sara – disse. Mas sua sobrinha não sorriu, pois não vira o quadro. Também ficara um tanto irritada, pois, em meio ao que estavam dizendo, Eleanor se levantara, falando: "Tenho de lembrar a Sara...".

– Está, é? – disse ela com indiferença.

Eleanor voltou e sentou-se.

– Estávamos dizendo... – começou.

– Você mandou limpá-lo? – perguntou Peggy simultaneamente.

Enquanto Eleanor falava no telefone, ela reparara no retrato de sua avó acima da escrivaninha.

– Sim. – Eleanor lançou-lhe um olhar por cima do ombro. – Sim. Você vê agora que há uma flor caída na grama? – disse. E voltou-se inteiramente para olhar o quadro. O rosto, o vestido, a cesta de flores brilhavam suavemente, fundindo-se entre si, como se a pintura fosse uma só camada lisa de esmalte. Havia, sim, uma flor, uma pequena vergôntea azul, na relva.

– Estava escondida pela sujeira – disse Eleanor –, mas eu sabia que estava lá, desde quando era menina. Isso me lembra: se você precisar de um homem para restaurar quadros...

– O retrato se parece com ela? – perguntou Peggy, interrompendo a tia.

Alguém lhe dissera que se parecia com a avó. E não queria parecer-se com ela. Queria ser morena, aquilina. Mas, na verdade, tinha olhos azuis e rosto redondo como a avó.

– Tenho o endereço dele em algum lugar... – continuava Eleanor.

– Não se incomode... – disse Peggy, irritada com o costume de Eleanor de juntar detalhes desnecessários. Era a idade, imaginava, a idade que afrouxa os parafusos, de modo que toda a máquina do cérebro tilinta e chocalha. – O retrato se parece com ela? – repetiu.

— Não com mamãe como me lembro dela — respondeu Eleanor, olhando uma vez mais para o retrato. — Quando eu era criança, talvez, ou nem mesmo quando eu era criança. O curioso — continuou — é que tudo aquilo que eles achavam feio, cabelos ruivos, por exemplo, nós hoje achamos bonito. É por isso que muitas vezes me pergunto — continuou, fazendo uma pausa para sugar o charuto indiano —, o que é bonito?

— Sim — disse Peggy. — Era disso que falávamos.

Pois quando Eleanor, de súbito, metera na cabeça que tinha de lembrar a Sara da festa, falaram da infância dela e de como as coisas haviam mudado. O que parecia bom para uma geração era coisa muito diversa da outra. Gostava quando Eleanor se punha a falar do passado. Parecia-lhe algo calmo e seguro.

— Haverá um critério? Um padrão? — perguntou, procurando trazer a tia de volta ao assunto.

— Não sei... — disse Eleanor, distraída. Pensava em outra coisa.

— Que maçada! — disse de repente. — Estava na ponta da minha língua... Alguma coisa que eu queria lhe perguntar. Depois pensei na festa de Delia; depois North me fez rir com aquela história de Sara sentada na beirada da cadeira com o nariz sujo; e me esqueci. — Sacudiu a cabeça. — Você sabe, quando a gente está a ponto de dizer uma coisa e algo interfere? A coisa fica presa *aqui* — bateu na testa — de modo que impede todo o restante? Não que fosse algo importante — acrescentou, e se pôs a andar pela sala. Depois de um momento, desistiu. — Desisto. Desisto mesmo! — disse, sacudindo a cabeça. — Vou me arrumar agora. Você poderia chamar um táxi.

E foi para o quarto. Logo se ouviu o som de água correndo.

Peggy acendeu outro cigarro. Se Eleanor ia tomar banho, como parecia pelos ruídos que vinham do quarto, então não havia pressa de chamar o táxi. Passou os olhos pelas cartas do consolo da lareira. Um endereço apontava no alto de um envelope: Mon Repos, Wimbledon. Um dos dentistas de Eleanor, pensou Peggy consigo. Talvez o homem com quem ela herboriza em Wimbledon Common. Uma pessoa encantadora, Eleanor o descrevera. Ele diz

que não há dois dentes iguais. E sabe tudo a respeito de plantas...
Era difícil fazer com que ela se concentrasse na infância.

Foi até o telefone. Deu o número. Houve uma pausa. Enquanto esperava, examinou as próprias mãos segurando o aparelho. Competentes, de unhas como madrepérola, polidas sem serem pintadas, um compromisso, pensou, entre a ciência e...

Mas uma voz disse: "Número, por favor". Ela deu o número.

De novo esperou. Sentada onde Eleanor estivera sentada, via o que Eleanor vira antes: Sally equilibrada na beiradinha da cadeira, com um borrão no rosto. Que maluca, Sal!, pensou com azedume. E um arrepio lhe correu pela coxa. Mas por que tal azedume? Porque ela se orgulhava de ser honesta – afinal, era médica – e aquele arrepio ela sabia ser de azedume. Invejava Sara, a felicidade de Sara, ou seria aquilo um ranço do pudor ancestral, uma espécie de desaprovação das amizades dela com homens que não gostavam de mulher? Contemplou o retrato de sua avó, como se lhe pedisse uma opinião. Mas ela assumira a imunidade da obra de arte. Sentada, sorrindo para as suas rosas, parecia indiferente ao que possa ser para nós o certo e o errado.

– Alô! – fez uma voz rouca que sugeria serragem e galpão. Peggy deu o endereço e desligou justamente quando Eleanor entrou na sala. Usava um manto árabe vermelho e ouro e tinha um véu prateado na cabeça.

– Você acha que um dia a gente vai poder ver os outros do lado de lá do telefone? – perguntou Peggy, levantando-se. A beleza de Eleanor, pensou, estava nos cabelos; e também nos olhos escuros lavados de prata. Era uma velha profetisa, uma excêntrica, venerável e cômica ao mesmo tempo. Estava queimada do sol das viagens, e seu cabelo parecia mais alvo do que nunca.

– O que foi que você disse? – perguntou, pois não ouvira a observação da sobrinha sobre o telefone. Peggy não repetiu o que tinha dito. Ficou à janela esperando pelo táxi. Ficaram ambas esperando, lado a lado, caladas, olhando a rua, porque havia uma pausa para ocupar, e a vista da janela, alta por cima dos telhados, por cima das praças, dos cantos de jardins, até a linha azul das colinas ao longe, servia, como se fosse uma outra voz, para preencher o vazio. O sol se punha. Uma nuvem jazia, curva como uma pena vermelha contra o azul. Peggy olhou para baixo. Era estranho ver táxis dobrando esquinas, dar voltas numa rua e em outra sem ouvir o barulho que faziam. Era como um mapa de Londres; como se uma seção da planta da cidade estivesse estendida à vista delas. O dia de verão morria; as luzes se acendiam como prímulas, aqui e ali, esparsas ainda, porque o fulgor do crepúsculo ainda estava no ar. Eleanor apontou o céu.

— Foi ali que vi meu primeiro aeroplano — disse. — Ali, entre aquelas duas chaminés.

Havia altas chaminés ao longe. Chaminés de fábrica.

E uma grande edificação. Seria a catedral de Westminster? De qualquer maneira, dominava os telhados vizinhos.

— Eu estava aqui, olhando para fora — contou Eleanor. — Devia ser pouco depois de me mudar para o apartamento, num dia de verão. Vi um ponto preto no céu e disse não sei mais para quem... para Miriam Parrish, acho que foi, sim, porque ela veio me ajudar na instalação... Espero que Delia, diga-se de passagem, não tenha se esquecido de convidá-la...

É a idade, pensou Peggy, isso de misturar os assuntos.

— Você disse para Miriam... — ajudou.

— Eu disse para Miriam: é um pássaro? Não, não creio que possa ser um pássaro, é muito grande. E, no entanto, move-se. Então de súbito compreendi: é um aeroplano! E era. Você sabe que tinham atravessado o canal não fazia muito tempo. Eu estava com vocês em Dorset naquela época. Lembro-me de ter lido tudo no jornal, e alguém, seu pai, creio, comentou: "O mundo nunca mais será o mesmo!".

— Oh! Bem... — disse Peggy com uma risada. Estava para dizer que afinal de contas o aeroplano não fizera tanta diferença assim, pois gostava de demolir a fé dos mais velhos na ciência, em parte porque a credulidade deles a divertia, em parte porque ficava cada dia mais impressionada com a ignorância dos médicos, quando Eleanor suspirou.

– Meu Deus! – disse esta e saiu da janela.

Velhice outra vez, pensou Peggy. O vento fez bater alguma porta: uma dentre as milhões de portas da vida de Eleanor. Mais de setenta anos! Aquilo lhe despertara uma lembrança penosa, que ela se dera pressa em ocultar, indo até a escrivaninha e remexendo nos seus papéis com a humilde generosidade, a dolorosa humildade dos velhos.

– O que foi, Nell? – perguntou Peggy.

– Nada, nada... – respondeu Eleanor. Vira o céu. E o céu estava cheio de imagens. Ela o vira tantas vezes. E qualquer dessas imagens podia superpor-se às demais. Bastava que olhasse o céu. Agora, porque estivera conversando com North, trazia-lhe de volta a guerra. De como ela ficara ali, de pé à janela, certa noite, vendo os holofotes. Voltara tarde para casa depois de um ataque. Estivera jantando em Westminster com Renny e Maggie. Tinham descido para a adega no subsolo. E Nicholas, era a primeira vez que o via, Nicholas dissera que a guerra não tinha importância: "Somos como crianças brincando com fogos de artifício no quintal...". Lembrava-se dessa frase dele. E de como, sentados em volta de um caixote, tinham brindado a um mundo novo. Um mundo novo! Um mundo novo!, Sally exclamara, batendo com a colher no tampo do caixote. Eleanor voltou à sua escrivaninha, pegou uma carta, rasgou-a e jogou os pedaços na cesta.

– Sim – disse, mexendo ainda nos papéis como se procurasse alguma coisa. – Sim... Não sei grande coisa sobre aeroplanos, pois nunca estive num. Mas automóveis... Eu poderia dispensar os automóveis. Quase fui atropelada por um, já lhe contei? Foi em Brompton Road. Por minha culpa, pois eu não estava olhando... E a radiotelefonia... não é outra amolação? A gente aí debaixo liga o aparelho depois do café. Por outro lado, água quente, luz elétrica e esses novos... Ah! Aqui está! – exclamou. E deu uma espécie de bote no papel que vinha procurando todo aquele tempo. – Se Edward estiver lá, você me lembra... É melhor dar um nó no meu lenço...

Abriu a bolsa, tirou um lenço de seda e deu nele solenemente um nó.

– Tenho de falar com Edward sobre o menino de Runcorn. A campainha tocou.

– O táxi – disse ela.

Olhou em volta para ver se não esquecera alguma coisa. Parou de súbito. Seus olhos tinham caído sobre o jornal da tarde que estava no chão com sua manchete enorme e sua fotografia borrada. Apanhou-o.

– Que cara! – exclamou, alisando-o em cima da mesa.

Tanto quanto Peggy podia ver, mas ela era míope, era a habitual fotografia indistinta dos vespertinos de um homem gordo discursando.

– Maldito! – exclamou Eleanor inesperadamente. – Bruto! – Depois rasgou o jornal de alto a baixo e atirou-o de novo no chão. Peggy ficou chocada. Um calafrio subiu-lhe pela espinha quando o jornal ficou em dois pedaços. A palavra maldito na boca de sua tia a escandalizara.

Um momento depois, achou a coisa divertida. Mas ficara chocada antes. Porque, quando Eleanor, que usava tão reticentemente o seu inglês, dizia alguma praga, a palavra ganhava muito mais peso que na boca dos seus amigos. E a violência do gesto ao rasgar o jornal. Que coleção de tipos esquisitos eles formam, pensou, acompanhando Eleanor escada abaixo. Seu manto vermelho e ouro ia varrendo todos os degraus. Fora assim mesmo que vira seu pai rasgar *The Times* e sentar-se trêmulo de raiva só porque alguém tinha dito alguma coisa no jornal! Que estranho!

E a maneira como Nell o fizera!, pensou, rindo-se a meio e imitando o gesto da sua tia. Podia vê-la ainda, ereta de indignação. Seria simples, pensou, seria satisfatório ser assim como ela, pensou, seguindo-a escada abaixo lance por lance. O pequeno arremate em borla do seu manto ia batendo nos degraus. Desciam devagar.

Tomemos minha tia, disse consigo, começando a arranjar a cena numa discussão que tivera com um homem no hospital, tomemos minha tia, que vive sozinha numa espécie de apartamento de operário que tem seis lances de escada...
Eleanor parou.

– Não me diga que esqueci – falou – aquela carta lá em cima? A carta de Runcorn, que eu queria mostrar a Edward, sobre o filho dele? – Abriu a bolsa. – Não, está aqui. – Estava na bolsa dela. Continuaram a descer.

Eleanor deu o endereço ao motorista e sentou-se pesadamente num canto. Peggy olhou-a com o rabo do olho.

Era a energia que ela botara nas palavras que a impressionara, não as próprias palavras. Era como se ela ainda acreditasse com paixão, ela, a velha Eleanor, nas coisas que o homem tinha destruído. Uma geração maravilhosa, pensou enquanto rodavam. Crédulos...

– Você compreende – dizia Eleanor, como se quisesse explicar suas palavras no apartamento –, isso significa o fim de tudo aquilo a que temos apego.

– Liberdade? – perguntou Peggy superficialmente.

– Sim – respondeu Eleanor. – Liberdade. E justiça.

O táxi seguiu caminho, atravessando aquelas ruas pequenas, mansas, respeitáveis, onde cada casa tinha sua janela abaulada, seu palmo de jardim, seu nome privado. Quando deixaram tudo isso para trás e desembocaram na larga rua principal, a cena no apartamento se recompôs na mente de Peggy tal como iria contá-la ao homem no hospital: de súbito, ela perdeu as estribeiras, pegou o jornal e rasgou-o de cima a baixo. Minha tia, que tem mais de setenta anos! Olhou para Eleanor a fim de verificar os detalhes. A tia a interrompeu.

– Morávamos aqui – disse. E mostrou com a mão uma comprida rua à esquerda, estrelada de lâmpadas. Peggy, olhando para fora, mal pôde ver a imponente avenida contínua, com sua sucessão de alvas colunas e degraus de escadas. Os pilares repetidos e a arquitetura bem ordenada tinham até uma beleza pálida e pomposa, em que uma coluna de estuque repetia outra coluna de estuque até o fim da rua. – Abercorn Terrace... – disse Eleanor. – ...a caixa do correio – murmurou quando passaram.

Por que diabo a caixa do correio?, perguntou-se Peggy. Outra porta se abria. A velhice deve ter um número infinito de passagens que se alongam e alongam, perdendo-se na escuridão da idade, supunha, e ora uma porta se abria, ora outra...

– Não serão as pessoas... – começou Eleanor. E logo se calou. Como de costume, apanhara o assunto pela ponta errada.

– Sim? – perguntou Peggy. Irritava-se com aquela inconsequência toda.

– Ia dizendo... A caixa do correio me fez pensar – começou Eleanor. Depois, riu-se. Desistiu de exprimir a ordem segundo a qual seus pensamentos lhe vinham à mente. Havia, sem dúvida, alguma espécie de ordem. Mas levava tanto tempo para encontrá-la! E aquelas divagações descosidas, quando não incoerentes, sabia, desgostavam Peggy. A mente dos jovens funciona com rapidez.

– Ali costumávamos jantar – disse, mostrando um casarão na esquina de uma praça –, seu pai e eu. E o homem com quem ele estudava. Como se chamava mesmo? Foi juiz depois... Costumávamos jantar juntos, nós três. Morris, seu pai e eu... Faziam grandes festas naquele tempo. Sempre gente da Justiça. E ele colecionava móveis antigos de carvalho. Quase tudo cópias! – acrescentou com um muxoxo.

– Vocês costumavam jantar... – começou Peggy. Tinha vontade de voltar ao passado. Era tão fascinante; tão seguro; tão irreal também, aquele passado dos anos 80. E tão belo para ela, na sua irrealidade. – Fale da sua mocidade... – pediu.

– Mas as vidas de vocês são tão mais interessantes que as nossas – disse Eleanor.

Peggy permaneceu calada.

Rodavam agora por uma rua animada, colorida; aqui se tingia de rubi com a luz dos cinemas; ali do amarelo das vitrines que os vestidos claros de verão alegravam. Pois as lojas, embora já tivessem cerrado as portas, continuavam iluminadas, e as pessoas ainda olhavam as toaletes, as revoadas de chapéus nas suas hastes de metal, as joias.

Quando minha tia Delia vem à cidade (Peggy continuava a contar a história de Eleanor ao seu amigo do hospital), diz: "Temos de fazer uma festa...". E todos se reúnem com alvoroço. Adoram isso. Quanto a ela mesma, sempre detestou reuniões. Preferiria ficar sozinha em casa ou ir ao cinema. Mas é o espírito de família, justificava, com um olhar de relance para Eleanor, como que a recolher mais algum pequeno fato para acrescentar ao retrato que dela compunha, o retrato de uma solteirona vitoriana. Eleanor, porém, olhava pela janela do táxi. Logo voltou-se.

– E aquela experiência com a cobaia deu bom resultado?

Peggy ficou perplexa. Depois, lembrou-se e respondeu:

– Ah, sim. Não provou nada, e vocês terão de começar tudo de novo. Muito interessante. Agora: gostaria que você me explicasse... – era outro problema que a intrigava.

As coisas que ela deseja ver explicadas, disse Peggy ao seu amigo do hospital, são tão simples quanto dois e dois são quatro ou tão difíceis que ninguém no mundo é capaz de explicá-las. E se você lhe diz: e oito vezes oito? (Peggy sorriu ao perceber o perfil da sua tia contra a janela), ela bate na testa e diz...

Mas Eleanor a interrompeu.

– Você foi tão gentil de ter vindo! – disse, dando-lhe uma pequena palmada no joelho. – Terei deixado perceber que detesto visitá-la?, pensou Peggy. – É um modo de ver gente – continuou Eleanor. – E agora que vamos ficando todos velhos, não você, nós outros, não podemos deixar escapar nenhuma oportunidade...

Prosseguiram. Como interpretar *aquilo* direito?, pensou Peggy, tentando acrescentar mais uma pincelada ao retrato. "Sentimental" – mas seria isso? Ou, pelo contrário, seria bom sentir assim... natural... certo? Sacudiu a cabeça. Não sirvo para descrever as pessoas, disse Peggy ao seu amigo do hospital. Elas são tão complicadas... Eleanor não é absolutamente assim como a pintei, não é mesmo!, disse Peggy, fazendo um gesto peremptório no ar, como se apagasse num quadro-negro com uma esponja um desenho mal-acabado.

Ao fazê-lo, seu amigo do hospital esfumou-se.

Estava sozinha com Eleanor no táxi. E passavam por muitas casas. Onde ela começa, pensou, e onde eu acabo? ...Rodaram. Eram duas pessoas vivas, rodando através de Londres; duas centelhas de vida encerradas em dois corpos separados; e essas duas centelhas nos dois corpos estanques passavam agora diante de um cinema. Mas o que é o momento presente? E o que somos nós? O enigma era difícil demais para que ela o resolvesse. Renunciou com um suspiro.

– Você é jovem demais para sentir isso – disse Eleanor.

– Sentir o quê? – perguntou Peggy, com um pequeno sobressalto.

– Essa necessidade de encontrar as pessoas. De não perder nenhuma oportunidade de encontrá-las.

– Jovem? – disse Peggy, rindo. – Nunca serei tão jovem quanto você... – acrescentou, afagando por sua vez o joelho de Eleanor. – Com a sua Índia...

– Oh, a Índia... a Índia não é nada hoje em dia. Viajar é tão fácil. Basta comprar uma passagem, tomar um vapor... Mas o que desejo ver antes de morrer é algo diferente... – Fez um gesto com a mão fora da janela. Passavam por edifícios públicos, escritórios de alguma outra espécie de civilização. – Tibete, por exemplo. Andei lendo um livro escrito por um homem chamado... Ora, como se chama ele?

Interrompeu-se, a atenção distraída pela vista da rua.

– Você não acha que as pessoas usam roupas mais bonitas hoje em dia? – perguntou, apontando um casal, a moça loura e o rapaz de casaca.

– Sim – respondeu Peggy ligeiramente, notando o rosto pintado, o xale vistoso, o colete branco e o cabelo preto alisado para trás.

Tudo distrai Eleanor, tudo lhe interessa, pensou.

– Que coisas vocês reprimiam quando eram moços? – perguntou um pouco alto demais, evocando uma vaga memória da infância; seu avô com os brilhantes cotos de mão, em vez de dedos; e um salão comprido e escuro. Eleanor virou-se surpresa para ela:

— Reprimiam? – repetiu. Pensava tão pouco nela mesma agora que estava de fato espantada. – Oh, entendo o que quer dizer – acrescentou depois de um momento.

Uma cena e outra cena vieram à tona. Delia de pé no meio da sala. "Oh, meu Deus! Oh, meu Deus!", dizia ela; um fiacre parara em frente à casa vizinha; e ela própria seguia Morris com os olhos – seria mesmo ele? –, Morris que ia pôr uma carta na caixa do correio no fim da rua... Calava-se. Não quero voltar ao passado, pensava. Quero o presente.

— Para onde ele nos conduz? – perguntou, olhando para fora. Tinham chegado à parte pública de Londres; à parte iluminada. A luz caía sobre calçadas largas; sobre repartições públicas muito brancas, brilhantemente iluminadas; sobre uma pálida igreja de aspecto vetusto. Anúncios piscavam. Aqui uma garrafa de cerveja: derramava, parava, derramava outra vez. Haviam chegado ao quarteirão dos teatros, com sua espalhafatosa confusão. Homens e mulheres vestidos para a noite andavam pelo meio da rua. Automóveis passavam, detinham-se. O táxi, bloqueado, freou com um baque ao pé de uma estátua. As luzes brilharam sobre sua palidez cadavérica.

— Ela sempre me lembra um anúncio de toalhas higiênicas – disse Peggy com um olhar para a figura de mulher em uniforme de enfermeira com a mão espetada no ar.

Eleanor ficou chocada por um momento. Era como se uma faca lhe tivesse riscado a pele, deixando uma onda de mal-estar; mas nada do que era sólido no seu corpo foi tocado, percebeu logo depois.

Peggy deve ter dito isso por causa de Charles, pensou, sentindo a amargura na voz da sobrinha, por causa do irmão, aquele excelente menino, mas burro também, que morrera na guerra.

— A única coisa bonita jamais pronunciada durante a guerra – disse, lendo as palavras gravadas no pedestal.

— Pois não deu em grande coisa – disse Peggy secamente.

O táxi parecia bloqueado para sempre.

A interrupção parecia fixá-las sob a luz de um pensamento que ambas queriam pôr de lado.

— Não acha que as pessoas agora usam roupas bonitas? – repetiu Eleanor, apontando outra moça loura com uma longa capa cintilante e um outro rapaz de casaca.

— Acho – respondeu Peggy sem entusiasmo.

Mas por que você não se diverte mais?, disse Eleanor consigo mesma. A morte de Charles fora sem dúvida uma tristeza, mas sempre julgara North o mais interessante dos dois. O táxi, livre afinal, abria caminho, ziguezagueando por entre os outros veículos, e ganhava uma rua secundária. Deteve-se numa luz vermelha.

— É bom ter North de volta – disse Eleanor.

— Sim – disse Peggy. – Ele diz que nós só falamos de dinheiro e política – acrescentou. Ela põe defeito nele por não ter morrido em vez do irmão, mas isso está errado, pensou Eleanor.

— Diz, é? – replicou esta. – Mas também...

Um anúncio de jornal, com suas gordas letras pretas, pareceu completar a sentença para ela. Aproximavam-se da praça em que Delia morava. Eleanor começou a remexer na bolsa. Conferiu o taxímetro que subira assustadoramente. O homem dava uma volta.

— Ele acaba achando o caminho – disse.

Faziam a volta da praça devagar. Ela esperava com paciência, segurando a bolsa na mão. O sol já se fora. Podia ver uma nesga de céu escuro por cima dos telhados. Por um momento, tinha o aspecto tranquilo do céu que cobre planícies e florestas no campo.

— Teremos de voltar um pouco, só isso – disse. – Não me incomodo – acrescentou quando o táxi deu meia-volta. – É o hábito de viajar, entende? O contato com toda espécie de gente a bordo, por exemplo, ou em algum lugar perdido, fora dos roteiros habituais...

— O táxi deslizava, hesitava, de casa em casa. – Você deve ir também, Peggy – disse, cortando a outra frase –, os nativos são tão belos, sabe? Seminus; indo para o rio ao luar... Mas aquela é a casa. – Bateu no vidro e o táxi reduziu a marcha. – O que é que eu estava dizendo? Que não me incomodo. É a pura verdade. As pessoas são tão gentis, têm tão bom coração. De modo que gente perfeitamente comum como nós...

O táxi parou em frente a uma casa de janelas acesas. Peggy se debruçou e abriu a portinhola. Depois pulou fora e pagou o chofer. Esbaforida, Eleanor saiu logo atrás dela.

– Não, não e não! Peggy! – começou.

– Mas é meu táxi, meu – protestou Peggy.

– Insisto em pagar pelo menos minha parte – disse Eleanor, abrindo a bolsa.

* * *

– Era Eleanor – disse North.

Desligou o telefone e voltou-se para Sara, que ainda balançava o pé no ar, para cima, para baixo.

– Ela me pediu que dissesse a você para ir à festa de Delia.

– À festa de Delia? Por que à festa de Delia?

– Porque são velhos e querem que você vá – disse ele, olhando-a de cima, sobranceiro.

– Velha, Eleanor? – estranhou Sara. – A errante Eleanor? A Eleanor dos olhos de tigresa? Vou, não vou, vou, não vou... – ficou dizendo em seguida, encarando-o todo o tempo. – Pois não vou. Não vou mesmo.

– Tem de ir – disse ele. Aquela maneira dela o agastava. Tinha ainda a voz de Eleanor nos ouvidos.

– Ah, tenho, é? Tenho? – zombou Sara. Fazia o café. – Nesse caso... – disse, dando-lhe uma xícara e apanhando um livro com a outra mão –, nesse caso, leia até que seja hora de irmos.

E pôs-se toda enrodilhada outra vez, com sua xícara na mão.

Ainda era cedo na verdade. Mas por que, perguntou-se ele, abrindo o livro outra vez e virando as páginas, por que não quer ir? Terá medo?, perguntou-se. Ali estava ela, amarrotada, na sua cadeira. Com um vestido caseiro surrado. Procurou concentrar-se de novo, mas não havia luz suficiente para ler. Sara não acendera a lâmpada.

– Não posso ler sem luz – disse. Escurecia depressa naquela rua; as casas eram próximas demais umas das outras. Um carro passou, porém, e seus faróis varreram o teto.

– Devo acender então? – perguntou ela.

– Não – respondeu North. – Tentarei me lembrar de alguma coisa.

E começou a recitar o único poema que sabia de cor. E as palavras ditas assim, na semiescuridão, soavam extremamente belas, achou. Talvez por não se poderem ver.

Fez uma pausa ao fim da estrofe.

– Continue – disse ela.

Ele recomeçou. Era como se as palavras, materializando-se na sala, fossem presenças reais, duras, independentes; e, todavia, pelo fato de que Sara as ouvisse, elas se transmudavam ao contato com ela. Mas ao atingir o fim do segundo verso

"Sociedade é tudo menos rude
Nessa deliciosa solidão..." *

ouviu um som. Seria no poema ou fora dele?, perguntou-se. Dentro, pensou, e estava decidido a prosseguir, quando Sara ergueu a mão.

North calou-se. Ouviram-se passos pesados diante da porta. Alguém prestes a entrar? Os olhos dela estavam fixos na porta.

– O judeu – murmurou ela.

– O judeu? – perguntou ele. Ambos escutaram. Ele podia ouvir distintamente agora. Alguém abria torneiras. Alguém tomava banho no quarto em frente.

– O judeu está tomando banho – disse ela.

– O judeu? Tomando banho? – fez ele.

– E amanhã – disse ela – haverá uma linha de gordura em torno da banheira.

---

*   Tradução de Afonso Teixeira

– Para o inferno com o judeu! – exclamou ele. A ideia de uma linha de gordura do corpo de um estranho na banheira ao lado dava-lhe nojo.

– Mas continue! – disse Sara. – "*Society is all but rude to this delicious solitude*" – repetia as últimas linhas.

– Não – disse ele.

Ouviram o som da água que corria. O homem tossia e limpava a garganta enquanto se esfregava.

– Quem é esse judeu? – perguntou ele.

– Abrahamson – respondeu ela. – Negocia velas. – Escutaram. – Noivo de uma bela jovem que trabalha para um alfaiate – acrescentou.

Podiam ouvir todos os ruídos com grande nitidez. As divisórias eram finas.

Ele resfolegava ensaboando-se.

– E deixa cabelos na banheira – concluiu Sara.

North sentiu um calafrio na espinha. Cabelos em banheiras, cabelos de outras pessoas, faziam-no ficar fisicamente nauseado.

– Você usa o mesmo banheiro?

Ela fez um sinal afirmativo.

E North alguma coisa como "Pah".

– Pah! Pois foi justamente o que eu disse! – riu-se ela. Pah! Quando fui ao banheiro numa fria manhã de inverno. Pah! – estendeu os braços para a frente: – Pah!

– E então? – perguntou ele.

– Então voltei para este quarto aqui – disse ela, bebericando o café. – E o café da manhã esperava: ovos fritos, uma torrada. Lydia, com a blusa rasgada e os cabelos em desalinho. O desempregado cantando hinos debaixo da janela. E eu disse comigo mesma, gesticulando: "Cidade poluída, cidade incrédula, cidade de peixes mortos e frigideiras imprestáveis"... pensando – explicou – na margem do rio quando a maré é vazante...

– Continue – disse ele.

– Pus meu chapéu na cabeça, meu mantô e saí como uma fúria – continuou ela – e fui me postar na ponte e disse: "Serei uma erva daninha que a água leva para cá, para lá, na crista da maré, que vem e vai todo dia sem nenhum sentido?".

– Sim? – animou ele.

– As pessoas passavam: os pomposos, os furtivos, os descorados, os de olhos de lince, o inumerável e servil exército de trabalhadores de chapéu-coco. E eu disse: "Devo aderir à conspiração de vocês? Sujar a mão, a mão impoluta" – North podia ver brilhar a mão de Sara, que ela agitava na meia penumbra da sala – "e assinar meu nome no pé da página e servir um senhor; tudo por causa de um judeu no meu banheiro, tudo por causa de um judeu?".

Ela se endireitou na cadeira e soltou uma risada, excitada pelo som de sua própria voz, que tomara uma cadência de trote sacudido.

– Vamos, vamos – dizia ele, açulando-a.

– Mas eu tinha um talismã, uma gema fulgurante, uma radiosa esmeralda – apanhou um envelope que jazia no chão –, uma carta de apresentação. E eu disse ao criado de *libré*, com seus calções cor de flor de pêssego em botão: "Admita-me no Santo dos Santos, sir". – ela disse *sirrah* em sinal de desprezo. – E o lacaio me conduziu ao longo de corredores em que havia púrpura empilhada até o teto. E eu me vi diante de uma porta de mogno e bati. E uma voz respondeu: "Entre!". E o que foi que encontrei? – Ela fez uma pausa retórica. – Um homem rotundo de cara vermelha. Na mesa dele, havia três orquídeas numa jarra. "Enfiadas na sua mão pela esposa", pensei quando o automóvel esmagou o cascalho ao dar partida. E, em cima da lareira, o habitual retrato...

– Pare! – comandou North. – Você compareceu a um escritório armada de uma carta de apresentação que entregou. Mas a quem?

– A quem? – riu-se ela. – Ora, a um cidadão com calças de xadrezinho. "Conheci seu pai em Oxford", disse ele, brincando com o mata-borrão ornamentado com uma moeda grande num dos cantos. "Mas o que pode ser insolúvel para um homem como o senhor?", perguntei a ele, olhando sua figura de acaju escanhoada, com suas guelras cor-de-rosa, cevado a carneiro...

– O homem da redação de um jornal – precisou North –, o que tinha conhecido seu pai em Oxford. Muito bem. E depois?
– Tudo zumbia e estalava por lá. As máquinas gigantescas rodavam. Mensageiros entravam e saíam com tiras de papel de jornal pretas, manchetes úmidas de tinta de impressão. "Desculpe-me por um momento", disse ele, e fez uma nota à margem de uma prova daquelas. "Mas e o judeu no meu banheiro?", disse eu. "O judeu, o judeu?". – Ela se calou de súbito e esvaziou o copo.
Sim, pensou ele, essa é a voz; essa a atitude; o reflexo no rosto das outras pessoas. Mas há também alguma coisa de verdade; no silêncio, talvez. Mas não havia silêncio. Podiam ouvir o judeu que sapateava com um ruído surdo no banho; parecia ficar num pé só, depois no outro, enquanto se enxugava. Agora destrancava a porta, ia embora escada abaixo. E logo os canos começaram a gorgolejar.
– O que há de verdade em tudo isso? – perguntou a Sara. Mas ela se calara.
No fundo, as palavras – pois as palavras verdadeiras flutuaram por um momento, depois se arranjaram ordeiramente na sua mente, formando uma sentença –, as palavras queriam dizer que ela estava pobre; que tinha de ganhar a vida. Mas a agitação com que falara, devida ao vinho talvez, criara uma outra pessoa, uma outra faceta, que era preciso solidificar num conjunto.
A casa estava quieta agora, salvo pelo ruído da água do banho que se esvaía. Um vago desenho dançava no teto em tons pastel. As lâmpadas da rua, oscilando, davam às casas em frente um curioso tom afogueado. O fragor do dia já desaparecera. Não havia mais carroças sacudindo a rua. Os feirantes, o homem do realejo, a mulher das escalas, o tocador de trombone, todos tinham rolado seus barris, puxado seus estores, fechado a tampa dos seus pianos. Ficou tudo tão silencioso que North, por um momento, chegou a pensar que estava de volta à África, sentado na varanda ao luar. Mas logo despertou.
– E a festa? – disse, levantando-se e apagando o cigarro. Depois, espreguiçou-se e conferiu o relógio. – É hora de irmos andando

– disse para apressá-la. Pois se vamos a uma festa, pensou, então é absurdo chegar quando os outros já estão saindo. E a festa já devia ter começado.

* * *

– O que você estava dizendo... O que estava dizendo mesmo, Nell? – perguntou Peggy a fim de distrair a atenção de Eleanor, que ainda insistia em pagar sua parte da despesa do táxi. Estavam à porta de Delia. – Dizia que gente comum... que gente comum tinha de fazer o que mesmo?

Eleanor remexia na bolsa e não respondeu.

– Não, Peggy, não posso permitir uma coisa dessas – disse. – Aqui está, tome...

Mas Peggy repeliu a mão dela, e as moedas rolaram até a soleira. As duas se abaixaram ao mesmo tempo e suas cabeças se chocaram.

– Não importa – disse Eleanor, vendo que uma das moedas rolava para longe. – Foi culpa minha.

A empregada segurava a porta aberta.

– E onde deixamos nossos agasalhos? Aqui? – Entraram numa peça do andar térreo que, embora servisse como escritório, fora arranjada para funcionar como vestiário. Havia um espelho em cima da mesa. E, em frente dele, salvas com pentes, espelhinhos e grampos de cabelo. Eleanor aproximou-se do espelho e se olhou de relance.

– Pareço uma cigana! – disse, passando um pente nos cabelos.

– Queimada do sol como uma negra! – disse. Depois cedeu o lugar a Peggy e esperou.

– Não sei bem se era aqui nesta sala... – disse.

– Que sala? – disse Peggy, distraída. Cuidava do seu rosto.

– ...que costumávamos ficar – completou Eleanor. Olhou em torno. Ainda era um escritório, ao que parecia. Mas agora havia anúncios de corretores nas paredes.

– Kitty virá esta noite? – perguntou.

Peggy se examinava ao espelho e não respondeu.

– Ela vem raramente à cidade hoje em dia. Só para casamentos, batizados, coisas assim – continuou Eleanor.

Peggy desenhava uma linha com uma espécie de tubo em torno dos lábios.

– De repente, você dá de cara com um rapagão de todo tamanho e descobre que é o bebê – continuou Eleanor.

Peggy continuava absorta no próprio rosto.

– Você tem de retocar a pintura a toda hora? – perguntou Eleanor.

– Ficaria medonha se não o fizesse – disse Peggy. As linhas de tensão em torno dos lábios e dos olhos pareciam-lhe ainda visíveis. Nunca se sentira com menos disposição para uma festa.

– Oh! Que gentileza a sua! – disse Eleanor. A empregada lhe trouxera as moedas caídas na calçada. Agora, Peggy – disse, oferecendo o dinheiro –, permita-me pagar minha parte.

– Não seja boba – disse Peggy, empurrando-lhe a mão.

– Mas era *meu* táxi – insistiu Eleanor. Peggy deu-lhe as costas e foi andando.

– Detesto ir a festas à custa dos outros – continuou Eleanor, indo atrás dela sempre com a moeda na mão. – Você não se lembra de seu avô? Ele dizia sempre: "Não bote a perder um bom navio para economizar no alcatrão". Se alguém saía para fazer compras com ele – prosseguiu ela, subindo as escadas –, "mostre-me o que vocês têm de melhor", era o que ele dizia.

– Eu me lembro dele – disse Peggy.

– Mesmo? – disse Eleanor. Alegrava-se de que alguém se lembrasse de seu pai. – Eles alugam as salas de baixo, imagino – acrescentou pelo caminho. As portas estavam abertas. – Aquela ali, por exemplo, é de um advogado – afirmou, reconhecendo as caixas com nomes pintados do lado de fora em tinta branca, indicando a profissão de cada um. – Sim, entendo muito bem o que você quis dizer a respeito dessa pintura, da maquilagem – continuou, com um olhar de passagem para a sobrinha. – Você está bem. Parece iluminada por dentro. Gosto de pintura se a mulher é jovem. Não para mim. Eu me sentiria mal, embonecada. Pode-se dizer assim, "embonecada"? E o que vou fazer com esse dinheiro se você não o aceita? Teria sido melhor deixá-lo na minha bolsa embaixo. – Subiam mais e mais alto. – Quero crer que abriram todas essas salas de cima... – continuou. Tinham atingido uma ponta de tapete vermelho. – ...de modo que, se o quarto de Delia, que é minúsculo, ficar cheio demais... Mas, naturalmente, a recepção mal começou. Chegamos cedo. Todo mundo está em cima. Ouço as vozes. Venha. Devo entrar na frente?

Um burburinho de vozes soava atrás da porta. Uma empregada interceptou-as.

– Srta. Pargiter – disse Eleanor.
– Srta. Pargiter! – berrou a empregada, abrindo a porta.

* * *

– Vá e se arrume – disse North, atravessando a sala e procurando acionar o interruptor. Conseguiu achar o botão, apertou-o e uma lâmpada se acendeu no meio do aposento. O abajur fora removido, e um cone de papel esverdeado estava enrolado em torno dela.

– Vá – repetiu ele. – Arrume-se. – Sara não lhe deu resposta. Puxou um livro e fez como se estivesse lendo.

– Ele matou o rei – disse. – O que fará agora? – Mantinha o dedo metido entre as páginas e olhava para ele. Um artifício, ele sabia, para adiar o momento de agir. Ele também não tinha vontade de ir. No entanto, se Eleanor desejava que fossem... Ficou olhando o relógio. Hesitava.

– O que fará ele agora? – repetiu Sara.
– Comédia – disse ele sucintamente. – Contraste – disse, lembrando-se de alguma coisa que havia lido. – A única forma de continuidade – acrescentou a esmo.
– Bem, continue a ler – disse ela, passando-lhe o volume.

Ele abriu o livro ao acaso.

– A cena é uma ilha rochosa no meio do oceano – disse. E fez uma pausa.

Sempre antes de ler, tinha de arranjar o cenário. Deixar que causasse impressão. Uma ilha rochosa perdida no oceano, disse consigo mesmo... Haveria lagunas, tufos de vegetação prateada, areia, e, ao longe, o suave suspiro das ondas quebrando na praia. Ouviu um ruído às suas costas. Sentiu uma presença. No texto da peça? Na sala? Ergueu os olhos da página.

– Maggie! – exclamou Sara. Pois era ela, de pé à porta, em traje de noite.

* * *

– Vocês estavam dormindo? – perguntou, entrando na sala. – Toquei e toquei a mais não poder.

Sorria para ambos, divertida, como se de fato tivesse acordado dois dorminhocos.

– De que serve uma campainha se está invariavelmente quebrada? – disse um homem que surgiu atrás dela.

North se levantou. No primeiro momento, mal se lembrava deles. A vista dos dois era estranha, justaposta à memória deles, de como eles eram ou de como ele os vira anos atrás.

– As campainhas não tocam e não sai água das torneiras – disse desajeitadamente. – Ou, se sai, não para nunca mais! – acrescentou, pois a água do banho do judeu ainda gorgolejava nos canos.

– Por sorte, a porta estava aberta – disse Maggie. Estava encostada na mesa, contemplando a casca de maçã e a fruteira emporcalhada pelas moscas. Há belezas que fenecem, pensava North; outras (olhava para Maggie) ganham com a idade. Os cabelos dela estavam grisalhos agora, e seus filhos sem dúvida estariam crescidos, supunha. Mas por que será que as mulheres apertam os lábios quando se miram num espelho? Não sabia. Ela se olhava e apertava os lábios. Depois atravessou a sala e foi sentar-se na cadeira ao lado da lareira.

– Renny andou chorando? – perguntou Sara. – Por quê?

North olhou-o. De fato havia marcas de lágrimas de um lado e de outro do seu avantajado nariz.

– Fomos ver uma peça muito ruim – disse ele – e precisamos de um drinque.
Sara foi até o armário e pôs-se a remexer nele com um tilintar de copos.
– Vocês liam? – perguntou Renny, vendo o livro que caíra no chão.
– Estávamos num rochedo em pleno mar – respondeu Sara, pondo os copos na mesa. Renny começou a servir uísque.
Agora me lembro dele, pensou North. A última vez que nos encontramos foi antes que ele partisse para a guerra, numa casa pequena de Westminster. Eles ficaram sentados em frente ao fogo. E uma criança brincara com um cavalinho pedrês. Invejara a felicidade deles. Tinham conversado sobre ciência, e Renny tinha dito, recordava-se muito bem: "Eu os ajudo a fazer obuses"; e uma espécie de máscara descera sobre o seu rosto. Um homem que fazia bombas, obuses, granadas. Um homem como Renny, amante da paz; um homem capaz de chorar...
– Basta! – exclamou Renny. – Basta, Sara! – disse. Ela derramara soda em cima da mesa. – Quando você voltou? – perguntou, tirando os óculos e encarando North com olhos ainda úmidos de lágrimas.
– Há uma semana, mais ou menos.
– Você vendeu a fazenda? – perguntou Renny. Sentara-se com o copo na mão.
– Sim, vendi – respondeu North. – Agora, se fico ou se volto, ainda não sei.
– Onde era a sua fazenda? – perguntou Renny, debruçando-se para ele. E falaram da África.

* * *

Maggie ficou vendo os dois que falavam e bebiam. O retorcido cone de papel que fazia as vezes de abajur produzia um curioso efeito de vitral, e a luz tingida que os banhava dava--lhes uma tonalidade esverdeada. Os dois sulcos de ambos os lados do nariz de Renny ainda estavam molhados. Seu rosto era todo feito de elevações e de ravinas. Já o de North era redondo. Tinha o nariz arrebitado e exibia uma leve coloração azul em torno dos lábios. Maggie avançou um pouco com sua cadeira, de modo a ter as duas cabeças lado a lado, com a intenção de compará-las. À medida que falavam da África, suas fisionomias se alteravam, como se alguma torsão tivesse sido dada à fina rede subjacente à pele, e os pesos caíssem agora em diferentes buracos. Sentiu-se excitada, como se os pesos no seu próprio corpo também se tivessem reajustado. Mas havia algo na luz ambiente que a incomodava. Olhou para trás. Deveria haver uma lâmpada lá fora cuja luz oscilante, para cima, para baixo, casava-se à luz da lâmpada do teto, com seu cone verde de papel manchado. Era isso que...

Teve um sobressalto. Registrara uma voz.

– Para a África? – perguntou, encarando North.

– Para a festa de Delia – respondeu ele. – Perguntei se você vinha...

Ela não prestara atenção.

– Um momento – interrompeu Renny, levantando a mão espalmada como um policial do trânsito. E se puseram outra vez a falar da África.

Maggie recostou-se na cadeira. Atrás das cabeças deles dois, via-se a curva de mogno do espaldar da poltrona grande; e, por trás da curva do espaldar da poltrona, um vaso de vidro ondulado com borda vermelha. Em seguida, a linha reta, horizontal, do consolo da lareira, com seus quadrinhos preto e branco; depois, três hastes compridas e coroadas por plumas macias, amarelas. Maggie passou os olhos por tudo aquilo, coisa por coisa, por dentro, por fora, ligando umas às outras, reunindo-as num todo coerente. E já estava prestes a completar o conjunto quando Renny exclamou:

– Temos de ir! Temos!

Levantara-se. Empurrara o copo de uísque. Parecia a North alguém no comando de uma tropa, tão enfático era o tom e autoritário o gesto. E, todavia, tratava-se apenas de ir ou não ir à recepção de uma velha senhora. Ou sempre tinha sido – pensou ao levantar-se por sua vez, procurando o chapéu – alguma coisa que vinha do fundo inadequadamente e quando menos esperada, transfigurando atos ordinários, palavras ordinárias, numa expressão de todo o ser? De qualquer maneira, a verdade foi que se sentiu, ao voltar-se para acompanhar Renny à festa de Delia, como se cavalgasse em socorro de uma guarnição sitiada no deserto.

Deteve-se à porta, a mão no trinco. Sara entrou, vinda do quarto. Trocara de roupa. Estava em vestido de noite e havia algo estranho na sua aparência. Ou seria efeito da toalete?

– Estou pronta – disse, encarando-os.

Curvou-se depois para apanhar o livro que North deixara cair.

– Temos de ir andando... – disse, virando-se para a irmã.

Pôs o livro em cima da mesa. E deu-lhe uma palmadinha triste ao fechá-lo.

– Sim, temos de ir – repetiu. E seguiu-os escada abaixo.

Maggie se levantou, percorrendo com um último olhar o quarto barato de pensão; o capim-dos-pampas no vaso de terracota; o vaso verde com o debrum ondeado; a cadeira de mogno. Viu a fruteira em cima da mesa: as maçãs pesadas, sensuais, jaziam lado a lado com as bananas amarelas, mosqueadas. Era uma estranha combinação do esférico com o afilado, do róseo com o amarelo. Apagou a luz. E logo a peça ficou quase inteiramente às escuras, exceto pelo reflexo fugidio que dançava no teto. Àquela iluminação fantasmagórica e evanescente, só se viam os contornos. Maçãs espectrais, bananas incorpóreas, o espectro de uma cadeira. Mas já as cores voltavam lentamente, pois os olhos se acostumavam à treva. E a substância... Mas uma voz gritou:

– Maggie, Maggie!

– Já vou! – respondeu e desceu correndo para alcançar os outros.

* * *

– Seu nome, senhorita? – perguntou a empregada a Peggy, que se deixara ficar um pouco à retaguarda de Eleanor.

– Margaret Pargiter – respondeu Peggy.

– Srta. Margaret Pargiter! – gritou a empregada para dentro da sala.

Um burburinho confuso de vozes. Luzes vivas que se abriram de repente diante dela. Delia que avançava.

– Oh, Peggy! – exclamou. – Que gentileza a sua ter vindo! Entrou. Sentiu-se como que laqueada, recoberta por uma espécie de pele fria. Tinham chegado cedo demais, a sala parecia quase vazia. Só estavam umas poucas pessoas, de pé, conversando alto demais, como que para encher o espaço. Fazendo de conta, pensou Peggy, cumprimentando Delia e entrando, que alguma coisa agradável estava prestes a acontecer. Viu com extrema clareza o tapete persa e a lareira esculpida, mas havia um vazio no meio da sala.

Qual a receita para a situação presente?, perguntou-se, como se estivesse receitando para um doente. Tome notas, disse. Bote-as numa garrafa com uma coberta verde, bem lustrosa. Tome notas que a dor passa. Tome notas que a dor passa, repetiu para si mesma, de pé, sozinha no meio da sala. Delia passou por ela às pressas. Falava, mas falava a torto e a direito.

– É tudo muito simples para vocês, que moram em Londres... – dizia. Mas a dificuldade de tomar nota do que as pessoas dizem, continuou Peggy quando Delia passou por ela, é que dizem tanta bobagem, tanta, tanta... Foi encostar-se a uma parede. No mesmo instante, seu pai entrou. Deteve-se à porta, enfiando apenas a cabeça na sala, como se procurasse alguém; depois avançou de mão estendida.

Mas que significa isso agora?, perguntou-se, pois a vista do pai naqueles sapatos velhos despertara nela um sentimento direto e espontâneo. O que significa esse impulso caloroso e súbito?, perguntou-se, procurando analisá-lo em profundidade. Observou o pai que atravessava a sala. Aqueles sapatos afetavam-na de maneira estranha. Uma parte, sexo; outra parte, pena. Seria lícito chamar àquilo "amor"? Obrigou-se, porém, a andar. Agora que já me droguei, que atingi um estado de relativa insensibilidade, disse consigo, atravessarei esta sala com desenvoltura; irei diretamente até onde está tio Patrick, que palita os dentes, de pé junto ao sofá. E direi... O que poderei dizer?

Uma frase sem pé nem cabeça lhe veio à mente no meio do caminho: "Como vai o homem que cortou os dedos do pé com o machado?".

– Como vai o homem que cortou os dedos do pé com o machado? – perguntou, pronunciando as palavras exatamente como as tinha concebido um momento antes. O velho e ainda belo irlandês curvou-se, pois era muito alto, e pôs a mão em concha na orelha, pois era muito surdo.

– Hacket? Hacket?* – repetiu.

Peggy sorriu. Os degraus de cérebro para cérebro devem ser muito pouco altos se o pensamento tem de subi-los, ela anotou para si.

– Cortou os dedos do pé com o machado quando eu estava passando uns dias com vocês – disse. Lembrava-se do incidente ocorrido com o jardineiro quando estivera da última vez na propriedade deles, na Irlanda.

– Hacket? Hacket? – repetia o velho. Parecia perplexo. Mas logo a compreensão luziu nos seus olhos.

– Oh, os Hacket? – exclamou. – O meu velho Peter Hacket. Sim, claro!

Havia gente de nome Hacket em Galway, ao que parecia, e o engano, que ela não se deu ao trabalho de esclarecer, foi até vantajoso, pois funcionou como uma deixa de teatro para o ancião, que se pôs a contar-lhe história atrás de história sobre os Hacket, sentado com ela no sofá.

---

* *Hacket* é um sobrenome, e *hatchet*, em português, tanto pode ser machado, instrumento cortante, quanto Machado, patronímico. O jogo de palavras seria perfeito, mas ficaria absurdo um Peter Machado, de Galway... (N. T.)

Uma fêmea adulta, pensou Peggy, atravessa a cidade de Londres para conversar com um velho surdo sobre os Hacket, gente de que nunca ouviu falar, quando tudo o que queria era saber do jardineiro que cortara o dedão do pé com um machado. Mas que importância tinha? Riu-se de súbito, felizmente quando o velho acabava de contar uma pilhéria, e o riso veio a calhar. A gente precisa do outro para rir de verdade, pensou. O prazer é maior se partilhado. Será o mesmo com a dor? Será por isso que todo mundo fala tanto de doença? Contar desgraça alivia? Exteriorizar a dor e o prazer e, dando-lhes maior superfície, reduzi-los?... O pensamento escapou-lhe. O velho agora estava embalado a contar suas memórias. Delicadamente, metodicamente, como um homem que põe em marcha um cavalo já entrado em anos, mas ainda prestante, lá se ia ele, recordando velhos tempos, velhos cães, velhas lembranças que paulatinamente tomavam forma, à medida que ele esquentava, e eram como vinhetas da vida no campo. Ouvindo-o a meio, ela se sentia como se contemplasse uma fotografia já quase apagada de jogadores de críquete; ou de caçadores posando para um grupo comemorativo na escadaria de alguma propriedade rural.

Quantos são os que sabem ouvir?, perguntava-se. O tal ato "partilhado" é na maioria das vezes uma farsa. Obrigou-se a prestar mais atenção.

– Ah, sim, aquilo é que era tempo! – dizia o velho. E a luz brilhava nos seus olhos apagados.

Ela contemplou uma vez mais a fotografia de homens em polainas e mulheres em saias generosas nos largos degraus alvíssimos com os cães acomodados aos pés. Mas ele já disparava:

– Seu pai lhe falou alguma vez em um homem chamado Roddy Jenkins, que vivia naquela casa branquinha que fica na mão direita de quem vai pela estrada? – perguntou. – Você conhece essa história?

– Não – respondeu, apertando os olhos como se vasculhasse os arquivos da memória. – Conte!

E ele contou a história.

Sou boa, pensou Peggy, quando se trata de colecionar fatos soltos. Mas a compreensão global de uma pessoa — pôs a mão em taça no ar —, isso me escapa. Exemplo: tia Delia, que ia e vinha ligeira pela sala. O que sei a respeito dela? Que usa um vestido com bolas douradas; que tem cabelo ondulado, que já foi ruivo e hoje é branco; que é bela; um pouco estragada; que possui um passado. Mas que passado? Casou com Patrick... A história comprida que Patrick desfiava quebrava a todo momento a superfície da sua mente, como remos cortam a água. Nada podia assentar, sedimentar. Havia um lago na história, aliás, pois tratava-se de um relato de caça aos patos.

Casou com Patrick, pensou, os olhos fixos no rosto do tio com seus pelos avulsos, marcado pela vida ao ar livre, pelo tempo. Por que Delia teria desposado Patrick?, ficou a imaginar. Como se arranjam para fazer amor, ter filhos? Criaturas que tocam uma na outra e vão pelos ares numa nuvem de fumaça: fumaça vermelha? A pele dele lembrava-lhe uma groselha madura, uma uva-espim, com aqueles fios duros, mal distribuídos. Mas nenhum dos vincos do rosto era suficientemente acentuado para explicar como puderam unir-se, ele e Delia, e fazer três filhos. Eram sulcos traçados pela caça; sulcos nascidos de preocupações e aborrecimentos, pois os bons tempos eram coisa do passado, ele estava justamente dizendo. Tinham sido obrigados a economizar, a cortar certas coisas.

— Sim, estamos todos chegando lá — disse ela superficialmente. Virou o pulso com cautela para olhar o relógio. Só quinze minutos haviam passado. A sala se enchia de gente que ela nunca tinha visto, inclusive um hindu de turbante cor-de-rosa.

— Ah, mas estou aborrecendo você com essas histórias velhas — disse o tio, abanando a cabeça. Estava magoado, ela sentiu.

— Não, não! — protestou contrafeita. Ele então prosseguiu, mas só por cortesia dessa vez, foi o que ela sentiu. A dor bate o prazer de dois a um, pensou, em todas as relações sociais. Ou serei uma exceção, um caso peculiar? Os outros pareciam divertir-se. Sim, pensou, olhando à frente e sentindo outra vez a pele repuxar em torno dos lábios e dos olhos, resultado da fadiga de uma noite em claro junto de uma parturiente em trabalho. Sou uma exceção, dura, fria, presa a um ramerrão de rotina, uma médica apenas.

Sair dos trilhos é doloroso, pensou, antes que o *rigor mortis* se estabeleça, tão difícil quanto dobrar uma bota congelada... Apurou o ouvido. Sorrir, curvar a cabeça atentamente, fingir que a gente se diverte quando, ao contrário, entendia-se, como é penoso tudo isso! Todos os caminhos levam à dor, cada um deles... pensou, os olhos fitos no hindu de turbante cor-de-rosa.

– Quem é aquele indivíduo? – perguntou Patrick, apontando-o com o queixo.

– Um dos hindus de Eleanor, imagino – respondeu Peggy em voz alta; e pensou: se pelo menos as misericordiosas potências das trevas pudessem obliterar a exposição do nervo sensível, se eu pudesse pelo menos me erguer e...

Houve uma pausa.

– Não posso prendê-la aqui indefinidamente para ouvir as minhas histórias de velho – disse tio Patrick. Seu cavalinho trôpego fizera alto afinal.

– Mas me diga uma coisa mais: o velho Billy ainda tem a loja dele – perguntou ela –, onde a gente costumava comprar doces?

– Pobre-diabo... – disse Patrick. Recomeçava. Todas as suas pacientes diziam a mesma coisa, ela pensou. Descanso... descanso... Queria tanto descansar, doutora! Como ficar entorpecida; como deixar de sentir; esse o grito, o anseio, de toda mulher em trabalho de parto. Descansar. Cessar de ser. Na Idade Média, pensou, era a cela, era o mosteiro. Agora é o laboratório; eram as profissões. Não viver; não sentir; ganhar dinheiro, cada vez mais dinheiro; e, no fim, quando eu estiver tão velha e cansada como uma égua, não: uma vaca... – pois um fragmento da história do tio Patrick se superpusera aos seus pensamentos:

– Pois já não há mercado, absolutamente, para animais... – dizia ele. – Ah! Vejo que Julia Cromarty nos deu a honra... – exclamou, acenando com sua mão larga, desconjuntada, para uma encantadora compatriota.

Peggy foi abandonada no sofá. Seu tio, levantando-se com alacridade, fora saudar de mãos estendidas a velha dama de catadura de ave que acabava de entrar, falando pelos cotovelos. Ficou sozinha. Gostava de estar sozinha. Não tinha nenhum desejo de conversar. Mas um momento depois já alguém se instalava a seu lado. Era Martin. Sentou-se, e ela mudou de atitude completamente.

– Alô, Martin! – disse cordial.

– Cumpriu seu dever para com o velho mulo? – perguntou ele. Referia-se às histórias que tio Patrick se comprazia em contar.

– Eu tinha um ar abatido?

– Bem – disse ele –, enlevada é que você não me pareceu.

– A gente já conhece o fecho das histórias dele – desculpou-se, encarando Martin.

Ele dera para pentear o cabelo para trás, como um garçom. E nunca a olhava de frente nem se mostrava de todo à vontade com ela. Ela era sua médica e sabia que ele tinha pavor ao câncer. Tinha de distraí-lo, impedi-lo de pensar (como de hábito): "Será que ela percebe algum sintoma?".

– Dava tratos à bola – disse ela – para entender como foi que se casaram esses dois. Estavam apaixonados um pelo outro? – Falava ao acaso, apenas para prender a atenção dele.

– Claro que ele estava apaixonado – disse Martin. Olhava para Delia, de pé, ao lado da lareira, conversando com o hindu. Gesticulava muito e sem dúvida ainda era uma mulher vistosa, de grande presença. – Estávamos todos apaixonados – disse, olhando de lado para Peggy. – A geração mais nova é tão séria!

– Sim, claro – disse ela, sorrindo. Admirava a sua eterna busca de um amor, saltando de caso em caso, a galanteria com que caçava a volátil e fugidia mocidade, correndo atrás da sua cauda esquiva e veloz – mesmo ele, mesmo àquela altura da vida.

– Mas vocês – acrescentou Martin, estirando as pernas e puxando um pouco as calças para cima –, a sua geração, quero dizer, vocês perdem muita coisa, muita mesmo...

Ela esperou.

– Amando apenas o seu próprio sexo – completou ele.

Martin gostava de afirmar sua própria mocidade desse modo, pensou ela, dizendo coisas que ele julgava avançadas.

– Eu não sou dessa geração – disse ela.

– Ora, ora... – disse ele, rindo, dando de ombros e olhando-a obliquamente. Sabia muito pouco da vida íntima de Peggy. Mas ela parecia séria. E fatigada. Trabalha mais do que deve, pensou ele.

– Estou ficando velha – disse Peggy – e rotineira. Foi o que Eleanor me falou hoje.

Ou fora ela, ao contrário, quem dissera alguma coisa sobre a mocidade supostamente "reprimida" de Eleanor? Uma coisa ou outra.

– Eleanor é uma criatura incrível! – disse ele. – Veja! Lá estava ela, na sua bata vermelha, conversando com o hindu.

– Acaba de voltar da Índia – disse. – O manto não é um presente de Bengala?

– Para o ano, ela pretende ir à China – disse Peggy. – E Delia? – perguntou um momento depois, quando Delia passou por eles.

– Delia estava apaixonada ao se casar? – Ou o que vocês, na sua geração, chamavam de "paixão", acrescentou para si mesma.

Ele sacudiu a cabeça de um lado para outro e apertou os lábios. Martin adorava uma brincadeira, lembrou-se.

– Não sei... Não sei quanto a Delia – disse. – Havia a causa, entende? O que ela chamava naquela época de "A Causa". – E, com uma careta: – A Irlanda, sabe? Parnell. Já ouviu falar de um personagem chamado Parnell?

– Sim – respondeu Peggy. – E o que me diz de Edward? – acrescentou. Edward acabava de entrar. Estava muito elegante na sua simplicidade deliberada – e elaborada.

– Edward... sim – disse Martin. – Edward estava enamorado. Você sabe da história. Pois não? Entre Edward e Kitty?

– Aquela que casou-se com lord... como é o nome dele mesmo? Lasswade? – murmurou Peggy quando Edward passou à frente deles.

— Sim, ela se casou com o outro... Lasswade. Mas Edward gostava dela. Gostava muito — murmurou. — E você? — disse, olhando-a de esguelha. Havia algo em Peggy que o deixava gelado. — Naturalmente você tem a sua profissão... — acrescentou, pondo os olhos no chão. Estará pensando no câncer, imaginou ela; indagando-se se eu não percebi algum indício...
— Oh, médicos são grandes charlatões... — disse ao acaso.
— Por que fala assim? As pessoas vivem mais hoje do que antigamente, não vivem? Em todo caso, morrem de modo menos atroz — acrescentou.
— Sim, aprendemos alguns ardis — concedeu ela.
Ele continuava com o mesmo olhar fixo e vazio. Deu-lhe pena.
— Você, Martin, verá os oitenta, se é que essa perspectiva o atrai.
Ele a encarou.
— Naturalmente que me atrai! Sou todo a favor dos oitenta! — exclamou. — Quero ir aos Estados Unidos, quero ver os arranha-céus deles. Sou desse partido, entende? Gosto da vida.
Gostava. Enormemente.
E já deve ter mais de sessenta anos, pensou Peggy. Mas estava muito bem, tão aprumado e garboso como um homem de quarenta, com sua bela mulher de Kensington, loura como um canário-belga.
— Não sei... — disse ela.
— Venhamos e convenhamos, Peggy! — disse ele. — Não queira me convencer de que... Aí está Rose.
Rose foi ter com eles. Ficara muito gorda.
— Você gostaria de chegar aos oitenta? — perguntou-lhe Martin.
Teve de repetir. Ela estava surda.
— Sim. Gostaria, sim — disse quando entendeu o que ele perguntara. E ficou a encará-los, a cabeça jogada para trás num ângulo forçado, estranho.
Parecia um soldado, pensou Peggy.
— Claro que sim! — confirmou, deixando-se cair abruptamente no sofá em que eles estavam sentados.

– Ah, mas as pessoas... – começou Peggy. Lembrou-se em tempo, porém, da surdez da outra. Tinha de gritar: – Quero dizer que as pessoas, no seu tempo, não eram tão tolas quanto hoje – disse. Mas duvidava que Rose tivesse ouvido.

– Quero ver o que acontecerá – disse Rose. – Vivemos num mundo cada dia mais interessante – acrescentou.

– Isso é uma insensatez – disse Martin. E brincou com ela: – Confesse que quer viver simplesmente porque gosta da vida.

– Não me envergonho disso! – exclamou Rose. – Gosto dos meus semelhantes em geral.

– Você gosta é de fazer guerra a eles – berrou Martin.

– Pensa que me fará perder a calma a esta altura da noite? – disse Rose, dando-lhe uma palmada no braço.

Agora vão falar do tempo em que eram crianças e subiam nas árvores do quintal, pensou Peggy, ou atiravam pedras no gato do vizinho... Cada um tem certos trilhos na mente e por eles correm os mesmos ditos. A mente deve ser toda cruzada de linhas, como a palma da mão, pensou, olhando a própria palma.

– Essa sempre foi um azougue! – disse Martin para Peggy.

– E eu sempre levei a culpa! – disse Rose. – O quarto de estudo era dele; onde é que eu podia ficar? Ia para a *nursery* e brincava! – disse, agitando a mão.

– Ou ia para o banheiro e cortava o pulso com uma faca – disse Martin.

– Não, esse foi Erridge. Por causa do microscópio – corrigiu ela.

Como gatos brincando com o próprio rabo, pensou Peggy. Rodam em círculo, rodam e rodam. Mas é disso que gostam, ao que parece, pensou, e para isso vão a festas.

Martin continuava a implicar com Rose.

– E onde está sua fita vermelha?

Era uma condecoração que ela ganhara, lembrava-se Peggy, pelo que fizera durante a guerra.

– Não merecemos vê-la com sua pintura de guerra no rosto? – zombou ele.

– Esse sujeito tem é inveja – disse ela, dirigindo-se a Peggy. – Nunca trabalhou na vida, nem por um dia.

– Mas eu trabalho! – exclamou Martin. – Fico sentado num escritório o dia inteiro...

– Fazendo o quê? – disse Rose.

Calaram-se em seguida ao mesmo tempo. A rotina acabara. Aquele velho número de irmão e irmã estava esgotado. Agora só poderia repetir-se.

– Vamos – disse Martin, levantando-se. – Temos de cumprir nossa obrigação.

Separaram-se.

* * *

Fazendo o quê?, repetiu Peggy, atravessando a sala. Fazendo exatamente o quê?, disse. Estava desassossegada. Nada daquilo tinha qualquer importância. Foi até a janela e entreabriu a cortina. Lá estavam as estrelas, como buraquinhos no céu azul-negro. Lá estavam as chaminés alinhadas contra o céu. As estrelas depois e atrás das chaminés. Inescrutáveis, eternas, indiferentes. Eram essas as palavras, as palavras certas. Mas não *sinto* isso, pensou, o olhar no firmamento estrelado. Por que fingir que sinto? Com que se parecem elas de verdade?, pensou, apertando os olhos para vê-las melhor. São como pequenos fragmentos de aço brilhantes, gelados. E a lua – que lá estava também – não passava de uma tampa de travessa bem polida. Mas nada sentia, mesmo reduzindo lua e estrelas àquelas expressões de derrisão. Voltou-se então e deparou-se com um rapaz que julgou conhecer, embora fosse incapaz de juntar nome a pessoa. Era dono de uma bela fronte de pensador, mas tinha o queixo fugidio, e não só era pálido como lívido.

– Como vai? – disse ela. O nome seria Leacock ou Laycock? – Vimo-nos nas corridas da última vez. – Associava-o de maneira incongruente com um campo da Cornualha, muros, fazendeiros, pôneis ainda selvagens que saltavam obstáculos.

– Não, esse é Paul – disse ele. – Meu irmão Paul. – Falara com aspereza. Por que diabo se estimaria superior a Paul?

– Você mora em Londres? – perguntou Peggy. Ele assentiu.

– Escreve? – arriscou ela.

Mas por que, se era escritor – lembrava-se de ter visto o nome em algum jornal –, botava a cabeça para trás cada vez que dizia "sim"? Preferia Paul, que parecia mais saudável, para começo de conversa. Aquele ali tinha uma expressão esquisita, fechada em copas; um rosto nervoso, concentrado, de traços petrificados.

– Poesia?

– Sim – respondeu ele.

Mas por que comer um pedaço da palavra como se fosse uma cereja na ponta de um cabinho?, pensou ela. E não vinha ninguém. Estavam condenados a sentar-se lado a lado nas cadeiras encostadas à parede.

– Como você consegue, trabalhando num escritório? – perguntou. Aparentemente, nas horas vagas.

– Meu tio... – ele começou. – Você o conhece.

Sim. Um homem comum, se bem que gentil. Fora muito atencioso com ela uma vez, a propósito de um passaporte. O rapaz, embora ela lhe desse apenas meia atenção, escarnecia-o. Então por que trabalhar no escritório dele?, perguntava-se ela. "Meus parentes", dizia ele, "caçam". A atenção dela ia à deriva. Já ouvira tudo aquilo. Eu, eu, eu... continuava ele. Era como um abutre bicando, como um aspirador de pó ligado, sugando pó, ou uma campainha de telefone que tocasse e tocasse interminavelmente... Eu, eu, eu... Mas ele não podia impedir-se de fazer aquilo, de ser assim... Não com aquela cara de egoísta, pensou ela, examinando-a, repuxada de nervos. Ele não podia libertar-se, destacar-se. Estava preso à roda com elos de aço. Tinha de expor, de exibir. Mas por que deixá-lo fazer assim?, pensou enquanto ele falava. Que me importam esses "eu, eu, eu" dele ou sua poesia? Tenho de me livrar dele então, decidiu, sentindo-se como uma pessoa cujo sangue foi todo sugado, deixando os centros nervosos sem cor...

Esperou um momento calada. Estava consciente da sua falta de simpatia. Talvez ele a imaginasse simplesmente estúpida.

– Lamento, estou exausta – disse. – Passei a noite em claro – explicou. – Eu sou médica...

A esse "eu" a animação abandonou o rosto dele. Agora consegui, agora ele vai embora, disse ela para si. Ele não pode ser "você", tem de ser sempre "eu". Sorriu. O rapaz se levantou de fato e, depois de levantar-se, foi embora.

* * *

Mais uma vez ela deu as costas à sala, postando-se à janela. Pobre infeliz, pensou; atrofiado, murcho, duro como aço, nu e escalvado como aço. E eu também, disse, contemplando o céu. As estrelas pareciam perfurar o céu a esmo, exceto para a direita, acima das chaminés, onde estava suspensa aquela fantasmagórica carruagem, que nome tinha mesmo? O nome da constelação lhe escapava. Vou contar as estrelas, decidiu, voltando ao seu compêndio, e já começava, uma, duas, três, quatro... quando uma voz exclamou atrás dela:

– Peggy! Suas orelhas não estão quentes...

Era Delia, naturalmente, com sua cordialidade efusiva, sua imitação de lisonja irlandesa.

– ...Pois deveriam estar – continuou, pondo a mão no ombro de Peggy –, considerando tudo o que *ele* esteve dizendo a seu respeito – apontava para um homem grisalho –, os louvores que ele lhe fez...

Peggy olhou para onde ela apontava. Era o seu professor, seu mestre. Sim, ela sabia que ele a considerava inteligente. O que não era favor nenhum. Todos diziam o mesmo. Muito inteligente.

– Ele me disse – começou Delia. Mas interrompeu-se. – Você me ajudaria a abrir a janela? Está ficando quente.

– Deixe que eu faço – disse Peggy. Deu um safanão à janela, mas ela resistiu, pois era velha e a armação não se encaixava mais nos alizares.

– Um momento, Peggy – disse alguém atrás dela. Era seu pai. Apoiou a mão na janela, a mão da cicatriz. Empurrou. A janela subiu.

– Obrigada, Morris, é melhor assim – disse Delia. – Estava dizendo a Peggy que as orelhas dela deviam estar zunindo – recomeçou. – A mais brilhante de minhas alunas! Foi o que *ele* disse – continuou. – Digo-lhe com toda sinceridade que fiquei orgulhosa dela. Afinal, é minha sobrinha. Coisa que ele não sabia...

Aí está, pensou Peggy. *Isso* é prazer. O nervo na sua espinha pareceu apertar quando viu que o pai fora tocado pelo elogio. Cada emoção toca um nervo diferente. Uma zombaria afeta a coxa; o prazer afeta a espinha e também a vista. As estrelas lhe pareceram mais suaves; tremulavam no céu.

O pai, abaixando a mão, roçou-lhe o ombro, mas nem ele nem ela falaram.

– Você quer que eu abra também a parte de baixo? – perguntou ele a Delia.

– Não, assim está bem. A sala estava ficando quente. As pessoas começam a chegar. Terão de usar as salas de baixo – decretou.

– Mas quem são aqueles lá fora? – Apontou. Havia um grupo em traje de noite junto do gradil da praça.

– Acho que reconheço um deles – disse Morris, olhando para fora. – Aquele não é North?

– Sim, é North – disse Peggy.

– Então por que não entram? – disse Delia. E bateu na vidraça.

* * *

– Só indo e vendo em pessoa – dizia North. Tinham pedido que descrevesse a África. Limitara-se a dizer que havia montanhas e savanas; que era silencioso; e que os pássaros cantavam. Ficou por aí. Era difícil descrever um lugar para gente que nunca o vira. Então as cortinas da casa da frente se abriram, e três cabeças surgiram à janela. Olhavam para as cabeças projetadas em silhueta na janela de Delia. Os convidados davam as costas ao gradil da praça. As árvores balançavam grandes

massas de folhas por cima deles. Eram agora parte do céu. De tempos em tempos, porém, estremeciam de leve e como que mudavam ligeiramente de lugar. Era a brisa que passava pelo meio delas. Uma estrela solitária brilhava por entre a ramaria. Tudo era calmo ali também. O rumor do tráfego era remoto e surdo. Um gato passou correndo. Por um instante, viram-lhe o verde luminoso da pupila. Cruzou o espaço claro e desapareceu. Alguém tamborilou de novo na vidraça e gritou:
– Entrem!
– Vamos – disse Renny, lançando fora o charuto. Caiu nos arbustos por detrás dele. – Vamos, temos de ir.

* * *

Subiram, passando as portas dos escritórios, as altas janelas que abriam para os jardins interiores nos fundos das casas. Árvores de copas opulentas estendiam braços horizontalmente em diferentes níveis; suas folhas, aqui de um verde muito vivo à luz artificial, ali escuras como a sombra espessa, de que mal emergiam, agitavam-se para cima, para baixo na leve brisa. Atingiram então a parte privada da casa, onde o tapete vermelho fora estendido para recebê-los. E um tumulto de vozes lhe veio por detrás da porta cerrada, como se todo um rebanho de carneiros estivesse encerrado ali. Depois, música de dança filtrou para o patamar.
– Agora – disse Maggie, detendo-se por um momento à porta. Deu os nomes de todos à empregada.
– E o senhor? – perguntou a empregada a North, que se deixara ficar para trás.
– Capitão Pargiter – respondeu, levando a mão à gravata regimental.
– ...e capitão Pargiter! – disse a empregada estentórica.

* * *

Delia acorreu.
– E capitão Pargiter! – exclamou, atravessando precipitadamente o salão. – Que prazer enorme! – disse. Tomou-lhes as

mãos um tanto a esmo, uma direita aqui, uma esquerda ali, na sua mão esquerda e na direita também. – Achei que era você – exclamou – ali de pé na praça. Julguei ter identificado Renny, mas não estava certa a respeito de North. Capitão Pargiter! Vejam só! – apertava-lhe a mão – Você é uma *avis rara*, estranho e bem-vindo ao mesmo tempo. Agora: quem você conhece? Quem não conhece?

E lançou um olhar em roda, puxando a franja do xale com nervosismo.

– Deixe-me ver – continuou –, estão todos os seus tios, tias e os primos; e os filhos e filhas deles... Sim, Maggie, vi o seu casalzinho não faz cinco minutos. Estão por aí. Tão lindos... As diferentes gerações da família se encontram misturadas aqui em casa, primos com tios, tios com irmãos... Talvez seja uma boa coisa, afinal de contas.

Estacou de repente no que dizia, como se aquela veia tivesse secado. Torcia o xale em aflição.

– Vão dançar agora – disse, mostrando o rapaz que trocava o disco. – É bom para dançar... – disse, referindo-se ao gramofone – ...mas não para ouvir música. – E retomando a simplicidade: – Não aguento música de gramofone! Mas música de dança, ah, isso é outra coisa. E a gente jovem, não acham, tem de dançar! É o certo. Que dancem, quero dizer. Quanto a vocês, dancem se quiserem ou não dancem... – fez um gesto vago.

– Sim, como quiserem – repetiu o marido. Fazia-lhe eco. Surgira ao lado dela, balançando os braços, como um desses ursos de vestiário de hotel em que se penduram agasalhos. – Como quiserem! – repetiu, batendo com as patas no ar.

– Ajude-me a puxar as mesas, North – disse Delia. – Se vão mesmo dançar, vão querer que tiremos tudo do caminho e que enrolemos os tapetes. – Empurrou uma mesinha para o lado. Depois deu uma corrida através da sala, para encostar uma cadeira recalcitrante na parede.

Um dos vasos virou e um fio de água correu pelo tapete.

– Não faz mal, não faz mal nenhum, não se importem! – disse Delia, assumindo o tom de uma anfitriã irlandesa das mais tontas. Mas North parou para secar o chão.

– E o que vai fazer agora com esse lenço? – perguntou Eleanor, que se juntara a eles na sua graciosa bata oriental.

– Estendê-lo nas costas de uma cadeira para secar – disse North, afastando-se.

– E você, Sally? – perguntou Eleanor, recuando até a parede, pois iam dançar. – Dança também?

– Eu? – disse Sara, bocejando. – Quero é dormir. – E deixou-se cair em um almofadão junto de Eleanor.

– Mas você não vem à festa – disse Eleanor, rindo e encarando-a – para dormir, não é mesmo? – Viu outra vez a imagem dela ao telefone. Mas não podia ver-lhe o rosto, só o vértice da cabeça. – Ele jantou com você? – perguntou quando North passou por elas com o seu lenço. – E de que falaram? – perguntou. Podia vê-la, sentada na beirada da cadeira, com o pé no ar, para cima, para baixo; e com um borrão no nariz.

– De que falamos? De você, Eleanor.

As pessoas passavam todo o tempo. Roçavam contra os joelhos delas. Começavam a dançar. Estonteava um pouco, pensou Eleanor, recostando-se na sua cadeira.

– De mim? Mas por que de mim?

– Da sua vida? – precisou Sara.

– Minha vida – repetiu Eleanor.

Os pares começavam a girar vagarosamente diante delas. Devia ser o foxtrote, imaginou.

Minha vida, disse com seus botões. Que estranho! Pela segunda vez nessa noite alguém falava da sua vida. E eu não tenho vida nenhuma!, pensou. Pois uma vida não tem de ser alguma coisa que a gente possa manipular, produzir? Uma vida de setenta anos quase! O que tenho é só o momento presente, pensou. Estava bem viva ali, naquela hora, ouvindo o foxtrote. Correu os olhos em torno. Lá estava Rose; e Edward, a cabeça alta lançada para trás, falando com um homem para ela desconhecido. Sou a única pessoa aqui, pensou, que se lembra de como ele ficou sentado na beira da minha cama chorando naquela noite. A noite em que o noivado de Kitty foi anunciado. Sim, as coisas lhe vinham de volta à memória. Uma larga faixa de vida passada jazia exposta aos seus olhos. Edward em lágrimas, a sra. Levy falando, a neve caindo, um girassol com um defeito; o ônibus amarelo rolando por Bayswater Road. E eu pensava: "Sou a pessoa mais jovem desse ônibus; e agora sou a mais velha...". Milhões de coisas lhe voltavam à memória, como átomos que primeiro dançassem, depois se grupassem em magotes... Mas como se compunha aquilo que as pessoas chamavam de "vida"? Apertou as mãos uma na outra e sentiu as moedas do táxi que ainda segurava. Talvez haja um eu no centro de tudo isso; um nó; um núcleo; e de novo se visualizou sentada na escrivaninha, riscando o mata-borrão, fazendo nele pequenos buracos com o lápis e desenhando raios que se irradiavam dos orifícios... Elas iam e iam, uma coisa atrás da outra, cena apagando cena e sendo obliterada por sua vez... E depois eles dizem com toda a naturalidade: "Estávamos falando de você".

– Minha vida... – disse. Falara em voz alta, mas ainda em parte consigo mesma.

– O que é? – perguntou Sara, erguendo os olhos para ela.

Eleanor calou-se. Tinha esquecido Sara. Mas se alguém ouvia, tinha de pôr os pensamentos em ordem; traduzi-los em palavras. Mas não, disse. Não tenho palavras. Não tenho como falar disso com ninguém.

– Aquele lá não é Nicholas? – perguntou, olhando para o homem corpulento que assomara à porta.

– Onde? – perguntou Sara. Mas olhava na direção errada. Ele desapareceu. Talvez fosse engano meu, pensou Eleanor. Minha vida tem sido a de outras pessoas: a de meu pai; a de Morris; a dos amigos em seguida; a de Nicholas... Fragmentos de uma conversa com ele vieram-lhe à memória. Ou almoçava com ele ou jantava – como me lembrar? –, mas foi num restaurante. Havia um papagaio com uma pluma rosa numa gaiola em cima do balcão. E eles tinham ficado a conversar – foi depois da guerra – sobre o futuro;

sobre educação. E ele não queria que eu pagasse o vinho, embora eu, e não ele, o tivesse escolhido e encomendado...
Nesse momento, alguém parou à sua frente. Ergueu os olhos.
– Pensava justamente em você!
Era Nicholas.
– Boa noite – disse, curvando-se para beijar-lhe a mão como bom continental que era.
– Pensava justamente em você! – repetiu Eleanor. Era, na verdade, como se uma parte dela, uma parte escondida do seu ser, tivesse vindo à tona. – Venha se sentar comigo – disse. E puxou uma cadeira.

* * *

– Sabe quem é aquele sujeito sentado com minha tia? – perguntou North à jovem que dançava com ele. Ela correu os olhos em torno, mas apenas vagamente.
– Não conheço sua tia – disse. – E não conheço ninguém aqui.
A dança terminou e os dois caminharam juntos, lentamente, em direção à porta.
– Não conheço sequer a minha anfitriã – disse. Você bem que poderia apontá-la para mim.
– Lá. É aquela – mostrava Delia em seu vestido preto de lantejoulas douradas.
– Oh, aquela! – disse a moça, examinando-a. – É aquela a dona da casa então? – Ele não sabia o nome da moça, e ela não conhecia nenhum deles. Ele alegrava-se com isso. Sentia-se diferente de si mesmo, outra pessoa, e isso lhe parecia estimulante. Guiou-a até a porta. Cuidava de evitar sua irmã Peggy. Mas lá estava ela de pé sozinha junto da saída. Olhou para outro lado e conduziu seu par através da porta. Tinha de haver um jardim, um telhado, alguma coisa, onde pudessem se sentar sozinhos. Ela era extraordinariamente bela e jovem.
– Venha comigo – disse ele. – Para o térreo.

* * *

– E o que estava pensando a meu respeito? – perguntou Nicholas, sentando-se junto de Eleanor.

Ela sorriu. Via-o com sua roupa formal, de noite, um tanto desirmanada, o pesado sinete na corrente do relógio de ouro com as armas de sua mãe, a princesa, o rosto trigueiro e riscado de vincos, que sempre lhe fazia pensar em algum animal da floresta meio folgado dentro do próprio couro e selvagem para com os outros, mas não para com ela. Quanto ao que estava pensando dele, seria impossível dizer. Tomava-o por atacado e em grosso, como se diz no comércio; não podia destacar da massa pequenos fragmentos. O restaurante era enfumaçado, lembrava-se.

– Pensava num jantar em Soho... – disse. – Você se lembra?

– Lembro-me de todas as noites com você, Eleanor – disse ele, o olhar um pouco vago. Sua atenção fora desviada para uma senhora que acabava de entrar. Uma senhora muito bem-vestida, que dera as costas à estante equipada para qualquer emergência.

Se sou incapaz de descrever a minha própria vida, pensou Eleanor, como poderei descrevê-lo? Pois sequer sabia o que ele fazia; só que lhe dava prazer quando entrava; aliviava nela a necessidade de pensar; e dava-lhe à mente um saudável safanão. Ele contemplava a dama, que parecia enfeitiçada pelo seu olhar, vibrando debaixo dele. E, de súbito, pareceu a Eleanor que tudo aquilo já acontecera antes. Uma jovem entrara no restaurante aquela noite em Soho. E ficara vibrando junto da porta. Sabia exatamente o que ele diria agora, tinha-o dito antes no restaurante. Ele vai dizer: "Ela é como aquela bola no alto do repuxo da peixaria". E mal pensara isso, ele o disse. Tudo retornará dessa maneira, em ciclo, apenas com uma leve diferença?, pensou. Se for assim, haverá um desígnio; um tema recorrente como na música; meio lembrado e meio esquecido?... um plano gigantesco, por um breve momento perceptível? Tal pensamento deu-lhe um vivo prazer: a existência de um plano. Mas quem o faz? Quem o concebe? Sua mente teve um lapso. Não pôde completar o pensamento.

– Nicholas... – começou. Mas não tinha noção de como terminaria a frase ou o que tinha exatamente para perguntar-lhe. Ele falava com Sara. Escutou. Fazia troça, apontava-lhe os pés.

– ...vir a uma festa – dizia ele – com um pé de meia branco e outro azul.

– A rainha da Inglaterra me convidou para o chá – cantarolou Sara no compasso da música que tocava –, mas qual hei de pôr, a dourada ou a rosa? Se estão todas esburacadas, as minhas pobres meias – disse ela.

É a maneira deles de fazer amor, pensou Eleanor, dando apenas meia atenção ao riso deles e à sua guerra de brinquedo. Outro aspecto do plano, pensou, usando a sua ideia ainda informe para registrar a cena presente. E embora essa forma de fazer amor diferisse da antiga, também tinha seu encanto; era um outro "amor", distinto provavelmente do tradicional, mas seria por isso pior que ele? De qualquer maneira, pensou, estão cônscios um do outro, vivem um no outro; será o amor mais que isso?, perguntou-se, ouvindo o riso deles.

– ...mas será que você não pode agir por si mesma? – dizia ele. – Escolher por si mesma as suas meias? – dizia ele.

– Jamais! – respondia Sara rindo.

– É porque você não tem uma vida própria – disse ele. E voltando-se para Eleanor: – Ela vive em sonhos e só.

– O professor fazendo o seu pequeno sermão – zombou Sara, pondo a mão no joelho dele.

– E Sara cantando a sua canção habitual – riu Nicholas, apertando a mão dela.

São felizes afinal de contas, pensou Eleanor, se podem rir assim um do outro.

– Diga-me, Nicholas... – tentou outra vez. Mas nova dança começava. Os pares voltavam em bando para a sala, compassadamente, com uma tal gravidade estampada nos rostos que era como se tomassem parte em algum ritual místico que os imunizasse contra outras sensações. Logo passavam rodopiando à frente deles, roçando seus joelhos, pisando quase nos seus pés. Então alguém se postou diante dos três.

– Oh, é North – disse Eleanor, erguendo os olhos.

– North! – exclamou Nicholas. – North! Já nos conhecemos da casa de Eleanor – disse, estendendo a mão.

– Sim, de fato – disse North com calor. Nicholas apertou-lhe a mão com força. Sentiu os dedos separando-se outra vez quando a mão do outro se retirou. Fora por demais efusivo. Mas ele gostara. Sentia-se efusivo também. Seus olhos brilhavam. Perdera completamente a sua habitual expressão de perplexidade. A sua aventura ia bem. A moça inscrevera seu nome no caderninho de endereços. "Venha me ver amanhã às seis!", ela tinha dito.

– Boa noite mais uma vez, Eleanor – disse, curvando-se para beijar-lhe a mão. – Você está muito jovem. E extraordinariamente bela. Adoro quando põe essas roupas – disse, olhando o manto hindu da tia.

– Digo o mesmo de você, North – respondeu ela. Nunca o vira tão bem, tão vigoroso. – Não vai dançar? – perguntou. A música estava a pleno vapor.

– Só se for com Sara – disse ele, fazendo uma exagerada mesura. O que tem ele?, perguntou-se Eleanor. Parece tão bonito, tão feliz. Sally levantou-se. Deu a mão a Nicholas.

– Danço com você – disse. Ficaram por um momento à espera. Depois se afastaram, girando.

* * *

– Que estranho casal! – exclamou North. E todo seu rosto enrugou num riso aberto. – Ainda por cima não sabem dançar! – Estava sentado ao lado de Eleanor, na cadeira que Nicholas ocupara. – Por que não se casam?

– Por que deveriam fazê-lo?

– Ora, todo mundo devia se casar – disse. – E eu gosto de Nicholas, embora ele seja assim um tanto... digamos... vulgar – disse e ficou a vê-los rodopiando desajeitadamente.

– Vulgar? – estranhou Eleanor. – Oh, é o sinete na corrente do relógio dele talvez? – acrescentou, vendo o selo de ouro que surgia do bolso dele, para cima, para baixo ao compasso da música. – Não, Nicholas não é vulgar. O que ele é...

Mas North não lhe prestava atenção. Olhava para um casal que estava de pé junto à lareira na outra ponta da sala. Eram ambos muito jovens; estavam calados; pareciam petrificados naquela posição por alguma emoção poderosa. Contemplando-os, uma difusa emoção a respeito de si mesmo, de sua vida, apoderou-se dela, e logo criou um outro pano de fundo para eles, para si – não o consolo da lareira, não a estante de livros, mas cataratas despencando do alto, nuvens em fuga acelerada pelo céu. Imaginou-os de pé num penhasco por cima de uma torrente...

– Casamento não é para todo mundo – disse Eleanor.

Ele teve um sobressalto.

– Não, naturalmente que não – tartamudeou, olhando-a com espanto. Ela nunca se casara. Por que não?, pensou. Sacrificara-se pela família, provavelmente, pelo velho vovô sem dedos. Mas a essa altura veio-lhe a lembrança de um terraço, de um charuto e de William Whatney. Teria sido aquela a tragédia de Eleanor, ter amado sir William? Olhou-a com afeto. Gostava da humanidade toda nesse momento.

– Que sorte encontrá-la sozinha, Nell! – disse, pousando a mão no joelho dela.

Eleanor comoveu-se. E o peso da mão dele no seu joelho foi agradável.

– Querido North! – exclamou. Sentia a excitação dele através do seu vestido. Ele era como um cão numa corrente, puxando para a frente com todos os nervos eretos, ela sentiu no momento em que ele pôs a mão no seu joelho.

– Mas não se case com a mulher errada!

– Eu? – respondeu North. – Por que diz isso? – Será que ela o vira conduzindo a moça escadaria abaixo?
– Diga-me... – começou ela. Queria perguntar-lhe com calma e sem efusões que planos tinha, agora que estavam sós. Mas viu, ao falar, que a expressão do rapaz se modificara; era agora de um horror exagerado.
– Milly! – disse ele entre os dentes. – Diabo!

* * *

Eleanor olhou depressa por cima do ombro. Sua irmã Milly, volumosa nos panejamentos próprios ao seu sexo e casta, vinha singrando na direção deles. Ficara muito gorda. E a fim de disfarçar a deformidade, vinha com os braços metidos em véus debruados de contas. Eram tão roliços os braços que North lembrou-se de aspargos, pálidos aspargos, terminados em ponta.
– Oh, Eleanor! – exclamou ela. Pois ainda conservava relíquias da sua fidelidade canina de irmã mais moça.
– Oh, Milly – disse Eleanor, mas não com a mesma cordialidade.
– Que bom ver você, Eleanor! – disse Milly com um cacarejo de velha; e, assim mesmo, havia alguma deferência nas suas maneiras. – E você, North!
Estendeu-lhe a mão pequena e gorda. Ele observou como os anéis se afundavam nos dedos, como a carne subia por cima deles. Carne afogando diamantes era coisa que o enojava.
– Que bom vê-lo de volta! – disse, acomodando-se com certo cuidado na cadeira.
Tudo, pensou ele, ficara embotado. Era como se ela houvesse lançado uma rede de pesca por cima deles e arrebanhado todos numa só família. Era obrigado a sentir o que tinham em comum: mas a esse sentimento faltava qualquer realidade.
– Sim, estamos na casa de Connie – disse Milly. Tinham vindo para os jogos de críquete.
Ele afundou a cabeça. Contemplava fixamente os próprios sapatos.

– Ainda não ouvi um pio sobre suas viagens, Nell – continuou ela. Falava e falava, e suas perguntas miúdas iam caindo uma a uma, sem ruído, como se fossem molhadas, e tudo cobriam e sepultavam. Mas ele se sentia tão bem que até com as palavras dela podia fazer música.

– As tarântulas mordem? – perguntava Milly a ele. – As estrelas brilham? – E eu onde vou passar a noite amanhã, pensava ele, pois o cartão que tinha no bolso do colete irradiava seu próprio calor, sem fazer caso do que acontecia de secundário, e obliterava o momento presente. Estavam hospedados na casa de Connie, continuava Milly, e Connie esperava Jimmy, que vinha de Uganda... North perdeu algumas palavras, pois via em pensamento um jardim, um quarto, e a primeira impressão que registrou conscientemente foi "adenoides", que era, afinal de contas, uma excelente palavra, disse de si para si, uma vez separada do contexto; de cintura de vespa; apertada no meio; com um abdômen duro, brilhante, metálico, útil para descrever a aparência de um inseto; mas então um vulto maciço cresceu nas imediações. Todo ele um colete branco com debrum de seda branca ou quase. Hugh Gibbs dominava-o com o seu vulto. North pôs-se de pé de um salto para ceder-lhe a própria cadeira.

– Meu caro jovem, imagina que posso me sentar *nisso*? – disse Hugh, fazendo pouco da cadeira fragílima, de pernas de aranha, que North lhe oferecera. – Terá de encontrar coisa mais substancial para mim – disse, lançando um olhar de náufrago em torno, as duas mãos espalmadas de um lado e de outro do colete branco.

North puxou uma poltrona para ele.

– Chiu, chiu, chiu... – fez Hugh, sentando-se.

Milly, por seu lado, disse:

– Tut, tut, tut – conforme observou North.

Era isso que dava viver trinta anos como marido e mulher. Dava em tut-tut-tut e em chiu-chiu-chiu. Era como os sons inarticulados de animais que ruminam num estábulo. Tut-tut-tut e chiu-chiu--chiu, como se pisoteassem a palha macia, a palha que exala vapor, do estábulo; como se chafurdassem no pântano primevo, prolífico, profuso, ainda mal conscientes, pensou. Escutava distraído a conversa mole dos dois quando de súbito ela o envolveu.

– Quanto você pesa, North? – perguntou-lhe o tio, medindo-o com os olhos como se ele fosse um cavalo.

– Temos de obrigá-lo a marcar um dia para vir lá em casa – acrescentou Milly – quando os meninos estiverem conosco.

Convidavam-no para ficar com eles em setembro, na sua propriedade de tonéis para a caça ao raposinho. Os homens atiravam, e as mulheres... Bem, as mulheres (olhou a tia para ver se não estava dando à luz ali mesmo naquela cadeira), as mulheres tinham filhos, filhos inumeráveis. E esses filhos tinham outros filhos; e os outros filhos tinham... adenoides. A palavra lhe vinha de novo, mas agora não sugeria nada. Ele afundava. Ia a pique sob o peso de todos eles. Até o nome que tinha no bolso apagava-se. E nada poderia ser feito contra isso?, perguntou-se. Nada: exceto uma revolução. A ideia de dinamite, da explosão de montes de terra pesada, do lançamento para os céus de uma nuvem de terra em forma de árvore, veio-lhe à mente. Memórias da guerra. Mas tudo aquilo eram frioleiras, pensou. Frioleiras, frioleiras. A expressão da Sara também lhe voltava recorrente; floreiras. O que restava então? O olhar de Peggy conversando com um desconhecido cruzou com o seu. Vocês, doutores, pensou, vocês, cientistas, por que não deixam cair um pequenino cristal nos copos de uísque de toda essa gente, alguma coisa cintilante e acre, e não a obrigam a engoli-lo? Bom senso; razão; desde que acres, cintilantes. Mas essa gente engoliria a pílula? Olhou para Hugh, que falava soprando as bochechas para fora e chupando-as para dentro, cada vez que dizia *tut-tut-tut* e *chiu-chiu-chiu*. Você encontraria a pílula?, perguntou mentalmente a Hugh.

Hugh voltou-se na sua direção.

– Espero que fique na Inglaterra desta vez, North – disse –, embora imagine que tenha um vidão por lá.

E assim passaram a falar mais uma vez da África e da escassez de empregos. Sua euforia esvaziava-se. O cartão no bolso já não pulsava nem emitia imagens radiosas. Eram as palavras, pensou, observando sua tia Milly, que caíam, caíam e tudo cobriam, molhadas, murmurou consigo. Salvo pela mancha marrom na testa, sua tia Milly já não tinha cor; até os cabelos haviam desbotado, salvo por um laivo amarelo-ovo. Toda ela estaria incolor e fofa como uma pera em decomposição. Quanto a Hugh – a manopla dele estava no seu joelho, parecia um rosbife atado com barbante e pronto para o forno. Seu olhar cruzou com o de Eleanor, que tinha uma expressão forçada e tensa.

– Sim, como estragaram aquilo!

Mas a ressonância se fora da sua voz.

– Agora só há *casas* novas em folha por todo lado... – dizia ela. Tinha estado recentemente em Dorsetshire, ao que parecia. – Pequenas *casas* vermelhas ao longo da estrada e de ponta a ponta – dizia.

– É isso que me incomoda – disse North, fazendo um esforço para ajudar Eleanor –, ver como vocês estragaram a Inglaterra enquanto estive fora.

– Mas você não verá tanta mudança assim lá para os nossos lados – disse Hugh com orgulho.

– Não. Mas também tivemos sorte – disse Milly. – Somos donos de diversas propriedades, todas grandes. Tivemos muita sorte – repetiu –, exceto quanto ao sr. Phipps... – concluiu com um risinho.

North acordou. Ela falava aquilo a sério. Seu tom acerbo conferia-lhe uma autenticidade até então ausente. E não só Milly ficava real: a aldeia, a casa grande, a casa pequena, a igreja, as velhas árvores dispostas em círculo, tudo lhe apareceu diante dos olhos vividamente. Sim, iria ficar com eles.

– É o nosso pastor – explicou Hugh. – Um bom sujeito lá a seu modo. Mas High Church, muito High Church... Velas por toda parte... Essa espécie de coisa.

– E a mulher dele... – começou Milly.

Eleanor suspirou, North olhou para ela. Adormecia. Uma expressão vítrea, fixa, descera-lhe sobre o rosto. Por um momento, ficou terrivelmente parecida com Milly.

O sono avivara o ar de família. Mas ela abriu os olhos e, por uma grande força de vontade, conseguiu mantê-los abertos. Contudo, era óbvio que não via nada.

— Você terá de vir e avaliar por si mesmo — continuou Hugh. — Que me diz da primeira semana de setembro? — Balançava o corpo de um lado para o outro como se a própria benevolência rolasse dentro dele. Parecia um elefante velho prestes a ajoelhar-se. Mas se de fato ele se ajoelha, pensou North, como se levantará? E se Eleanor começa a dormir de verdade e a ressonar, o que farei aqui sozinho entre os joelhos desse paquiderme?

Correu os olhos em torno em busca de um pretexto que lhe permitisse escapar.

Viu que Maggie vinha vindo sem olhar onde pisava. Eles também a viram. North teve um grande desejo de gritar: "Cuidado, cuidado!". Pois ela penetrava em águas perigosas. Os longos tentáculos brancos que corpos amorfos deixam vogando a fim de apanhar alimento logo a sugariam. Sim, eles a viram: ela estava perdida.

* * *

— Vejam! É Maggie! — exclamou Milly.
— Não vejo você há séculos! — disse Hugh, tentando levantar-se.

Ela teve de parar; teve de pôr a mão naquela pata esponjosa. Usando o último resquício de energia que lhe restava, e que devia ao cartão que levava no bolso do colete, North também se levantou. Levaria Maggie embora. Salvá-la-ia da contaminação da vida da família.

Mas ela o ignorou. Deixou-se ficar de pé, respondendo aos cumprimentos deles com perfeita compostura, como se envergasse um colete salva-vidas ou qualquer outra peça prevista para emergências. Oh, Senhor, disse North consigo mesmo, ela é da mesma espécie deles! Vitrificada; falsa.

Falavam agora dos filhos *dela*.

— Sim, aquele é o meu rapaz — dizia, apontando um menino que dançava com uma menina.

— E sua filha, Maggie? – perguntou Milly com um olhar circular. North estava cada vez mais irrequieto. É uma conspiração, dizia consigo mesmo. Isso que aí está é o próprio rolo compressor, que tudo enrola numa bola, mistura, achata e oblitera. Escutou. Jimmy estava em Uganda; Lily, em Leicestershire; *meu* menino... *minha* menina... diziam. Mas não estavam interessados nos filhos dos outros, observou, só nos deles, por serem propriedade sua, carne da sua carne a sangue do seu sangue. A esses protegeriam, mostrando as garras primevas, do charco original, pensou, olhando as gordas patas de Milly e as de Maggie, mesmo as de Maggie. Pois que também ela falava agora de *meu* menino, *minha* menina. Como podemos ser civilizados?

* * *

Eleanor roncava. Balançava a cabeça despudoradamente. Não podia impedir-se de fazê-lo. Havia uma certa obscenidade na inconsciência, pensou ele. Eleanor tinha a boca aberta; a cabeça virada para um lado.

Mas agora era a vez dele. O silêncio se fizera um abismo. Alguém tem de lançar-lhe alguma coisa na garganta. Alguém tem de dizer alguma coisa! Ou a sociedade humana se extinguirá. Hugh se extinguirá. E Milly com ele. Estava a ponto de encontrar um assunto, algo capaz de encher o imenso vazio daquelas fauces antigas, quando Delia, fosse pelo errático desejo que têm as anfitriãs, todas as anfitriãs, de interromper, fosse por simples caridade humana, divinamente inspirada (North não saberia dizer qual dos dois motivos a guiava), veio ter com eles, frenética, agitando os braços:

— Os Ludby! – exclamava, – Os Ludby!

— Oh! Onde? Os queridos Ludby! – disse Milly. E as duas se ergueram com muito arfar e suspirar. E lá se foram a trote, pesadamente, porque os Ludby, ao que parecia, raramente deixavam Northumberland.

* * *

— Bem, Maggie? — fez North, voltando-se para ela. Mas Eleanor soltou um pequeno estalido, que vinha do fundo da garganta. E sua cabeça pendeu para a frente. O sono, agora que ela dormia profundamente, emprestava-lhe dignidade. Parecia serena, longe deles, envolta na calma que por vezes dá ao que dorme a aparência dos mortos.

Por um momento os dois ficaram sós, juntos, em perfeita privacidade.

— Por quê... por quê... por quê... — disse ele finalmente com um gesto, como se arrancasse tufos de capim do tapete.

— Por quê? — perguntou Maggie. — Por que o quê?

— Os Gibbs... — murmurou ele e mostrou-os com um meneio de cabeça. Conversavam agora perto da lareira. Obesos, imensos, informes, pareciam-lhe uma paródia, um travesti, uma excrescência, que sufocara a forma interior, a chama interior. — O que há de errado com eles? — perguntou ele.

Ela acompanhou-lhe o olhar. Mas calou-se. Alguns pares passaram dançando, entre eles e os Gibbs e Ludby. Uma moça se deteve; o gesto inconsciente de sua mão tinha a seriedade dos que são ainda muito jovens e tudo esperam da vida. Isso o comoveu.

— Por que, Maggie — perguntou, apontando-os com o polegar —, quando são tão adoráveis...

Ela também olhou para a moça, que arranjava uma flor que se soltara no corpete do vestido, e sorriu em silêncio. Depois, sem pôr muito sentido no que dizia, fez eco à pergunta dele.

— Por quê?

North ficou arrasado. Pareceu-lhe por um momento que ela se recusava a ajudá-lo. E ele precisava que Maggie o ajudasse. Por que não lhe tirava dos ombros aquele peso, nem lhe dava aquilo que ele mais queria: confiança, segurança? Ou seria ela deformada como os outros? Examinou-lhe as mãos, ansioso. Bonitas mãos. Mas se fosse questão, pensou, vendo que os dedos se curvavam um pouco para a palma, se fosse questão um dia de "meus" filhos e "meus" bens, seria um golpe só, de garra, abrindo o ventre ou os dentes na pele macia da garganta. Não podemos ajudar uns aos outros, pensou, estamos todos deformados. E, todavia, por desagradável que lhe fosse apeá-la da eminência em que a tinha posto, talvez ela estivesse certa, pensou, e nós errados, nós que fazemos ídolos do próximo, que emprestamos a este homem ou àquela mulher o poder de nos conduzir.

Com isso apenas nos aviltamos. E aumentamos a deformidade geral.

– Vou ficar com eles – disse.
– Em Tomers?
– Sim, em Tomers. Para a caça em setembro. Raposinhos.

Ela não ouvia, embora seus olhos estivessem fixos nele. Procurava contato com algo mais que ele sentia, e isso o perturbava. Olhava-o como se ele fosse outra pessoa. Sentiu o mesmo desconforto que sentira quando Sally o descrevera ao telefone.

– Eu sei – disse com uma contração dos músculos do rosto. – Sou como o retrato do francês de chapéu na mão.

– De chapéu na mão? – perguntou ela.
– E a engordar – acrescentou ele.

* * *

– De chapéu na mão... Quem poderá estar de chapéu na mão? – perguntou Eleanor, abrindo os olhos.

Correu os olhos em volta desnorteada. Desde a sua última lembrança, que lhe parecia de um minuto atrás, e que era de Milly falando de velas numa igreja, alguma coisa devia ter acontecido. Milly e Hugh tinham estado ali. Já não estavam. Havia uma lacuna, um vazio povoado pela luz de círios vacilantes e de uma sensação que não chegava a deferir.

Despertou completamente.

– Que tolice é essa? North não está segurando um chapéu! E também não é gordo – acrescentou. – Não, nem um pouco! – repetiu com um tapinha afetuoso no joelho dele.

Sentia-se extraordinariamente feliz. Quase todo sono deixa na mente algum fiapo de sonho, alguma cena ou figura, lembrada depois na vigília. Mas aquele, aquele transe momentâneo, em que as velas se alongavam, balançando de leve no ar, deixara-lhe apenas uma sensação; uma simples sensação, não um sonho.

– Ele não está de chapéu na mão – insistiu.

Os dois riram dela.

– Você sonhou, Eleanor – disse Maggie.

– Mesmo? – Havia um claro, sem dúvida nenhuma, na conversa. Não podia recordar o que estavam dizendo. Maggie estava ali. Mas Milly e Hugh tinham desaparecido. – Uma soneca de segundos – disse. – Mas o que pretende fazer, North? – perguntou, falando um pouco depressa demais.

– Não podemos deixar que ele volte para lá – disse Maggie. – Para aquela fazenda medonha.

Eleanor queria ser prática, em parte para provar que não dormira, em parte para proteger aquela extraordinária sensação de felicidade que persistia nela. Se conseguisse mantê-la a coberto de olhares, talvez durasse.

– Você tem economias, imagino?

– Economias? – disse North. Por que seria que as pessoas que acordam sempre querem fingir que não dormiram? – Guardei umas quatro, cinco mil libras, se tanto – disse ao acaso.

– Bem, isso basta – insistiu ela. – Cinco por cento... seis... – Procurava fazer a conta de cabeça. Pediu auxílio a Maggie. – Quatro ou cinco mil, Maggie, quanto dá isso de renda? É suficiente para viver, não é?

– Quatro ou cinco mil... – repetiu Maggie.

– A cinco ou seis por cento... – completou Eleanor. Nunca fora capaz de fazer somas de cabeça, nem na flor da mocidade. Mas, por algum motivo, aquilo lhe parecia vital para chegar ao lugar. Abriu a bolsa, encontrou um envelope e um pedaço grosso de lápis. – Aí está, trabalhe com isso – disse. Maggie apanhou o papel e experimentou o lápis, fazendo alguns riscos prévios. North olhava por cima do ombro dela. Estaria resolvendo o problema proposto? Considerando sua vida e suas necessidades? Nada disso. Desenhava. Fazia aparentemente uma caricatura, a do homem em frente, olhou, um homem corpulento de colete branco. Era uma farsa. Sentiu-se ridículo.

– Não seja tola, Maggie – disse ele.

– É meu irmão – disse, mostrando com a cabeça o homem de colete. – Costumava nos levar para passear de elefante – disse e acrescentou um floreio no colete.

– Temos muito cuidado com as despesas, North – continuou Eleanor. – Se você vier morar na Inglaterra... Se quiser...

Ele interrompeu:

– Não sei o que quero.

– Entendo... – disse Eleanor. E deu uma risada. Seu sentimento de felicidade voltou, aquela exaltação incontrolável. Parecia-lhe que eles eram todos muito jovens, que tinham o futuro inteiro pela frente. Nada era fixo, nada era sabido. A vida estava aberta e livre para eles.

– Não é curioso? – exclamou. – Não é esquisito? E não será justamente por isso que a vida constitui, como direi, um perpétuo milagre? Quero dizer... – tentou explicar, pois ele parecia intrigado. – Dizem que a velhice é assim, mas na verdade não é. É diferente, muito diferente. Também a infância era diferente. E a mocidade. Tudo na minha vida foi sempre uma perpétua descoberta. E um milagre – disse e calou-se. Falava um pouco às tontas outra vez. Sentia a cabeça muito leve depois do seu sonho.

– Olhem só Peggy! – exclamou, contente de apoiar-se em alguma coisa substancial. – Lendo um livro!

* * *

Peggy, abandonada junto à estante quando a dança começou, ilhada ali com os livros, ficou tão junto deles quanto pôde e acabou tirando um da prateleira para disfarçar a sua solidão. Era encadernado em verde e tinha, como percebeu ao examiná-lo por todos os lados, pequenas estrelas de ouro gravadas na capa. Tanto melhor para mim, pensou, porque assim imaginam que estou admirando o trabalho... Mas não posso ficar aqui apenas vendo a encadernação. Abriu o livro. Vai dizer exatamente o que estou pensando. Livros abertos ao acaso sempre fazem isso. *"La médiocrité de l'univers m'étonne et me révolte"*, leu. Era isso. Precisamente. Continuou:... *la petitesse de toutes choses m'emplit de degoût...* Levantou os olhos da página; pisavam-lhe nos pés "...*la pauvreté des êtres humains m'anéantit"*. Fechou o volume e botou-o de novo no lugar.

Precisamente, disse consigo mesma.

Virou o relógio no pulso e verificou a hora, sub-repticiamente. O tempo ia passando depressa. Uma hora são sessenta minutos, pensou. Duas horas são cento e vinte. Quantos mais terei de ver passar aqui? Era cedo para ir embora? Viu que Eleanor chamava. Foi ter com ela e com os outros.

* * *

— Venha, Peggy, venha conversar conosco — disse Eleanor.

— Você sabe que horas são, Eleanor? — perguntou, acercando-se do grupo. E mostrou o relógio. — Não acha que devíamos ir para casa?

— Esqueci o tempo — respondeu Eleanor.

— Pois vai ficar cansada amanhã — disse Peggy, sentando-se ao lado dela.

— Ah, essas médicas! — gracejou North. — Saúde, saúde, saúde! — exclamou. — Mas a saúde não é um fim em si mesma.

Ela ignorou a observação.

— Você pretende ficar aqui até o fim? — perguntou a Eleanor. — Isso vai durar a noite toda — acrescentou, olhando os pares que giravam ao som do gramofone, como um animal que agonizasse em lentas e estranhas convulsões.

— Mas nós nos divertimos! — disse Eleanor. — Venha se divertir também.

E apontou o sofá ao lado. Peggy, porém, deixou-se cair no chão aos seus pés. Com aquele "se divertir", Eleanor quisera dizer, sabia, deixe de remoer as coisas, de julgar, de analisar. Mas seria isso possível?, perguntava-se, ajeitando a saia em torno dos pés. Eleanor deu-lhe uma palmadinha nas costas.

— Quero que me diga uma coisa, sua médica — disse, para obrigá-la a tomar parte na conversação, pois parecia recolhida e sombria demais. — Você que sabe dessas coisas: qual o sentido dos sonhos?

Peggy deu uma risada. As perguntas absurdas de Eleanor! Dois e dois são *mesmo* quatro? E qual a natureza do universo?

— Não quero dizer "sonhos" exatamente — explicou Eleanor —, mas sensações e impressões que nos vêm quando dormimos.

— Minha querida Nell — respondeu Peggy, levantando os olhos para ela um instante —, quantas vezes já lhe disse que os médicos sabem pouco do corpo e nada, absolutamente nada, da alma?

— Sempre achei que não passavam de impostores! — exclamou North.

— Que pena! — disse Eleanor. — Esperava que você pudesse me explicar... — Curvara-se para falar com a sobrinha, e Peggy notou que ela estava corada de excitação. Mas que motivo teria para ficar excitada?

— Explicar... o quê? — perguntou.

— Oh, nada — disse Eleanor.

Agora ela ficou ofendida, pensou Peggy.

Observou-a de novo. Tinha os olhos brilhantes, o rosto afogueado. Ou seria apenas o tom bronzeado da Índia? Uma pequena veia pulsava-lhe na fronte. Mas por que estaria excitada? Encostou-se à parede. Do lugar onde estava no chão, tinha uma curiosa visão dos pés das pessoas. Uns apontavam para um lado, outros para outro; escarpins de verniz; pantufas de cetim; meias; meias de seda. Dançavam insistentemente ao ritmo do foxtrote. E para os drinques e o chá, você virá? Você virá?... — a música parecia repetir-se no infinito. E as vozes lhe ficavam obsessivas na cabeça. Pequenas baforadas intermitentes de conversação chegavam-lhe aos ouvidos... "Em Norfolk, onde meu cunhado tem um barco..." "Oh, um fracasso completo, sim, de acordo..." As pessoas sempre diziam tolices em festas. Junto dela, Maggie falava, e North falava, e Eleanor falava:

— Lá está Renny! Renny, que não vejo nunca, Renny que amo e adoro. Renny! Venha conversar um pouquinho conosco! Um par de sapatos de verniz, de entrada baixa e fivela, surgiu no seu campo de visão. Renny parou junto deles, sentou-se ao lado de Eleanor. Mal conseguia ver o seu perfil. O nariz proeminente; as faces cavadas. E para os drinques e o chá, você virá? Você virá?... — moía o moinho da música. Os pares passavam girando no enlevo da dança. Mas o pequeno grupo que ocupava as cadeiras junto dela falava e ria.

— Sei que vai concordar comigo... — dizia Eleanor. Através das pálpebras semicerradas, Peggy podia ver que Renny se voltava para ela. Via-lhe as sumidas maçãs do rosto, o nariz enorme. As unhas, notou, estavam cortadas rente.

— Isso depende do que estava dizendo... — respondeu Renny.

— O que estávamos dizendo? — ponderou Eleanor. Já se esquecera, pensou Peggy. — Dizíamos que as coisas mudaram, mas para melhor — ouviu a voz de Eleanor.

— Desde o tempo em que você era criança? — agora era a voz de Maggie.

Depois, a voz de uma saia com um laçarote cor-de-rosa na fímbria interrompeu:

— Não sei por que, mas a verdade é que o calor me afeta hoje muito mais do que costumava afetar antigamente... — Peggy ergueu os olhos. Havia, na realidade, quinze laços cor-de-rosa no vestido, todos muito bem costurados no seu lugar. E aquela não seria a cabeça de Miriam Parrish, com seu ar beato, sua cara de ovelha?

— O que quero dizer é que mudamos, em nós mesmos é que mudamos — prosseguia Eleanor —, somos mais felizes... mais livres...

O que quereria dizer com "felizes" e "livres"?, perguntou-se Peggy, recostando-se de novo contra a parede.

— Tomemos Renny e Maggie, por exemplo – dizia Eleanor, mas logo se interrompeu, para continuar em seguida: – Você se lembra, Renny, da noite do bombardeio? Foi quando conheci Nicholas... Nós ficamos sentados na adega do subsolo, lembra-se? Descendo as escadas, eu ia pensando: aí está um casamento feliz... – Peggy viu que ela pusera a mão no joelho de Renny – e me dizia também: "Ah, se eu tivesse conhecido Renny quando eu era jovem...". – Depois, calou-se. Estará sugerindo que teria se apaixonado por ele?, pensou Peggy. Mas outra vez a música lhe cortou o pensamento... Você virá? Você virá...

— Não, nunca... – ouviu que Eleanor dizia.

— Não, nunca... – Que nunca tinha amado? Ou pretendido se casar?, pensou Peggy. Todos riam.

— Qual! Você me parece uma garota de dezoito anos! – dizia North.

— Eu me sinto com dezoito anos! – exclamou Eleanor. Pois estará um caco amanhã, pensou Peggy, examinando-a com olho clínico. Estava cada vez mais afogueada, as veias saltando na testa. – Sinto-me... – começou, mas interrompeu a frase e levou a mão à cabeça – ...como se estivesse em outro mundo! Tão feliz! – exclamou.

— Sossegue, Eleanor, vamos! – disse Renny.

Tinha certeza de que ele ia dizer isso, pensou Peggy com uma curiosa satisfação. Via-lhe sempre o perfil marcado, sentado do outro lado do joelho de Eleanor. Os franceses são lógicos, são sensíveis, pensou. E, todavia, por que podar os arroubos de Eleanor se eles a fazem feliz?

— Sossegar! O que quer dizer você com "sossegar"? – perguntou ela, curvando-se para a frente, a mão erguida, como que numa instigação à fala.

— É a mania que você tem de falar do outro mundo. Por que não fala deste?

— Mas é deste que estou falando! Digo: feliz neste mundo, feliz entre os vivos. – E englobou num gesto largo todos os que compunham aquela variada companhia, moços, velhos, pares dançando, gente que conversava nas cadeiras, Miriam com seus laços e o hindu com seu turbante, laços e turbante cor-de-rosa... Peggy deixou-se cair para trás contra a parede. Feliz neste mundo! Feliz entre os vivos! A música cessara. O rapaz que trocava discos no gramofone fora embora. Os pares se separaram e começaram a buscar a saída. Iam comer alguma coisa, talvez. Ou talvez fossem andar pelo jardim atrás ou sentar-se nos bancos fuliginosos e duros. A música que fazia sulcos na sua mente fora substituída por um grande vazio – um silêncio. Longe, havia o rumor de Londres à noite, uma buzina perdida, o silvo de uma sirene no rio. Esses sons remotos, a sugestão que traziam de outros mundos, indiferentes àquele mundo ali, de gente que labutava, mourejava no coração da treva, nas profundezas da noite, levaram-na a repetir as palavras de Eleanor: feliz neste mundo, feliz entre os vivos. Mas como ser feliz num mundo que rebenta de miséria? Em cada cartaz de cada esquina, o que se estampa é a morte; ou, pior, a tirania; a brutalidade; a tortura; a derrocada da civilização; o fim da liberdade. Nós, aqui, pensou, apenas nos abrigamos debaixo de uma folha, uma folha que será destruída. E Eleanor finge que o mundo melhorou, só porque duas pessoas, dentre todos os milhões, são "felizes". Tinha os olhos postos no chão fixamente. Estava vazio agora, salvo por um fiapo de musselina rasgado de alguma saia. Por que observo assim as menores coisas?, pensou. Mudou de posição. Por que tenho de pensar? Quisera não pensar. Quisera ter cortinas na mente, como as dos vagões-leitos de estrada de ferro, cortinas que baixam e interceptam a luz; as cortinas azuis que a gente puxa nas viagens noturnas. Quisera ter o falcão da mente encapuzado, deixar de pensar, pois pensar é um tormento, e apenas vogar, vogar à deriva e sonhar. É a miséria do mundo, pensou, que me força a pensar. Ou seria isso uma pose? Não estaria se vendo na decorosa atitude de alguém que aponta o próprio coração a sangrar? Alguém que vê a indigência da terra como indigência, os horrores de terra como horrores, quando na verdade, pensou, não amo os meus semelhantes. Viu de novo a calçada salpicada de rubis, os rostos amontoados na porta de um cinema-palácio, rostos apáticos, passivos, rostos de gente drogada com prazeres fáceis, de pessoas que sequer tinham a coragem de serem elas mesmas, mas que se paramentavam, imitavam, fingiam... Aqui mesmo, nesta sala, pensou, os olhos fixos num casal retardatário... Mas não vou pensar, repetiu. Faria da mente uma tábula rasa para depois aceitar, num tolerante quietismo, tudo o que viesse.

Ouviu. Retalhos de conversação lhe vinham de cima... Os apartamentos de Highgate têm banheiros... diziam... sua mãe, Digby... sim, Crosby ainda vive... Conversas de família; pareciam comprazer-se nelas. Mas como posso me comprazer? Estava exausta; a pele em torno dos seus olhos repuxava; sentia como que um anel de ferro em volta da fronte. Procurou imaginar-se na bendita escuridão do campo. Mas era impossível. Alguém ria. E ela abriu os olhos exasperada com esse riso.

Era Renny que ria. Tinha uma folha de papel na mão. Lançara a cabeça para trás, estava de boca aberta, e da boca saía um som como ha! ha! ha! Isso é rir, pensou. Isso é o que as pessoas fazem quando se divertem.

Observou-o. Seus próprios músculos começaram a crispar-se involuntariamente. Não podia impedir-se de rir também. Estendeu a mão, e Renny lhe passou o papel. Estava dobrado. Tinham jogado um jogo de salão. Cada um deles desenhara uma parte diferente de um retrato. No alto da folha, havia uma cabeça de mulher parecida com a da rainha Alexandra, com uma carapinha de cachos miúdos; depois, um pescoço de cisne; um corpo de tigre; e, finalmente, as pernas gordas de um elefante... em calças curtas.

– Eu fiz isso! – dizia Renny. – Eu! – e apontava as pernas das quais saía uma fita comprida. Peggy riu também, riu perdidamente. Era mais forte que ela, não podia impedir-se de rir.

– O rosto que lançou mil navios! – disse North, apontando outra parte da figura monstruosa. Todos riram de novo. Depois

Peggy parou de rir; seus lábios voltaram à posição normal. Mas o riso surtira um estranho efeito calmante. Sentia-se bem, liberada. Sentia, ou melhor, via não um lugar, mas um estado de espírito, em que havia verdadeira alegria, verdadeira felicidade, e em que este mundo fraturado recuperava a sua integridade e era de novo um todo completo e livre. Mas como traduzir isso em palavras?

– Escutem... – disse ela. Queria expressar o que sentia e que lhe parecia de suma importância, falar deste mundo em que as pessoas eram de novo integrais, em que as pessoas eram livres... Mas eles riam. Ela estava séria.

– Escutem... – começou outra vez.

Eleanor parou de rir.

– Peggy tem algo a dizer.

Os outros se calaram, mas fizeram-no no momento errado. Ela não tinha nada a dizer, agora que o momento era chegado. E, no entanto, cumpria-lhe falar.

– Escutem – disse –, todos vocês falavam de North... – Ele a olhou surpreso. Não era isso que ela pretendia dizer, mas tinha de continuar, uma vez que começara. Todos a encaravam, de boca aberta, como cães. – ...de como North vai viver, onde deve morar... Mas de que serve opinar...

Olhou para o irmão. Um sentimento de animosidade se apoderara dela. Ele ainda sorria, mas seu sorriso morreu diante do olhar de Peggy.

– De que serve? – disse ela, encarando-o. – Você vai se casar, ter filhos. E o que fará depois? Dinheiro. Escreverá livros para ganhar dinheiro...

Saía-se mal. Quisera dizer alguma coisa impessoal e agora estava sendo pessoal. Que remédio? Tinha de prosseguir.

– Escreverá um livro insignificante, depois outros – disse com perversidade –, em vez de viver... uma vida diferente, muito diferente.

Cessou. A visão não se apagara. Mas já não conseguia captá-la. Arrancara dela apenas um pequeno fragmento e irritara North sem razão. No entanto, a coisa estava ali à sua frente, a coisa que vira e não soubera transmitir. Mas, ao deixar-se cair de costas contra a parede, sentiu-se aliviada de uma opressão. Seu coração batia com força, as veias da sua fronte inchavam. Não tinha dito, mas tentara pelo menos. Podia descansar, podia recolher-se. A opinião deles, o ridículo, não tinha o poder de feri-la. De olhos semicerrados, parecia-lhe estar num terraço à noitinha. Uma coruja voejava perto, para cima, para baixo, para cima, para baixo; a sua asa branca era nítida contra a linha escura da sebe; podia ouvir os camponeses cantando e o som das rodas na estrada.

Depois, gradualmente, o que era impreciso se fez distinto; viu a linha da estante em frente; o fiapo de musselina no chão; dois pés enormes em sapatos apertados, tão apertados que os calos eram visíveis, pararam à frente dela.

* * *

Por um momento ninguém se mexeu, ninguém disse nada. Peggy continuou sentada no chão. Não queria mover-se nem falar. Queria descansar, jazer, talvez sonhar. Sentia-se tão cansada... Mas outros pés se juntaram aos primeiros, depois a barra de um vestido longo.

– Vocês não vêm ao bufê? – disse uma voz cacarejante e frágil. Levantou os olhos. Era sua tia Milly com o marido a tiracolo.

– A ceia está servida embaixo – disse Hugh. – A ceia é embaixo...

– Como ficaram abastados esses dois! – disse North, debochando deles.

– Ah, mas são bons, tão generosos com todo mundo... – protestou Eleanor. O sentimento da família mais uma vez, observou Peggy consigo. O joelho atrás do qual se abrigava deslocou-se.

– Precisamos ir – disse Eleanor. Espere, espere, espere, quis implorar Peggy. Havia algo que desejava perguntar-lhe. Algo que desejava acrescentar à sua explosão, uma vez que ninguém a censurara, ninguém rira. Mas era inútil. Os joelhos se aprumaram, a túnica vermelha se alongou. Eleanor estava de pé. Procurava um lenço ou a bolsa, metia a mão entre as almofadas do sofá. Como sempre, havia perdido alguma coisa. – Lamento ser uma velha tão confusa – desculpou-se, sacudindo uma das almofadas. Algumas moedinhas rolaram pelo chão. Uma delas rolou de lado pelo tapete, bateu num par de sapatos prateados e caiu de chapa no chão.

– Ah! – exclamou Eleanor. – Aí está... Mas é Kitty! – exclamou. Peggy ergueu os olhos. Uma senhora de idade, ainda muito bela, com alguma coisa brilhante nos cabelos brancos ondulados, estava de pé à porta e olhava em torno um tanto perdida, como se acabasse de chegar e procurasse em vão a anfitriã ausente. Fora a seus pés que a moedinha caíra.

– Kitty! – repetiu Eleanor. E foi ter com ela, as duas mãos estendidas. Todos se levantaram. Peggy também. Sim, acabara. Estava destruída, sentia-o. Bastava que alguma coisa tomasse forma para que fosse destruída. Teve um sentimento de desolação. Só resta apanhar os fragmentos e fazer outra coisa com eles, uma coisa nova, diferente, pensou, atravessando a sala para reunir-se ao homem que chamava de Brown, e cujo verdadeiro nome era Nicholas Pomjalovsky.

* * *

– Quem é essa dama – perguntou-lhe Nicholas – que parece entrar num salão como se o mundo lhe pertencesse?

– É Kitty Lasswade – respondeu Peggy. E como Kitty obstruía a porta, não podiam passar.

– Temo estar muito atrasada – disse no seu tom claro e autoritário de voz –, mas fui ao balé.

Essa é Kitty então?, disse North consigo mesmo, examinando-a de longe. Parecia-lhe uma dessas velhas senhoras um tanto masculinas, bem instaladas em si mesmas e na vida, e pelas quais sentia ligeira aversão. Lembrava-se vagamente de que ela era a mulher de um governador qualquer; ou do vice-rei da Índia? Podia imaginá-la muito bem fazendo as honras do Palácio do Governo: "Sente-se aqui... aqui, por favor... E você, meu rapaz, espero que faça bastante exercício?". Conhecia o tipo. Tinha nariz curto e reto e olhos azuis muito separados. Teria feito

sucesso nos anos 80, pensou. Em roupas apertadas de montaria; com um chapeuzinho enfeitado com uma pena de galo. Teria tido talvez um caso com um ajudante de campo do marido; depois sossegara, tornara-se ditatorial e contava histórias do seu passado. Prestou atenção.
– Ah, mas não chega aos pés de Nijinski! – dizia ela. Exatamente a espécie de coisa que se esperaria que dissesse, pensou ele. Correu os olhos pelos livros da estante. Tirou um e segurou-o de cabeça para baixo. Um livro insignificante, depois outro... A alfinetada de Peggy lhe voltou à cabeça. As palavras o tinham ferido muito mais fundo do que o seu sentido superficial justificaria. Ela se voltara contra ele com tal violência que era como se o desprezasse; e olhara-o como se fosse rebentar em choro. Abriu o pequeno volume que tinha nas mãos. Parecia latim. Destacou uma frase e deixou que ela vogasse livre na sua mente. Ali as palavras se ostentaram em toda a sua beleza, mas destituídas para ele de sentido. No entanto, compunham um motivo – *nox est perpetua una dormienda*. Lembrou-se da recomendação do seu antigo professor: "Atenção na palavra comprida do fim da frase". Aqui as palavras flutuavam; estavam prestes a comunicar-lhe o seu significado quando houve uma certa movimentação à entrada da sala. O velho Patrick assomara à porta a furta-passo e dera o braço com galanteria à viúva do governador-geral. Desciam juntos agora, com um curioso ar de cerimonial fora de moda. Os outros começaram a segui-los. A nova geração na esteira da antiga, disse North consigo mesmo, devolvendo o livro à prateleira e acompanhando-os. Só que não eram tão novos assim. Peggy, por exemplo; havia cabelos brancos na cabeça de Peggy, teria trinta e sete, trinta e oito anos?

* * *

– Divertindo-se, Peg? – perguntou quando ficaram um pouco para trás dos outros. Tinha um vago sentimento de hostilidade para com ela. Parecia-lhe amarga, desiludida e por demais crítica de todo mundo, dele principalmente.

— Você vai na frente, Patrick — dizia lady Lasswade com sua voz bem-humorada e reboante —, estas escadas não servem... — deteve-se para firmar uma perna talvez reumática — para velhas... — fez outra pausa, desceu mais um degrau — que se ajoelham na grama úmida para matar lesmas.

North olhou para Peggy e riu-se. Não esperara que a frase terminasse dessa maneira. Só que viúvas de vice-reis, pensou, sempre têm jardins e sempre matam lesmas. Peggy sorriu. Mas ele se sentia contrafeito com ela, que o atacara. Continuaram, apesar disso, lado a lado.

— Você viu o velho William Whatney? — perguntou ela, virando-se para ele.

— Não! — exclamou North. — Não me diga que ele ainda vive! Não é aquela velha morsa de suíças?

— Isso mesmo — disse Peggy. — E lá está ele.

Havia um ancião de colete branco de pé no umbral da porta.

— A velha Falsa Tartaruga — disse ele. A solução era recair na gíria da infância, nas memórias da infância, para superar o distanciamento, a hostilidade entre os dois.

— Você se lembra... — começou ele.

— ...da noite da briga? — disse ela. — Da noite em que eu desci da janela por uma corda...

— ...e fizemos um piquenique no acampamento romano — disse ele.

— Nunca teríamos sido descobertos se aquele monstrinho não nos tivesse delatado — disse ela, descendo um degrau.

— Um fedelho de olhos cor-de-rosa — disse North.

Não acharam mais nada para falar e ficaram bloqueados, um ao lado do outro, esperando que os demais continuassem a descida. Lembrava-se de que costumava ler seus versos para ela no pomar, debaixo das macieiras em flor. Ficavam horas perdidos a caminhar para lá, para cá, por entre os canteiros de rosas. E agora não tinham nada a dizer um ao outro.

— Perry — disse ele já no degrau imediato, lembrando-se do nome do menino de olhos cor-de-rosa que os vira voltando para casa naquela manhã e os denunciara.

— Alfred — acrescentou ela.

Ela ainda sabia muita coisa a respeito dele, pensou North, ainda tinham muita coisa em comum. Talvez por isso ela o agredira dizendo na frente dos outros que ele escreveria livros insignificantes. Era o passado dos dois condenando o seu presente. Lançou-lhe um olhar de esguelha.

Maldita raça, a das mulheres, pensou, são tão duras, tão desprovidas, coitadas, de imaginação! Para o diabo com as suas mentes mesquinhas, inquisitivas. De que vale a tal educação feminina se só sabem julgar e censurar? A velha Eleanor, claudicando nos pés e nas ideias, valia uma dúzia de Peggys. Sua irmã, que nem estava na moda nem fora de moda, era uma pobre coisa neutra: nem carne, nem peixe.

Ela sentiu que ele a olhava e depois tirava os olhos. North vira algo de errado nela, sabia-o. As mãos? O vestido? Não. Estava assim porque ela o criticara, pensou. Sim, pensou, descendo mais um degrau, agora vou ser castigada; agora vou ter de pagar por dizer que ele só escreveria "livrecos". Vai levar dez, quinze minutos, pensou, para imaginar uma boa resposta; e então será alguma coisa devastadora, embora não tenha nada a ver com o assunto, pensou. A vaidade dos homens é incomensurável. Esperou. Ele a encarou de novo. Agora me compara com a moça com quem estava conversando, pensou, e viu de novo o belo rostinho dela, embora duro. Ele acabará por se ligar a uma jovem dessa espécie e se transformará num burro de carga. É da natureza dele, mas não da minha, pensou. Não, tenho sempre um sentimento de culpa. Vou pagar por isso, vou pagar por isso, dizia com seus botões, mesmo então, mesmo no acampamento romano, pensou. Não teria filhos, mas ele produziria pequenos Gibbs e mais pequenos Gibbs, pensou, olhando para dentro do escritório do advogado, a não ser que ela o troque, ao fim do ano, por outro homem... O nome do advogado era Alridge, observou.

Mas tenho de largar mão disso, dessa mania de tudo observar; vou tratar de me divertir, pensou subitamente. Pousou a mão no braço dele.

– Conheceu alguma pessoa divertida esta noite? – perguntou. Ele percebeu que ela o vira com a moça.

– Uma garota – disse.

– Eu vi – disse ela.

E olhou para o outro lado.

– Achei-a encantadora – disse, observando com atenção uma gravura colorida de um pássaro de bico comprido que estava na parede da escada.

– Devo trazê-la para conhecer você? – perguntou ele.

Importava-se com a opinião dela afinal de contas. Sua mão ainda estava no braço dele. Sentia algo de duro e tenso debaixo da manga, e o contato da carne, restituindo-lhe a comunhão dos seres humanos e também sua distância, de tal modo que quando queremos ajudar alguém o ferimos e, no entanto, todos dependem uns dos outros inelutavelmente – esse contato produziu na sua mente tamanho tumulto de sensações que por pouco não se pôs a gritar: "Oh, North, North, North!". Mas não posso me fazer de tola outra vez, disse consigo.

– Qualquer noite dessas, depois das seis – disse em voz alta, descendo com muito cuidado o último degrau. Tinham chegado.

Da sala da ceia, veio um rumor confuso de vozes. Soltou o braço do irmão. E logo a porta se abriu de par em par.

* * *

– Colheres! Colheres! Colheres! – gritava Delia, agitando os braços de um modo retórico, como se ainda declamasse para alguém que ficara lá dentro. Deu com os sobrinhos e disse: "Seja um anjo, North, e vá apanhar umas colheres!". – Tinha as mãos súplices estendidas para ele.

– Colheres para a viúva do governador-geral! – gritou North, copiando-lhe a voz e imitando o gesto teatral.

– Na cozinha, embaixo! – gritava Delia, agitando o braço na direção da escada de serviço. – E você, Peggy, venha comigo – disse, tomando a mão da sobrinha na sua –, todos já se põem à mesa. – E precipitou-se na sala onde o bufê estava servido. Estava cheia. Havia gente sentada no chão, em cadeiras, em tamboretes de escritório. Mesas compridas, também de escritório, mesinhas de datilógrafa, a tudo Delia recorrera. Estavam semeadas de flores, ornadas com festões de cravos, rosas, margaridas em profusão, mas em desordem.

– Sentem-se no chão, sentem-se onde puderem – comandava Delia, agitando a mão indiscriminadamente. – As colheres já vêm – disse a lady Lasswade, que tomava sua sopa numa caneca.

– Mas não preciso de colher! – disse Kitty, emborcando a caneca e sorvendo a sopa.

– Não você – disse Delia –, mas outras pessoas talvez.

North entrou com uma mancheia de colheres que Delia tomou dele e se pôs a oferecer:

– Quem quer uma colher? Quem não quer? – dizia, brandindo o feixe de colheres à frente do rosto. Alguns fazem questão de uma colher, outros não fazem... pensava.

Gente da sua espécie, pensou, não fazia questão de colheres; os outros – os ingleses – faziam. Passara a vida inteira fazendo distinções desse tipo entre as pessoas.

– Uma colher? Uma colher? – dizia, olhando em torno com complacência. A sala estava repleta; havia nela gente de toda espécie. Sempre tivera essa preocupação: misturar as pessoas, acabar com as absurdas convenções da vida na Inglaterra. Havia ali, nessa noite, aristocratas e pessoas comuns; convidados vestidos a rigor, outros em traje de passeio. Uns, como Kitty, tomavam sopa em canecas; outros, com a sopa esfriando, esperavam que alguém lhes trouxesse uma colher.

– Tem uma para mim? – perguntou-lhe o marido, erguendo os olhos para ela.

Delia torceu o nariz. Pela milésima vez, ele estragava o seu sonho. Acreditando desposar um rebelde e um selvagem, casara-se com o mais convencional dos senhores rurais, respeitador do rei e admirador do Império. E, em parte, exatamente por esta razão: por ser ele ainda agora uma figura esplêndida de homem.

— Uma colher para seu tio — disse secamente a North, passando-lhe todo o lote e encarregando-o da distribuição. Depois, sentou-se ao lado de lady Lasswade, que tomava sua sopa aos goles como uma criança numa festinha escolar. Quando terminou, depôs a caneca vazia entre as flores.

— Pobres flores — disse, tirando um cravo que jazia sobre a toalha de mesa e levando-o aos lábios. — Elas vão morrer, Delia; querem água.

— As rosas estão baratas no momento — disse Delia. — Dois penies o molho numa barraca em Oxford Street — disse, apanhando uma rosa vermelha e segurando-a contra a luz, de modo que ela brilhasse translúcida com todos os delicados veios à mostra. — Que riqueza a Inglaterra! — comentou, pondo a rosa na mesa e apanhando a caneca.

— É o que vivo a lhe dizer — disse Patrick, enxugando a boca. — O único país civilizado do mundo — acrescentou.

— Pois pensava que estávamos à beira da bancarrota — disse Kitty.

— Embora o Covent Garden não desse essa ideia hoje à noite!

— Ah, mas é a pura verdade — suspirou ele, continuando seu pensamento —, lamento dizê-lo, mas somos selvagens comparados a vocês.

— Ele não se dará por satisfeito até que lhes devolvam Dublin Castle — disse Delia, em tom de repreensão.

— Acha que não tem liberdade? — perguntou Kitty, encarando aquele estranho velho, cujo rosto sempre lhe lembrava uma groselha espinhenta. O corpo ainda era magnífico.

— Parece-me que a nova liberdade de vocês é pior que a nossa antiga servidão — disse Patrick, brincando com um palito.

Política, dinheiro e política, como de hábito, disse North consigo, ouvindo a conversa enquanto distribuía as últimas colheres de sopa.

– Você não vai me dizer que toda essa luta foi em vão, Patrick – disse Kitty.

– Venha à Irlanda e veja com os próprios olhos, minha senhora – disse ele amargamente.

– É muito cedo, cedo demais para dizer – comentou Delia. Seu marido olhou através dela com os olhos inocentes e tristes de um velho perdigueiro cujos dias de caça terminaram. Mas não puderam manter sua fixidez por muito tempo.

– Quem é o rapaz das colheres? – perguntou, examinando North, que esperava de pé atrás deles.

– É North – respondeu Delia. – Venha se sentar conosco, North.

– Boa noite, senhor – disse Patrick. Já se tinham encontrado, mas ele se esquecera.

– O quê? É o filho de Morris? – perguntou Kitty, voltando-se abruptamente. Deu-lhe a mão com cordialidade. North sentou-se e tomou um gole de sopa.

– Ele acaba de regressar da África. Trabalhava numa fazenda por lá – disse Delia.

– E o que está achando da velha pátria? – perguntou Patrick, debruçando-se para ele jovialmente.

– Apinhada de gente – respondeu, correndo os olhos pelo salão. – E vocês todos só falam – acrescentou – de dinheiro e de política – era a sua frase-padrão. Já a repetira vinte vezes nessa noite.

– Esteve na África então, se entendi bem – disse lady Lasswade. – Por que deixou a fazenda? – perguntou. Olhava-o nos olhos e falava exatamente como ele esperava, imperiosamente demais para seu gosto. E é da sua conta, minha senhora? – disse mentalmente.

– Para mim bastava – disse em voz alta.

– E eu que teria dado tudo para ser uma fazendeira! – exclamou Kitty.

Isso era um pouco fora do esperado, pensou North.

Como também os olhos da velha senhora. Deveria usar um pincenê. Mas não usava.

– Mas na minha mocidade – continuou com alguma ferocidade (North observou que as mãos dela eram um tanto curtas e grossas, a pele áspera; mas também ela gostava de jardinagem) – isso não era permitido.

– Não – disse Patrick – e estou convencido – continuou, grifando as suas palavras com batidas do garfo na mesa – de que seria muito bom para todos nós se as coisas voltassem ao que eram. O que fez a guerra por nós, hein? Eu, por exemplo, fiquei arruinado. – Abanava a cabeça com melancólica tolerância de um lado para outro.

– Lamento sabê-lo – disse Kitty. – Mas falando por mim, os dias do passado foram maus, perversos, cruéis... – Seus olhos agora estavam azuis de paixão.

E o tal ajudante de campo? E o petulante chapeuzinho com a pena de galo?, pensou North consigo mesmo.

– Não concorda comigo, Delia? – perguntou Kitty.

Mas Delia falava por cima dela, exagerando no seu cantado sotaque irlandês, com alguém da mesa mais próxima.

Não foi nesta sala que tivemos uma reunião certo dia, um debate? Tenho uma vaga lembrança disso. Mas sobre o que foi que discutimos? A força... pensava Kitty.

– Kitty, minha querida – interrompeu Patrick, batendo-lhe na mão com sua grande pata –, esse é outro exemplo do que eu lhe dizia há pouco. Agora essas damas podem votar – acrescentou, dirigindo-se a North – e estão em melhor situação por causa disso?

Kitty pareceu furiosa por um momento. Depois sorriu.

– Não vamos discutir, meu velho amigo – disse com uma palmadinha afetuosa na mão dele.

– E é o mesmo com os irlandeses – continuou ele. North viu que o velho estava decidido a refazer passo a passo o círculo dos seus pensamentos habituais, como um cavalo velho de oleiro, curto de fôlego. – Retornariam gostosamente ao seio do Império,

asseguro-lhe. Eu mesmo descendo de uma família – disse a North – que serviu seu país e seu soberano durante trezentos...
– Colonos ingleses – disse Delia laconicamente, voltando à sua sopa. É sobre isso que os dois discutem quando estão sozinhos, pensou North.
– Fomos parte deste país trezentos anos – continuou o velho Patrick, andando em círculo e pondo a mão no braço de North –, e o que impressiona um velho como eu, um velho caturra como eu...
– Tolice, Patrick – disse Delia –, nunca o vi mais jovem. Parece que ele tem cinquenta, não é mesmo, North?
Mas Patrick sacudiu a cabeça.
– Pois não verei meus setenta outra vez – disse com simplicidade. E dando uma palmada no braço de North, retomou o fio do discurso. – O que impressiona um velho como eu é que com tal abundância de bons sentimentos – apontou vagamente o cartaz pregado na parede – e de coisas belas – talvez se referisse às flores; sua cabeça tinha movimentos compulsivos enquanto falava – os homens se matam uns aos outros. Por quê? Não faço parte da sociedade e não assino nenhum desses – apontava para o cartaz – como se chamam esses troços, manifestos? Vou simplesmente ver meu amigo Mike ou talvez Pat, são todos velhos amigos meus, e nós então...
Calou-se e encolheu um pé.
– Meu Deus, esses sapatos! – queixou-se.
– Apertados? – perguntou Kitty. – Pois tire-os!
Por que teriam trazido o pobre velho à festa, ainda por cima de sapatos apertados? Estava senil, sem dúvida nenhuma. Havia uma expressão nos seus olhos quando os erguia, tentando voltar ao assunto, que era como o do caçador que via os pássaros erguerem o voo num semicírculo por cima de um vasto charco verde. Mas estavam fora do seu alcance. Não conseguia lembrar-se em que ponto ficara.

– Discutimos – disse – em torno da mesa... – Tinha os olhos agora entre suaves e vagos, como se o motor tivesse sido cortado e sua mente continuasse a funcionar sem ruído.

– Os ingleses também discutem – disse North – assim. – Falara negligentemente, mas Patrick concordou de cabeça e olhou com ar distraído um grupo de jovens. Contudo, não se interessava pelo que as pessoas diziam. Sua mente já não conseguia espichar-se além do seu próprio raio. O corpo ainda era admiravelmente bem proporcionado; o cérebro é que envelhecera. Falava sem cessar a mesma coisa; e de cada vez, ao calar-se, palitava os dentes, olhando fixamente para lugar algum. Lá estava ele agora, brincando com uma flor que girava e regirava entre o polegar e o indicador, mas com ar abstrato, como se tivesse o espírito à deriva... Delia interrompeu esse devaneio.

– North tem de ir se reunir aos seus amigos – disse.

Como tantas mulheres, sentia quando o marido se tornava inconveniente ou maçante, pensou North, levantando-se.

– Não espere ser apresentado às pessoas – disse Delia com um gesto impreciso.

– Faça o que quiser, absolutamente o que quiser... – disse o marido, secundando-a e batendo na mesa com a sua flor.

* * *

North ficou contente de escapar. Mas para onde iria? Era um corpo estranho, pensou, olhando em volta. Todas aquelas pessoas conheciam-se umas às outras. Chamavam-se uns aos outros – ele estava na orla de um pequeno grupo de rapazes e moças – pelos prenomes e apelidos. Cada um fazia parte de uma roda, sentiu, escutando-lhes a conversa e mantendo-se à parte, queria saber o que diziam para situar-se; mas não queria envolver-se. Fez-se todo ouvidos. Discutiam. Política e dinheiro, disse consigo, dinheiro e política. A frase vinha em cheio. Mas não podia compreender o motivo da discussão, a essa altura já acalorada. Nunca se sentira tão sozinho, pensou. O velho lugar-comum sobre solidão na massa era bem verdadeiro. Pois se colinas e árvores aceitam qualquer um, os seres humanos o rejeitam. Virou as costas ao grupo e fingiu ler na parede a descrição minuciosa de uma propriedade à venda em Bexhill. Por motivos lá dele, Patrick tomara o anúncio por um "manifesto". Água corrente em todos os quartos, leu. Mas podia ouvir fragmentos de conversa. Isso é Oxford, pensava, identificando os maneirismos que se adquirem na universidade, e isso agora é Harrow. Parecia-lhe que faziam pilhérias sobre um tal de Jones, um calouro, que vencera o salto a distância; ou um tal de Foxy, que era o diretor. Ou seria outro o nome? Era como ouvir meninos pequenos de escola pública. E discutiam política. Eu estou certo... você, errado... Na idade deles, pensou, eu estava nas trincheiras, vendo homens morrer. Mas seria isso uma boa educação? Ficou num pé, no outro. Na idade deles, pensou, estivera sozinho numa fazenda a sessenta milhas do homem branco e com a inteira responsabilidade de um rebanho de carneiros. Mas seria isso também uma boa educação? De qualquer maneira, parecia-lhe, ouvindo assim pela metade a discussão daqueles moços, observando seus gestos, captando suas gírias, que eram todos farinha do mesmo saco. Escola particular ou universidade, podia julgá-los com um simples olhar por cima do ombro. Mas onde estão os sapateiros, os salsicheiros, os serralheiros, para mencionar apenas umas poucas profissões começadas com a letra *S*? Por orgulhosa que Delia estivesse com a "promiscuidade" da festa, ali só havia duques e duquesas. Que outros dignitários começavam com *D*, perguntou-se, escrutinando o cartaz outra vez. Dândis? Desclassificados?

Fez meia-volta. Um rapaz muito novo, de expressão aberta e nariz pintado de sardas, com um terno comum, olhava firme para ele. Se não prestasse atenção, seria logo atraído também. Nada mais fácil do que entrar para uma confraria, assinar o que Patrick chamava de um "manifesto". Mas ele não acreditava em confrarias e muito menos em manifestos. Voltou, pois, outra vez à adorável residência com seus três quartos de acre de jardim e água corrente em todos os quartos. As pessoas se reúnem em salas alugadas para ouvir conferências. Uma delas pontifica em cima de um estrado. Faz o gesto de bombear água; depois, o de torcer roupa molhada; por fim, a voz, curiosamente independente da insignificante figura e tremendamente magnificada pelo alto-falante, enche a sala e reboa: "Justiça! Liberdade!". Por algum tempo, é claro, apertado entre joelhos, um frêmito, um agradável tremor corre a pele. Mas na manhã seguinte, disse consigo mesmo, sempre de olhos postos no cartaz do corretor, não fica uma ideia, uma frase, nada capaz de alimentar um simples pardal. O que querem eles dizer com Justiça e Liberdade, esses belos rapazes que dispõem de duzentas a trezentas libras por ano?, pensou. Há alguma coisa errada aí, pensou, um hiato, um abismo, um desvio entre a palavra e a realidade. Se desejam de fato reformar o mundo, pensou, por que não começar aqui, no centro, com eles mesmos? Virou-se, fazendo pião no calcanhar, e deu de cara com um velhote de colete branco.

– Olá! – disse, estendendo a mão.

* * *

Era seu tio Edward. Parecia um inseto cujo corpo tivesse sido devorado, deixando apenas as asas e a carapaça.

– Muito feliz por vê-lo de volta, North – respondeu Edward, sacudindo-lhe a mão calorosamente. – Muito feliz – repetiu.

Era tímido. Era também seco de carnes, magérrimo. Parecia que seu rosto fora cinzelado e gravado por uma variedade de instrumentos finos; que tivesse sido deixado ao relento numa noite gelada. Jogou a cabeça para trás como um cavalo que morde a brida; mas era um cavalo velho, um cavalo de olhos azuis que a brida não mais incomodava. Seus movimentos eram ditados pelo hábito, não pelo sentimento. O que teria feito todos aqueles anos?, pensava North enquanto se inspecionavam mutuamente. Tentando editar Sófocles? O que aconteceria se Sófocles fosse editado qualquer dia? O que aconteceria com todos esses velhos comidos de traça, reduzidos a carapaças?

– Você engordou – disse Edward, olhando-o dos pés à cabeça.

– Engordou – repetiu.

Havia uma sutil deferência nas suas maneiras. Edward, o intelectual, prestava tributo a North, o soldado. Sim, mas tinham uma certa dificuldade de comunicação um com o outro. Edward dava a impressão de haver sido marcado a fogo. Conseguira preservar assim alguma coisa, fora e acima da agitação geral.

– Por que não nos sentamos? – perguntou Edward, como se quisesse discutir com ele tópicos de considerável interesse. Olharam em torno à procura de um lugar tranquilo. Ele não perdera seu tempo falando com velhos cães perdigueiros e fazendo mira, pensou North, buscando com os olhos um local em que pudessem conversar em paz. Mas só havia duas banquetas desocupadas, perto de Eleanor, no fim da sala. Ela os viu e exclamou:

– Oh, Edward! Sei que tinha uma coisa para perguntar – começou.

Era um alívio que a entrevista com o professor fosse truncada assim por aquela velha impulsiva e absurda que tinha um lencinho na mão.

– Fiz até um nó... – disse. Com efeito, havia um nó no lenço. – Mas por que terei dado esse nó? – disse, erguendo os olhos para eles.

– É um admirável costume – disse Edward com seu jeito cortês e sincopado, sentando-se um pouco teso na banqueta de escritório junto dela. – Mas ao mesmo tempo é aconselhável... – deteve-se. É disso que gosto nele, pensou North, ocupando a outra banqueta, deixar as frases no ar.

– Era para me lembrar... – disse Eleanor, levando a mão à cabeça. Os cabelos brancos eram cortados curtos, mas espessos. Calou-se, e North deu uma olhadela na direção de Edward, que aguardava com admirável serenidade que a irmã se lembrasse por que tinha dado um nó no lenço. O que o fará parecer tão calmo, tão hierático, como se fosse esculpido? Havia algo de completo e acabado em torno dele; no entanto, deixava metade de suas frases inacabadas. Nunca se ocupara ou preocupara com dinheiro e política, pensou North. E havia alguma coisa de estável, fixo e formulado a respeito dele. Seria a poesia? O passado? Mas, enquanto fixava os olhos em Edward, Edward tinha o seus em Eleanor e sorria.

— Então, Nell?

Era um sorriso tranquilo, tolerante.

North interveio, porque Eleanor ruminava ainda o problema do nó.

— Conheci um homem no Cabo que era grande admirador seu, tio Edward — disse. E, ao dizê-lo, o nome lhe veio à memória. — Arbuthnot — disse.

— R.K.? — perguntou Edward. Levou a mão à cabeça e sorriu. Agradava-lhe o cumprimento. Era vaidoso. Era vulnerável, era... North arriscou mais uma olhadela para acrescentar uma terceira impressão; era um sujeito estabelecido, de reputação feita. Recoberto com o verniz lustroso e liso que todos os que têm alguma autoridade exibem. Pois agora era, o que era mesmo? North não conseguia lembrar-se. Um lente? Um reitor? Alguém de tal modo fixado numa atitude, num estereótipo, que dele não poderá mais livrar-se. Nunca. Todavia, R.K. Arbuthnot dissera que devia mais a Edward que a qualquer outro homem no mundo.

— Ele me contou que lhe devia mais que a qualquer outro homem no mundo — disse.

Edward rejeitou o cumprimento com um gesto lasso. Mas que lhe agradara, era indisfarçável. Tinha o hábito — do qual North se lembrava — de levar a mão à cabeça. E Eleanor chamava-o de Nigs. Eleanor zombava dele. Preferia os fracassados, como Morris. Ali estava ela, o lencinho na mão, rindo-se ironicamente, veladamente, de alguma lembrança.

— E quais são seus planos, North? Merece umas férias — disse Edward.

Havia alguma coisa de lisonjeiro nos modos dele, pensou North; tinham algo do mestre que recepciona um antigo aluno que se cobriu de honras. Mas Edward era sincero. Ele só diz que o sente, pensou North. E isso também era alarmante.

Estavam calados todos os três.

– Delia conseguiu reunir um grupo admirável esta noite, não é verdade? – disse Edward, virando-se para Eleanor. Sentados um ao lado do outro, contemplavam os diferentes grupos de convidados. Os olhos dele, muito claros e azuis, contemplavam a cena com bonomia, mas também sardonicamente. O que de fato estaria pensando era impossível saber. Esconde alguma coisa atrás daquela máscara, disse North consigo mesmo. Alguma coisa que o conservou puro em meio a este pântano. O passado? A poesia?, indagou-se, contemplando o perfil de Edward, mais nítido e mais belo do que na sua lembrança dele.

– Preciso refrescar meu conhecimento dos clássicos – disse North, de súbito. – Não que tenha muita base – acrescentou um tanto idiotamente, como um menino com medo do professor.

Edward não parecia ouvir. Levava o monóculo ao olho para examinar aquela confusão toda, deixando-o cair de novo a cada momento. A multidão, o barulho, o tilintar dos talheres tornavam a conversa desnecessária. North lançou-lhe mais um olhar à socapa. O passado e a poesia, repetiu consigo mesmo, é sobre isso que desejo falar. Quisera dizê-lo em voz alta. Mas Edward era idiossincrático demais, formal demais, todo em branco e preto e linear, a cabeça reclinada no espaldar da cadeira, para que fosse possível interrogá-lo com naturalidade.

Agora ele falava da África, quando North quisera falar do passado e da poesia. Estavam ali poesia e passado, trancados naquela bela cabeça de efebo grego que os anos tinham encanecido. Por que não forçá-la a abrir-se, a partilhar os seus tesouros? O que haverá de errado com ele?, pensou, enquanto respondia as perguntas habituais de um inglês inteligente sobre a África e seus problemas. Por que ele não se deixa ir, não se derrama? Por que não puxa a corrente do chuveiro? Por que tem tudo lá dentro, a sete chaves, fechado e refrigerado? Porque é um sacerdote, um traficante de mistérios, pensou, sentindo a frigidez do outro, esse guardião das belas palavras.

Mas Edward lhe dirigia a palavra agora:

– Temos de combinar um encontro – disse – para o outono... Falava com seriedade.

– Sim – respondeu North –, eu adoraria... No outono... – E viu diante dos olhos uma casa com salas veladas de trepadeiras, mordomos entrando e saindo sem ruído, garrafas de cristal, e alguém que lhe oferecia esplêndidos charutos numa caixa.

* * *

Jovens desconhecidos, que entravam com bandejas, ofereciam-lhes toda uma variedade de refrescos.

– Que gentileza! – disse Eleanor, aceitando um copo. Ele mesmo serviu-se de um líquido cor de âmbar. Seria alguma espécie de ponche à base de vinho clarete, supôs. As pequeninas bolhas subiam à superfície e explodiam. Ficou a vê-las subir, estalar.

– Quem é a bela moça – perguntou Edward – que conversa naquele canto da sala com um rapaz?

– Não são adoráveis os dois? – disse Eleanor. – É justamente o que eu estava pensando... Como todo mundo parece jovem. Aquela é a filha de Maggie... Mas quem é o homem que fala com Kitty?

– É Middleton – respondeu. – Não se lembra dele? Você o conheceu seguramente nos velhos tempos.

Tagarelaram à vontade. Estavam ambos confortáveis consigo. Como se estivessem sentados ao sol, pensou North, relaxando o corpo quando acaba a faina do dia. Eleanor e Edward, cada um no seu nicho, tolerantes, confiantes...

Contemplou as bolhas do seu copo que subiam no líquido purpúreo. Para eles está tudo certo, para eles, que já viveram sua vida. Para nós é que não estaria certo, para a nossa geração. O que desejo é uma vida modelada no jato, no jorro (olhava as bolhas subindo), na fonte que se alteia e espadana. Uma outra vida. Diversa da vida deles. Sem concentrações públicas, megafones, passo certo na esteira de líderes; fora do grupo, da sociedade, do rebanho; sem farda nem capacete. Não. Começar de dentro para fora, e o demônio que se compraza na forma e na aparência, pensou, vendo um belo rapaz de fronte de pensador e queixo fugidio.

Fora com as camisas pardas, negras, verdes, rubras, pois elas são parte do jogo para iludir as plateias. Tudo astúcias. Por que não derrubar as barreiras e simplificar? Um mundo que fosse todo uma só massa gelatinosa seria um mundo informe, um grande acolchoado branco, um mole pudim de arroz... Conservar as marcas e os emblemas heráldicos de North Pargiter – o homem de quem Maggie se ri, o francês de chapéu na mão; e simultaneamente se espraiar, fazer um novo círculo concêntrico na superfície da consciência humana, ser ao mesmo tempo a bolha e a corrente, a corrente e a bolha, eu e o mundo juntos; ergueu o copo. Anonimamente, disse, olhando o líquido transparente. Mas o que quero efetivamente dizer, eu, para quem todo cerimonial é suspeito; e toda religião, morta? Eu que não me enquadro em lugar algum, como o homem disse. Interrompeu-se. Tinha na mão um copo; na cabeça, uma frase. E desejava fazer muitas outras frases. Mas como serei capaz disso, perguntou-se, olhando para Eleanor ali sentada, o lencinho nas mãos, senão conhecendo o que é sólido, o que é verdadeiro na minha vida e na vida dos demais?

* * *

– O filho de Runcorn! – Eleanor gritou inesperadamente. – O filho do porteiro do meu edifício – explicou. E desmanchou o nó do lenço.

– O filho do porteiro do seu edifício – repetiu Edward. Seus olhos eram como um campo no qual o sol repousa no inverno, pensou North, olhando-o. O sol de inverno que já não contém nenhum calor, só uma pálida beleza.

– Acho que chamam a isso mensageiro.

– Como detesto essa palavra! – exclamou Edward com um estremecimento de horror. – Porteiro não serve?

– Foi o que eu disse. O filho do porteiro do meu edifício... Bem, ele quer, os pais querem que ele estude. Então eu disse que se visse você pediria...

– Mas claro, claro... – disse Edward bondosamente.

Foi perfeito, disse North para si mesmo, isso foi a voz humana no seu nível natural de conversação. Mas claro, claro... repetiu.

– Ele quer fazer a universidade, não é isso? – continuou Edward. – Que exames já fez?

Que exames já fez, hein?, North repetiu. Repetia com espírito crítico, como se fosse ator e crítico; ouvia, mas comentava. Examinou com atenção o líquido fino em que as bolhas subiam agora mais devagar, uma a uma. Eleanor não sabia que curso o rapaz tinha feito. E em que pensava eu?, perguntou-se North. Sentiu que estivera em meio a uma floresta; no próprio coração da treva; abrindo caminho em direção à luz; mas armado apenas com frases partidas, palavras soltas, para romper a muralha feita de urzes dos corpos humanos, das vontades e vozes humanas, que se debruçavam para ele, tolhendo-o, cegando-o. Escutou.

– Pois bem, diga-lhe que venha falar comigo – disse Edward vivamente.

– Mas não é pedir muito, Edward? – protestou Eleanor.

– É para isso que sirvo – respondeu Edward.

De novo o tom de voz apropriado, pensou North.

Não com palavras carapaçadas – as palavras "caparazão" e "carapaça" juntaram-se na sua cabeça para formar uma terceira palavra, que não existia. O que quero dizer, acrescentou, tomando um gole do seu ponche de clarete, é que por baixo está a fonte, o doce fruto. Fruto e fonte que estão em todos nós. Em Edward como em Eleanor. Então, por que nos encarapaçamos à superfície? Ergueu os olhos.

Um homem imenso parara à frente deles. Curvou-se e, muito polidamente, tomou a mão de Eleanor. Tinha de dobrar-se, pois o seu colete branco encerrava uma esfera de todo tamanho.

– *Hélas!* – dizia, numa voz melíflua demais para alguém do seu porte. Não desejaria outra coisa no mundo! Desgraçadamente, porém, tenho uma reunião amanhã às dez horas.

Convidaram-no para sentar-se e conversar um pouco. Saltitava na frente deles nos seus pés diminutos.

– Pois mande-a às favas! – disse Eleanor, sorrindo, como costumava sorrir em menina aos amigos de seu irmão, pensou North. Então, por que não casara com um deles? Por que vivemos a esconder as coisas que de fato importam?

– E deixo meus diretores plantados lá, à espera, como tolos? No meu lugar, não posso fazer uma coisa dessas! – dizia o velho amigo, que girou no calcanhar com a agilidade de um elefante amestrado.

– Parece longínquo o tempo, não parece, em que ele representava peças gregas? – disse Edward. – Você pode imaginá-lo envolto numa daquelas curtas clâmides? – acrescentou com um risinho, acompanhando com os olhos a retirada do rotundo magnata das estradas de ferro, que ia com alguma celeridade, mas impecáveis maneiras de homem de sociedade, abrindo caminho na multidão de convidados. – Esse é Chipperfield, o potentado das estradas de ferro – explicou Edward a North. – Sujeito notável – continuou –, filho de um chefe de trem... – Abria pequenas pausas entre uma frase e outra. – Fez-se por si mesmo... uma casa deliciosa... perfeitamente restaurada... duzentos ou trezentos acres, ao que suponho... reserva de caça própria... pede-me que oriente as suas leituras... e compra quadros de grandes mestres.

Quadros de grandes mestres..., repetiu North. As frases breves e ágeis tinham construído um pagode no ar, em poucos traços, mas acuradamente. E, por ele acima, corria um sopro curioso de zombaria tocado de afeição.

– Falsos, naturalmente – disse Eleanor, rindo-se.

– Bem – cacarejou Edward –, não vamos entrar nisso...

Calaram-se todos. O pagode flutuou por um momento e esfumou-se. Chipperfield atingiu a porta e desapareceu.

* * *

– Como é gostoso este drinque! – disse Eleanor por cima da cabeça dele. North podia ver ao nível dos seus olhos o copo que ela segurava à altura do joelho. Uma delgada folha verde boiava à tona da bebida. – Espero que não seja muito forte – disse ela, erguendo-o para beber.

North pegou de novo seu próprio copo. Em que pensava eu quando pela última vez mergulhei os olhos nele?, indagou consigo. Um bloco se formara na sua fronte como se dois pensamentos tivessem colidido e agora obstruíssem a passagem dos demais. Sua mente era um vazio. Fez girar o líquido no copo. Sentia-se em plena selva escura.

– Então, North... – seu próprio nome despertou-o de chofre. Era Edward quem falava. Debruçou-se para a frente a fim de ouvi-lo. – Você dizia que deseja refrescar seu conhecimento dos clássicos, não foi isso? – continuava Edward. – Pois muito me alegro em saber disso. Há muita coisa boa nesses velhos autores. A nova geração, no entanto – fez uma pausa –, não parece interessada neles.

– Que bobagem! – disse Eleanor. – Outro dia mesmo dei por mim a reler um deles... O que você traduziu... Qual foi mesmo? – Era incapaz de lembrar nomes. – Sobre a donzela que...

– Antígona? – sugeriu Edward.

– Sim! Antígona! – exclamou. – E fiquei refletindo... que é como você diz, Edward... tão verdadeiro tudo... tão belo...

Calou-se, como que temerosa de continuar.

Edward permaneceu calado, mas inclinou a cabeça, em sinal de assentimento. De súbito, porém, lançou-a para trás arrebatadamente e disse algumas palavras em grego:

"οὔτοι συνέχθειν, ἀλλὰ συμφιλεῖν ἔφυν."

North ergueu os olhos para ele.

– Traduza – pediu.

Edward abanou a cabeça, recusando.

– É a língua apropriada – disse. E foi só.

Não adianta, pensou North. Ele não é capaz de dizer o que sente. Tem medo. Todos eles têm medo. Medo de se tornarem objeto de riso. Medo de se traírem. Aquele também tem medo, pensou, olhando o moço de bela fronte de pensador e queixo frouxo, que gesticulava com ênfase exagerada. Todos temos medo uns dos outros, pensou. Medo de quê? Da crítica, do ridículo, de gente que pensa de outro modo... Ele tem medo de mim porque sou um homem do ar livre, do campo (viu de novo o seu rosto redondo, as maçãs salientes, os olhos pequenos, castanhos); já eu o temo por ser um intelectual (e fixou a testa do desconhecido, a sua calvície incipiente). É isso que nos separa: o medo, pensou.

Mexeu-se no lugar. Tinha vontade de levantar-se, de ir falar com o rapaz. Delia dissera: "Não espere que o apresentem às pessoas". Mas era difícil abordar um estranho, dizer-lhe: "Que nó é esse que eu tenho no meio da fronte; dasate-o para mim". Estava farto de pensar por si mesmo. Porque pensar sempre sozinho servia apenas para dar nós no meio da fronte; pensar sempre sozinho gerava imagens, imagens tolas, insensatas. O rapaz preparava-se para ir embora. North tinha de fazer o esforço. E, todavia, hesitava. Sentia-se repelido e atraído, atraído e repelido. Começou a levantar-se. Mas, antes que se pusesse de pé, alguém se pôs a bater numa mesa com um garfo.

* * *

Um indivíduo avantajado, sentado a uma das mesas do canto, batia na mesa com o garfo. Estava debruçado para a frente, como se quisesse chamar a atenção, como se estivesse prestes a fazer um discurso. Era o homem que Peggy chamava de Brown e outros chamavam de Nicholas, e cujo nome verdadeiro ele não sabia. Talvez estivesse um pouco bêbado.

– Senhoras e senhores! – disse. E repetiu em tom ainda mais alto: – Senhoras e senhores!

– O que, um discurso? – estranhou Edward com ar zombeteiro. Mas virou a cadeira e ajustou o monóculo, que usava pendurado a uma fita de seda preta e semelhava alguma ordem honorífica estrangeira.

Os convidados circulavam com pratos e copos, e o vozerio era grande na sala. Algumas pessoas tropeçavam nas almofadas do chão. Uma mocinha caiu de ponta-cabeça.

– Machucou-se? – perguntou um rapaz, estendendo-lhe a mão. Não, não se machucara. Mas a interrupção distraíra a atenção geral. As conversas zumbiam como zumbem as moscas por cima do açúcar. Nicholas sentou-se e ficou aparentemente embevecido na contemplação da pedra vermelha que tinha no anel; ou das flores espalhadas pela mesa, as alvas e cerúleas flores, quase transparentes, e as sanguíneas, tão abertas que seu coração dourado aparecia, tão desabrochadas e maduras que já largavam pétalas entre os copos baratos, as facas e os garfos de aluguel.

De repente voltou a si.

– Senhoras e senhores! – recomeçou. E outra vez bateu na mesa com o garfo. Houve uma calma momentânea. Rose avançou para ele através da sala.

– Vai fazer um discurso? – perguntou. – Muito bem! Gosto de discurso – disse. E postou-se ao lado dele com a mão em concha na orelha, como um militar. Outra vez o vozerio tomara conta da sala. – Silêncio! – exclamou ela. E pegando uma faca, pôs-se a bater na mesa. – Silêncio! Silêncio! – e batia.

Martin atravessou o salão e perguntou:

– Por que Rose está fazendo todo esse barulho?

– Estou pedindo silêncio! – disse, brandindo a faca no nariz dele. – O cavalheiro vai fazer um discurso.

Mas Nicholas estava sentado sereno, ocupado com o seu rubi.

– Essa menina não é o retrato idêntico – disse Martin, pondo a mão no ombro de Rose e voltando-se para Eleanor como se lhe pedisse apoio e confirmação – do velho tio Pargiter, do Regimento de Cavalaria Pargiter?

– Pois fico orgulhosa disso! – exclamou Rose, brandindo a faca no rosto dele. – Tenho muito orgulho da minha família. Orgulho do meu país. Orgulho do meu...

– Do seu sexo? – cortou Martin.

– Perfeitamente – asseverou ela. – E você? Está orgulhoso de si mesmo?
– Não briguem, crianças! Não briguem! – gritou Eleanor, chegando sua cadeira para mais perto deles. – Esses dois estão sempre às turras, sempre, sempre! – disse.
– Ela foi uma fúria quando era pequena – disse Martin, sentando-se no chão e levantando os olhos para Rose –, com a testa nua, os cabelos puxados para trás...
– ...e um vestido cor-de-rosa – acrescentou Rose. Em seguida, sentou-se abruptamente ao lado dele, a faca sempre em riste.
– Um vestidinho cor-de-rosa, cor-de-rosa... – repetia ela, como se as palavras lhe recordassem alguma coisa.
– Continue seu discurso, Nicholas! – disse Eleanor, voltando-se para o orador. Ele, porém, sacudiu a cabeça.
– Falemos, em vez de vestidos cor-de-rosa...
– ...na sala de estar de Abercorn Terrace, quando éramos crianças... você se lembra, Martin? – Encarava-o. Ele fez que sim com a cabeça.
– Na sala de estar de Abercorn Terrace... – disse Delia. Ia de mesa em mesa com uma grande jarra de ponche de clarete. Parou diante deles. – Abercorn Terrace – exclamou, enchendo um copo. Depois lançou a cabeça para trás numa atitude de desafio, e por um momento pareceu admiravelmente jovem e bela. – Era o inferno! – exclamou. – O inferno! – repetiu.
– Ora, vamos, Delia... – protestou Martin, apresentando-lhe o copo para ser enchido.
– Era o inferno – respetiu ela ainda, abandonando suas maneiras irlandesas e falando com grande simplicidade enquanto vertia a bebida. – Você sabe – disse, olhando para Eleanor –, quando vou a Paddington, sempre digo ao homem para dar a volta!
– É bastante – disse Martin –, obrigado. – Seu copo estava cheio. – Eu também detestava aquilo... – começou.

Mas Kitty Lasswade vinha na direção deles. Segurava seu copo à frente do corpo como se fosse uma coisa íntima.

– O que é que Martin está detestando no momento? – perguntou.

Um senhor bem-educado puxou uma pequena cadeira dourada para ela, e Kitty sentou-se.

– Ele sempre foi um grande detestador – disse ela, estendendo o copo para que fosse enchido. – O que era mesmo que você detestava naquela noite em que jantou conosco? – perguntou-lhe. – Lembro-me de que me deixou furiosa.

Sorriu-lhe. Martin se convertera num querubim, gordinho e rosado. Com os cabelos lisos para trás, como um garçom.

– Detestava... Nunca detestei ninguém – protestou. – Meu coração transborda de amor, de bondade... – Ria, elevando o copo na direção de Kitty e movendo-o no ar, numa espécie de brinde.

– Que bobagem! Quando jovem, você odiava praticamente tudo! – disse ela com um grande gesto. – Minha casa... meus amigos... – Interrompeu-se com um leve suspiro. Podia vê-los ainda, os homens entrando em fila indiana, as mulheres apalpando o pano dos vestidos entre o polegar e o indicador. Vivia sozinha agora, no norte. – Ouso dizer que estou melhor agora... – acrescentou, falando um pouco para si mesma – ...que tenho só um rapazinho para cortar lenha.

Houve um silêncio.

– Deixemos que ele continue o discurso – disse Eleanor.

– Sim. Ao discurso! – disse Rose, batendo outra vez na mesa com a faca. E outra vez Nicholas fez menção de erguer-se.

– Ele vai fazer um discurso? – perguntou Kitty, virando-se para Edward, que aproximara sua cadeira.

– O único lugar em que a oratória ainda é praticada como arte... – começou Edward. Interrompeu-se, puxou a cadeira mais para perto da cadeira de Kitty e ajustou o monóculo – ...é na igreja.

Foi por isso que não me casei com você, disse Kitty consigo. Como a voz, aquela voz pedante, trazia-lhe tudo de volta! A árvore meio tombada, a chuva que caía, os alunos de visita, os sinos tocando, ela e sua mãe...

Mas Nicholas se pusera de pé. Inspirou profundamente, enchendo o peito engomado da camisa. Com uma das mãos, brincou com a corrente do relógio. A outra elevou-se no ar numa pose oratória.

– Senhoras e senhores! – começou outra vez. – Em nome de todos os que gozaram hoje da hospitalidade desta casa...

– Que fale! Que fale! – gritavam os rapazes de pé junto da janela.

– Ele é estrangeiro? – perguntou Kitty num sussurro a Eleanor.

– ...em nome de todos os que gozaram hoje da hospitalidade desta casa – repetiu com voz ainda mais alta –, quero agradecer ao anfitrião e à anfitriã...

– Oh, não me agradeça nada... – disse Delia, passando por eles com a jarra vazia.

De novo o discurso esteve ameaçado. Com essa falta de respeito humano, só pode ser um estrangeiro, disse Kitty para si mesma. Nicholas, embora mudo, continuava de pé, sorrindo amavelmente, com o copo na mão.

– Vamos, prossiga – disse Kitty, incentivando-o. Queria ouvir um discurso. Discursos são ótimos para festas, dão-lhes um piparote e um fecho de ouro. Bateu com o próprio copo na mesa para impor silêncio.

– É uma grande gentileza sua – disse Delia, tentando passar por Nicholas, mas ele a segurou pelo braço. – Não tem nada a agradecer...

– Delia! – queixou-se sem soltar-lhe o braço. – Não se trata do que *você* deseja, e sim do que *nós* desejamos. – E, em tom oratório, com o copo no ar: – É justo e apropriado, quando nossos corações transbordam de gratidão...

Agora ele pegou embalo, pensou Kitty. E é de fato um orador. Todo estrangeiro tem um pouco de orador...

— ...quando nossos corações transbordam de gratidão – repetia Nicholas, tocando um dedo.

— Gratidão por quê? – perguntou uma voz intempestivamente. Nicholas interrompeu-se de novo.

— Quem é o homem moreno? – sussurrou Kitty para Eleanor.

— Quis saber a noite toda.

— É Renny – sussurrou Eleanor. – Renny – repetiu.

— Por quê? – perguntou Nicholas retoricamente. – É o que vou lhes dizer... – Fez uma pausa, respirou fundo, o que de novo estufou o seu colete. Seus olhos brilhavam. Parecia cheio de uma benevolência espontânea, secreta. Mas nesse momento uma cabeça apontou na extremidade da mesa; pétalas de rosa foram recolhidas rapidamente com mão rapace. E uma voz gritou:

— Rosa vermelha, rosa espinhosa, rosa fulva, brava rosa!

As pétalas foram lançadas em leque e caíram sobre a velha gorda que estava sentada na beirada de uma cadeira. Ela olhou surpresa. Tinha pétalas no vestido. Afastou com um gesto as que tinham caído sobre as rotundidades da sua pessoa.

— Obrigada, obrigada! – exclamou em tom vivaz. Depois apanhou uma flor inteira e bateu com ela energicamente na borda da mesa. – Eu quero o meu discurso! – disse, olhando para Nicholas.

— Não, não – disse ele. – Não é hora para discursos – disse e sentou-se.

— Bebamos, então – disse Martin. E levantou um brinde. – Pargiter, do Regimento de Cavalaria Pargiter! É a isso que bebo! – exclamou. E bateu o copo com força na mesa.

— Oh, se estão brindando – disse Kitty –, também farei um: à saúde de Rose. Rose é uma grande figura – disse, erguendo o copo. – Mas Rose estava errada – acrescentou. – A força jamais tem razão, não concorda comigo, Edward? – perguntou, dando-lhe uma pancadinha no joelho. E, para si mesma, num aparte: – Eu me esquecera da guerra – disse entre os dentes.

Depois em voz alta: — Rose tem a coragem das suas convicções, Rose foi presa por isso. Bebo à saúde de Rose! — Bebeu.
— À sua, Kitty — disse Rose, fazendo-lhe uma mesura.
— Ela espatifou a janela dele — disse Martin para arreliá-la — e depois o ajudou a quebrar as janelas dos outros. Onde está a sua condecoração, Rose?
— Numa caixa de papelão em cima do consolo da lareira — disse Rose. — Você não vai conseguir que eu me irrite, caríssimo, a esta altura da vida.
— Que pena não terem deixado Nicholas acabar o discurso dele! — disse Eleanor.

* * *

Vindas do teto, coadas, longínquas, chegaram-lhe as notas preliminares de uma outra dança. Os jovens, engolindo às pressas o que lhes restava nos copos, subiam depressa. Logo houve o som de muitos pés no andar de cima, pesados e rítmicos.
— Outra dança? — perguntou Eleanor. Era uma valsa. — Quando moça, eu dançava... — disse, olhando para Kitty. A música pareceu apoderar-se das palavras dela e repeti-las como um refrão: quando moça, eu dançava... quando moça, eu dançava...
— Que ódio eu tinha! — exclamou Kitty, contemplando os dedos da mão, curtos e marcados pelos espinhos. — Como é bom não ser jovem! Não dar mais importância ao que as pessoas dizem! Viver como bem entendo! Agora, aos setenta...
Calou-se, pensativa. Depois, levantando as sobrancelhas como que movida por uma lembrança:
— É uma pena não poder viver de novo — disse, mas não completou a frase. — Não teremos nosso discurso, sr.... — disse, dirigindo-se a Nicholas, cujo nome desconhecia. Ele mexia as mãos entre as flores esparsas, olhando em frente com uma expressão de infinita benevolência.
— De que serviria? — perguntou ele. — Ninguém se dispõe a ouvir.

Ficaram a escutar o tropel dos pés no andar de cima e a música que repetia (ou assim pareceu a Eleanor): quando moça, eu dançava; todo homem me amava quando moça...

– Mas quero um discurso! – disse Kitty com seu modo autoritário. Era verdade. Queria alguma coisa, alguma coisa que desse uma injeção de vida na festa, o tal piparote e um fecho de ouro. O quê, não sabia. Bastava que não fosse o passado. Que não fossem memórias. O presente. O futuro. Era o que ela queria.

– Vejam! É Peggy! – exclamou Eleanor, olhando em volta.

Peggy comia um sanduíche, sentada na borda de uma mesa.

– Venha cá, venha conversar conosco! – chamou.

– Venha falar pela nova geração, Peggy! – disse lady Lasswade, cumprimentando-a.

– Mas não sou a nova geração – disse Peggy. – E já fiz meu discurso esta noite. Fiz um papel ridículo lá em cima – concluiu, deixando-se cair sentada no chão aos pés de Eleanor.

– Então, North – disse Eleanor, contemplando o risco do cabelo de North, que estava sentado também aos seus pés.

– Sim, North – disse Peggy, encarando-o por cima do joelho de sua tia. – North diz que nós só falamos de dinheiro e política – acrescentou. – De que deveríamos falar? Diga.

Ele acordou. Estivera cochilando, embalado pela música e pelas vozes. De que deveríamos falar. O que deveríamos fazer?

Endireitou-se com esforço. Viu a expressão atenta de Peggy. Agora sorria. Tinha um ar alegre. Seu rosto lembrava o da avó no retrato. Mas como o vira no salão – escarlate, enrugado –, como se ela estivesse prestes a chorar. O rosto dela é que continha a verdade, não suas palavras. Mas só as palavras lhe vinham à memória: viver de modo diferente. Diferente... Refletir. É isso que exige coragem, disse para si mesmo. Falar a verdade. Ela esperava. Os velhos já falavam de outra coisa, de seus próprios interesses.

– ...é uma casa pequena, mas muito boa – dizia Kitty. – Uma velha maluca morava lá antigamente. Você tem de vir passar uns dias comigo, Nell, na primavera...

Peggy ainda o observava por cima do seu sanduíche de presunto.

– O que você me disse é a pura verdade – disse ele explosivamente –, a pura verdade... – O que ela quisera dizer, mais do que o que dissera na verdade. O sentimento dela, não as palavras. Sabia o que era agora. Não se tratava dele especificamente, mas das outras pessoas e de um outro mundo, um mundo novo... Os velhos tios e tias tagarelavam acima dele.

– Como era mesmo o nome do homem de quem eu gostava tanto em Oxford? – dizia lady Lasswade. North podia ver o corpo dela prateado curvando-se para Edward.

– O homem de quem você gostava em Oxford? – repetiu Edward. – Eu pensava que você não gostava de ninguém em Oxford...

E riram-se.

Mas Peggy esperava-o atenta. Viu de novo o copo com as bolhas subindo e sentiu outra vez o nó cego no meio da fronte. Ah, se alguém, infinitamente sábio e bom, pudesse pensar por ele, responder por ele... Mas o moço com a testa de intelectual desaparecera.

Viver diferentemente... diferentemente... repetiu. Essas tinham sido as palavras dela. Não se ajustavam muito bem ao que ele queria dizer, mas era preciso servir-se delas. Agora fui eu o imbecil, pensou, e uma sensação desagradável passou-lhe pelas costas, como se uma faca a tivesse cortado. E ele se recostou na parede.

– Sim, chamava-se Robson! – exclamou lady Lasswade. Sua voz de trombeta ressoou acima da cabeça dele. – Como a gente esquece! – continuou. – Claro que se chamava Robson. Era esse o nome dele. E a moça de quem eu gostava, Nelly, que ia ser médica?

– Morreu, creio – disse Edward.

– Morreu? – disse lady Lasswade. – Morreu... – Calou-se por um momento. – Bem, gostaria que você fizesse o seu discurso – disse, virando-se e olhando para North.

Ele se encolheu. Para mim, acabaram-se os discursos, pensou. Tinha ainda seu copo na mão. Ainda estava cheio pela metade. No líquido pálido, as bolhas já não rebentavam. O vinho estava límpido e imóvel. Silêncio e solidão, pensou, silêncio e solidão. Só nesse elemento a mente é hoje livre. Silêncio e solidão, repetiu; silêncio e solidão. Seus olhos se fecharam a meio. Estava cansado, aturdido. E as pessoas falavam e falavam... Pois ele se desligaria delas, se generalizaria, imaginaria jazer no grande espaço azul de um campo aberto, com uma linha de colinas no limite do horizonte. Estendeu os pés. Havia carneiros tosando rente a relva; tosando devagar a relva; avançando primeiro uma perna dura, depois outra. A conversação era um murmúrio indistinto. Não percebia o que diziam em torno dele. Através das suas pálpebras semicerradas, via mãos segurando flores, mãos finas, delicadas, mãos que não pertenciam a ninguém em particular. Seriam mesmo flores? Não seriam montanhas? Montanhas azuis com sombras violeta? Mas as pétalas caíam em chuveiro. Caíam, caíam e tudo cobriam, murmurou consigo. Havia também a haste de um copo de vinho; a borda de um prato; uma tigela de água. As mãos pegando uma flor depois da outra; agora, uma rosa branca; em seguida, uma amarela; depois, uma rosa com veios violáceos nas suas pétalas. Pendiam agora com tantas dobras, tantas cores, em volta da tigela. E as pétalas caíam na água e na água ficavam boiando, amarelas ou roxas, como chalupas, como barcos num rio. E ele flutuava e se deixava levar, vogando numa chalupa, numa pétala, rio abaixo rumo ao silêncio e à solidão... Qual a maior tortura – as palavras lhe vinham de volta à memória como se uma voz as pronunciasse audivelmente –, qual a maior tortura que uma pessoa pode infligir...

– Acorde, North, queremos o seu discurso! – interrompeu a voz de Kitty. E seu belo rosto vermelho debruçou-se sobre o dele.

– Maggie! – exclamou ele, aprumando-se. Era ela quem estava sentada junto dele, pondo as flores na jarra bojuda.

– Sim, é a vez de Maggie falar – disse Nicholas, pondo a mão no joelho dela.

– Fale, fale! – disse Renny, encorajando-a.

Maggie abanou a cabeça. Um riso incoercível se apoderou dela, sacudiu-a. Riu, lançando a cabeça para trás, como se estivesse possuída por um espírito benfazejo e exterior que a fizesse alternadamente se inclinar e elevar-se como uma árvore, pensou North, que o vento dobra e agita. Abaixo os ídolos, abaixo os ídolos, parecia dizer o riso bimbalhante e solto, como se a árvore estivesse carregada de inumeráveis guizos. E North riu com ela.

* * *

O riso deles cessou. Dançava-se em cima. Os pés se moviam em cadência. Uma sirene gemeu no rio. Um caminhão passou barulhento na rua longe. Houve um surto de som, uma trepidação, como se algo se tivesse soltado. Era a vida do dia que começava e esse era o coro, o grito, o pio, o frêmito que saúdam em Londres a madrugada.

Kitty voltou-se para Nicholas.

– Qual o tema do seu discurso, sr.... Receio não saber o seu nome... O discurso que foi interrompido... – insistiu.

– Meu discurso? – disse Nicholas, rindo. – Pois ia ser um milagre! Uma obra-prima! Mas como é possível fazer um discurso se todo mundo interrompe? Eu começo, digo: "Vamos agradecer...". Delia diz: "Não agradeça". Eu recomeço: "Agradeçamos a alguém...". E Renny diz: "Por quê?". Tento mais uma vez e... Olhe... Eleanor está dormindo. Profundamente. – Apontou. –. Então, como é possível?

– Oh! Mas seria bom. Um discurso dá sempre...

Quisera dizer um fecho, um piparote, não sabia o quê. E estava ficando tarde. Precisava ir embora.

– Conte-me apenas, aqui entre nós, o que pretendia dizer, sr.... – perguntou.

– O que ia dizer, o que pretendia? Bem... – Fez uma pausa, esticou as mãos, contou nos dedos. – Primeiro agradeceria ao anfitrião e à anfitriã; em seguida, agradeceria a esta casa – fez um gesto largo, mostrando a sala, as paredes com os anúncios dos

corretores –, esta casa que tem agasalhado os amantes, os criadores, os homens e mulheres de boa vontade. Finalmente – disse, apanhando o copo que deixara em cima da mesa – faria um brinde à humanidade. À raça humana – concluiu, erguendo o copo –, ainda na infância. Que cresça e amadureça! Senhoras e senhores, bebo a esse ideal!
E depôs o copo com violência. O copo se quebrou.

* * *

– É o décimo terceiro copo que quebram esta noite! – disse Delia, postando-se à frente deles. – Não que tenha importância. São copos ordinaríssimos.
– O que é ordinaríssimo? – perguntou Eleanor, entreabrindo os olhos. Onde estaria? Em que aposento? Em qual dos inumeráveis aposentos, sempre cheios de gente, desde o começo de todos os tempos... Tinha ainda as moedinhas do táxi na mão. Apertou-as com força e de novo foi inundada por um sentimento de felicidade. Seria pela sobrevivência dessa aguda sensação (ela despertava) ou seria pela desaparição da outra coisa (via um limpa-penas em forma de morsa, todo lambuzado de tinta), do objeto sólido? Abriu completamente os olhos. Ali estava ela, viva, naquela sala com gente viva. Viu todas as cabeças em círculo. No primeiro momento, não tinham identidade. Depois, reconheceu-os. Aquela era Rose; e aquele, Martin; depois, Morris. Não tinha mais cabelos quase. E seu rosto lhe parecia estranhamente pálido.

Havia, aliás, um curioso palor nos rostos de todos eles, viu, olhando um por um. As lâmpadas elétricas haviam perdido seu brilho, e as toalhas de mesa pareciam muito mais brancas. A cabeça de North, sentado no chão, tinha um halo branco. O peitilho da camisa dele ficara um pouco amarrotado.

North estava sentado aos pés de Edward com as mãos enlaçadas em volta dos joelhos. Sacudia o corpo em pequenos trancos e olhava para o tio como se lhe pedisse alguma coisa.

— Tio Edward — ouviu que ele dizia —, explique uma coisa para mim...
Era como uma criança pedindo uma história.
— Fale-me... — dizia com outro daqueles safanões involuntários que eram como espasmos. — O senhor que é um erudito. Fale-me dos clássicos. Ésquilo. Sófocles. Píndaro.
Edward debruçou-se para ele.
— E do coro grego — disse North com um tremor —, do coro, tio Edward...
— Meu rapaz — disse Edward, sorrindo benignamente para ele (Eleanor acompanhava a conversa) —, não me pergunte tais coisas. Nunca fui a rigor um especialista. Fosse minha a escolha e eu... — acrescentou, passando a mão na testa — ...eu teria sido... —
Uma explosão de riso abafou as palavras dele. Eleanor não pôde ouvir o fim da frase. O que teria dito? O que quisera ser? Perdera as últimas palavras.

Tem de haver uma outra vida, pensou ela, afundando-se na cadeira, presa de exasperação. Não em sonhos. Mas aqui nesta sala com gente viva. Sentia como se estivesse à beira de um precipício, o cabelo batido pelo vento, jogado para trás... Estava prestes a alcançar alguma coisa que por um átimo lhe fugia. Tem de haver uma outra vida aqui e agora, repetiu. Isso tudo é muito curto e muito fragmentado. Não sabemos nada, sequer conhecemos a nós mesmos. Apenas começamos, pensou, a vislumbrar aqui e ali... Pôs as mãos em concha no regaço, como Rose tinha posto as suas nas orelhas. Manteve-as assim entrelaçadas. Era como se quisesse abarcar o momento presente, eternizá-lo; fazê-lo mais e mais pleno, com o passado, o presente e o futuro, até que resplandecesse inteiro e profundo e rico de sentido.

— Edward — começou, tentando atrair-lhe a atenção. Mas ele não a ouvia. Contava a North alguma velha história da universidade. É inútil, pensou ela, abrindo as mãos. Há que deixar tudo isso submergir. E então?, pensou. Para ela também seria a noite interminável, a treva sem fim. Olhou em frente, como se visse diante de si um túnel comprido e escuro. E como pensasse em escuridão, algo lhe pareceu desconcertante: clareava. As persianas estavam brancas.

* * *

Houve um rebuliço na sala. Edward voltou-se para ela.

– Quem são eles? – perguntou, apontando para a porta.

Eleanor olhou. Havia duas crianças lá. Delia tinha as mãos nos ombros delas como que a encorajá-las. Pretendia levá-las até a mesa para dar-lhes alguma coisa de comer. Mas elas pareciam esquivas e desajeitadas.

Eleanor examinou-lhes as mãos, as roupas, a forma das orelhas.

– Seguramente os filhos do zelador – disse.

Delia, que cortava bolo para elas, dava-lhes fatias muito mais grossas do que as que normalmente cortaria para filhos de amigas suas. As crianças tomaram o bolo nas mãos e ficaram olhando com um olhar vidrado e fixo que chegava a ser ameaçador. Mas talvez estivessem simplesmente assustadas por terem sido transportadas, assim de chofre, do porão para a sala de visitas.

– Comam! – ordenou Delia com um tapinha.

Obedeceram, mas comiam devagar, mastigando e olhando solenemente em torno.

– Olá, crianças! – disse Martin com um gesto amigo. As crianças olharam-no com a mesma seriedade com que olhavam o salão. – Vocês não têm nome? – perguntou.

Elas continuaram mudas, comendo. Ele começou a remexer no bolso.

– Falem, vamos! – disse.

– A nova geração – disse Peggy – não deseja se comunicar.

As crianças voltaram os olhos derramados para ela, mas continuaram com a sua ruminação.

– Não têm aula amanhã? – perguntou ela.

Abanaram a cabeça. Não tinham.

– Hurra! – disse Martin. Segurava uma pratinha na mão, entre o polegar e o indicador. – Agora cantem alguma coisa por essa pratinha! – disse.

– Sim. Não aprenderam alguma canção na escola? – perguntou Peggy.

As duas crianças a encararam, mas continuaram caladas. Tinham parado de comer, no entanto. Eram agora o centro de um pequeno grupo. Correram os olhos pelo círculo de gente grande; depois, dando-se reciprocamente uma cotovelada, puseram-se a cantar:

Etho passo tanno hai
Fai donk to tu do,
Mai to, kai to, lai to see
Toh dom to tuh do...

Pelo menos soava assim. Nem uma só palavra era reconhecível. Os sons distorcidos subiam e desciam como se acompanhassem uma pauta. Depois, de pé, com as mãos atrás das costas, agindo num só impulso, atacaram a segunda estrofe:

Fanno to par, etto to mar,
Timin tudo, tido,
Foll to gar in, mitno to par,
Eido, teido, meido...

Cantaram essa estrofe mais furiosamente que a primeira. O ritmo parecia funcionar como um embalo para elas, e as palavras ininteligíveis soldavam-se umas às outras formando quase um guincho. Os adultos ficaram sem saber se deviam rir ou chorar. As vozes eram ásperas; o sotaque, hediondo.

Explodiram mais uma vez em cantoria:

Chree to gay ei,
Geeray didax...

Pararam. Talvez no meio de um verso. E deixaram-se ficar de pé no mesmo lugar, caladas, sorrindo, os olhos fincados no soalho. Ninguém achou o que dizer. Havia alguma coisa de horrível no som que elas faziam. Era estridente, dissonante, despido de significado. O velho Patrick aproximou-se capengando e salvou a situação:

– Ah, foi muito bonito, muito bonito... Obrigado, queridas crianças – disse com sua amabilidade habitual, palitando os dentes. As crianças sorriram. Depois começaram a sair. Ao passarem por Martin, este lhes escorregou a moedinha nas mãos. As crianças correram até a porta.

– Que diabo estavam cantando? – perguntou Hugh Gibbs. – Não consegui entender uma palavra, sou obrigado a confessar. – Segurava com as duas mãos as abas do amplo colete branco.

– É a pronúncia *cockney*, imagino – disse Patrick. – O que lhes ensinam na escola, sabem disso?

– Mas foi tão... – disse Eleanor. Mas logo se interrompeu. Foi o quê? De pé, uma ao lado da outra, as crianças tinham parecido tão sérias e dignas; no entanto, faziam aqueles sons medonhos. O contraste entre os seus rostinhos e as suas vozes era assombroso, impossível de qualificar com uma palavra apenas.

– ...belo? – completou Eleanor, com uma nota de interrogação. Voltou-se para Maggie.

– Extraordinário – disse Maggie.

Mas Eleanor não tinha certeza se falavam da mesma coisa.

* * *

Apanhou suas luvas, sua bolsa, duas ou três moedas e se levantou. A sala estava permeada de uma luz estranha, muito pálida. Os objetos pareciam deixar o sono em que se encontravam e os disfarces que tinham incorporado, para agora assumirem a sobriedade da vida comum. A sala se preparava para sua utilização habitual como escritório de corretor. As mesas voltavam a ser mesas de escritório; suas pernas eram agora pernas de mesas de escritório; no entanto, ainda estavam pejadas de pratos e de copos, de rosas, lírios e cravos.

– Hora de ir para casa – disse, atravessando o salão. Delia fora à janela. Quando Eleanor se aproximou, ela abriu as cortinas. – A alvorada! – exclamou, melodramática.

As silhuetas das casas começavam a precisar-se do outro lado da praça. Todas ainda tinham as persianas corridas. Pareciam dormir profundamente na palidez da manhã.

– A alvorada – repetiu Nicholas, espreguiçando-se. Ele também foi até a janela. Renny seguiu-o.

– Agora a peroração – disse, pondo-se ao lado dele. – A aurora... o novo dia...

E apontou as árvores, os telhados, o céu.

– Não – disse Nicholas, segurando a cortina. – É aí que você se engana. Não vai haver peroração nenhuma. Sabe por quê? – exclamou com um grande gesto oratório. – Porque não houve discurso!

– Mas o dia raiou assim mesmo – retrucou Renny, apontando outra vez para o céu.

* * *

Era um fato. O sol nascia. O céu, por entre as chaminés, parecia extraordinariamente azul.

– E eu vou para a cama – disse Nicholas depois de uma pausa. E virou-se.

– Onde se meteu Sara? – disse, olhando em torno. Descobriu-a prostrada a um canto com a cabeça contra uma mesa, dormindo, aparentemente. – Acorde sua irmã, Magdalena – disse ele, dirigindo-se a Maggie.

Maggie tirou uma flor da mesa e lançou-a na direção de Sara. Sara entreabriu os olhos.

– Está na hora – disse Maggie, tocando-lhe o ombro.

– Está? – suspirou Sara. Em seguida, bocejou e espreguiçou--se, os olhos fixos em Nicholas. Foi como se, aos poucos, ele fosse ficando em foco no seu campo visual. Quando isso ocorreu, ela exclamou: – Nicholas!

– Sara! – respondeu ele. Sorriram um para o outro. Ele a ajudou a firmar-se nos pés, e ela se equilibrou incerta contra a irmã e esfregou os olhos.

– Que estranho... – murmurou, olhando em torno. – Que estranho... Por toda parte pratos lambuzados, copos vazios, pétalas, migalhas de pão. Na mistura de luzes, pareciam prosaicos, mas irreais; cadavéricos, mas brilhantes. E, ao fundo, contra a janela, reunidos como que para um retrato de família, seus velhos irmãos e irmãs.

– Olhe só, Maggie – sussurrou ela para a irmã. – Olhe! – E apontava os Pargiter em formação na moldura da janela.

* * *

O grupo na janela, os homens nas suas roupas a rigor, preto e branco, as mulheres nos seus longos em ouro, prata e carmesim, arvoraram por um breve momento um ar de estátua, como se estivessem talhados em pedra. Os vestidos tombavam em rígidas pregas de escultura. Logo, porém, mexeram-se, mudaram de atitude, começaram a falar.

– Posso levá-la, Nell? – perguntou Kitty Lasswade. – Tenho um carro à espera.

Eleanor não respondeu. Contemplava as casas da praça com suas janelas cegas. As janelas agora estavam manchadas de ouro. Tudo parecia varrido de fresco, limpo e virginal. E os pombos já meneavam na ramaria das árvores.

– Tenho um carro... – repetiu Kitty.

– Escute... – disse Eleanor, a mão parada no ar. No andar de cima, tocavam *God save the King* no gramofone. Mas não falava disso. Falava dos pombos, cujos arrulhos já eram audíveis.

– São pombos torcazes, não são? – disse Kitty. E pôs a cabeça de lado para ouvir melhor. Requetecum... requetecum... requetecum...

– Pombos torcazes? – perguntou Edward, pondo a mão em concha na orelha.

– Lá, no mais alto das árvores – disse Kitty.

As aves verde-azuis saltavam de galho em galho, bicando e arrulhando entre si.

Morris espanou as migalhas do colete.

– Que hora para velhos cheios de achaques como nós andarem ainda pela rua! – disse. – Não via o sol nascer desde... desde...

– Ah! Mas quando jovens – disse o velho Patrick, dando-lhe um tapa nas costas –, nada mais fácil para nós que passar uma noite em claro! Lembro-me de certa vez em que fui a Covent Garden comprar flores para uma certa dama...

Delia sorriu, como se algum romance, seu ou de outrem, lhe tivesse sido relembrado.

– E eu... – começou Eleanor para logo interromper a frase.

Via um litro de leite vazio e as folhas caindo. Fora no outono, então. Agora era verão. O céu tinha um tom muito leve de azul; contra esse fundo, tinha um toque de púrpura; e as chaminés eram puro vermelho de tijolo. Sobre todas as coisas pairava um ar de calma etérea e simplicidade.

– Todos os trens do metrô já deixaram de trafegar, e os ônibus também – disse Eleanor, voltando-se para os outros. – Como faremos para voltar para casa?

– Podemos ir a pé – disse Rose. – Andar não nos fará mal nenhum.

– Não numa bela manhã de verão – disse Martin.

Uma brisa soprava na praça. Na quietude geral, podiam ouvir os ramos farfalhando. Subiam, desciam de leve e deixavam cair uma onda de luz verde no ar.

Nesse momento, a porta se abriu com estrépito. Casais chegaram, uns depois dos outros, excitados, os cabelos em desordem, para apanhar agasalhos e chapéus, e para se despedirem também.

– Gostei muito que tenham vindo! – dizia Delia, dando-lhes as duas mãos. – Obrigada, muito obrigada por terem vindo! – dizia

– Vejam o buquê de Maggie! – exclamou ao receber um variado ramo de flores que Maggie lhe oferecia. – Como você soube arranjá--las bem! Veja, Eleanor! – disse, virando-se para a irmã.

Mas Eleanor lhes dava as costas. Observava um táxi que fazia lentamente a volta da praça. Parou diante de uma porta, duas casas abaixo.

– Não são lindíssimas? – disse Delia, apresentando-lhe as flores.

Eleanor teve um sobressalto.

– As rosas? Sim... – disse. Mas vigiava o táxi. Um rapaz saltou, pagou o chofer. Depois, uma moça em costume de viagem de *tweed* desembarcou em seguida. O rapaz pôs sua chave na fechadura.

– Pronto! – exclamou Eleanor quando ele abriu a porta e ficou por um momento na soleira. – Pronto! – repetiu, quando a porta se fechou com um leve ruído surdo.

Só então se voltou para a sala.

– E agora? – perguntou, dirigindo-se a Morris, que bebia as últimas gotas de um copo de vinho. – E agora? – perguntou, estendendo-lhe as mãos.

* * *

O sol raiara, e o céu por cima das casas vestiu-se de um ar de extraordinária beleza, simplicidade e paz.

Compartilhando propósitos e conectando pessoas

Visite nosso site e fique por dentro dos nossos lançamentos:
www.novoseculo.com.br

(f) facebook/novoseculoeditora
(@) @novoseculoeditora
(y) @NovoSeculo
(▶) novo século editora

gruponovoseculo
.com.br

Edição: 2
Fonte: IBM Plex Serif

MARIA APARECIDA DE OLIVEIRA

Os novos percursos e experimentações de Virginia Woolf

ns

SÃO PAULO, 2021

"Aniversário do pai. Ele teria hoje 96 anos, sim; e ele poderia ter chegado aos 96 anos, como outras pessoas sabem; mas felizmente não. Sua vida teria acabado com a minha. O que teria acontecido? Nenhuma escrita, nenhum livro; inacreditável. Eu costumava pensar nele e em minha mãe diariamente, mas escrever *Ao farol* os organizou em minha mente."*

---

* Tradução nossa. No original: "Father's birthday. He would have been 96, yes, today; & could have been 96, like other people one has known; but mercifully was not. His life would have entirely ended mine. What would have happened? No writing, no books; - inconceivable. I used to think of him and mother daily but writing To the Lighthouse laid them in my mind." (WOOLF, Virginia. *The Diary of Virginia Woolf*. Ed. Anne Olivier Bell. Londres: A Harvest Book, 1980, p. 208).

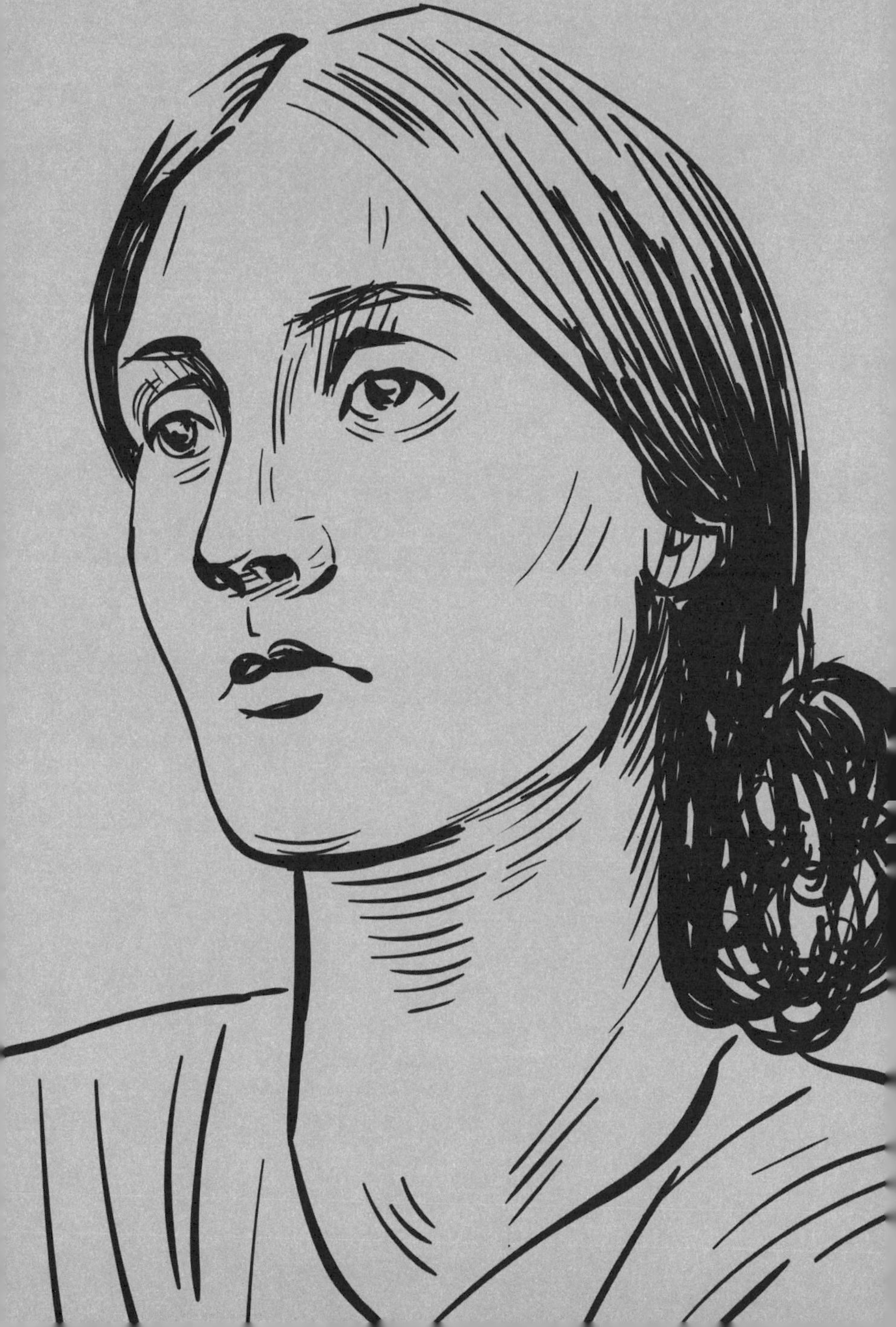

Os romances presentes nesta coletânea fazem parte de uma fase mais madura da escritora inglesa. Uma fase em que ela havia encontrado sua voz e seu estilo. A editora Hogarth Press lhe havia proporcionado não apenas *Um teto todo seu* (1929), mas também a possibilidade de publicar aquilo que ela queria e não apenas o que os editores gostariam de publicar. Além disso, a editora lhe permite desenvolver sua técnica, aprimorar sua escrita, inovar e revolucionar a forma do romance. *O quarto de Jacob* (1922) seria o primeiro romance experimental de Woolf; com *A Sra. Dalloway* (1925), ela se consolida como uma escritora moderna, dominando a técnica do fluxo de consciência. Assim que este último romance é publicado, Woolf começa a pensar na escrita de *Ao farol*.

AO FAROL

NO DIA 6 DE JANEIRO DE 1925, próximo à data de publicação de *A Sra. Dalloway* – 14 de maio de 1925 –, Woolf escreve em seu diário que já estava concebendo novas histórias; uma delas incluía o personagem de um velho homem, baseado em seu pai, Leslie Stephen – ali estavam as sementes do romance *Ao farol*. Woolf havia pensado na estrutura da obra a partir da letra H: entre a primeira perna da letra – a primeira parte, "A janela" – e a segunda perna – a última parte, "O farol" –, havia um corredor, que seria a segunda parte, "O tempo passa". Os tópicos elencados no caderno de anotações seriam sobre a beleza da mãe e seu grande impacto nas demais personagens, como ela sente o brilho das sensações e como elas são construídas a partir de coisas tão diferentes.[1]

Ao escrever sobre os pais mortos, Woolf transforma suas memórias e o luto em arte, assemelhando-se a um processo psicanalítico, como ela explica em *Moments of Being*.[2] Para essa obra, a autora propõe um novo nome que substituísse o conceito de romance,[3] mas ainda não tinha muito claro qual seria a melhor expressão – "elegia, talvez". Por isso, o livro tem um tom de luto, expresso com a poesia particular de Virginia, especialmente o segundo capítulo. Esse tom deve-se, sobretudo, à época em que está ambientada a narrativa: 1919, logo após o fim da Primeira Guerra Mundial e seu legado catastrófico.

Muitos leitores reclamam da falta de "ação" em Virginia Woolf; a propósito, não se pode esperar da escritora um romance realista, como aqueles dos escritores eduardianos que ela tanto critica em *Mr. Bennett e Mrs. Brown* (1924), com enredo, ação e clara resolução ao final. Um texto primordial da fortuna crítica do romance é "A meia marrom" (1971), em que o filólogo e crítico de literatura Eric Auerbach[4] analisa a primeira parte e observa como Woolf explora

---

1 LEE, Hermione. *Virginia Woolf*. Londres: Vintage, 1997, p. 475.

2 WOOLF, Virginia. *Moments of Being*. Ed. Jean Schulkind. Londres: The Horgarth Press, p. 81.

3 WOOLF, Virginia. *The Diary of Virginia Woolf...* op. cit., p. 34.

4 AUERBACH, Eric. A meia marrom. In: Mimesis: a representação da realidade na literatura ocidental. São Paulo: Perspectiva, 1971.

os múltiplos pontos de vista. As três partes desenrolam-se de forma linear, há certa circularidade e uma possível resolução ao final: o quadro é realizado, a viagem ao farol é concluída. Mas podemos ler a segunda parte de forma separada? Ela pode ser isolada da narrativa e compreendida em sua inteireza?

Pensando na primeira parte, "A janela", diferentemente dos argumentos de alguns leitores de que nada acontece, há várias ações, algumas ocorrendo simultaneamente: a Sra. Ramsay costura a meia que será enviada ao filho do guardião do farol, com James servindo de modelo; os dois recortam várias imagens de revistas, para entreter James, que insiste em ir ao farol no dia seguinte; Lily pinta seu quadro no jardim; as crianças jogam críquete; o Sr. Ramsay perambula de um lado a outro, exigindo atenção da Sra. Ramsay; Charles Tansley acompanha Sra. Ramsay ao centro da cidade; o jantar é servido e há um momento de comunhão e harmonia, sem deixar de abordar questões de gênero e convenções sociais; depois do jantar, ao cair da noite, os jovens vão à praia e a Sra. Ramsay coloca as crianças na cama; James insiste na viagem ao farol no dia seguinte, mas tudo vai depender de como o tempo estiver; Sr. e Sra. Ramsay leem na cama; e fica acertado que irá chover no dia seguinte.

Em contraposição à primeira parte, "O tempo passa" aborda o silêncio, o isolamento, o luto e a destruição da guerra. Sabemos, por meio do narrador, da ocorrência de três mortes seguidas, diante das quais o leitor pode se espantar, se revoltar ou comungar com Woolf o sentimento de perda, luto, solidão. Salientamos que esta parte representa o corredor ou o túnel que liga a primeira parte à última – o traço horizontal do H, partindo da concepção da autora. Poderia ser lida como uma obra à parte, tanto que foi traduzida para o francês por Charles Mauron e publicada na França. James Haule[5] investiga como Woolf editou o primeiro texto a ponto de tirar todas as marcas feministas, que colocavam

---

5 HAULE, J. M. To the Lighthouse and the Great War. The Evidences of Virginia Woolf's Revisions of "Time passes". In: HUSSEY, M. *Virginia Woolf and War*: Fiction, Reality and Myth. Nova York: Syracuse University Press, 1991.

a guerra como consequência da atuação masculina. No ensaio *Três Guinéus* ela revê tais posicionamentos, afirmando que há muitas mulheres bélicas que investem na manutenção da guerra. Outro aspecto importante foi a crítica de Roger Fry, dizendo que se tratava de uma parte extremamente poética – talvez em demasia. Woolf reescreve o texto, retirando o excesso de poesia. Pode-se entender que a poesia é um recurso de fundamental importância para o texto de Woolf, não apenas em *Ao farol*, mas também em outros romances. Ela lida com o ritmo, a melodia, a musicalidade presente nas repetições, nas aliterações, nas rimas e nos jogos metafóricos criados. Em "O tempo passa", o texto poético enfatiza o caráter dramático do romance, apresentando ao leitor uma casa vazia que sofre destruição com o passar do tempo. Há um jogo entre ausência/presença, que se repete na última parte, com Lily representando a Sra. Ramsay em sua pintura.

A última parte, "O farol", seria a resolução de todas as expectativas levantadas no primeiro capítulo e destruídas no segundo, com a viagem não realizada ao farol, a pintura não terminada e o conflito mal resolvido entre pai e filho. Estruturalmente há dois planos: o da viagem e o da pintura. Woolf procura colocá-los lado a lado, como se ocorressem simultaneamente, permitindo que o clímax da viagem ocorra ao mesmo tempo que a conclusão da pintura. Lily tem a sua visão, consegue conectar-se à Sra. Ramsay de forma mais profunda, compreendendo-a de modo mais pleno, assim como James compreende o pai e se reconcilia com ele. Além disso, nossa compreensão sobre o farol é ampliada: não se trata apenas de um objeto material, mas a união de passado e presente.

Publicado em 1927, o livro vende muito mais que os anteriores, conquistando aclamação da crítica e dos amigos do Bloomsbury. As vendas permitem que Virginia compre um carro e adquira, por leilão, a tradicional Monk's House, uma casa de campo do século 16, onde viveu com o marido e recebeu os colegas do Bloomsbury. O livro foi considerado um *best-seller* e, em 1983, foi adaptado pela BBC, tornando-se filme para a TV sob a batuta do diretor Colin Gregg e estrelando Kenneth Branagh.

ORLANDO

O ROMANCE *ORLANDO* é dedicado à/e inspirado na escritora e poeta Vita Sackville-West, cujo filho Nigel Nicolson escreveu, em *Retrato de um casamento* (1973): "Orlando é a carta mais longa e mais encantadora na literatura". O romance rompe com as convenções de gênero, tanto sexuais quanto literárias, seja na forma, seja na narrativa. Woolf satiriza o gênero da biografia, mais especificamente o livro *The Dictionary of National Biography*, cujos primeiros 26 volumes foram editados por Leslie Stephen. Além disso, Virginia também estava lendo *Some People*, de Harold Nicolson, marido de Vita, em que satiriza a biografia de pessoas famosas. Woolf escreveu um ensaio sobre o livro de Nicolson intitulado "The New Biography", em 1927, momento em que estava gestando *Orlando*.

Nesse ensaio, observa a mudança entre o biógrafo vitoriano e o moderno: os primeiros ainda estavam muito apegados aos valores de bondade, nobreza, castidade e austeridade; já com os segundos, os gêneros tornam-se mais fluidos, ficção e poesia invadem a biografia, assim como a relação entre autor e objeto torna-se mais horizontalizada. Nicolson, por exemplo, ri de suas personagens, ao mesmo tempo que nos força a levá-las a sério, como assegura Woolf.[6]

O romance original inclui oito ilustrações, com fotos de Vita, de seus antepassados, e de Angelica Bell como a princesa Sasha. No prefácio, Woolf agradece todos os autores que ela considera que de, algum modo, a ajudaram a escrever o romance, tais como Daniel Defoe, Lawrence Sterne, Walter Scott, Emily Brontë, De Quincey e Walter Pater.

O livro está dividido em seis capítulos e compreende a vida da protagonista durante um período de trezentos anos. O jovem Orlando nos é apresentado no século 16, e seguimos seus passos no reinado da rainha Elizabeth e de Charles II, momento em que Orlando se apaixona pela princesa russa Sasha, mas tem

---

[6] WOOLF, Virginia. The New Biography. In: *The Essays of Virginia Woolf*. V. IV. Ed. Andrew McNeillie. Londres: Horgarth Press, 1994. p. 473-480.

seu coração partido quando a imagina nos braços de um marinheiro. Para fugir de sua decepção amorosa, Orlando decide trabalhar como embaixador na Turquia, quando ele se torna mulher. Depois do transe de sua transformação, Orlando vai viver com os ciganos; devido à diferença de cultura, com seus casacos e calças, *ela* passa facilmente por *ele*. De volta à Inglaterra, Orlando percebe as dificuldades em ser mulher; para herdar sua propriedade, deve casar-se. Então, no século 18, em um passeio pela charneca, bem à moda de Jane Austen ou Charlotte Brontë, ela encontra Marmaduke Bonthrop Shelmerdine. Finalmente, no século 20, a encontramos como escritora, publicando seu famoso livro *O carvalho*, ao lado de seu filho e voltando a sua casa.

Vários aspectos nos interessam no romance. Em primeiro lugar, a sua própria gênese, que diz respeito à relação de Virginia Woolf com Vita Sackville-West. Woolf conheceu Vita em 1926, quando ela ainda escrevia *Ao farol* e já vislumbrava *As ondas*; *Orlando*, então, surge como um intervalo lúdico entre dois romances sérios e profundamente experimentais. Woolf estava lendo *Challenge*, o romance que Vita havia dedicado à sua amante Violet Trefusis. Vita convida Woolf para passar alguns dias em sua mansão; embora tentasse evitar apaixonar-se por Woolf, já se via completamente envolvida.

Nesse momento, Woolf já visualizava escrever uma história chamada "The Jessamy Brides",[7] como relata em seu diário no dia 14 de março de 1927, sobre uma relação entre duas mulheres, Lady Eleonor Butler e Sarah Ponsonby, que se encontraram em 1768 e fugiram juntas dez anos depois. A concepção de *Orlando* está ligada a essa relação. Mark Hussey[8] explica que essa história das duas mulheres foi contada por Elizabeth Mavor em *Ladies of Llangollen*. Além disso, o próprio dicionário de biografias editado por Leslie Stephen menciona a história das duas mulheres.

---

7 WOOLF, Virginia. *The Diary of Virginia Woolf*. V. III. 1925-1930. Ed. Anne Olivier Bell. Londres: Harcourt, 1980, p. 131.

8 HUSSEY, Mark. *Virginia Woolf A to Z*. Nova York: Facts on File, 1995, p. 141.

No dia 30 de junho de 1927, Vita e Virginia presenciaram juntas o eclipse, ao lado de Leonard Woolf, Quentin Bell, Harold Nicolson, Sydney-Turner e Eddy Sackville-West. Virginia Woolf expressa em seu diário um pequeno esboço do que representou esse momento histórico, quando todas as cores desapareceram e logo depois várias cores foram emergindo da escuridão. Esse evento dá origem a sua concepção dos interlúdios em *As ondas* e ao ensaio "O sol e o peixe" (1928). Jane Goldman[9] aborda a contribuição desse momento para a estética política da escritora, aliada à sua experiência com o movimento sufragista na Inglaterra.

Outro evento importante que marca a década de 1920 e tem um grande impacto na escrita de *Orlando* refere-se ao julgamento da escritora Radclyffe Hall devido à escrita de seu romance lésbico *O poço da solidão,* publicado em 1928. Woolf e Vita estavam prontas para testemunhar a favor do livro, no entanto, não foi permitido que testemunhas falassem no julgamento. Hermione Lee[10] também aborda a questão da censura em relação a este livro, mas não a *Orlando*. A diferença é que o livro de Virginia figura como uma fantasia; seu misto de biografia e ficção, em que a escritora rompe as barreiras de gênero literário para também questionar as barreiras dos gêneros sexuais, confunde a visão dos censores, pois o romance foi concebido como uma brincadeira, para não ser levado a sério.

Sobre as questões de gênero literário, Woolf as discute de maneira mais profunda no ensaio *Poesia, ficção e o futuro* (1927), já as questões de gêneros sexuais são desenvolvidas em sua palestra sobre mulher e ficção em Cambridge, que mais tarde se torna o ensaio fundamental para toda a crítica feminista *Um teto todo seu* (1929), em cujo último capítulo desenvolve sua concepção sobre androginia. Além de abordar a questão da tradição literária feminina e sua exclusão do cânone literário, Woolf ficcionaliza a

---

9 GOLDMAN, Jane. *The Feminist Aesthetics of Virginia Woolf*: Post-Impressionism and the Politics of the Visual. Cambridge: Cambridge University Press, 1998.

10 LEE, Hermione. Censors. In: *Virginia Woolf... op. cit.*, p. 512-529.

história de uma provável irmã de Shakespeare, Judith, uma poeta com os mesmos dons literários, mas sem as mesmas oportunidades. No quinto capítulo, Woolf também vislumbra a história de Mary Carmichael, uma escritora fictícia que escreve um livro também fictício, *Uma aventura de vida* (*A Life's Adventure*), sobre a história de Chloe e Olivia, que compartilham um laboratório juntas.

De fato, Vita Sackville-West teve um grande impacto na vida e na escrita de Virginia Woolf. Assim como Sally Seton aponta a Clarissa Dalloway um mundo para além dos muros seguros de Burton, Vita também abre um mundo de possibilidades para Woolf em termos de sexualidade, criatividade e imaginação, os quais têm um grande impacto em sua escrita. *Orlando* seria uma resposta de Woolf ao comportamento sexual de Vita, sendo ao mesmo tempo uma homenagem e uma vingança. Assim como em *Ao farol* Woolf lida com seus sentimentos em relação aos seus pais, em *Orlando* ela exorciza seus sentimentos e desejos em relação à Vita. O ciúme de Woolf por Vita está encenado no colapso de Orlando após ver Sasha com um marinheiro; além disso, está presente também na performance de *Otelo* (1604), peça encenada no romance.

Orlando, além de empreender uma revisão histórica da Inglaterra, também opera uma revisão literária. Orlando é um ávido leitor e um escritor em formação. No século 16, ele escreve vários dramas, e seu amigo, o crítico literário Nick Greene, faz duras críticas aos escritores da época, como Shakespeare, Marlowe, Ben Jonson e John Donne. O poema escrito por Orlando, "O carvalho" ("The Oak Tree"), reflete o livro de poemas de Vita, *The Land* (A terra), publicado em 1926. O livro de Orlando ganha diferentes aspectos de acordo com o período em que está sendo escrito, refletindo o contexto histórico, social e cultural da época. Woolf era bastante crítica dos poemas de Vita, que escrevia uma poesia clássica pastoral. Em *The Land*, a partir das quatro estações do ano, Vita louva o amor pela terra, pela natureza e por seu país.

O romance *Orlando* retrata, também, questões de propriedade. Por exemplo, Knole, a casa ancestral de Vita, não podia ser herdada por ela, por ser mulher; nesse caso, a casa deveria ir para o parente do sexo masculino mais próximo, como em *Orgulho e preconceito* (1813), de Jane Austen. De forma simbólica, Woolf pretende restituir a casa (terra) de Vita, dando-lhe, ainda que ficticiamente, o direito de propriedade sobre ela.

Se em *Um teto todo seu* Woolf estava refletindo sobre o papel da mulher ao longo dos séculos e pensando na tradição literária feminina, em *Orlando,* ela reflete sobre seus pais literários e a posição de Orlando enquanto mulher ao longo da história. A personagem começa o romance como um garoto, vira um embaixador, transforma-se em mulher, passa pela repressão da era vitoriana, vira esposa e, no fim, dá à luz seu filho e publica seu livro.

AS ONDAS

O ROMANCE *AS ONDAS* talvez seja o livro mais difícil e enigmático de Virginia Woolf, concebido como uma peça-poema. Nesse sentido, Woolf estava experimentando com a forma, o tom, as cores e rompendo novamente com as barreiras de gênero. A poesia do romance está explícita no seu ritmo, nas aliterações, nas repetições, nas rimas, nas metáforas e nas cores diversas que iluminam a narrativa. A performance das personagens transparece em monólogos individuais, com exceção do mítico Percival, que não tem fala durante toda a narrativa. Susan está muito ligada ao sentimento materno, à fertilidade e à terra. Jinny está ligada à sua corporalidade, sensualidade e sexualidade. Rhoda não se identifica com seu corpo e tem dificuldade em afirmar sua própria personalidade. Louis tem um forte sotaque australiano e um grande complexo de inferioridade. Neville ama Percival, mas não é correspondido, por isso se sente devastado com a partida do amigo. Bernard figura como o poeta do grupo, aquele que tem habilidade com a linguagem e pode sintetizar a experiência das seis consciências. Percival é o único que não tem fala no romance, mas sua importância é central para todas as outras personagens.

Não há um enredo; as personagens agem isoladamente, se encontram, se reúnem e se separam. O leitor acompanha suas vidas da infância à velhice, desde o nascer do sol até a escuridão. O sol atinge seu ponto máximo quando as personagens atingem a maturidade e vai se pondo conforme elas vão envelhecendo. O romance está dividido em nove capítulos, separados por nove interlúdios, que estão inter-relacionados e espelham um ao outro; eles descrevem a natureza, o nascer do sol no mar, quando os dois são ainda indistinguíveis e, ao romper o dia, se separam, dando luz à narrativa.

Woolf começa a conceber *As ondas* entre a finalização de *Ao farol* (1927) e a escrita de *Orlando* (1928), conforme escreve em seu diário: "Por que não inventar um novo tipo de peça... prosa e ainda poesia; um romance e uma peça".[11] A princípio o título seria *As mariposas*, em virtude de seu vislumbre de uma imagem de mariposas sobrevoando sua cabeça, conforme se depreende de um trecho de uma carta que ela envia a sua irmã Vanessa Bell no dia 3 de maio de 1927.[12]

Como em *O quarto de Jacob, A Sra. Dalloway* e *Ao farol, As ondas* seria uma elegia a um jovem soldado morto na guerra. Do mesmo modo, é possível relacionar a personagem Rhoda com Rachel e Bernard com Terence, de *A viagem*. Assim como se pode pensar em Thoby, irmão de Virginia Woolf, como o jovem soldado morto, tanto em *O quarto de Jacob*, quanto em *As ondas*. O romance dialoga com trabalhos anteriores, mas também com ensaios críticos de Virginia Woolf, como o já mencionado *Ficção, poesia e o futuro*, em que ela afirma: "a prosa do futuro terá muitos aspectos da poesia".

Nesse sentido, seu romance canibaliza outras formas de arte, como a pintura, a poesia e a música. Tanto nesse ensaio como em seus romances experimentais, Woolf antecipa muito das teorias do pós-estruturalismo, encarnadas em Jacques Derrida e Roland Barthes, rompendo as fronteiras dos gêneros literários. Sua prosa é poética, política e filosófica; seus ensaios também o são.

Em termos de música, Beethoven, Schoenberg e Stravinsky permeiam o romance. Além disso, a ópera *Parsifal*, de Wagner, está implícita no enredo na figura do personagem Percival.

Em termos de pintura, muitos críticos pensam sobre *As ondas*, como um romance pós-impressionista, que se aproxima da pintura de Cézanne. Diane Gillespie[13] compara o efeito da luz

---

[11] Tradução nossa. No original: "Why not inventing a new kind of play... prose and yet poetry, a novel and a play" (WOOLF, Virginia. *The Diary of Virginia Woolf... op. cit.*, p. 131).

[12] MARLER, Regina. Selected Letters of Vanessa Bell. Nova York: Pantheon Books, 1993, p. 314.

[13] GILLESPIE, Diane. *The Sisters' Arts*: The Writing and Painting of Virginia Woolf and Vanessa Bell. Syracuse: Syracuse University Press, 1988.

nos interlúdios com o trabalho de Monet em *A cadetral*. Outros críticos entenderam o romance como uma pintura cubista, que apresenta várias perspectivas e torna difícil se concentrar em apenas um único objeto.

Em relação à poesia, deve-se lembrar que Woolf escreve em seu diário que estava mais preocupada com o ritmo do que com o enredo. Desse modo, percebe-se que o romance utiliza muitos aspectos da poesia: o ritmo das ondas é sentido do começo ao fim, e as aliterações são percebidas desde o primeiro capítulo, quando as personagens apreendem seu entorno. O vocabulário leva o leitor a uma experiência sensorial, pelas repetições de "eu vejo, eu ouço, eu sinto". Também há ecos de outros poetas, como William Wordsworth, Percy B. Shelley e Lord Byron. Os poemas elegíacos de Shelley surgem com frequência nos romances de Woolf; ela presta homenagem à poesia de Shelley, voltando à tradição para homenageá-la, mas também para subvertê-la. Rhoda cita o poema "The Question", perguntando a quem ela devia entregar as flores de sua virgindade. No discurso de Jinny, em dado momento Woolf faz referência à canção de um rouxinol, por meio de símbolos fálicos que simulam uma penetração. Essa passagem alude à Parte III do poema *A Terra Devastada* (1922), de T. S. Eliot. A referência também se repete em *Entre os atos* e demonstra a violência sexual enfrentada pelas mulheres em tempos de guerra.

É importante enfatizar que, embora o romance pareça descrever as experiências mais profundas e solitárias, no momento da escrita Woolf estava em um momento político intenso e seu relacionamento com Vita estava no auge.

OS ANOS

A ESCRITA DO ROMANCE *OS ANOS* é iniciada logo após a publicação do romance *As ondas*, em 1931. Mas a publicação só viria a ocorrer seis anos depois. Woolf previa a escrita de um romance-ensaio, que envolvesse ficção, mais factual e menos visionário que *As ondas*. A obra seria uma sequela de *Um teto todo seu* e abordaria a vida sexual das mulheres desde a era vitoriana. Seu principal questionamento no romance era compreender o percurso histórico pelo qual passaram as mulheres para chegar até o momento atual.

Em 1931, Woolf proferiu uma palestra para a National Society for Women's Service, traduzida no Brasil por Denise Bottmann como *Profissões para mulheres e outros artigos feministas* (2012). Woolf foi convidada por Philippa Strachey, secretária da associação de 1914 a 1951, para falar sobre sua experiência como profissional, e daí veio a inspiração para *Os anos*. É importante enfatizar o papel crucial de Philippa, irmã de Lytton Strachey, na primeira marcha das sufragistas em Londres, em 1907, a qual foi conduzida por Millicent Garrett Fawcett. Muitas das questões tratadas em *Três Guinéus* (1938) foram trabalhadas por Philippa Strachey durante toda a sua vida.

Em *Profissões para mulheres*, Woolf discute os principais obstáculos que uma mulher deve enfrentar na vida profissional. Como escritora, ela deveria matar o anjo do lar[14] e falar sem repressões sobre sua experiência sexual. Woolf lembra que cada lar vitoriano tinha seu próprio anjo do lar e aniquilar esse fantasma era uma árdua tarefa. A vida profissional de Virginia Woolf começa em 1904, quando ela começa a receber por seus ensaios e, distintamente da realidade de muitas mulheres, que contavam com seus salários para o sustento familiar, Woolf utilizava o dinheiro para comprar gatos persas. Ela deixa claro no ensaio que sua posição era privilegiada, diferente da classe trabalhadora assalariada.

---

14 Refere-se a uma expressão utilizada pelo poeta Conventry Patmore (1823-1896), cujos poemas falam sobre a idealização feminina.

Os anos seguintes foram marcados por várias perdas para Woolf. Talvez as mais marcantes tenham sido as mortes de seus amigos Lytton Strachey, em 1932, Dora Carrington, seis semanas depois, e Roger Fry, em 1934 – mesmo ano em que perde o meio-irmão George Duckworth. Acrescente-se a isso as perdas dos escritores Arnold Bennett, em 1931, e John Galsworthy, em 1933, ambos comentados por Woolf em seu famoso ensaio *Mr. Bennett e Mrs. Brown* (1924), e criticados por seu excesso de realismo em relação aos escritores modernos.

Woolf dividia-se entre a escrita de *Os anos* e *Flush: uma biografia*. Além disso, publicou o segundo volume de *O leitor comum*, estava escrevendo a biografia de Roger Fry e uma segunda versão da peça *Freshwater* (1935). *Flush* foi publicado em 1933 e foi um tremendo sucesso. Woolf escreveu em seu diário em 2 de outubro de 1933 que sabia como a crítica reagiria, dizendo que seria um livro "encantador, delicado, feminino", quando na verdade a obra seria uma piada, uma brincadeira, uma pausa entre a escrita de dois romances sérios e bem difíceis de serem escritos como *As ondas* e *Os anos*. É claro que a crítica não percebeu os aspectos subversivos de *Flush*, que subverte o gênero da biografia, misturando fatos e ficção, por meio do ponto de vista de um cachorro. A biografia é tão marginalizada pela crítica quanto seu objeto, Elizabeth Barrett Browning, uma poeta vitoriana que, devido à saúde debilitada, passa a maior parte da sua vida confinada no quarto. Na realidade, *Flush* foi dado à poeta para que ela se recuperasse da depressão depois da morte de seu irmão, a quem dedica três tributos poéticos. Do mesmo modo Vita Sackville-West presenteou Woolf com o cocker spaniel Pinka, em 1926.[15]

Em 1935, Virginia publica uma segunda versão da peça *Freshwater*, doze anos após a estreia da original. Assim como *Flush*, a peça é uma sátira, uma comédia, representando a vida de sua tia-avó Sra. Julia M. Cameron; os outros personagens eram o poeta Alfred Tennyson, a atriz Ellen Terry, o pintor G. F. Watts, a

---

15 HUSSEY, Mark. Flush. In: *Virginia Woolf A to Z... op. cit.*, p. 88-90.

empregada Mary Magdalen e a Rainha Vitória. A peça foi encenada no estúdio de Vanessa Bell, em 18 de janeiro de 1935.

No mesmo ano, Woolf escrevia a biografia de Roger Fry, falecido em 9 de setembro de 1934. Woolf relata em seu diário, no dia 12 de setembro daquele ano, que "a vida havia empobrecido e um véu negro cobria tudo". Em 31 de outubro de 1934, ela registra que tanto Helen quanto Margery Fry pedem-lhe que escreva a biografia do irmão. Woolf resiste, mas em 1º de novembro registra que a obra poderia ser escrita a partir da perspectiva de diferentes pessoas que conheceram Roger em diferentes fases da vida: Margery, Wedd, Clive Bell, Walter Sickert, Desmond e Julian. A escrita de *Os anos*, portanto, é entrecortada por diversos fatos, perdas, depressão, dores de cabeça, longos períodos na cama.

Ainda naquele ano, a relação entre Vita e Woolf esfria um pouco. Em 26 de novembro, Woolf registra em seu diário o encontro em Buenos Aires com Victoria Ocampo, intelectual argentina, editora da revista *Sur*. O encontro ocorreu na exposição do fotógrafo Man Ray e foi intermediado pelo escritor Aldous Huxley. A partir de então começa uma comunicação entre as duas. Ocampo pede ao escritor Jorge Luis Borges que traduza *Um teto todo seu* e *Orlando*. A amizade entre as duas fica abalada quando Ocampo convida a fotógrafa Gisele Freund para fotografar Woolf em 1939. Apesar de aceitar, Woolf se irrita profundamente com a inconveniência de Ocampo e elas rompem relações.

É interessante notar que no primeiro capítulo de *Os anos*, as filhas acompanham a batalha da morte da matriarca da família, tal como Vanessa Bell e Virginia Woolf haviam acompanhado a morte do patriarca Leslie Stephen. Jean Guiguet[16] observa que Woolf havia criado diferentes títulos para o livro: "*The Pargiters, Here&Now, Music, Dawn, Sons and Daughters, Daughters and Sons, Ordinary People, The Caravan, Other People's Houses*" e, finalmente, *Os*

---

16 GUIGUET, Jean. *Virginia Woolf and Her Works*. Nova York: Harcourt Janovich, 1965, p. 305.

anos. O que esses títulos podem indicar ao leitor é que a obra trata das relações familiares de pessoas ordinárias, que é sobre o passado e o presente, mas que também aponta para o futuro. Woolf representa os anos de 1891, 1907, 1908, 1910, 1911, 1913, 1914, 1917, 1918 e o momento presente, 1936. Assim, acompanhamos a morte da era vitoriana e as profundas transformações dos anos seguintes. O início da Primeira Guerra Mundial, em 1914, e seu fim, em 1918. E, como em *Ao farol*, há um grande intervalo que conduz praticamente ao início da Segunda Guerra – o momento presente de então.

Woolf estava muito consciente da influência de Hitler e outros grandes ditadores na Europa, como Mussolini na Itália e Franco na Espanha. Tanto Woolf quanto Leonard denunciariam o papel do grande ditador e do fascismo na Europa. Enquanto Woolf faz essa crítica em *Três guinéus*, Leonard Woolf escreve *Quack, Quack* em 1935. Alguns críticos apontam que deveríamos ler os ensaios em sequência, para melhor compreender suas críticas à ascensão do totalitarismo na Europa.

Para um entendimento mais profundo do discurso político e estético de Woolf, o interessante seria ler *Os anos* juntamente com o ensaio *Três guinéus*, um trabalho fundamental. Muitos não entendiam a conexão entre os direitos das mulheres e a militarização excessiva da sociedade patriarcal e capitalista. É claro que o ensaio foi muito mal compreendido e muito mal recebido pela crítica. Contudo, hoje, com uma nova onda do fascismo surgindo, o discurso político de Virginia Woolf torna-se mais necessário do que nunca.

Em *Os anos*, Woolf levanta questões que também estão presentes no ensaio. Em ambos, as mulheres estão lutando por seus direitos à educação e à inserção no mundo das profissões, tentando equilibrar as demandas do mundo privado com as questões políticas do mundo público. No romance, acompanhamos como as gerações vão se transformando, como deixam o ambiente doméstico para ocupar e discutir questões políticas. Aos poucos, observamos como ganham direito a exercer certas profissões que antes não lhe eram permitidas. Em *Três guinéus*, Woolf aponta que, na era vitoriana, a única profissão disponível às mulheres era o casamento.

O romance *Os anos* foi bastante comparado com seu romance anterior, *As ondas*, tanto de forma positiva quanto negativa. Enquanto *As ondas* era um romance de visão, *Os anos* era baseado em fatos. Em ambos, Woolf estava experimentando com a forma; o primeiro era uma peça-poema; o segundo, um romance-ensaio.

Enquanto *As ondas* era um romance extremamente difícil para o leitor comum, o último mostrou-se mais próximo do leitor contemporâneo de Woolf, tornando-se um *best-seller*, tanto na Inglaterra quanto nos Estados Unidos, pois de certo modo abordava diretamente os acontecimentos polêmicos de uma década em crise. Com ele, Woolf ficou mais rica, mas em seu íntimo ela sentia que o romance era um fracasso, devido aos longos períodos de depressão e instabilidade psicológica, além das perdas sofridas e do sombrio contexto político, que apontava para uma crise mundial sem precedentes.

ENTRE OS ATOS

HOJE, EM MEIO AOS TEMPOS PANDÊMICOS, é possível compreender como as crises de depressão e a instabilidade psicológica de Woolf foram agravadas pelas tantas perdas de pessoas próximas e intensificadas pela iminência da Segunda Guerra Mundial. *Entre os atos* é um romance bastante complexo e enigmático. Embora Woolf já o houvesse terminado e enviado à editora, sentia que ainda estava incompleto. Leonard Woolf publicou uma nota no início do romance justificando a publicação póstuma, dizendo que "grande parte do livro estava completo, mas não havia sido finalmente revisado pela editora, no momento da morte de Virginia Woolf, ela não haveria feito grandes alterações nele, apesar de provavelmente fazer muitas pequenas correções ou revisões antes das provas finais".[17]

Em carta a John Lehmann, ela afirma que o livro não deveria ser publicado, porque o considerava "muito tolo e trivial". Para os leitores atuais, penso que o romance não é de modo algum tolo, tampouco trivial; pelo contrário, toca em aspectos políticos cruciais que anteviam a Segunda Guerra Mundial. Woolf podia ouvir os sons dos aviões alemães, como ela bem expressa em seu ensaio *Thoughts on Peace in an Air Raid* (Reflexões sobre a paz em um ataque aéreo) (1940), e uma de suas casas em Londres havia sido bombardeada recentemente, levando-os a viver em Sussex. Seu sobrinho Julian Bell foi morto em 1937 na Guerra Civil Espanhola, enquanto atuava como motorista de uma ambulância. *Três guinéus*, o ensaio de Woolf sobre como as mulheres poderiam evitar a guerra, foi escrito pensando em todos os argumentos que ela poderia levantar para evitar que Julian participasse da guerra.

Assim como *As ondas*, *Entre os atos* foi pensado a partir de um ritmo e não de um enredo. Como os romances anteriores, Woolf faz uso da poesia, do teatro, da musicalidade, do discurso jornalístico,

---

17 Tradução nossa. No original: "The most of this book had been completed, but had not been finally revised for the printer, at the time of Virginia Woolf's death, she would not, I believe, have made any large or material alterations in it, though she would probably have made a good many small corrections or revisions before passing the final proofs" (WOOLF, Virginia. *Between the Acts*. Oxford: Oxford University Press, 2008, p. 8).

enfim, há uma multiplicidade de discursos e perspectivas. *Pointz Hall*, o primeiro título do romance, refere-se à casa onde habita a família, composta por Bart Oliver, o patriarca; sua irmã, Lucy Swithin; o filho, Giles Oliver; Isa, esposa de Giles; e os dois filhos do casal. Outras personagens incluem William Dodge, Sra. Manresa e Srta. La Trobe, a responsável pela direção da peça que será encenada ao longo do romance.

A peça conta a história da Inglaterra e inclui o período medieval, a era elisabetana, a restauração, a era vitoriana e o momento presente. Srta. La Trobe traz diante dos atores espelhos de diversos tamanhos e formas refletindo a plateia, sugerindo que esta representa o tempo atual em diversos fragmentos, apontando para o esfacelamento do presente diante da proximidade da guerra. O patriarca Bart é um aposentado do serviço colonial. Giles Oliver apresenta um comportamento violento durante toda a narrativa, é intolerante em relação a William Dodge, que é homossexual, e protagoniza uma cena emblemática em que esmaga uma cobra que tentava engolir um sapo. Essa cena poderia ser lida como uma metáfora da guerra entre Alemanha e Inglaterra; não havia saída aparente, se não a total aniquilação.

Outra cena simbólica que reflete a violência dos tempos de guerra se dá quando Isa lê no jornal sobre o estupro de uma jovem por soldados. Patricia Laurence indica que, segundo Stuart Clarke, o fato realmente aconteceu no dia 27 de abril de 1938 e foi registrado no *London Times* no dia 30 de junho de 1938. Para Laurence, "o estupro doméstico reflete a política abusiva e invasora de Hitler".[18] A estudiosa compreende o romance como uma evasão da guerra, mas pode-se entendê-lo como uma tentativa de compreensão da violência bélica que leva os homens à guerra por meio da história. Woolf escreveu em seu último diário, no dia 15 de maio de 1940: "o exército é o corpo: eu sou o cérebro.

---

18 Tradução nossa. No original: "The domestic rape reported in the newspaper serves as counterpoint to the political rape of lands by Hitler" (LAURENCE, Patricia. The Facts and Fugue of War. In: HUSSEY, Mark. *Virginia Woolf and War*: Fiction, Reality and Myth. Nova York: Syracuse, 1991, p. 241).

Pensar é a minha luta".[19] Nesse mesmo dia, ela e Leonard estavam cogitando suicídio, caso Hitler ocupasse a Inglaterra.

É importante enfatizar que nessa época houve um ressurgimento dos *pagents*,[20] peças antigas que eram encenadas pelos camponeses com a chegada da primavera. Julia Briggs[21] aponta que, "durante a década de 1930, muitas pequenas cidades e vilarejos encenavam o passado em peças seculares, nas quais poderiam refletir sobre uma série de atitudes políticas". Briggs compreende que o melhor modelo para a construção da personagem de Srta. La Trobe seria a filha de Ellen Terry, Edith Craig, que havia encenado diversas peças sobre as sufragistas. Para a autora, La Trobe significaria invenção, descoberta, já que a personagem, como *outsider*, propõe uma inovação na estrutura da peça, assim como Woolf estava inovando a estrutura do romance, a partir de uma mistura de gêneros: o teatro, a música, a pintura, fragmentos jornalísticos, entre outros.

Há diversas vozes no romance. Melba Cuddy Keane, na introdução da edição inglesa de 2008, percebe essa variedade de vozes dissonantes que produzem uma interação com o objetivo de criar um sentido de comunidade: "dos atores e da plateia, masculina e feminina, refinada e simples, pública e privada, humana e animal (pássaros, ovelhas, vacas e ratos), naturais, mas também mecânicas (telefone, gramofone, alto-falante".[22]

Já Patricia Laurence compreende o romance como uma música dissonante da guerra, com os aviões de guerra sobrevoando

---

19 Tradução nossa. No original: "The army is the body: I am the brain. Thinking is my fighting" (WOOLF, Virginia. *The Diary of Virginia Woolf*. Ed. Anne Olivier Bell. Vol. V. 1936-1941. Londres: Harvest Book, 1984, p. 285).

20 *Pagent* são peças ou espetáculos grandiosos ao ar livre compostos por cenas históricas ou literárias.

21 BRIGGS, Julia. Between the Acts. In: *Virginia Woolf*: An Inner Life. Londres: Harvest Book, 2005. p. 384

22 Tradução nossa. No original: "... pageant and audience, male and female, refined and simple, public and inner, human and animal (birds, sheep, cows, mice) natural, but also mechanical (telephone, gramophone, loudspeaker)" (WOOLF, Virginia. *Between the Acts*. Introd. Melba Cuddy-Keane. Oxford: Oxford University Press, 2008, p. XLVI).

a plateia; além disso, a voz da mídia também é fundamental nesse momento, trazendo recortes das notícias mais importantes, que tinham impacto imediato na vida de todos. Tal como *Os anos*, *Entre os atos* procura um equilíbrio entre os fatos históricos e diários e a visão poética de Virginia Woolf.

O caráter de incompletude do romance é, também, repleto de fragmentos e referências literárias. As alusões a outros autores são abundantes no texto e nem sempre de fácil compreensão para o leitor, o que torna o romance ainda mais complexo. Boa parte da história da literatura parece comprimida em um romance de cento e tantas páginas, desde Sappho, passando pelas *Metamorfoses* de Ovídio, pelos *Contos da Canturária* de Geoffrey Chaucer e as peças de Shakespeare, resumidas em um ato de trinta minutos. Os poetas românticos são sempre uma presença marcante no texto woolfiano, evidenciando a visão poética da autora. Aliado a isso, para rever todo esse percurso histórico, Woolf tem como referência o livro de história de G. M. Trevelyan, *History of England* (1926).

De 1915 a 1941, Woolf produziu intensamente, não apenas romances, mas também contos, diários, cartas, ensaios, peças. A inovação foi uma característica marcante da sua escrita, seja por meio do fluxo de consciência, seja pela ruptura com os gêneros literários e com as convenções patriarcais, ao conceber um romance-elegia em *Ao farol*; um romance-biografia em *Orlando*; um romance-peça-poema em *As ondas*; um romance-ensaio em *Os anos* e, por fim, um romance-peça que traz fragmentos de todas as outras artes – teatro, pintura, música –, em *Entre os atos*.

Em 28 de março de 1941, movida pelos trágicos acontecimentos da Segunda Guerra Mundial, da destruição de sua casa em Londres, bem como da depressão que a acompanhou por vários períodos da vida, Woolf vestiu seu casaco, encheu os bolsos com pedras, caminhou em direção ao rio Ouse, perto de sua casa, e se afogou. Seu corpo foi encontrado somente três semanas mais tarde, em 18 de abril de 1941, por um grupo de crianças perto da ponte de Southease.

Em seu último bilhete para o marido, Leonard Woolf, Virginia escreveu:

Querido,
Tenho certeza de que enlouquecerei novamente. Sinto que não podemos passar por outro daqueles tempos terríveis. E, desta vez, não vou me recuperar. Começo a escutar vozes e não consigo me concentrar. Por isso estou fazendo o que me parece ser a melhor coisa a fazer. Você tem me dado a maior felicidade possível. Você tem sido, em todos os aspectos, tudo o que alguém poderia ser. Não acho que duas pessoas poderiam ter sido mais felizes, até a chegada dessa terrível doença. Não consigo mais lutar. Sei que estou estragando a sua vida, que sem mim você poderia trabalhar. E você vai, eu sei. Veja que nem sequer consigo escrever isso apropriadamente. Não consigo ler. O que quero dizer é que devo toda a felicidade da minha vida a você. Você tem sido inteiramente paciente comigo e incrivelmente bom. Quero dizer que – todo mundo sabe disso. Se alguém pudesse me salvar teria sido você. Tudo se foi para mim, menos a certeza da sua bondade. Não posso continuar a estragar a sua vida. Não creio que duas pessoas poderiam ter sido mais felizes do que nós.
V.[23]

Seu corpo foi cremado e as suas cinzas foram enterradas junto a um olmo no jardim de Monk's House, a casa onde viveu com o seu marido desde 1919. Quando Leonard Woolf morreu de um enfarte 28 anos depois, também foi cremado e as suas cinzas enterradas junto às da sua esposa.

Virginia se foi, mas seu expressivo legado é eterno. Que novas gerações de leitores possam redescobri-la, encantar-se com sua poesia e se inspirar por seu permanente desafio às convenções, aos limites e encarceramentos. Que o espírito de Virginia viva e nunca se cale, diante de tempos em que ser livre se torna um gesto ainda mais precioso.

---

23 JONES, Josh. "Virginia Woolf's Handwritten Suicide Note: A Painful and Poignant Farewell (1941)". *Open Culture*, 26 ago. 2013.

MARIA APARECIDA DE OLIVEIRA é professora adjunta de Língua e Literatura Inglesa na Universidade Federal da Paraíba. Entre 2016 e 2017 realizou seu pós-doutorado na Universidade de Toronto. Sua tese *A representação feminina na obra de Virginia Woolf* foi publicada pela Paco Editorial em 2017, sendo traduzida em inglês pela Lambert Academic Publishing, no mesmo ano, e em espanhol pela Cuarto Propio, em 2020. Suas publicações mais recentes são *Conversas com Virginia Woolf*, organizada por ela, Davi Pinho e Nicea Nogueira, e *Vozes femininas*, organizada por ela, Maysa Cristina Dourado e Patrícia Marouvo.

Coordenação editorial e edição de arte: João Paulo Putini
Revisão: Equipe NS
Imagens: Shutterstock (desenho V. Woolf) | ilustrações de Bruno Novelli

Compartilhando propósitos e conectando pessoas
Visite nosso site e fique por dentro dos nossos lançamentos:
www.novoseculo.com.br

facebook/novoseculoeditora
@novoseculoeditora
@NovoSeculo
novo século editora

gruponovoseculo.com.br

Fonte: IBM Plex Serif